Schaubach, Ado

Das mittlere und südliche Tirol

Schaubach, Adolph

Das mittlere und südliche Tirol

Inktank publishing, 2018

www.inktank-publishing.com

ISBN/EAN: 9783747779798

terranvi

Das

mittlere und südliche Tirol

für

Einheimische und Fremde geschildert

von

Adolph Schaubach,

weil. Professor in Meiningen.

Zweite Auflage

Jena,

Druck und Verlag von Fr. Frommann.

1867.

Vorwort.

Diesem Bande habe ich vor allem den wärmsten Dank vorauszuschicken für die werthvollen Beiträge, womit mich die Herren Dr. E. v. Moisisovics in Wien, A. Wachtler in Bozen, R. Gutberlet in München u. a. freundlich unterstützt haben.

Die Mittheilungen und der erste Band der Jahrbücher des Alpenvereins (der zweite ist erst nach Vollendung des Drucks in meine Hände gelangt) haben ebenfalls reiche Ausbeute gegeben. In den Höhenbestimmungen für Tirol bin ich der Pechmannschen Zusammenstellung gefolgt und dabei durch Herrn F. Schimmer in Wien treulich unterstützt und controlirt worden; zur Aushilfe haben die Trinkerschen Höhenangaben im Jahrb. d. A.V. gedient.

Die Anordnung des Stoffes hat im Einverständnisse mit Herrn Dr. Emmrich, dem besonders die für diesen Theil so wichtige Geologie eine ganz neue Bearbeitung verdankt, einige Abweichungen von der ersten Auflage erfahren, wie ein Blick in das Inhaltsverzeichniss beweist. Man wird hoffentlich finden, dass dadurch die Uebersicht erleichtert ist.

Redaction und Druck dieses Bandes sind in eine für jeden deutschen Vaterlandsfreund tiefschmerzliche Zeit gefallen: die Auflösung des Bundes, der durch sein blosses Dasein die Gren-

* 2

zen schützte, den Frieden sicherte und fremder Einmischung wehrte: dafür so viele Tapfere auf beiden Seiten geopfert und endlich Deutschland in drei Theile gespalten, die herrlichen Alpenländer politisch vom Norden getrennt! Hätte der selige Schaubach das noch erlebt, der Schmerz darüber wäre ein Nagel zu seinem Sarge geworden, wie ihn schon die dahin zielenden Bestrebungen 1848 und 1849 schwer bekümmerten. — Indessen: schon einmal war Oesterreich hinausgedrängt durch Napoleon I. — damals hatte sich Preussen damit begnügt, es wiederholt im Kampfe wider den Erbfeind im Stiche zu lassen — und doch gaben im Befreiungskriege die österreichischen Heermassen durch ihr Eingreifen den Ausschlag, retteten Preussen vom Untergange, halfen Deutschland befreien und Oesterreich nahm seinen Ehrenplatz im gemeinsamen Vaterlande wieder ein. Sollte sich Aehnliches auch nicht wiederholen: die Oesterreicher, Steiermärker, Tiroler u. s. w. bleiben immer D e u t s c h e, ihr Land d e u t s c h e r B o d e n und ihre Gebirge d e u t s c h e A l p e n.

Jena, im September 1866.

Der Verleger.

Inhalt.

Berichtigungen und Ergänzungen

1) von Höhenangaben

nach Maassgabe des Verzeichnisses trigonometrisch bestimmter Höhen vom k. k. Oberst *E. Pechmann*, das erst während des Drucks dieses Bandes zur Benutzung kam.

S. 41 Z. 14 v. o. *Schlanders* 2181'.
- 42 - 9 - o. *Reschen* 4717'. *Reschensee* 4668'.
- 43 - 2 - u. *Hoher Glockthurm* 10,002'.
- 45 - 15 - u. *Burgeis* 3834'.
- 47 - 5 - u. *Mals* 3306'.
- 49 - 17 - u. *Laatsch*, Kirche *St. Leonhard* 3058'.
- 50 - 9 - u. *Taufers* 3971'.
- 52 - 7 - o. *Glurns* 2904.
- 52 - 2 - u. *Lichtenberg*, Burg 3267'.
- 54 - 3 - o. *Schluderns* 2905'.
- 55 - 13 - u. *Matscher Kirche* 4918'.
- 56 - 11 - o. *Remsspitze* 10,126'.
- 69 - 18 - u. *Stilfser Jochhöhe* 8722'.
- 94 - 16 - u. *Spondinig* 2782'.
- 94 - 16 - u. *Eyrs*, Kirche 2845'.
- 96 - 10 - o. *Laas* 2751'.
- 96 - 18 - o. *Schluderspitz* 10,210', *Laaserspitz* 9518'.
- 225 - 4 - u. *Brixen* 1766'.
- 228 - 17 - o. *Elvas* 2563'.
- 228 - 14 - u. *Schabs* 1618'.
- 229 - 9 - u. *Rodeneck* 2796'.
- 233 - 10 - o. *Stilfeser Joch* 7653'.
- 233 - 11 - o. *Penser Joch* 6999'.
- 234 - 17 - u. *Sterzing* 2999'.
- 274 - 17, 18 v. u. *Ringljöchl* 8578', *Rirseneck* 9272'.
- 274 - 11 v. u. *Mühlwalderjoch* 7725'.
- 277 - 13 - u. *Steinhaus* 3333'.
- 284 - 10 - u. *Onach* 3630'.
- 284 - 9 - u. *Ellen* 4302'.
- 246 - 15 - o. *St. Vigil* 3783'.
- 287 - 1, 2 v. o. *Col de Latsch* 7867', *Monte Sella* 7884'.

2) Sonstige.

S. 77 Z. 14 v. u. lies ⎱ *Livinothal* statt *Livignothal*.
- 80 - 9 - o. ⎰
- 85 - 2 - o. - *Bregagliathal* st. *Bragagliathal*.
- 117 - 6 - o. - *Völlan* st. *Völlau*.
- 133 - 3 - u. - Unweit *Lebenberg* liegen die Ruinen der Burg *Stein*, jetzt dem Grafen Brandis gehörig.
- 176 - 3 - u. - *Kofler* st. *Kafler*.
- 212 - 2 - o. - *Grumser Bühel* st. *Grunser Bühel*.
- 216 - 10 - o. - *Corvara* st. *Corrara*.
- 263 - 8 - o. - *Schalderer Wand* st. *Schalderer Wald*.
- 337 - 18 - u. - *Savignano* st. *Sevignano*.
- 396 - 11 - u. - *Terzolas* st. *Terzola*.
- 459 - 11 - o. - *Cenceniche* st. *Cencinighe*.

Orographische und geognostische Uebersicht von Südtirol.

Merkwürdig kontrastirt das orographisch-geognostische Bild des Gebietes unseres IV. Theils mit dem des vorigen. Anordnung und innere Zusammensetzung sind verschieden und damit die ganze Plastik des Bodens. Nirgends finden wir hier die regelmässige zonenartige Gliederung der Nord- und Ostalpen wieder. Die firnbedeckten Grenzböhen im Norden und Westen unseres Gebietes verlaufen nicht als eine, in blauer Ferne sich verlierende, Gebirgsreihe, wie vom Norden her gesehen; sondern wenn wir vom Schlern, der durch seine Stellung inmitten unseres Gebietes sich vor allen eignet, eine Uebersicht über das Eigenthümliche Südtirols zu geben, das herrliche Panorama überschauen, sehen wir im vollen Halbkreise firnbedeckte Centralmassen den Horizont von Südwest über Nord nach Nordost umringen; es sind Gebiete krystallinischer Silikatgesteine, schieferiger wie massiger. Aber selbst weit von diesen mächtigen Grenzhöhen erhebt sich noch im Süden eine mächtige, wenn auch die Schneegrenze nicht erreichende, isolirte granitische Centralmasse, die der Cima d'Asta. Einen zweiten wesentlichen Zug bildet das ausgedehnte Auftreten jüngerer Eruptivgesteine, deren Tuffe zum Theil auf das innigste mit den marinen Sedimenten der Trias und älteren Tertiärzeit verknüpft sind. Das weite wellenförmige Plateau, das die Eisack in ihrem tiefen felsigen Engthal von Kollmann bis Bozen durchsetzt, wird von quarzführendem, meist rothem Porphyr und seinen Tuffen gebildet. Bis oben grünes Schiefergebirge vermittelt jene Fernerreihe im Nordwesten und Norden mit dem Porphyrplateau, während im Osten und Westen sich über dem Porphyr die Sedimente der Flötzzeit aufbauen. Im Osten der Etsch, wie am Schlern selbst, Sedimente der Triaszeit, über die als oberste Stufe die Kalke und Dolomite der rhätischen Ablagerungen den Abschluss bilden, während im Westen der Etsch, im Nonsberg hoch nach Norden noch, die jüngeren Flötz-

gebirge, bis Kreide, reichen. Hier erblicken wir vom Schlern
aus scharfgeschnittenes, aber geradlinig verlaufendes, mit unersteiglich steilen Felswänden zum Etschthal abfallendes Trias-
Kalkgebirge, welches uns den Blick verwehrt zu den jüngeren
Sedimenten des lieblichen, fruchtbaren Hügellandes des Nonsbergs. Welch anderes Landschaftsbild eröffnet sich uns nach
Nordosten und Osten, nach den Thälern von Gröden, Enneberg,
Fassa, mit ihren mächtigen, nackten, bizarren Dolomitkofeln, deren weisse Felswände über einer, vom üppigsten Grün der Almen
überkleideten, plateauartigen Masse aufsteigen, während an dem
felsigen Absturze dieses Plateau's zur Porphyrunterlage und zu
den, in sie eingeschnittenen, Thälern Wald und Fels herrschen!
Dieses Gebiet der Dolomitkofel und Dolomitmassive ist zugleich
ein wichtiges Eruptionsgebiet, wo in der Triaszeit der schwarze
Augitporphyr hervorbrach, dessen Tuffe sich dem Schichtenver-
band der gleichzeitigen Triasbildungen (Wengen und St. Cassian)
gleichförmig einfügen. Beschränkter freilich treten im Fassa und
Fleims, am Monzoni und bei Predazzo noch S y e n i t , H y p e r -
s t h e n f e l s , G r a n i t , M e l a p h y r und S e r p e n t i n unter Verhältnissen auf, dass man sie wohl für ebenfalls triasischen Alters
ansprechen muss. Das Gebiet jener drei Thäler, zu denen noch
Buchenstein zuzurechnen ist, wird dadurch zu einem der interessantesten Gebiete deutscher Alpen, wo sich die Urgeschichte des
Gebirgs, Mineral- und Pflanzenreichthum, dazu alte Volksge-
schichte mit der eigenthümlichen Schönheit der Gegend vereinigen, um die verschiedenartigsten Interessen der Reisenden zu be-
friedigen. Sie führten L. v. Buch zu den ebenso kühnen als ein-
flussreichen Hypothesen, welche der geologischen Theorie neue
Bahnen wiesen und dadurch einen wichtigen Abschnitt in der Geschichte der Geologie begründen halfen. Wie hier in der mittleren Flötzzeit rothe und Augitporphyre aus der Tiefe hervorbra-
chen, so im Südosten im fruchtbaren vicentinischen Berg- und
Hügelland die Basalte zur älteren Tertiärzeit; ihre versteinerungsreichen Tuffe im Val Ronca, bei Castelgomberto sind altbe-
kannte und berühmte Petrefaktenfundorte, berühmter aber noch
die Fischschiefer des Monte Bolca. Tief nach Südtirol herein reichen die dort herrschenden Eocänablagerungen, weit herein auch
die basaltischen Ausbrüche. Erst die Kenntniss der eigenthümlichen Anordnung der Centralmassen nach zwei, unter sehr stum-
pfem Winkel am Reschenscheideck sich treffenden, Linien und
das Eingreifen mannigfacher Eruptivbildungen zwischen die Sedimente, welche sich in dem Winkel, den jene Centralmassen einschliessen, ablagerten, macht uns die Eigenthümlichkeiten der
Bodengestaltung des Etschgebietes begreiflich; die langen Bruchlinien in südsüdwestlicher Richtung, denen Talfer und Etsch von
Bozen südwärts folgen und welche Nonsberg und Judicarien be-

herrschen, und die selbst ostwärts der Etsch noch in der Richtung des Fassathales ersichtlich sind, während hier auch die ostnordöstliche Richtung der Centralalpen wie im Pusterthal, so auch in Val Sugana, Cima d'Asta, Fleims vielfach die Plastik des Landes bedingt. Wunderbar kontrastirt dabei bei dieser Häufigkeit entschieden eruptiver Gesteine der verhältnissmässig wenig gestörte, regelmässige Aufbau der Sedimente im Gegensatz zu dem verwickelten Bau der nördlichen Abdachung, auf dem jüngere Eruptivbildungen nur sporadisch, an einzelnen Punkten, und da nur in geringster räumlicher Ausdehnung auftreten.

Verfolgen wir nun die geognostisch-orographischen Verhältnisse etwas mehr ins Einzelne, ausgehend von den ältesten Gliedern, von den Centralmassen aus krystallinischen Gesteinen und den an sie sich anschliessenden jüngeren Sedimenten, fortschreitend zum rothen Porphyr, zur Trias und den ihr gleichzeitigen Eruptivgebilden, zu den Bildungen der späteren Flötz- und Eocänzeit mit ihren Basalten und den Trachyten.

Centralmassen und an sie sich anschliessende jüngere Sedimente.

Vom Idrosee bis zur Etsch bei Meran verläuft in merkwürdig gleichlaufender Linie aus Südsüdwest nach Nordnordost eine Reihe von Thaleinsenkungen: das der Chiese bei Pieve di Bonò und weiter das des unteren Ronconbaches; nur 2200' hoch ist der Pass, der aus dem Chiesegebiet nach Tione an der Sarca führt; aus dem Val Rendena führt sie über den 5313' hohen Pass von Madonna di Campiglio durch das Meledriothal nach Dimaro in Val di Sole und in diesem abwärts bis Male, von wo die Linie über Berg und Thal nach St. Pankratz in Ulten und weiter zum Etschthal fortsetzt. Es ist dies auch die Richtung des Gardasees, des Etschthals von Bozen bis Lavis, des unteren Etschthals, des Val di Cembra und Val di Fassa, endlich im Westen auch des Ogliothals. Im Westen jener oben verfolgten Linie erhebt sich die Reihe der westlichen Centralmassen, die mit dem *Monte Mufetto* (8110') zwischen Val Trompia und Oglio beginnend, durch Trias getrennt, über den Monte Frerone (8114') zum *Monte Castello* fortsetzt, der ersten firnbedeckten Höhe; nördlich folgt die mächtige gletscherreiche Masse des *Monte Adamello* und endlich die des *Orteler* mit den beiden höchsten Gipfeln der ganzen deutschen Alpenwelt, dem Orteler und Königsspitz oder Monte Zebru, die am oberen Etschthal bei Laas endet. Vom Monte Castello an folgt ihrer Höhenlinie die Grenze zwischen Tirol und Lombardei. Die Ostgrenze ihrer krystallinischen Gesteine gegen die jüngeren Gesteine fällt auf lange Strecken mit jener Linie fast zusammen, erst von Tione südlich greift das Kalkgebirge mannigfach nach Westen über dieselbe hinüber. Westlich des obersten Etschthales und der Ein-

1 *

senkuug von Reschenscheideck hat Theobald noch zwei kleinere
Centralmassen entdeckt, die von *Stelvio* und die des *Piz Sesvena*
(3221m). Erstere, zwischen Stilfserjoch und Münsterthal, reicht
mit ihrem Glimmerschiefer bis Glurns, letztere mit ihrem Glimmer und Hornblendeschiefer bis Heid und Burgeis. Vom Reschenscheideck bis zur Ostgrenze unseres Gebietes gehört der
ganze Norden des Etschgebietes der Centralzone der Alpen an;
zwischen Reschenscheideck und Brenner liegt seine Nordgrenze
in der mächtigen Centralmasse der *Oetz-* und *Stubayferner* (s.
Th. II), zwischen Brenner und Krimmlertauern in der der *Duxer-*
und *Zillerthalerferner* (s. Th. II), östlich davon endlich in der des
Venedigers (s. Th. III). Diese gehören ihrem grösseren Umfange
nach dem Inn- und Salzachthal an, nur ihr kurzer Steilabfall ist
der Etsch zugekehrt. Obgleich hier das Gebirge seine höchsten
Gipfel (*Weisskugel* [11,840'], *Similaun* [11,421'], *Sonklarspitze*
[11,002'] und *Zuckerhütle* [11,100'], beide im hintersten Ridnaun, in der Oetzthalermasse, *Hochfeiler* [11,170'], *Mösslnock*
[11,015'], *Thurnerkamp* [10,840'], *Schwarzenstein* [10,650'] nach
v. Mojsisovics, ausser der 10,650' hohen *Löffelspitze*, über dem
Südabhang der Zillerthalermasse) und Passhöhen erreicht, erlaubt
die Steilheit doch nirgends eine grössere Entwickelung von Firnfeldern und Gletschern; alle Gletscher erster Ordnung steigen in
die nördlichen Thäler des Inn- und Salzachgebietes nieder. Dagegen sind diese Hauptcentralmassen im Süden von Trabanten
begleitet, von denen einige die Grenze des ewigen Schnees erreichen. Zu keiner Selbständigkeit gelangen die kleinen Gneiss-
massen, welche die Karte des Tiroler montanistischen Vereins in
den Thälern von Matsch, Schlandernaun und Schnals selbst angibt, dagegen erhebt sich zwischen St. Katharina in Schnals und
St. Martin in Passeyr ein Gneisszug in der 9503' hohen *Tschegol-
spitze* und einigen anderen Gipfeln zu firnbedeckter Höhe. Ein
zweiter Gneissgranitzug, Stotter's Pensermasse, streicht dem
vorigen fast parallel: aus dem unteren Ultenthal über Meran und
die granitische, 8057' hohe *Ifingerspitze* zwischen Passeyr und
Penserthal gegen Stilfs an der Eisack. Ebenso finden wir zwischen
Eisack, Rienz, Zillerthaler- und Venedigermasse noch zwei selbständige Centralmassen. Im Westen die niedrige Granitinsel
von *Mittewald*, in der kein Gipfel 6000' übersteigt, die ostwärts
bis über Brunnecken noch etwa hinausreicht und deren Westende
das Eisackthal von Mauls bis unter Franzensfeste durchschneidet;
östlich von Taufers, im Süden der Venedigermasse, im Norden
des Rienz- und Drauthals erhebt sich die grossartige Centralmasse
der *Antholzer-* oder *Riesenferner* (Deffereggermasse Stotters)
mit ihren prachtvollen, von ewigem Schnee unkleideten Gipfeln
und ihren Gletschern, noch ein echtes Glied der Hochalpen, mit
Gipfelhöhen von über 10,000' (Hochgall 10,880'). Die Grenze

dieses nördlichen Schiefer- und Granitgebietes gegen rothen Porphyr und Trias verläuft von Meran über Sarentheim, Kollmann, Piccolein im Gaderthal bis Toblach in mannigfach ausgebuchteter Linie. Von drei Seiten her folgt das jüngere Schiefergebirge unseres Gebietes, das des Thonglimmerschiefers der Tiroler Montanistiker, wohl ältere Sedimentbildungen. — Von Westen greifen aus Graubündten, zwischen Orteler- und Oetzthalermasse, die älteren, wahrscheinlich paläozoischen, Casannaschiefer Theobalds herüber; über den Brenner die Fortsetzung der sogen. Radstädter Tauerngebilde Sturs (s. Th. III), welche wahrscheinlich nicht der Trias angehören, sondern älter sind; endlich auf den Grenzen Kärntens und Venetiens die sogen. Gailthalerschichten, in deren oberen Gliedern echte Steinkohlenversteinerungen nachgewiesen wurden. Auch jenseits des Brenners erkannte Pichler Steinkohlenpflanzen (s. Th. II). In die Fortsetzung der kalkreichen Schiefer des Brenner fällt, wie schon Pichler bemerkt, der Schieferkomplex, welcher durch Ridnaun, Radschinges und Pflersch fortsetzt, die Oetzthalermasse von dem Zuge des Tschcgols und der Fortsetzung der Pensermasse trennend. Sie besteht aber ganz aus krystallinischen Gesteinen, Glimmerschiefer mit Hornblendschiefer- und Marmoreinlagerungen (Mareit). Ihnen gehört das mineralienreiche Erzlager am *Schneeberg* an. Ihre grösste Ausdehnung hat das sogen. Thonglimmerschiefergebirge südlich der Mühlbacher Granitmasse bis Kollmann: hier führt es dioritische Einlagerungen, deren grösste und interessanteste die im Norden von Klausen sind, wo Kloster Seeben vom Dioritfelsen herabschaut und am Pfunderserberge Grubenbau auf Kupfer betrieben wird. Ausser diesen älteren, zum Theil erst später krystallinisch gewordenen, Sedimenten lassen sich aber nach Pichler auch noch über den Brenner herüber nach Pflersch, vielleicht selbst bis zum Schneeberg, echte Triaskalke verfolgen, und so auch im Westen und Südwesten der Oetzthalermasse. Die höchsten Höhen der deutschen Alpen, Orteler und Königsspitz, sind aus Triaskalk und Dolomit aufgebaut, ja bis Nauders verfolgt man die dunkeln Schiefer des oberen Innthales zwischen Prutz und Finstermünz, in denen Theobald das gleichaltrige Aequivalent der Algäuschichten, also des alpinen Lias der Nordalpen, zu erkennen glaubt.

Von den versprengten Vorposten des krystallinischen und älteren Schiefergebirges ist der Kern der Cima-d'Astamasse Granit, in ihrer nordöstlichen Fortsetzung erhebt sich dann im venetianischen Brentagebiet noch das Thonschiefermassiv von Agordo mit dem wichtigen Kupferkiesstock im Val Imperina. Südlicher, in den Thälern von Leogre, Posina und Recoaro, wurden Glimmerschieferellipsen von Murchinson, als dort aufgeschlossene Unterlage der Trias, angegeben.

Westliche Centralmassen. Die südlichsten derselben, in der Lombardei, liegen eigentlich schon ausser dem deutschen Alpengebiet. Die des Mufetto besteht aus einer Glimmerschieferellipse, welche aus Westsüdwest nach Ostnordost streicht, umgeben vom sogen. Verrucano, wohl Casannaschiefer und buntem Sandstein, mit einer kleinen Partie von Steinkohlengebirge an der nördlichen Grenze des Glimmerschiefers (s. v. Hauers Karte der Lombardei). Der Passo di Sᵃ Croce, der von Breno am Oglio nach Condino in Südjudicarien führt, trennt sie von der Centralmasse des Monte Frerone und Monte Castello, nach Escher einem granitischen Ellipsoid, dessen Längenachse aus W.S.W. nach O.N.O. verläuft. Seiger aufgerichtete, nach Lorenz in Bandjaspis umgewandelte Schiefer trennen sie am Passe, der vom Lago d'Arno, im Osten von Capo di Ponte an dem Oglio, ins Val di Daone und an die oberste Chiese führt, von dem kolossalen Massiv der

Adamellomasse, welche sich vom Oglio im Westen bis zur Sarca und dem Val Selva im Osten, vom Pass über dem Lago d'Arno im Süden bis etwas über den Tonalpass im Norden ausdehnt. Sie besteht aus einem mächtigen Massiv eines Hornblendegranits, in welchem v. Rath den Typus eines eigenthümlichen Gesteins der Granitfamilie, des Tonalits, erkannt hat. Das schöne weisse Gestein, in dessen schneeweissem, eigenthümlichem eingliedrigem, der Analyse nach dem Andesin verwandtem, Feldspath schwarze Glimmerblätter- und Hornblendsäulen nebst Quarz eingebettet liegen, wird jetzt viel in Südtirol, bis Trient, als Baustein verwendet. Rings um dies granitische Gestein lagert steil der Glimmerschiefer an, nach aussen sich sanfter verflachend; er stösst an unvollkommen krystallinischen Thonschiefer. Der Glimmerschiefer führt hie und da Granaten, so im Westen am Lago di Granati, nimmt auch durch Feldspathaufnahme gegen die Tonalitgrenze hin Gneissnatur an, wie bei Tione. An der Strasse über den Monte Tonal im Vermigliothal beobachtete Lorenz Tonalitgänge im Glimmerschiefer. Nur im Südosten, im Bregazzo und Daonethal, wird der Zusammenhang der Schieferumhüllung verdeckt durch, bis an den Granit reichende, Triassedimente, mit denen rother Porphyr sich verknüpft, welche auch bis an die Ostseite der Castellomasse heranreichen. Der Tonalit zeigt ganz die charakteristischen wilden, bizarren Felsformen des Granits. Die strahlenförmig von seinem domförmigen Hauptmassiv ausgehenden Thäler sind tiefe felsige Spaltenthäler. Unter diesen ist das Quellthal der Sarca, das wilde Val di Genova, das bedeutendste. Dies trennt vom Hauptmassiv die wildzerrissene, im Nodis 11,290' hohe, Presanella fast ganz ab, die nach v. Mojsisovics ausgezeichnete Fächerstructur besitzt. Aus seinem Hinter grund führt ein hoher, beschwerlicher Jochsteig über die Scharte zwischen Presanella und dem 10,000' hohen, westlichen Monte Piscanna zum Tonalpass; ein anderer Weg nach v. Mojsisovics über den Piscannapass, südlich vom Monte Piscanna, nach Ponte di Legno hinüber. Einen anderen, über Gletscher und Firn führenden, Jochsteig zeigt die Karte nach dem Quellthal der Chiese. Das Hauptmassiv erscheint als ein hohes, viel- und tiefdurchfurchtes Gewölbe, dessen höchster Gipfel des Monte Adamello, von 11,409', sich nur wenig über die übrigen Gebirgsrücken und Gipfel erhebt. Alle Höhen sind mit ewigem Schnee bedeckt, von dem zahlreiche Gletscher zweiter Ordnung, nach dem Genovathal aber drei Gletscher erster Ordnung ausgehen, im obersten Thale der Bedole- und Matterotgletscher, getrennt durch die 9350' hohe Lobbia, die nach Sonklar eine prächtige Umschau in das Herz dieses Gebirges gibt, welches, soweit der Granit in ihm herrscht, einzig dasteht durch Grossartigkeit seiner wilden Oede, die wunderbar kontrastirt mit den milden Formen seiner mit Almen und Wald bedeckten Schieferberge und dem reichen Anbau der Aussenthäler.

Die grossartigste aller dieser westlichen Centralmassen ist aber die der *Ortleralpen,* so genannt nach dem höchsten Punkt derselben, der aber selbst gar nicht aus krystallinischen Centralgesteinen, sondern aus denselben aufgelagerten Sedimenten der Flötzzeit besteht. Vom geographischen Standpunkte wird sie am besten begrenzt vom Tonalpass an durch das Val di Vermiglio und Val di Sole bis Malé und von da über Mittelbad in Ulten bis Oberlana, Meran gegenüber, dann durch das Etschthal bis Prad, die Stilfserjochstrasse und das obere Addathal und Val Cammonica bis zum Tonal. Die geognostische Grenze wird vielleicht dereinst enger gezogen werden und dem Zug der Kalksteine folgen, der, im Norden des Tonalpasses, quer über das Val di Pei hinüber nach Rabbi und nach St. Gertraud in Ulten und längs dessen Nordseite zur Etsch zieht. In gleichem Streichen setzt auch südöstlich, jenseits des Tonal, ein solcher Zug von Kalksteinlagern an der Nordseite des Val Cammonica bis nach Tirano an der Adda fort; in Nordosten wie Südwesten treten mit gleichem Streichen Hornblendschieferlager im Ulten- und Cammonicathal auf; mit dem Kalk des Val di Pei und von Rabbi verbinden sich bauwürdige Magneteisensteinlager. Im Südosten dieser Kalklinie tritt unterhalb der Bäder von Rabbi eine kleine Gesteinsellipse bei S. Bernardo auf, die aber nicht aus Gneiss besteht, wie die geogn. Karte von Tirol angibt, sondern aus Gabbro oder dem Granit des Martellthals nach Mojsisovics. In ihrer weiteren Umgrenzung gehören der Ortelermasse das Thal von Trafoi, das kurze Laaserthal, das Martell- und Ultenthal, das V. di Rabbi, di Pei und della Mare im Norden, Osten und Süden, das Val di Furva und V.

Brauglio im Westen an. Der 11,901' hohe *Monte Cevedale* (Zufall-, Zefallspitz oder Fürkele in Martell) im Hintergrunde des Martellthales, erhebt sich auf der Scheide dreier dieser Thäler, des Martellthals im Nordosten, des V. della Mare im Süden und des V. di Furva im Westen. Von ihm strahlen, dem entsprechend, drei Ketten aus, nach Süden gegen den Tonalpass, nach Nordosten zwischen Ulten- und Martellthal, nach Nordwesten und Westen zwischen Val di Furva, Sulden und Trafoi; letztere erreicht die höchsten Gipfel und Passhöhen. In letzterem liegt jenseits des hohen Joches, das aus Martell nach Bormio führt, die *Suldenspitze* von 10,711', auf der Generalstabskarte und ihren Nachfolgern mit dem M. Cevedale verwechselt, von der die höchste Kette westlich zum Stilfserjoch fortsetzt mit den höchsten Höhen, der 12,194' hohen *Königsspitze* (im Norden Königswand, ital. Monte Zebru) und dem 12,355' hohen Orteler. An der Suldenspitze, welche im Hintergrund des Martell- und Suldenthales liegt, zweigt sich eine zweite Kette in nordöstlicher Richtung ab, welche dem nordöstlichen Strahle parallel verlaufend, mit diesem das Martellthal einschliesst; und die selbst wieder einen breiten mächtigen Ast nordwärts aussendet, der Sulden- und Martellthal trennt, das kurze Laaserthal im Westen begrenzt und von Sulden scheidet. An der Nordseite des Martellthals erheben sich die Janigerköpfel, Butzen- und Madritschspitze, nach v. Mojsisovics sämmtlich über 10,000—10,500', Schöntaufspitze (10,505'), eine nach v. Mojsisovics vom Madritschjoch leicht erreichbare Höhe mit prachtvollem Ueberblick über die Ortelergruppe, die drei *Federspitzen* (10— 11,000'), die *Schluder*- und *Laaserspitze* der Karten oder besser nach v. M. *Rosskopf* und die (nach v. M. leicht besteigbare, aussichtsreiche) *Orgelspitze* (10,209' und 10,440'). Zwischen Sulden und Laas erhebt sich über Sulden die 11,154' hohe *Vertainspitze*. Im zweiten Hauptstrahl, zwischen Martellthal im Norden, Ulten, Val di Rabbi und V. della Mare im Süden, erheben sich, in der Richtung von Westen nach Osten einander folgend, die *Veneziaspitze* (10,698'), die hintere Rothspitze (10,573', vom Saentjoch leicht zugänglich und mit prachtvollem Panorama, v. Mojsisov.), der *Zufrid* (10,859'), nach einer schneefreien Einsenkung folgen noch einmal im *Hasenohr* oder *Flatschberg* (10,290') und *Arzkor* firnbedeckte Höhen, die über Latsch enden. Von ihm gehen (südwärts vom Zufrid und Veneziaspitz) die Nebenzweige aus, welche das oberste Ulten von Rabbi und die beiden südlichen Querthäler des V. di Rabbi und V. della Mare (oberes Val de Pei) von einander scheiden. Zwischen Ulten und Rabbi beginnt der Nebenzweig (nach v. M. südwestlich) des Zufried auf dem nördlichen Vorbau der 10,859' hohen *Eggenspitze*; zwischen Rabbi und della Mare geht derselbe dagegen von der hinteren Rothspitze aus, erhebt sich zum Monte di Pontevecchio (10,041') und

Ganani (9551') und endet mit der Cima di Vegaia (9131'). Der dritte, vom Cevedale nach Süden und weiterhin nach Südwesten verlaufende, Hauptstrahl, mit einer Reihe z. Th. noch unerstiegener Gipfel gekrönt, trennt die Quellthäler des Nocebaches, des Val della Mare und das, westlich zum Sforzellinopass verlaufenden, Val de Monte im Osten und Süden von den Quellthälern des Val di Furva, das bei Bormio in das Addathal mündet, im Westen. Die Gipfel dieses Zuges sind vom Cevedale südwärts die Schneekuppeln der Fornaccia (11,520' nach Tuckett, deren Ausläufer nach V. della Mare die eigentliche Rocca Marcia nach v. M. ist), des gerade über Pejo sich erhebenden, 11,493' hohen Viozzi oder Viosspitze des Katasters (fälschlich Rocca Marcia der Generalstabskarte), des Salino (Kataster; Viozzi Generalst., 11,457'), die schöne Palle della Mare im Hintergrund des grossen Fornofirnfeldes (11,438'), der Giumella (nach der Generalst. Pizzo Tramenago, 11,418'), im Zusammenhang mit dem mächtigen Pizzo della Mare der Generalstabsk. (mit prachtvollem Panorama nach v. M.), des Pizzo Tresero oder Pizzo alto (11,443') und jenseits des 9524' hohen Sforzellinopasses noch der 10,521' hohe Corno dei tre Signori, der südliche Eckpfeiler des grossartigen firnbedeckten Gebirgshalbkreises, der das Val Furva im Norden und Westen begrenzt und dasselbe von den Thälern Trafoi, Sulden, Martell, della Mare und del Monte trennt. Den grossartigen Circus vollenden im Westen zwischen Furva- und Ogliothal der Stock des Monte Oglio, zwischen Furva- und Addathal der 10,114' hohe Monte Malesbio mit Monte Sobretta und Gobetta. Inmitten dieses Circus liegt der Badeort S. Catharina, am Zusammenstoss drei enger Thäler, denn dort kommt von Nordosten das Thal des Fredolfo, von Süden das Val di Gavia zusammen, während das Val di Furva nordwestlich die Gewässer nach Bormio hinausführt. Gerade im Norden über St. Catharina erhebt sich der 10,678' hohe *Monte Confinale* (auf der Mayr'schen Karte fälschlich Monte Tresero, auf der durch Petermann berichtigten, Geogr. Mitth. 1865, mit dem Monte Forno zusammengefasst). Er erhebt sich in glücklicher Lage gerade gegenüber dem westlichen Hauptzug, der zum Stilfserjoch zieht, und getrennt von ihm durch das tiefe Val di Zebru, gegen das jener steil abfüllt; während das Thal des Fredolfo oder Val di Forno, welches mit dem Val di Cedeh hoch oben am Joch nach Martell und Sulden entspringt, ihn von dem südlichen Hauptzug scheidet. So gewährt er ein prachtvolles Panorama, eins der schönsten und grossartigsten der ganzen Alpenkette, welches fast den ganzen Süd- und den ganzen Westabfall der Ortelergruppe mit ihren Höhen umfasst, und zwischen den Einschnitten der nordwestlichen, westlichen und südlichen Begrenzung zugleich weite Blicke in die Alpenwelt Graubündtens, vor allen auf den westlich gegenüber lie-

genden Berninastock und die Lombardei gewährt. Dazu ist er eine
Höhe, nicht bloss für die echten Mitglieder der Alpenklubbs, sondern für jeden bergsteigenden Touristen zugänglich. Man überblickt hier die ganze Reihe der oben genannten Gipfel von Corno
dei tre Signori bis zur zweigipfeligen Pyramide des Cevalspitz
oder Monte Cevodale; über das hohe Joch des Langenferners, über
welches der Jochsteig nach dem Martellthal hinüberführt, und das
nur wenig von der Suldenspitz, im Norden des Passes, überragt
wird, blicken die höchsten Spitzen des mächtigen Zufridzuges
herüber. Dann erhebt sich im schärfsten Kontrast mit den Kuppeln und Pyramiden des erwähnten Zuges, dessen weisse Schneedecke nur wenig von dunkeln Felsen unterbrochen ist, die hohe
Ortelerkette mit ihren ausgedehnten schwarzen Dolomitwänden,
die überall aus der Schneeumhüllung hervorbrechen; nur ihr westlichster Theil gegen das Stilfserjoch und gegen Bormio wird verdeckt. In ihr ragen am Ostende und in der Mitte die mächtigen
Dolomitmassive des *Königsspitz* oder *Zebru* (12,194') und der *Orteler* (12,355') über alle empor. Dem Königsspitz folgt westlich
der *Kleine Zebru* (Zebru des Katast., 11,816'); ein breiter Schneesattel verbindet ihn mit drei hohen, von Ost nach West auf einanderfolgenden, Spitzen der hohen *Thurwieserspitze* (11,534'), des
von Trafoi aus rechts vom Orteler sichtbaren *Trafoier* und der
niedrigeren *Ziegenpalfenspitze*; jenseits eines Schneejoches kommt
die südlichste der *Madatschspitzen* (10,842'), dann folgt die hohe
Masse des *Monte Cristallo* (10,963') und das *Monte Video* (10,954'),
die aber über den Pizzo di Val Vitelli (wohl 10,900' v. Moj.)
nach der wilden Addaschlucht, oberhalb der Bäder von Bormio,
fortsetzt, welche sie von den jenseitigen Bergen trennt. Nur bis
zum M. Video reicht die Aussicht vom Confinale. Der Orteler
selbst gehört ihr nicht an, sondern bildet einen nördlichen Vorsprung, der Trafoi und Sulden trennt, und steht durch einen
schmalen Kamm mit dem Kleinen Zebru in Verbindung. Er
schaut in seiner massenhaften Erhebung über das Joch zwischen Kleinen Zebru und Thurwieserspitze herüber. Vom Monte
Video läuft ein nördlicher Zweig gegen das Stilfserjoch (8602'),
zu dem er sich über Naglerspitze (10,305'), Monte Scorluzzo
(9891') mit dem Monte Livrio („Lieferungsberg" wegen der
Schwärzer), abstuft. Alle Spitzen des westlichen Zugs, westlich vom Ortler, von der Thurwieserspitze an, fasst das Volk
unter dem Namen Monte Cristallo zusammen, so dass es besser
wäre, um alle Konfusionen abzuschneiden, die so vielfach in der
Nomenklatur der Höhen der Ortlergruppe herrschen, dem höchsten Gipfel dieser Monte Cristalloreihe seinen besonderen Namen
zu geben. Auf dem ganzen Südabhang können sich aus den Firnfeldern der Höhen nur kurze, wenig bedeutende Gletscher zweiter Ordnung bilden, denn von der Addaschlucht bis zum Monte

Cristallo gestattet es überhaupt die Steilheit der Wände nicht,
und auch östlich bricht das Gebirge zu rasch zum Zebruthal ab;
oberhalb dieser Wände ist das Gebiet aber, wie P. Corbinian
Steinbergers (Traunius) Weg vom Stilfserjoch zum Gipfel der
Königsspitze und wieder zurück, an allen den genannten Gipfeln
vorüber, in 17 Stunden beweist, für den firnvertrauten Alpensteiger gangbar. Die kleinen Gletscher an der Südseite sind der Cristallogletscher, dessen Quellgebiet vom Monte Cristallogipfel bis
zur Trafoierspitze reicht; ein zweiter kommt von dieser und der
Trafoierspitze; das Gebiet des grössten, des Zebrugletschers, umfasst den Raum zwischen Thurwieserspitze und Westabdachung
der Königsspitze; einige kleinere hängen noch von dieser letzten
nach Süden herab. Dagegen steigen von der Westseite des südlichen Zuges zwei mächtige Gletscher erster Ordnung nieder, im
Nordosten vom Confinale die Vedretta di Forno, zwischen Viozzi
und Giumella sich sammelnd, im Südosten die Vedretta di Gavia.
Ausser ihnen besitzt diese Seite noch Gletscher zweiter Ordnung,
selbst das Horn des Dreiherrnspitz ist noch an seiner Nordseite
übergletschert. Viel gletscherreicher ist das Gebirge gegen Norden und Nordosten. Das Nordgehänge der westlichen, vom Königsspitz zur Addaschlucht verlaufenden, Kette ist nicht so einfach wie das südliche, vielmehr gliedert es sich durch zwei Widerlagen in drei Thäler ab, durch den, uns schon bekannten, zum
Stilfserjoch niedersteigenden Zug und durch den mächtigen Ortelervorsprung, der mit der Tabarettaspitze, den Hochleiten (8835')
und dem Zimpenalberg nach dem Ort Gomagoi (3767') sich abstuft; dadurch werden die drei Thäler, das V. Branglio, das Trafoier- und Suldenerthal, von einander abgegrenzt. Gegen das
Trafoierthal aber tritt eine weitere Gliederung durch den *Madatschkamm*, dessen südlichste Spitze neben dem Cristallo sich
erhebt und der mit dem kolossalen, wildzerrissenen Felsen des
Muntatsch, Franzenshöhe gegenüber, endet, ein; östlich von vorigem erhebt sich dann noch der *Ziegenpalfen* aus dem Eis- und
Schneegebiet, in dessen südliche Fortsetzung der jenseitige Ziegenpalfenspitz fällt; so entstehen fünf grosse Gletscher erster
Ordnung, die aus weiten Firnmeeren sich sammeln: Der *Vitelligletscher* an der Südseite des Wormserjochs, im Nordosten der
Addaschlucht, gegen das Val Branglio. Der sogen. Monte Livrio
(Lieferungsberg) im Osten des Stilfserjochs und der Madatschrücken begrenzen den mächtigen *Madatschferner* (*Klammferner*).
Dann folgen zwischen Madatschrücken und Orteler selbst die beiden *Trafoierferner*, die, aus gemeinsamem Firnfeld entspringend,
durch den Felsrücken des Ziegenpalfen getrennt werden, der
westliche oder *Obere Trafoierferner* und der östliche *Untere Trafoierferner*, Schaubachs *Ortelerferner*. Der *Suldenferner* sammelt
sein Eis aus den Schneefeldern des Orteler, Kleinen Zebru, der

Königsspitze (Königswand) und dem östlichen Hintergrund von
Sulden. Fälschlich nennen die Karten sein Firnmeer zwischen
Orteler und Suldenspitze Vedretta di Monte Martello. Auch alle
die Höhen zwischen Sulden und Martell sind bis zur Hochwand
im Westen und Laaserspitze im Osten schneebedeckte Höhen, aus
denen selbst in das kurze *Laaserthal* ein Gletscher erster Ordnung
herabkommt. Im Hintergrund des Martellthales steigen drei mächtige Gletscher nieder, im Norden des Cevèdale der *Langenferner*
mit Suldenspitze im Hintergrund, nach Osten herab der mächtige
Fürkeleferner, vom Joch nach dem Val della Mare herab der *Hohenferner*. Auf dem gletscherreichen Hochgebirgszug im Süden
des Martellthals reicht die zusammenhängende Firndecke bis zum
Zufried, dann folgen auf die schneefreie Unterbrechung des *Soy-*
oder *Bilsbergerjochs* die schneebedeckten Berge des *Hasenohr*. Die
bedeutendsten unter den zahlreichen, über dem Martellthal abbrechenden, Gletschern zweiter Ordnung sind der *Ultenermarkt-*,
die *Gramsen-* und der *Zufridferner*. Im Ultenthal gibt v. Mojsisovics den ansehnlichen Weissbrunnferner an. Ueber dem oberen
Rabbi- und della Mare-Thal lagern zahlreiche Gletscher zweiter
Ordnung; aber ins obere della Mare-Thal reichen nach v. Mojs.
zwei schöne Gletscher erster Ordnung, der la Mare von Cevedale
und Fornaccia und die Vedr. di Venezia, von dieser oder Con-
zurspitze und hinteren Rothspitze.

Zum Schluss dieser topographischen Skizze folgen noch kurz
die Pässe, die über die gewaltigen Gebirge führen : nur das *Stilf-*
serjoch und der *Gaviapass* schneiden unter 9000' ein ; der höchste,
das *Königsjoch*, der aus dem Val Cedeh über die Vedretta di Cedeh und die Gemswarte an der Südostseite der Königsspitze hinüber nach Sulden führt, ist sogar 10,666'. Er ist mit dem *Ma-*
datschjoch (10,449'), das zwischen Monte Cristallo und südlich-
ster Madatschspitze vom Stilfserjoch her an die Südseite führt,
der einzige von Reisenden begangene Pass über die höchste westliche Kette. Von *Trafoi* nach *Sulden* hinüber war bis vor kurzem
der einzige bekannte Weg der beschwerliche Schwärzersteig über
die Hochleiten. Von *Sulden* nach *Laas* gab es bis in die letzte
Zeit keine begangenen Uebergänge ; dagegen benutzte man zwei
Pfade aus dem hinteren *Sulden* zum *Martellthal* hinüber, das
9886' hohe *Madritsch-* oder *Suldenerjoch* vom Suldenferner nach
dem Madritschthal und etwas östlicher durch das Rosinerthal,
eins der obersten östlichen Seitenthäler von Sulden, nach dem
Poderthal ; letzterer soll der schwierigere Uebergang sein. Die
Martellpässe sind sämmtlich leicht und gefahrlos. Das *Martellthal*
hat die vielfachste Verbindung mit seinen Nachbarthälern: ausser
den Jochsteigen nach Sulden und der *Schluderscharte* zwischen
Rosskopf und Orgelspitze nach Laas hinüber, und dem 9026' hohen *Soy-* oder *Bilsbergerjoch* nach Ulten hinüber, ist es durch das

Gramsen- oder *Saentjoch* (9601') zwischen Zufrid- und Gramsenferner mit *V. Rabbi*, durch zwei Uebergänge über das *Hohenfernerjoch* (9574' und 10,136'), zwischen Veneziaspitze und M. Cevedale oder Cevalspitz, mit *Val della Mare*, durch das Langenfernerjoch nach dem Val Cedeh hinüber mit dem *Val di Furva* verbunden. Ueber die südliche Kette ist der leichteste Uebergang der Sforzellinopass, der einst viel begangene Pfad aus dem Sulzberg oder Val di Sole nach Bormio und zum Val Cammonica hinüber. Jetzt kennt man noch den Passo del Forno (10,650 Tuck.). Nach V. Cammonica führt südlich von S. Catharina, im Westen des Corno dei tre Signori der Gaviapass am Lago Nero vorüber und durch das Quellthal des Oglio hinüber; ein zweiter im Süden des Monte Mutesbio nach Luprese an der Adda. Von S. Catharina nordwestlich nach Bormio geht es durch das enge Val Furva. Ein letzter Pass verbindet das Zebruthal mit dem obersten Fornothal als Val di Cedeh.

v. Mojsisovics (Beiträge zur Kunde der Orteleralpen. Wien 1865) berechnet die mittlere Gipfelhöhe des westlichen Hauptzugs zu 11,215', die mittlere Passhöhe zu 9934', die mittlere Kammhöhe zu 10,577', die mittlere Schartung zu 1276'; Zahlen, welche zusammengenommen mit der Tiefe der Thäler, aus welchen sich diese riesige Gebirgswelt erhebt (Etschthal, von der Mündung des Martellthales bis zu der des Trafoierbachs 2000—2900'; Bad Rabbi 3891', S. Catharina 5546', Bormio 3865'), mehr als alle Schilderung in Worten es vermag, die Grossartigkeit der Ortelergruppe beweisen. Derselbe zählt dazu 37 Gletscher in den Orteleralpen auf, eine Zahl, die sich nach demselben bei genauerer Sonderung der einzelnen Gletscher verdoppeln lässt; derselbe zählt jetzt statt neun, mit der Vedretta di Venezia und della Mare eilf Gletscher erster Ordnung, wobei er aber die vom Cevedale ausgehenden drei Ferner, den Langen-, Fürkele- und Hohenferner, als Einen rechnet.

Wenn im Vorangehenden die orographischen Verhältnisse der Ortelergruppe eingehender und ausführlicher, mit Zugrundelegung der v. Mojsisovicsischen Mittheilungen, gegeben sind, so wird es sich leicht mit dem Interesse rechtfertigen lassen, welches sich an Deutschlands höchste Gipfel knüpft, und mit den mannigfachen Irrthümern unserer Karten in der Namengebung, die erst durch v. Mojsisovics entwirrt wurde. Leider sind in diesem Gebiet die Geologen noch nicht gleich thätig gewesen, wie die kühnen Bergsteiger der Wiener und Londoner Alpenklubbs.

Wie orographisch die Cevalspitze oder der Monte Cevedale, wie schon Graf Keysserlingk bemerkt, als das Centrum der Ortelermasse erscheint, so scheint sie auch in der Hauptaxe des geognostischen Aufbaues zu liegen; durch das ganze Martellthal bis ins Val Cedeh hinüber beobachtete Graf Keysserlingk entgegengesetzte, dem Thal zufallende, Zusammenneigung der Schichten. In der Mitte des Martellthales tritt zwischen den Schiefern in gleicher Richtung eine kleine Granitellipse hervor, deren Gestein weit ins Etschthal hinabgeführt erscheint, denn auf der Höhe der Terrasse von St. Paul fand ich dasselbe grobkörnige Gestein im erratischen Schuttland wie vor dem Eingang ins Martellthal. Am Monte Cevedale selbst tritt aber kein centrales Gestein hervor, sondern es fand v. Mojsisovics nur halbkrystallinischen Glimmerschiefer mit Einlagerungen von Chloritschiefer und dolomitischen Kalken, welcher abwärts in den Glimmerschiefer übergeht, aus welchem der Granit hervortritt. Am linkseitigen Rande des Langenferners, auf der Suldenerseite also, südlich von dem Butzenboden, in etwa 9000' Höhe, fand er im Gebiet jener Schiefer aus dem Firn ein Gestein hervorsehen, welches Tschermak für Amphibolandesin, v. Hochstetter dagegen als Dioritporphyr bestimmte. Auch im Schutte des Suldenerferner fand Lorenz mit granatreichem Glimmerschiefer chloritische Schiefer, Hornblendgesteine, Marmor und an grossen Schörlkrystallen reiche granitische Gesteine. Gibt auch im ganzen übrigen Gebiet bis zum Tonal hinab und bis zu dem uns schon bekannten Zuge von Marmor und Hornblendschieferlagern, ausser dem Martellthal, die geognostische Karte Tirols nur Glimmerschiefer als herrschendes Gestein an mit Einlagerungen von Marmor und Kalkglimmerschiefer, und zwar in zwei Zügen, einem, der das Martellthal im Norden begleitet, und einem zweiten an seiner Südseite, der über das Martellthal hinaus an der Südseite des Etschthales bis über Plaus gegen Meran reicht; so erwähnt doch v. Senger in dem ersten Bericht des montanistischen Vereins des Gneisses im Hintergrunde des Laaserthales, wo angeblich eine warme Quelle aus ihm entspringe. Zahlreicher sind die Angaben kleiner Gneiss-, auch Granitvorkommnisse im Revier südlich der Kalk- und Hornblendschieferlager zwischen Tonal und St. Pankratz in Ulten; doch siehe über diese Details *Ultenthal.* Auf der italienischen Seite gibt die Studer-Eschersche geogn. Karte am Corno dei tre Signori, zwischen Sulden, Laas, Martell- und Ultenthal, und so die Tiroler Karte auf dem ganzen östlichen und südlichen Tirolergebiet den Glimmerschiefer an, mit Einlagerungen von Marmor und Kalkglimmerschiefer im unteren Martellthal. Im Westen des Corno dei tre Signori finden sich nach Lorenz auf dem Gaviapass dunkele weiche Schiefer. Vom Kalkzug, der von Edolo bis Ulten sich verfolgen lässt, mit seinen Hornblendschiefer- und Eisenlagern war oben in der orographischen Skizze die Rede. Sogenannten Thonglimmerschiefer zeigt die Tiroler Karte als äusserstes Grenzgestein des Glimmerschiefers auf der ganzen Grenze der drei Tiroler Centralmassen, von Judicarien bis Ulten, wenn auch mit

grossen Unterbrechungen, an; auch die Schiefer des Trafoier-
und unteren Suldenthales, vorherrschend talkige und quarzitische
Schiefer, die auch nach dem Val di Furva hinüberreichen, rechnet die Tiroler Karte hierher. Sie sind die Fortsetzung der Casannaschiefer Graubündtens, welche die Stelvio - und Sisvana-
masse umringen. Ueber diesen Talk - und talkigquarzitischen
Schiefern baut sich das mächtige kalkigdolomitische Gebirge des
westlichen Hauptzugs auf. Von der Addaschlucht und Trafoi im
Westen bis zum Königsjoch im Osten herrscht auf allen Höhen
dunkler, zum Theil von weissen Spathadern durchtrümmerter Dolomit. Das tiefste Gestein an der Seite ist bei Trafoi wie im Zebruthal nach Studer ein schwarzer, sehr bituminöser Kalkschie-
fer. Die bunte Sandsteinunterlage ist bis jetzt noch nicht nachgewiesen, nur von ferne sah v. Mojsisovics über dem Suldenerferner ein rothes Band zwischen der Schieferunterlage und dem
Kalksteingebirge. Gyps findet sich lose in Sulden (Lorenz) und
in grossen Massen bei Stilfs. Von Versteinerungen entdeckte
Schimper im dunklen spathadrigen Dolomit der Moräne des Ma-
datschgletschers zwei interessante Reste ganoidischer Fische,
die er mit Tetragonolepis und Amblyurus vergleicht; sie sind
noch zu vergleichen mit den Fischresten in den unteren triassi-
schen Kalkschiefern von Perledo am Comersee. Nichts spricht
dagegen, in diesen Kalkdolomitgesteinen Vertreter der Trias zu
sehen. Ob der mächtige, schöne, weisse, körnige Marmor des
Schlanderser Kreuzjochs, aus dem Hofers Standbild in Innsbruck
gearbeitet und der einst viel nach München verführt wurde, ein
umgewandelter Triaskalk sei oder älteren Datums, muss die weitere Forschung lehren; erstere Ansicht findet ihre Unterstützung
im Vorkommen von Bleiglanz mit Kieselzinkerz auf seiner Grenze
gegen die Schiefer. Ausser den warmen Bädern von Bormio finden wir noch mehrere Heilquellen in diesem Gebiet, z. Th. Koh-
lensäuerlinge, wie die viel besuchte von Rabbi. — Bergbau fand
sich einst bei Stilfs, Laas, im Martell- und Ultenthal; gegenwärtig nur noch auf die erwähnten Magneteisensteinlager im Val
di Sole.

 Nördliche Centralmassen. Ueber Bau und Zusammensetzung der O e t z t h a l e r Masse s. Th. II. Ueber die kleine
Gneissmasse, welche in der Tiefe des *Matscherthales* in ellipsoi-
discher Form, mit Längenausdehnung aus S.W. in N.O., aus dem
Glimmerschiefer hervortritt, und deren Schieferhülle die Kalklager nördlich von Schluderns angehören, ist nichts Genaueres
bekannt; wenig über das übrige Schiefergebirge zwischen den
Oetz- und Stubayfernern im Norden, der Eisack im Osten und
dem Porphyrmassiv und oberen Etschthal im Süden. Wie krystallinische Glimmerschiefer mit Hornblendgesteineinlagerungen
und Lagern von körnigem Marmor (bei Mareit), von Sterzing

über Radschinges, den Schneeberg, oberhalb Moos das Passeyr-
thal durchsetzend, durch das Pfeldersthal sich verfolgen lassen,
in deren Fortsetzung bei Karthaus in Schnals auch Thonschiefer
folgen und die Südgrenze der Oetztbalermasse bezeichnen, ist
oben erwähnt. Diesem Glimmerschieferzug gehören die interessanten Erz- und Mineralvorkommnisse von Ridnaun und Radschinges an. Im übrigen Gebiet, südlich dieser Linie, gibt die Karte
Tirols den Glimmerschiefer in der Nordhälfte, den Thonglimmerschiefer dagegen südlich einer Linie von Algund über Riffian in
Passeyr, Abenstückl im Penserthal, südlich am Dürrenholzersee
vorüber nach der Eisack unterhalb Franzensfeste hin bis zum
Porphyr als vorherrschendes Gestein an. Letzterem gehören die
D i o r i t e an (s. Pfundererberg); ersterem der Gneiss und Gneissgranitzug, den schon der Schnalserbach bei Ratteis unter der
Glimmerschieferdecke aufschliesst und der dann mit Unterbrechung über Gingljöchlspitz, Tschegolspitz, das seenreiche Quellgebiet des Spronserbaches nordostwärts nach St. Martin in Passeyr fortsetzt. Dagegen lässt die Tiroler geogn. Karte den Zug
des I f i n g e r g r a n i t s, der unter St. Pankratz in Ulten beginnt
und jenseits des Etschthales zum 8057' hohen *Ifingerspitz* ansteigt, an seiner nördlichen Seite in Gneiss übergehend, und mit
Gneisshöhen zwischen Passeyr- und Penserthal fortsetzend, aus
südlichem Thonglimmerschiefer nordwärts in Glimmerschiefer
übersetzen. Stotter nennt diese Masse die P e n s e r m a s s e.

Im Osten des Brenner bildet bis zum Ende des Ahrenthales
am Krimmlertauern die, kurz und rasch südwärts abbrechende,
Z i l l e r t h a l e r m a s s e (s. Th. II) die Nordgrenze unseres Re-
viers. In dem Glimmerschiefer, der den centralen Gneiss im Süden begrenzt, lagern Züge von Hornblend- und Chloritschiefern
und körnigem Marmor ein, mit dem Glimmerschiefer selbst vom
Pfitscherjoch bis in das obere Ahrenthal die Fundstätten der
interessanten schönen Mineralien, die wir schon im oberen Zillerthal kennen gelernt (Granat, Sphen, Periklin, Adular, Perlglim-
mer, Chromglimmer, Chlorit, Penuin, Margarit, Diopsit, Turmalin, Epidot, Bitterspath, Apatit, Magneteisen, Eisenglanz,
Rutil, Schwefelkies). Pfitsch, Valtigels, Pfunders, Mühlwald,
Ahrenthal sind alle dem Mineralogen wohlbekannte Namen. Prettau im oberen Ahrenthal bietet im Chloritschiefer eine interessante
Kupferkieslagerstätte. Auch weiter östlich setzt dies mineralienreiche Schiefergebirge nach Virgen an die Südseite der V e n e -
d i g e r m a s s e (s. Th. III und Th. V) fort. Um jene Schiefer
schlingt sich von Sterzing südwärts bis Mauls und dann nordöstlich bis gegen St. Peter im Ahrenthal ein Gürtel, zum Theil sehr
krystallinischer, Thonglimmerschiefer mit Kalklagern. Uebrigens
gleichen im Westen die Kalke von Sprechenstein bei Sterzing dem

Triaskalk des Orteler, die schieferigen Chausseesteine bei Mauls den Liaskalksebiefern der Schweizer Hochalpen.

Südlich der Zillerthaler- und Venedigermasse liegt im Westen das, schmal nach Osten auslaufende, Granitterrain von Mittewald, in dessen westliches Ende die Eisack in tiefem Thale von Mauls bis zur Franzensfeste einschneidet, wo sie aus der felsenreichen Enge in die, von grünen Schieferbergen umgebene, Thalweite von Brixen heraustritt. Von der Eisack verläuft der Granit bis über das Thal von Taufers, nördlich der Rienz, hin, auch in seinen höchsten Höhen 6000' nicht übersteigend. Ueberall herrscht der weisse Granit, nur nach Osten wird er nach aussen gneisaartig. Nur auf Zweidrittel des Weges von Mittewald zur westlich gelegenen Flaggeralpe findet sich in der Nähe der Westgrenze ein rother Granit, worin nach Trinker der Quarz durch Kalkspath vertreten sein soll.

Vom Tauferergrund bis zur Möll im Osten breitet sich die Defferegger- oder Draumasse aus, im Norden von Rienz und Drau, im Süden von Ahrenthal, Pregratten, Virgen und Windischmatrey. Sie erhebt sich im Westen und Osten zu schneebedeckten Höhen; dort zu den mächtigen *Antholzer*- oder *Riesenfernern*, hier zur Schleinitz. Das Längenthal von Deffereggen, um dessen Quellgebiet sich die höchsten Höhen herumlagern, schliesst ihr Innerstes auf und damit in der Thaltiefe auch ihren granitischen Kern. Die Fortsetzung dieser Spaltungslinie führt uns zur kleinen Granitellipse bei Taufers; eine sehr kleine Partie tritt nach der Tiroler Karte auf der Passhöhe zwischen Antholz und Deffereggen hervor. Ein langgezogenes Gneissellipsoid streicht mit dem Defferegger Granit parallel aus W.N.W. nach O.S.O., vom Tauferserthal über Antholz nach St. Martin im Griesthal. Das vorherrschende Gestein ist übrigens Glimmerschiefer, dem an der Nordseite des Defferreggerthales ein Zug von Kalksteinstöcken, ebenso wie um das Ostende des Antholzer Gneisszugs bei Kelchstein, eingelagert ist. Nur der kleinere Theil gehört unserem IV. Theil zu, der Südabhang gegen das westliche Pusterthal, wie der Westen mit seinen Fernern. Mächtig erhebt sich der firnbedeckte Stock des *Hochgall*, der höchste, 10,880' hohe Gipfel der Antholzerferner, umringt von ebenbürtigen schnee- und eisbedeckten Hörnern, und bedingt die abweichende Richtung der angrenzenden Thäler, des obersten Defferegger-, des Antholzer- und Reinthals. Jenseits der Einsenkung der Klamml, über welche der Pfad von St. Jakob und Deffereggen nach dem Ahrenthal führt, erhebt sich der 11,050' hohe Rödlspitz im Hintergrund des Virgenthals, der den Anschluss an die Venedigergruppe bildet. Unter den Gletschern der Antholzergruppe sind der Riesen- und Langensteinerferner zu nennen. Das Weitere über diese Gruppe beim Draugebiet (Th. V). Im Süden folgt das uns schon bekannte

Thonglimmerschieferterrain, aus dem sich der körnige Kalk des Brunnecker Schlossbergs erhebt. Weiter im Süden lagern über Thonschiefer die Triassedimente, sich in steilen bizarren Bergformen erhebend.

Isolirte Centralmasse. Weit im Süden, im Norden des Val Sugana, erhebt sich die mächtige, nach Westen, Norden und Osten steil abfallende, Granitellipse der *Cima d'Asta;* ihr weisser, Hornblende führender Granit bildet nach v. Rath ein mächtiges Gewölbe, dessen höchste Höhe, der Cima d'Astagipfel, 8626' hoch ist. Bei allem Wechsel des Korns herrscht in ihr derselbe Granit, der dem Granit an der Eisack gleicht, der nur im Calamentothal durch Zurücktreten des Quarzes s y e n i - t i s c h wird. Den Granit umringt ringsum Glimmerschiefer, ihn im Norden vom Porphyr, auf den andern Seiten von den Flötzgebirgen trennend. Von fremden Gesteinen fand v. Rath nur D i o r i t im Glimmerschiefer des Caoriathals, D i o r i t p o r p h y r innerhalb des Granits. Der Glimmer- und Thonglimmerschiefer der Umhüllung setzt west- und ostwärts fort, ihm gehören die Erzlagerstätten des Val Sugana an. Während der Glimmerschiefer im Norden vom Granit abfällt, fällt er ihm, wohl durch spätere Störung, im Süden mit dem Kalkgebirge zu.

Quarzführender Porphyr. Er bildet einen der wesentlichsten Züge im geognostischen Bilde Südtirols; wenn wir ihn auch noch im Osten und Westen an der Südseite der Alpen finden, so tritt er doch nirgends so dominirend hervor, als in dem Herzen unseres Gebietes. Wir bleiben nicht allein von Kollmann bis Bozen ganz zwischen den Porphyrbergen, und ebenso von Sarntheim bis Bozen im tiefen Sarnthal, sondern von Meran bis Auer bildet er alle die steilen Berge der rechten Etschthalwand, an denen überall das rothe Gestein hervorbricht, und ebenso begleitet er die Etsch im Westen, von Unterlana bis Tramin, als die Unterlage der steil darüber ansteigenden Mendel, bildet sogar vom Zusammenfluss der Etsch mit der Eisack bei Sigmundskron bis Auer hinab noch ein selbständiges Mittelgebirge an der rechten Seite der Etsch. Gross ist seine Ausdehnung an der Ostseite von Eisack und Etsch. Vom Villnösthal bis Cavalese bildet er die Unterlage der, im Osten sich darüber erhebenden, mächtigen Kalk- und Dolomitkofel. Von Lavis, wo der Avisio aus einer Felsenge ins Etschthal eintritt, bis Castello setzt er die beiderseitigen Thalgehänge des Avisiothales zusammen, von dort bis Predazzo wenigstens das südliche, um dann nordöstlich nach dem Pellegrinothal fortzusetzen. Nur vereinzelt tritt er in der Tiefe des Fassathales auf. Südwärts reicht sein Gebiet bis zur Grenze der Cima d'Astamasse und deren westlicher Fortsetzung durch das Val Sugana, bis fast nach Borgo im Osten und Civezzano bei Trient im Westen. Zwischen Trient und Auer trennt nur ein schmaler Zug von hohen Triasbergen dieses ausgedehnte Porphyrrevier vom Etschthal. Ebenso finden wir ihn an den Ostgrenzen der Schiefer des Westens, so von St. Pankratz und Ulten bis zum Val di Rumo, auf den Grenzen von Sulz- und Nonsberg, und endlich noch im Südwesten Judicariens, von Val di Daone bis zum Idrosee, und in der Lombardei. Zwischen Villnös, Klausen, Meran im Norden und dem Fleimserthal im Süden besitzt er überall einen wellenförmigen Plateaucharakter, nur an seinen Grenzen erhebt er sich zu Höhen über 7000' und fällt steil zu seiner Schieferunterlage ab. So am Nordrand: im Raschötz zwischen Grödener- und Theisserthal, im Rittner Horn (7570') im Westen von Villanders, in der 7925' hohen hinteren Scharte über Sarntheim; im Süden, in dem 7870' hohen Zangenberg zwischen Welschenofen und Cavalese, und vor allem in dem Zug der wildzerrissenen, 8262' hohen Cima di Lagorei, die mit ihren schroffen Steilgehängen der Cima d'Asta sich zukehrt, nur wenig von letzterer überragt; auch im Westen ist der Laugenspitz zwischen St. Pankratz in Ulten und Unserer lieben Frau im Wald und Nonsberg 8196' hoch. Beide letztere sind die höchsten gemessenen Höhen des Porphyrterrains.

Im Porphyrplateau, wie dort, wo der Porphyr in wirklichen Gebirgszügen auftritt (Cima di Lagorei), ist aber das feste eruptive Gestein durchaus nicht das alleinige, oft nicht einmal das herrschende Gestein, sondern mit ihm treten mannigfache Conglomerate und Tuffe in innigste Verbindung. Dazu ist das Porphyrgebirge Südtirols nicht das Resultat einer einzigen grossen Eruption, sondern, wie aus den v. Richthofenschen Untersuchungen hervorgeht, von zahlreichen, in dem langen Zeitraume nach der Ablagerung des Thonglimmerschiefers bis vor Ablagerung des bunten Sandsteins successive auf einander gefolgten. Daher besteht nach v. Richthofen das Porphyrgebirge überall aus einem Wechsel mächtiger Gangzüge, begleitet von Reibungsconglomeraten, aus ausgedehnten Tuff- und Conglomeratablagerungen und aus Porphyrdecken. Nach den Mineraleinschlüssen unterscheidet v. Richthofen schon neun, auch im Alter verschiedene, Porphyre: 1) von solchen, worin Quarz und Orthoklas die vorherrschenden Ausscheidungen bilden, den braunrothen von *Branzoll* und den lichtfleischrothen des *St. Pellegrinothales*, 2) von solchen, in denen der Quarz zurücktritt und neben vorherrschendem Orthoklas constant Oligoklas auftritt: den dunkelrothen von *Castelruth*, den blassrothen des *Bozener Calvarienbergs*, den hellgrünlichgrauen von *Blumau*, den dunkelgrünlichgrauen von *Hocheppan*; 3) den *Sarnthaler*, in Blöcken bei Bozen sehr verbreiteten, mit dunkelkarmoisinrothem Orthoklas und röthlich gelbem Oligoklas in nahe gleicher Menge, vielleicht mit hornblendführender Grundmasse; endlich 4) von solchen, in denen der Ortho-

2 *

klas selten ist und nur Quarz und Oligoklas sich ausscheiden, wie die grünlichschwarzen der Conglomerate von *Trostburg*, und den schwärzlichen des Monte Bocche. Den von Branzoll hält v. Richthofen für den ältesten, zu den jüngsten rechnet er den von Castelruth, wo auch, wie bei Meran, Porphyr mit obsidianartiger Grundmasse vorkommt.

Die säulenförmige Absonderung kommt bei den Porphyren, wie auch bei ihren Conglomeraten vor; ausgezeichnet bei Sigmundskron, aber auch sonst sehr viel verbreitet. Die etwas seltenere tafelförmige Absonderung findet sich nirgends schöner als bei Palu, im Nordosten von Pergine, wo der Porphyr zu Decksteinen mannigfacher Art, selbst zum Häuserdecken, benutzt und bis Trient und weiter verfahren wird.

Das nächst jüngere Glied in der Reihe südtiroler Gebirgsbildungen ist der bunte Sandstein, der sich zum Theil so durch Uebergänge mit den Tuffen des Porphyrs verbindet, dass eine scharfe Grenze sich nicht zwischen ihnen ziehen lässt.

Trias- und jüngere Sedimente im östlichen Welschtirol. Wir umfassen hier Seisseralp, Fleims- und Fassa-, Grödener-, Enneberger-, Buchensteinerthal und ihre Umgegend. Hier an der Seisseralp und deren Umgebungen hat die Trias ihre reichste Entwickelung und ihren regelmässigsten Aufbau, trotz der Ausdehnung, in welcher gerade hier die eruptiven Bildungen auftreten; gerade die geschichteten Tuffe des, während ihrer Ablagerungszeit aus der Tiefe hervorgedrungenen, Augitporphyrs bilden mit den, ihnen eingelagerten, Mergeln und Kalksteinen, durch ihren Versteinerungsreichthum bei St. Cassian berühmt, eine wesentliche Bereicherung der Trias. Nirgends finden wir entscheidendere, zweifellosere Aufschlüsse als an der Seisseralp; der Weg von St. Ulrich in Gröden durch den Puflergraben auf die Höhe der Alpe und der auf den Schlern zeigen alle Glieder der Trias, welche Südtirol aufzuweisen hat. Scharf ist das Profil der Seisseralp zugeschnitten; über dem Porphyrplateau steigt es anfänglich schwächer geneigt, dann mit steilen Felswänden zur Höhe des Plateaus der ausgedehnten Seisseralp, dann folgt, als höhere, riesige Stufe, der Schlern mit seinem Plateau auf der Höhe. — Am Fusse der Alpe lagert über dem Porphyr 1) der **bunte** oder **Grödener Sandstein**. Darüber steigen schon steiler die Schichten von *Seiss* und *Campill*, ein Komplex von mergeligsandigen, glimmerreichen Schichten, auf. Von ihnen bestehen 2) die Schichten von *Seiss* aus einer mächtigen Ablagerung von graulichweissen, wulstigen, mergeligen Schichten mit der Posidonomya Clarai; 3) die minder mächtigen Schichten von *Campill* sind ebenfalls grau, aber unten und oben roth eingefasst, unten durch rothe und gelblichgraue, glimmerreiche, abwechselnde mergelige und Sandstein-Schichten mit Naticella costata und Myacites fassaensis,

darüber folgen weisser, aussen gelber Sandstein, dann weisslich-
graue, glimmerige, mergelige Schichten mit Posidonomya aurita
und Naticella costata; den Schluss bilden rothe thonige Schichten.
Diese Schichten 2 und 3 sind wohl Vertreter des unteren Muschel-
oder Wellenkalks; sie haben die allgemeinste Verbreitung nicht
nur am Westrand des Gebietes, sondern auch im Innern, wo sie
häufig die untern Gehänge der Thäler bilden. Ausser den untern
Gehängen der Seisseralpe sind der Ausgang des Duronthales, Vigo
und die Pozzaalpe in Fassa, das Ennebergerthal von Pikolein bis
Preromang, und Corvara und Stern ebenda, Campill, der Nordabhang des Peitlerkofels im Nordwesten, und Araba in Buchenstein im Osten reiche Fundorte der Versteinerungen. Den Cam-
pillerschichten rechnet v. Richthofen die Schichten von St. Johann in Livinalongo mit Ceratites Cassianus bei. Darüber folgen
am Steilabsturz der Alpe vorherrschend kalkige Bildungen, denen sich nach der Höhe schon minder mächtige Tuffe und ein
mächtiges Lager von Augitporphyr einlagert; auf der Höhe folgen die Tuffe.

Den Lagerungsverhältnissen und der Gesteinsbeschaffenheit
nach ist 4) der bituminöse dunkele Kalk, welcher den Campiller-
schichten folgt, der Virgloriakalk Vorarlbergs oder Muschelkalk von Recoaro, wo er die Versteinerungen des Rybnaer oder
Opatowitzer Kalksteins in Oberschlesien führt (Retzia trigonella,
Spirifer Mentzelii u. a.). Ein durch das ganze Gebirge, am Rand
und im Innern, wiederkehrender, die Steilgehänge vieler Thalränder bildender Horizont. Ihn deckt 5) ein weisser, massiger,
krystallinischkörniger Dolomit, v. Richthofens Mendoladolomit, in dem er die ersten globosen Ammoniten auftreten fand; in
welchem auch Schafhäutls Nullipora annulata, aus dem Zugspitz-
kalk, an anderen Orten (Monte Cislon, Solschedia in Gröden, Latemar bei Predazzo, Mendola) vorkommt. Ueber ihm beginnen
nach v. Richthofen schon 6) der vulkanische Tuff als Bindemittel
eines Conglomerates und die ersten Halobien (Lommeli) in dunkelen Kalkschiefern mit Posidonomya Wengensis; auch in den
feuersteinreichen, Muschelkalk ähnlichen Schichten fand er die
Halobien zahlreich und mit ihnen globose Ammoniten (Kalkstein
von *Buchenstein*). Knollige Kalke machen den Schluss derselben.
Von nun an treten die Tuffe häufiger auf und mit ihnen 7) die
Halobien- oder Wengerschichten mit Halobia Lommeli
und Ammonites Aon. Wie sie die Unterlage bilden, so auch die
Decke des rings um die Seisseralpe vom Frombach bis nach St.
Christina so mächtigen Augitporphyrlagers. Auf der Höhe des
Plateaus herrschen überall die vulkanischen Sandsteine, wohl her-
vorgegangen aus der Asche, welche die Ausbrüche des Augitporphyrs begleiteten. In der Tiefe lagern in ihnen noch die Halobien-
schichten, Halobienschiefer (Schichten von Wengen) ein;

höher folgen nach v. Richthofen die, an Encrinus liliiformis Auct.,
St. Cassian-Terebrateln und Korallen reiche, zerstückelte Ablagerung des Kalksteins von Cipit, und endlich die innen grauen,
oft oolithischen Mergelkalkbänke mit den Versteinerungen von
St. Cassian, wenn auch nicht so reich daran als in Enneberg. Dieser ganze Komplex über 5 bildet Ein durch die Augittuffe charak-
terisirtes Ganzes, in welchem scharfe paläontologische Grenzen
schwer zu ziehen sind. Er findet sich nur an der Seisseralpe und
von da ostwärts bis Buchenstein, nordwärts bis Wengen in Enneberg, auf den Stuoresalpen bei St. Cassian am versteinerungs-
reichsten. 7) Der am Schlern an 5000', am Langkofl (v. Richthofen) an 5000' mächtige Schlerndolomit, ein massiges,
krystallinischkörniges Gestein, gibt durch die starren, steilen,
wildzerrissenen Formen seiner nackten, weissen Berge den Fassaneralpen ihr ausgezeichnet charakteristisches Gepräge. An Versteinerungen ist er arm, nur globose Ammoniten führend. Im
ganzen übrigen Gebiet, wo die Tuffe fehlen, schliesst er sich unmittelbar, untrennbar an den gleichartigen Dolomit der Mendel
an. Auf der Höhe des Schlernplateaus überlagern erstern noch
8) die Schichten von *Raibl*, rothe und weisse sandige dolomitische
Schichten, mit Bohnerz, und dolomitische Sandsteine mit Pa-
chycardia rugosa, Myopharia Raibliana u. a. Versteinerungen von
Raibl; die sich übrigens auch in einem Tuffconglomerat der Seiss-
seralpe, am Schlernfuss, wohl einem secundären Gebilde, finden.
Am Schlerngipfel selbst bildet 9) noch ein kleiner Fetzen geschichteten, drusigen, hellgrauen Dolomits, den v. Richthofen als Repräsentanten der rhätischen Formation ansieht,
als sogen. Dachsteindolomit den Schluss der ganzen Ablagerung in Gröden und Fassa. Diese geschichteten Dolomite decken die Höhen aller Berge im Norden von Gröden und im Osten
von Enneberg, wo sie die Dachsteinbivalve (Megalodon scuta-
tus) führen, und 10) in den oolithischen (?) Kalken der *Fanisalpe*, endlich als Schlussglied der Sedimentfolge unseres Gebietes,
noch jurassischer Kalk sich hinzugesellt. Der jurassische rothe Marmor (nach Fötterle Diphyakalk) der Ampez-
zanerberge (Peutelstein) liegt schon ausserhalb der deutschen Alpen. Nur lokal entwickelt scheinen die Schichten von der
Wallfahrtskirche unter dem *heiligen Kreuzkofel* bei Wengen (s.
Wengen); v. Richthofen hält sie für Brackwasserablagerungen, die
lokal den unteren marinen Dachstein vertreten.

Die jüngsten Sedimente beschränken sich auf Conglomerate und Schuttland. Ausgedehntes erratisches Diluvium finden wir auf den Höhen des Porphyrplateaus (Erdpyramiden von
Bozen). Im Innern unseres Gebietes finden wir horizontal gela-
gerte Conglomerate im Gebiete des Avisio, im Val Cembra, bei
Vigo und auf der Bellamontealpe, im Osten von Predazzo; von

letzterer soll ein Cardium Deshayesii des mittleren Tertiärgebirges stammen, einer der interessantesten Funde der Neuzeit, wenn er sich wirklich bestätigen sollte, da er mit allem, was man bis jetzt über die Verbreitung mariner mitteltertiärer Bildungen im ganzen westlichen und mittleren Alpengebiet kennt, im Widerspruche steht.

Eruptivgesteine der Triasperiode in den östlichen Thälern (Fassaneralpen). Die eruptive Thätigkeit, die zur Zeit der unteren Trias bis zum Virgloriakalk geruht, begann gleichzeitig mit der Ablagerung der Buchensteiner- und Wengerschichten oder Halobienschiefer, und zwar mit den nun mächtiger werdenden Ausbrüchen von A u g i t p o r p h y r, dessen geschichtete versteinerungsführende Tuffe an der Zusammensetzung dieser und der St. Cassianer Ablagerungen unseres Gebietes den grössten Antheil nehmen. Die letzten schwachen Ausbrüche desselben reichen mit ihren Gangausfüllungen noch hoch in die Zeit der Ablagerung des Schlerndolomits. Mit letzterem gleichzeitig wohl erfolgte im jetzigen mittleren Theil des Avisiothales, bei Predazzo und am Monzoni, das Hervortreten des S y e n i t s, den selbst bei Predazzo T u r m a l i n g r a n i t durchsetzt. Die Gänge von H y p e r - s t h e n f e l s, welche so häufig im Syenit des Monzoni auftreten, sieht v. Richthofen, der die hier angenommene Folge der Eruptivmassen festgestellt hat, als krystallinischgewordenen Augitporphyr an. Es folgte nach v. Richthofen der sehr gegen den Augitporphyr zurücktretende und nur an dessen Rändern vorkommende M e l a p h y r, während P o r p h y r i t von noch geringerer Ausdehnung, mit dem, nur im Viesenathal bekannten, S y e n i t p o r - p h y r den Schluss bildete. Mit den rhätischen Ablagerungen sieht man keine dieser Eruptivgebilde mehr in Verbindung. Gross ist die Mannigfaltigkeit dieser eruptiven Gesteine, die grösste Mannigfaltigkeit drängt sich aber in der Gegend von Predazzo und am Monzoni zusammen, beide Orte ausserdem interessant durch die Contacterscheinungen an den Grenzen gegen die triasischen Sedimente (s. die betr. Orte).

Unter allen Eruptionen waren die des A u g i t p o r p h y r s die grossartigsten. Sein schweres, basaltähnliches Gestein führt Augit und Labrador, auch Titaneisen in Krystallen ausgeschieden. Mancher, wie der von Soracrep, führt auch Oligoklas. Mit dem Melaphyr ist er nach v. Richthofen durch Mittelgesteine verbunden. Häufig nimmt er Mandelsteinstructur an und wird dann für den Mineralogen wichtig, insbesondere durch seine prachtvollen Zeolithe (Seisseralp und Fassathal). Unter seinen. Absonderungen ist die säulenförmige am ausgezeichnetsten (Puflatsch), selten die kugelige (Sancta Lucia bei Caprile). Ausgedehnter als der feste Augitporphyr sind seine mannigfachen Tuffbildungen, die sich theils gemengt mit Kalksteinblöcken u. dergl. als grobe

Conglomerate um die Ausbruchsstellen aufhäuften (Eruptivtuffe v. R.), theils vom Wasser weiter geführt als geschichtete Tuffsandsteine in Wechsellagerung mit Mergeln und Kalksteinen sich ablagerten und so die Wenger- und St. Cassianerschichten zusammensetzen (Sedimenttuffe v. R.); auch zwischen ersteren lagern übrigens vulkanische Sandschichten und Kalkbänke. Zwischen diesen Tuffen tritt der Augitporphyr selbst in Form von Strömen auf. Selten bildet er grosse Lager, frühere Decken; häufiger erhebt er sich in Form von wenig ausgezeichneten Kuppen und von Kämmen aus den Tuffen. Häufig sind seine Gänge im Tuff (Duronthal, Pozza), wie in den triasischen Sedimenten (Sasso vernale, Marmolata, Latemar, Schlern). Nicht selten nahm er Trümmer der Nachbargesteine auf (Reibungs conglomerate); aus der Umänderung umschlossener Kalksteinstückchen leitet v. Richthofen die Bildung kleiner Kalkmandeln, die aus Einem Kalkspathkrystall bestehen, ab (Cipit).

Die Hauptverbreitungsbezirke des Augits sind: 1) *Seisseralp*, an deren Rande er ringsum von Cipit über den Puflatsch bis St. Christina in Gröden zieht. Auch das Vorkommen am Mahlknecht oder Molignon und im Duronthal gehört noch hierher. 2) Das *Fassathal*, wo zwischen Pozza, Mazin, Alba und der Contrinalpe ein mächtiges Massiv aus seinen Tuffen mit einzelnen Gängen und Stöcken des Porphyrs besteht; ferner westlich vom Monzoni und westlich vom Moena bis zum Latemar. Nur vereinzelt tritt er im Gaderthal bei St. Leonhard und Wengen mit Eruptivtuffen auf; seine sedimentären Tuffe verbreiten sich von der Seisseralpe bis nach Buchenstein und ins Gaderthal.

Der Syenit, aus lichtfleischrothem Orthoklas, weissem Oligoklas, dunkelgrüner Hornblende und tombackbraunem Glimmer zusammengesetzt (v. R.), ist auf das Fassathal und zwar auf den *Monte Monzoni* und *Predazzo* beschränkt. Dort tritt er als schwarzer, wilder Felsstock von 8573' Höhe, im Norden des Pellegrinothales, östlich von Moena, zwischen quarzführendem Porphyr, Augitporphyr und Triassedimenten auf, durchsetzt vom Hypersthenfels. Den südlichen Gebirgsstock von *Predazzo*, der am Gran Mulat ebenfalls 8224' erreicht, theilt dagegen Avisio und Travignolobach in drei ungleiche Theile. Der Syenit umschliesst als älteres Gestein den jüngeren Granit, in welchem Turmalin den Glimmer vertritt. An beiden Orten finden wir die interessantesten Contacterscheinungen gegen die angrenzende Trias, welche bei Predazzo den ganzen Syenitstock umringt. Canzacoli ist ein klassischer Punkt hierfür; dazu durch Mineralienreichthum berühmt ist der Monzoni.

Als Melaphyr bestimmt v. Richthofen ein vielgedeutetes Gestein, bestehend aus dichter bis feinkörniger, grünlichgrauer Grundmasse mit grünlichweissen frischeren Oligoklastafeln, zersetztem Labrador, undeutlicher Hornblende und Augit, welche beide aber auch fehlen können. Man hat das Gestein Euritporphyr, Grünsteinporphyr, Dolerit, Mulattophyr genannt. Seine grösste Ausdehnung besitzt es bei Predazzo, wo es den Syenit und die in ihm aufsetzenden Gänge und Stöcke von Augitporphyr und Granit bedeckt, auch den Predazzit (Marmor) von Canzacoli gangförmig durchsetzt; meist tritt es in Gängen an den Aussenwänden des Augitporphyrs auf. Nach v. Richthofen tritt er noch in zahlreichen Gängen zwischen dem Travignolo und Moena, im oberen Triaskalk, den er an den Grenzen oft in krystallinischen Kalk umwandelt, so auch am Sasso vernale und Sasso di Val Fredda, am Latemar, dagegen bei Theiss und Klausen auch im Gebiet der krystallinischen Schiefer und des Porphyrtuffs auf. Er bildet wenig ausgezeichnete Dome, nur am Weisshorn einen Kegel; von Tuffen wird er nicht begleitet. Auch er liefert, wie der Augitporphyr, im Gegensatz zum Syenit, fruchtbaren Boden.

Der Porphyrit hat auf die Plastik des Bodens noch weniger Einfluss, da er, mit Ansnahme eines mächtigeren Ganges im quarzführenden Porphyr bei Cavalese, nur in 3—4' mächtigen Gängen bekannt ist. Er ist nach v. Richthofen entweder ein krystallinisch-feinkörniges Orthoklasgestein ohne Krystalle, wie am Latemar und auf den Höhen bei Predazzo, oder besitzt in dichter rother Grundmasse Orthoklastafeln, wie am Mulatto- und Viesenagebirge bei Predazzo; in letzterem findet sich der Liebenerit.

Im mittleren Theile des Viesenabaches bei Predazzo, wo der reichste Gesteinswechsel dieser Eruptivbildungen ist, entdeckte v. Richthofen als jüngstes, den Syenit, Granit und Augit- (Uralit-) porphyr durchsetzendes, Gestein noch Syenitporphyr mit grossen, lichtgrauen Orthoklaskrystallen in feinkörniger Grundmasse, aus fleischrothem Orthoklas mit dunkeler Hornblende zusammengesetzt. Mit ihm schliesst die reiche Folge eruptiver Bildungen in diesem interessanten Gebiet ab.

Uebersicht der orographisch-geognostischen Verhältnisse der Fassaneralpen. Ueber dem Plateau des quarzführenden Porphyrs bildete einst der aus ihm hervorgegangene bunte Sandstein eine allgemeine Decke, wie es die zahlreichen Fetzen von ihm auf dessen Höhen zwischen Eisack und Etsch beweisen, wo die Tiroler Karte auch einen fortlaufenden Sandsteinzug nachweist, der nördlich von Jenesien beginnend bis zum Südfuss des Ifinger fortsetzt, und dessen 6000' übersteigende Höhen des Möltner- und Kreuzjochs nur von den Porphyrgipfeln des Nordrandes überragt werden. Im Osten von Etsch und Eisack ist er nur einen, meist schmalen, Saum am Fusse des steil ansteigenden Kalkgebirgs; er lässt sich, nur an wenig Stellen, wo der Kalkstein unmittelbar auf die ältere Unterlage übergreift, unterbrochen, vom Eingang zum Höllensteinerpass über St. Vigil, Pikolein, St. Magdalena in Theiss, St. Ulrich in Gröden, Castelruth, Seiss, Völs, den 5763' hohen Caressapass zwischen Welschenofen und Moena in Fassa, Tiers bis Castello in Fleims, zuletzt sehr unterbrochen, verfolgen. Vom Caressapass setzt er tief nach Fassa, bis Pera aufwärts, fort. Ausserdem tritt er im Norden und Innern des Travignolothals und östlich von Monzoni auch auf der Nordgrenze des Porphyrs des Pellegrinothals auf. Ueber ihm baut sich das Kalk-dolomitgebirge auf, südlich vom Schlern und dem oberen Avisio-thal nur bis zum Schlerndolomit aufwärts, der die pittoresken Felszacken, Kofel und Wände des Platt- und Langkofels, der Rosszähne, der Rothewand, des Latemar, des Weisshorns und ihrer südlichen Fortsetzung gegen Fleims zusammensetzt. Sie bilden die mächtige Scheidewand zwischen Etsch und Avisiothal, über welche nur zwei begangene Pässe führen: der bis zum bun-ten Sandstein einschneidende Caressapass (5753') zwischen Wel-schenofen und Moena, und das 7261' hohe Satteljöchl zwischen Deutschenofen und Predazzo. Diese Höhen im Westen des Avi-sio, wie die Viezena im Osten überragen schon das von ihnen umgebene Granitmassiv von Predazzo, wie auch der schwarze Monzoni hinter dem Dolomit etwas zurückbleibt; aber unfern, auf der östlichen Grenze Tirols, in den gletscherbedeckten Dolo-mitmassiven des Sasso vernale und der Vedretta Marmolata, von 10,516', setzt er die höchsten Höhen Südosttirols zusammen. Alle diese südlichen und östlichen Berge des Schlerndolomits werden von Melaphyrgängen durchsetzt. Durch spätere Erosion ausser Verbindung setzt ein unterbrochener Zug von Triassedimenten, bei Deutschenofen aus buntem Sandstein, an der hohen Aucht und dem 7434' hohen Joch *Grimm* aus Muschelkalk und Dolomit, zur Etsch fort, sich hoch über das Porphyrplateau erhebend; süd-lich trennt er dann die Porphyrberge des unteren Cembrathales von der Etsch. In diesem ganzen Gebiet sind die Wenger- und St. Cassianerschichten unter dem Schlerndolomit noch nicht auf-gefunden, auch nur auf der Schlernhöhe Reate jüngerer Sedimente als sein Dolomit bekannt. Vom Monzoni und Avisio auf drei Sei-ten umringt breiten sich zwar die Tuffe und Augitporphyre zu einer grossen wellenförmigen Decke über die unteren Triasbildun-gen aus, aber es sind nach v. Richthofen Eruptivtuffe, welche die Höhen des Bufaure und Colpelle (8203') zusammensetzen. Anders im Norden: dort breiten sich von dem Ostrand der Seiss-seralpe bis über Buchenstein nach Venetien hinein, von den Hö-hen über Canazei im oberen Fassa im Süden bis über Wengen im Norden, die sedimentären Tuffe in Verbindung mit den Wen-ger- und St. Cassianerschichten aus, deren reiche Versteinerungs-fundorte die Storesalpen bei St. Cassian in Enneberg und die Seiss-seralpe sind. Sie bilden eins der almenreichsten Reviere Tirols, über deren grünen Matten der Lang- und Plattkofel und das Sella-

massiv (auch Pordoi) vollständig isolirt emporsteigen und um
welche Schlern im Westen, das ausgedehnte Wolkensteinermassiv
(Gerdenazzagebirge v. Richthofen), das bis zu den kühnen Geisterspitzen im Westen reicht, im Norden, und das mächtige Massiv mit dem heiligen Kreuzkofel über St. Leonhard im Nordosten
und Osten herumgestellt sind.

Während der terrassenförmige Aufbau, begründet im Wechsel über einander gelagerter Gesteine von verschiedener Wider-
standsfähigkeit gegen zerstörende Kräfte, im Süden sich nur im
Kleinen in den Conturen der Berge und Thalränder ausspricht;
finden wir ihn im Norden, soweit die sedimentären Tuffe des
Augitporphyrs verbreitet sind, auch im grossartigsten Massstabe
die ganze orographische Gestaltung des Landes bedingen. Von
der Etsch bis auf die Höhe des Dolomits steigt das Land mit drei
Stufen ungleicher Höhe vom Eisackthal aufwärts. Ueber 2000'
liegt die Höhe des Porphyrplateaus über der Etsch, nur 700' ist
die Höhe der zweiten Stufe, mit welcher das Plateau der Seisseralp sich steil über dem Porphyr erhebt, mit 3—5000' Höhe steigt
die dritte Stufe der Dolomitberge über ihre grüne Unterlage auf
die Höhe aller Dolomitberge, auch wo sie nur aus dem massigen
Schlerndolomit, ohne die Decke des wohlgeschichteten Dach-
steindolomits, wie im Norden, zusammengesetzt sind. Die zweite
Stufe besteht aus der Trias vom bunten Sandstein aufwärts bis zu
den Wengerschichten und den Tuffen. Sie bilden ein ausgezeich-
netes wellenförmiges Plateau auf der Seisseralp, bis 4491' höchste
Höhe, die von dem Augitporphyrbuckel des Puflatsch nur um
1750' übertroffen wird. Zwischen Enneberg und Buchenstein
wird durch die Grösse späterer Erosion, die es in hochgehende
Wellen abgegliedert, ihr Plateaucharakter mehr verwischt. Sie
erreichen am versteinerungsreichen Prelongeiberg, im Süden von
St. Cassian und Westen von Corvara, 6809', und auf dem, einen
Vulkankegel nachahmenden, Col di Lana über Pieve in Buchenstein 7841'. Die jetzt gänzlich bis zur Unterlage, den Sedimenttuffen, von einander getrennten Dolomitmassive sind die grossartigen Ueberreste einer einst über das ganze Land reichenden,
zusammenhängenden Decke, die zersprengt, zerrissen und theilweise weggeführt wurde. Dem Zuge von Deutschofen bis Neumarkt nach reichte sie aber einst noch viel weiter südwärts, auch
jenseits der Eisack auf dem Porphyrplateau findet sich noch eine
kleine Kalkinsel aus unterem Trias bei Flans, im Norden von Jenesien. Es ist eine der grossartigsten Erscheinungen der Entblössung des Landes im Alpengebiet. Sie hat die vier romanischen Thäler der Fassaneralpen in die innigste Verbindung mit
einander gesetzt; alle die hohen, aber bequemen Pässe, die sie
unter einander verbinden, auch der Pass nach Ampezzo hinüber,
führen über die geschichteten Tuffe. So die beiden Pässe zwi-

schen Gröden und Fassa, an der Westseite des Plattkofels vorüber zwischen St. Christina und Campidello, und zwischen Langkofel und Sella (Pordoi) von Sᴬ Maria nach Canazei; so das
6790' hohe Grödenerjöchl zwischen Sella und dem Gardenaza-
massiv von Gröden nach Colfosco im Enneberg. Ein breites Thor
öffnet sich zwischen Sella im Westen und Set. Sass im Osten für
die Pfade auch aus dem oberen Fassa und dem Livinalongo oder
Buchensteinerthal nach Corvara und St. Cassian in Enneberg;
eine schmale Pforte dagegen über Andraz nach Ampezzo, die
Strada dei tre Sassi (6820').

   Mit Ausnahme des Platt- und Langkofels lagert nach v. Richthofen auf allen genannten Dolomitmassiven im Norden über dem
massigen Dolomit, durch Raiblerschichten von ihm getrennt, der
geschichtete Hauptdolomit, sogen. Dachsteindolomit, über letzterem auf den Höhen zwischen Gaderthal, der Strada dei tre Sassi,
Ampezzo und dem Höllensteiner Pass der jurassische Kalk der
Fanisalpe. Am Nordrand des ganzen Gebiets bis zum Nordwest-
pfeiler, dem Massiv des Peitlerkofels, beobachtete v. Richthofen
über dem Virgloriakalk unmittelbar den Dachsteindolomit.

   **Secundäre und tertiäre Sedimente des südlichen und west-
lichen Südtirols.** Trotz des Hinzutretens von Jura, Kreide und
Eocän zu den Triasgebilden des schon abgehandelten Gebietes,
trotz mehrfacher Muldenbildungen und Bruchlinien, welche das
Land an der Etsch und im Westen derselben von Norden nach
Süden durchziehen, ist doch der Gebirgsbau ein einfacherer. Es
fehlt hier die reiche Gliederung der oberen Trias, die wir dort
kennen lernten, es fehlen die ausgedehnten, zum Theil von sedimentären Tuffen begleiteten, Eruptivbildungen der Triaszeit fast
ganz; erst am Gebirgsrand gewinnen analoge Gebilde der Tertiärzeit wieder an Umfang und Bedeutung für die Plastik des Bodens.
Bis zu den Schichten von Wengen hinauf stimmen die Trias sedimente dieses und des vorigen Gebiets überein. Auch hier treten
als tiefste Glieder Conglomerate und bunter Sandstein
auf, theils dem krystallinischen und halbkrystallinischen Schiefer
aufgelagert, wie am Rande der westlichen Centralmassen, am
Fusse der Cima-d'Astamasse und bei Recoaro, theils dem rothen
Porphyr, wie im Norden und Süden zwischen Ulten und Nonsberg, am Ostfusse der Mendola, zwischen St. Michele und Lavis
im Osten der Etsch. Ihre grösste Ausdehnung besitzen sie in unserem südwestlichsten Gebiet, wo sie in Verbindung mit rothem
Porphyr und Porphyrtuffen vom Val Daone zum Val Trompia
fortsetzen. Darüber folgen die Seisserschichten mit Posidonomya
Clarai (Val Sugana nach Beneke), die Schichten von Campil mit
Myacites fassaensis (Recoaro, Judicarien bei Pieve di Bona), der
Virgloriakalk mit Retzia trigonella und Spiriferina Mentzelii (nach
Fötterle und Beneke in Judicarien bei Pieve di Bona), vor allen

·

aber reich an Versteinerungen um Recoaro. Die Wengerschichten mit Halobia Lommeli und Ammonites Aon (nach
Beneke ebenda in Judicarien) bilden den letzten sicheren unteren
Triashorizont. Bis hierher herrscht mit der Zusammensetzung der
Trias im Fassaneralpengebiet grosse Uebereinstimmung, wenn
auch mit den Augitporphyrtuffen der Versteinerungsreichthum
von St. Cassian fehlt. Noch hat man aber keine Andeutung der
Raiblerschichten gefunden und die Dolomite, die darüber folgen,
fliessen in ein, bis jetzt untrennbares, Ganzes zusammen. Südlich vom Monte Cislon über Neumarkt ist kein globoser Ammo-
nite weiter im Dolomit gefunden worden. Dass der Dolomit zum
grossen Theil der rhätischen Triasetage (Dachsteindolomit) angehöre, ist wenigstens von manchen Lokalitäten
durch Versteinerungen nachgewiesen, wenn auch die Angaben
über die Verbreitung der Dachsteinbivalve noch einer Revision
bedürfen, da auch im darüber folgenden Oolith eine der Dachsteinbivalve zum Verwechseln ähnliche Muschel, der Megalodon
pumilus, massenhaft auftritt. Dass wenigstens der obere Theil des
Dolomits dem rhätischen Haupt- oder sogen. Dachsteindolomit zugehöre, beweisen die Versteinerungen des Val Ampola bei
Storo, wo, wie im Val Arsa bei Roveredo, die echte Dachsteinbivalve gefunden wurde, dort mit zahlreichen anderen Versteinerungen, worunter auch das grosse, ausgezeichnete Dicerocardium Jani
Stopp. Auf den Gebirgen zwischen Ledro- und Gardasee ist auch
die Etage der Gervillien- oder Kössenerschichten in
wohlgeschichteten Kalken, welche die Dolomithöhen bedecken,
durch v. Hauer und Beneke nachgewiesen.

Ueber diesen entschieden vorliasischen Sedimenten folgt ein
mächtiger Schichtenkomplex vorherrschend grauer oolithi-
scher Kalke, dessen Alter erst in neuerer Zeit durch Beneke
wirklich sicher festgestellt wurde. Er ist ebenso mächtig, wie
weit verbreitet; überall unmittelbar der rhätischen Triasetage
aufgelagert, ohne dass innerhalb unseres Gebietes irgendwo schon
Liasversteinerungen zwischen beiden gefunden wären; erst im
Westen des Gardasees trifft man den versteinerungsführenden Lias
auf lombardischem Boden wieder. Diese oolithischen Kalke verbreiten sich im Westen unseres Gebiets vom Nonsberg nach Süden nur bis zum Monte Braina über Arco, dagegen über die ganze
Ostseite des Gardasees. Im Etschthal selbst treten sie um Trient,
Roveredo und so bis zum südlichen Alpenrand auf, ebenso im Val
Sugana, bei Primolano, um Recoaro. Sie sind nicht versteine-
rungsarm; aber meist sind die Versteinerungen mit dem Gestein
verwachsen oder schlecht erhalten, einige Bänke sind vorzüglich
reich. Auch Pflanzenreste kommen, nach Wolf und Beneke auf
verschiedenen Horizonten, vor, so bei Volano und im Rücken des
Monte Lessini (im Süden von Ala) und bei Recoaro; die reichsten

gehören der obersten Grenze des Ooliths an. — Von versteinerungsführenden Horizonten sind die tieferen ihrem Alter nach
noch unbestimmt; als erster sicherer Horizont erscheinen die, von
Beneke auf dem linken Ufer des Gardasees am Cap von St.
Vigilio bei Garda entdeckten, noch von mächtigen Oolithmassen bedeckten ammonitenreichen Schichten, in denen unter zahlreichen neuen
Ammoniten auch der Ammonites Murchinsonae des braunen Juras auftritt. Dicht unter der oberen Grenze, aber auch
noch von Oolith bedeckt, erscheint ein versteinerungsreicher Komplex dichter Kalke und Oolithe, erfüllt von Zweischalern. Megalodus pumilus, vielleicht eine Pachyrisma nach deren Schlossbau,
die zu Tausenden mehrere Schichten erfüllt, könnte bei ihrer weiten Verbreitung zur Leitmuschel werden, wenn sie sich leichter
von der echten Dachsteinbivalve unterscheiden liesse; mit ihr
kommt die grosse Terebratula Rotzana v. Schaur. in Menge vor,
seltener T. fimbriaeformis v. Schaur., sehr einzeln nach Beneke
die Terebr. fimbria Sew. des braunen Juras. Zwischenlager sind
auch von den Terebrateln erfüllt, andere Bänkchen sind Hauf-
werke von Bivalven: Thracia tirolensis u. a.; eine Bank reich an
grossen, lang thurmförmigen Einschalern (Chemnitzia terebra
Ben.). Häufig ist bei Trient auch ein dem Pentacrinus jurensis
verwandter Encrinite. Hier bei Trient bilden die dichten Kalk-
steinbänke mit Megalodus einen schönen gelben rothgeflammten
Marmor.

Darüber lagern nach de Zignos Angaben die dunkelen pflanzenführenden Schichten von *Rotzo* bei Recoaro und auch Perni-
gotti bei St. Bartholomeo im Tanarathal, ebenfalls in den Venetianeralpen, deren Kenntniss man de Zigno verdankt. Unter den
zahlreichen neuen Formen aus den, mindestens bis in den Keuper
hinabreichenden, Geschlechtern Calamites, Equisetites, Pecopte-
ris, Taeniopteris, Sagenopteris, Cyclopteris, Cycadites, Zamites,
Pterophyllum, Nilssonia, Otozamites, Kirchneria entdeckte er
auch die Sagenopteris Philippsii aus dem braunen Jura von Scar-
borough. Nach all diesem muss man jetzt die Stellung des Ooliths
zum jurassischen Terrain als nachgewiesen erachten. Interessante
Punkte für das Studium dieser, noch ein reiches Forschungsge-
biet darbietenden, oolithischen Stufe sind ausser den von mir be-
schriebenen Profilen an der neuen und alten Strasse von Trient
nach Civezzano und ins Val Sugana, Rocchetta, nach Beneke die
Umgegend von Roveredo, der Südabhang des Monte Lessini bei
St. Anna nach Wolf, und die Umgegend von Recoaro.

In meist scharfem, nur durch die tiefsten Schichten vermit-
teltem, Kontrast zu diesen grauen tieferen jurassischen
Schichten treten die darüber folgenden höheren jurassischen
und Kreideschichten, der Diphyakalk und die Nonsber-
gerschiefer der geogn. Karte Tirols, durch die vorherrschen-

de rothe und weisse Färbung ihrer Gesteine. Versteinerungsreichthum, reiche Aufschlüsse durch Steinbruchsarbeiten auf die
schönen jurassischen Gesteine haben lange vergeblich zu genauerer Erforschung derselben eingeladen. Beneke unterscheidet folgende vier jurassische Gebirgsglieder: 1) die, von ihm zuerst
unterschiedenen, Schichten der Rhynchonella biloba, einer
sehr unsymmetrischen Terebratel; sehr harte, bunte, gelbe, rothe,
gefleckte, ähnlich dem Megalodusmarmor von Trient, aber auch
graue Kalksteine, welche mit den tieferen Kalken durch Gesteins-
übergänge verbunden sind; hier sind ganze Bänke von Pentacri-
niten erfüllt; 2) die, von Oppel zuerst erkannten und mit den Klausschichten der Nordalpen identificirten, Schichten voll Posidonomya alpina; 3) den, zuerst durch mich vom echten Diphyakalk unterschiedenen, rothen Marmor, worin Beneke Ammonites acanthicus entdeckte, und endlich 4) den weiss- und rothgefärbten Diphyakalk im eigentlichen Sinne des Wortes, den
Horizont der Terebratula diphya und des Ammonites ptychoicus,
dessen jurassische Natur durch Beneke, der in ihm zwei Ammoniten des Solenhofener Kalkschiefers entdeckte, wirklich festgestellt
wurde. Von Kreidegliedern sind in Südtirol nur zwei Glieder bis
jetzt unterschieden: 1) der Biancone oder Neocom, der Horizont des Ammonites Astierianus und Aptychus Didayi, und 2) die
darüber folgenden jüngeren, rothen, weissen und grauen Kreidemergel und Mergelkalke der Scaglia mit Ananchytes tubercula-
tus. Wenn wir gegenwärtig nur noch durch de Zigno zwischenge-
lagerte Glieder der Kreide im Venetianischen kennen, so folgt daraus noch nicht, dass nicht auch auf Tiroler Gebiet solche vorkommen, sondern, dass man die Kreide eben in Südtirol noch nicht
einer gründlichen Detailerforschung unterworfen hat. Den Schluss
mariner Sedimente bilden dann endlich die Nummuliten führenden Eocängesteine, vorherrschend Mergel und Kalksteine.
Fucoïdenschiefer fehlen hier, vielmehr schliessen sich dem Nummulitengebirge unmittelbar am Gebirgsrand die jüngeren, marinen tertiären Gebirge an, die im Innern des Gebirges fehlen.
Ausgedehnt treten auch sogen. Diluvialgebilde auf.

Diese Lagerfolge lässt sich nach Beneke überall um Roveredo und am Gardasee beobachten, so bei Nomi, Volano, bei
Brentonico, Mori, am Monte Baldo. Die Posidonomya-alpina-
schichten, rother Kalkstein voll weisser Nester der Posidonomyen,
sind reich an Brachiopoden (Terebr. curviconcha Opp. u. a.), wie
an Ammoniten, worunter Ammonites tripartitus, Brongniarti,
subradiatus, welche, wie die Sphenoduszähne, sowohl ihre Gleich-
stellung mit den Klausschichten der Nordalpen, wie mit dem braunen Jura ausser den Alpen beweisen. — Der darüber folgende
rothe Marmor mit Ammonites acanthicus ist im Gegensatz zu
vorigem äusserst arm an Brachiopoden, dagegen reich an Ammo-

niton, welche seine Bildungszeit in die des oberen weissen Juras in Süddeutschland beweisen. Unter den zahlreichen neuen, von Oppel und Beneke festgestellten, Ammoniten finden sich: Ammonites acanthicus O., Uhlandi O. u. a., zugleich mit d'Orbigny's Ammonites Rupellensis und Achilles aus seinem Corallien. Bei Trient führt er auch, sonst seltener, jurassische Aptychen. — Im Diphyakalk finden sich rothe und weisse Farbe zuweilen in derselben Schicht vereinigt. Er ist reich an Hornsteinknollen, im übrigen ist er ein homogeneres Gestein als voriger, ohne die gekrümmten feinen Thonblättchen, welche denselben, ähnlich wie den Haselberger Marmor, durchsetzen; seine weissen Kalke sind oft nur durch ihre Lagerung und Versteinerungsführung vom Biancone zu unterscheiden. Bei Trient ist er selbst zum Theil ein geschichteter körniger Dolomit. Leitend sind für ihn die überall vorhandenen Terebrateln (T. diphya und triangulus) und unter den Ammoniten vor allen Ammonites ptychoicus Quenst., tortisulcatus d'Orb. Neben den zahlreichen, nur in den südlichen Diphyakalken aufgefundenen Ammoniten entdeckte Beneke auch den Amm. hybonotus und lithographicus Opp. von Solenhofen. Erst dadurch wurde seine, früher mehr angenommene als bewiesene, jurassische Natur wirklich festgestellt. Oppel macht ihn zum Typus einer neuen Etage, der tithonischen, zu welcher er noch nach seinen neuen Petrefaktenfunden auch den Marmor des Haselbergs bei Ruhpolting bringt, den ich früher für identisch mit dem vorhergehenden rothen Marmor hielt.

Der Biancone, wie de Zigno schon lange bewiesen, der Stellvertreter des Neocom, da er in den Venetianeralpen den Ammonites Astierianus, Aptychus Didayi, Belemnites dilatatus und zahlreiche andere Neocomversteinerungen führt, verdankt seinen italienischen Namen der lichten Färbung seiner wohlgeschichteten mergeligen Kalksteine und Kalkmergel, die reich an meist grauen Hornsteinknollen sind. In dem benachbarten venetianischen Alpengebiet, wie auch in den Euganeen folgen darüber: dort weissliche Mergelkalke, hier graue Mergelschiefer mit dem Inoceramus concentricus des Terr. albien oder Gaults; darüber graubraune Turonschichten mit Rudisten, im Trevisanischen harte Kalksteinbreccien, die sich um Belluno am Monte Croce zu mächtigem Hippuritenkalk mit Hippurites organisans u. a., Acteonella gigantea, grossen Nerineen entwickeln. Erst die höchste Stufe aus rothen, grauen und weissen Mergelkalken, zum Theil auch mit Feuerstein, sind in Südtirol selbst wieder nachgewiesen. Sie sind die Scaglia der Italiener, Stellvertreter des Terr. Senonien nach ihren Versteinerungen, von denen Stenonia (Ananchytes) tuberculata bei Trient (Malta), Roveredo, am Monte Baldo und im Venetianischen vorkommt, hier zugleich mit Inoceramus Cuvieri, Lamarckii, Ananchytes ovatus. Sicher sind bei der gleichförmigen sonstigen Entwickelung auch die zwischen der Scaglia und dem Neocom auf italienischem Boden nachgewiesenen Kreideglieder in Südtirol vorhanden, es bedarf nur des Detailstudiums des südtiroler Kreidegebirgs.

Ueber der Kreide folgt endlich als letztes Glied mariner Sedimente innerhalb der Alpen das eocäne Nummulitengebirge, reich an Nummuliten und anderen Versteinerungen, insbesondere Seeigeln (Echinolampas subsimilis, Echinanthus profundus, Eupatagus ornatus u. s. w.), an zahlreichen Zweischalern, worunter Ostrea gigantea, auch Einschalern, worunter die Natica conoidea nicht selten. Kalkige Sedimente sind vorherrschend, dichte Nummulitenkalke, Bänke, die dem Neubeurner Marmor gleichen, Mergel voll der Nulliporen des letzteren, versteinerungsreiche Mergel und Kalke voll Bryozoen und anderen Versteinerungen, auch kalkige glaukonitische Sandsteine treten auf, aber nicht die Fucoïdensandsteine des Flysches. Schon bei Trient und am Monte Baldo treten basaltische Tuffe und Tuffsandsteine zugleich mit dem Basalt in Verbindung mit dem Nummulitengebirge. Im Vicentinischen, wo das Eocän seine grösste Ausdehnung besitzt, gewinnen auch diese Tuffe, die ähnlich wie die Melaphyrtuffe dem Trias-, so dem Nummulitengebirge gleich eingelagert sind, grosse Wichtigkeit und Ausdehnung. Während in Tirol nur unbedeutende Kohlenflötzchen vorkommen, beginnt hier das Eocän mit kohlenführenden Schichten, auf welche im Val d'Agno Bergbau getrieben wird, denen nach Murchinson dunkele, sandige Mergel, kalkige Sandsteine und Nummulitenkalke mit Fusus longaevus, sandige Kalksteine und glaukonitische Sandsteine, und endlich gefleckte und blassrothe foraminiferenführende Sandsteine folgen. Die altberühmten fischreichen Mergelschiefer am Monte Bolca, westlich über dem oberen Chiampothal im Norden von Arzignano, die versteinerungsreichen dunkeln Tuffe des Val di Ronca im S.W. von Arzignano und von Castel Gomberto, fern im Nordosten desselben, gehören dem Südostrand unseres Gebietes an. Jenseits einer Einsenkung, durch welche die Eisenbahn von Verona nach Vicenza führt, von vorigem getrennt, erhebt sich dann das Eocän nochmals in den Monti Berici bei Vicenza; auch in den altvulkanischen Euganeen bedeckt er noch die alpinen Jura- und Kreidesedimente. Nur am äussersten Gebirgsrand zieht sich ein schmaler Zug jüngeren marinen Tertiärgebirgs hin. Im Gebirge, wie in Val Sugana, gibt es noch einige jüngere tertiäre Süsswasserablagerungen. Das ältere und erratische Diluvium Südtirols besitzt in Judicarien eine bedeutende Entwickelung, auch in dem hochgelegenen Längenthal von Kaltern zwischen Mendel- und porphyrischem Mittelgebirge.

Eruptivbildungen im südlichen Etschgebiet sind nur im Vicentinischen in grösserer Ausdehnung verbreitet; dort tritt der

Basalt an zahlreichen Orten hervor, sowohl in der charakteristischen Form basaltischer Kuppen, wie in Lagern und Gängen. Prachtvolle Säulenbasalte beschreibt und bildet Fortis ab: aus dem Val Nera, von St. Giovanni am Torrent Apone, unfern des Monte Bolca, aus dem Val del Pinaccio bei Chiampo, von Piana unfern Corneto im Val d'Agno, vom Capitello della Sᵗ Catharina zwischen Cerealto und dem Altissimo u. a. O. Ausserdem treten aber auch Trachyte, ausgedehnter freilich in den Euganeen auf. Und diese eruptiven Gesteine verbreiten sich auch über das angrenzende Sedimentärgebirgsgebiet, in welchem zwischen Schio, Vicenza und Verona nach Murchinson ausser Basalten und Trachyten aber auch noch Porphyre, Diorite und Serpentine auftreten sollen; im Innern unseres Gebiets sind dagegen die Eruptivgesteine nur auf vereinzelte Lokalitäten beschränkt. Der Basalt reicht bis zum Monte Bolca, wo in seinen Tuffen die Grünerde (Veroneser erde) vorkommt und gewonnen wird, und in die Umgegend von Trient. Am ärmsten ist das Val di Non, wo nördlich von Cles die Karte von Tirol nur noch zwei Melaphyrvorkommnisse angibt. Der liebliche Nonsberg ist aber auch der einförmigste Theil unseres Gebirgslandes.

Zum Schluss folge noch eine orographisch-geognostische Uebersicht des sedimentären Terrains im südlichen Etschgebiet. Es reicht von der lombardisch-venetianischen Ebene im Süden bis zu den westlichen Centralmassen, dem grossen Porphyrplateau und der Cima-d'Astamasse im Norden, zwischen beiden erstern mit tiefer Bucht bis Meran hinaufreichend. Von Meran bis Neumarkt hat man zur Linken die Abfälle des grossen Südtiroler Porphyrplateaus, links die, bis nach Mezzo tedesco reichenden, Steilgehänge des Mendelgebirgs; wo der Zug isolirter Kalkberge, der vom Joch Grimm südwärts zieht, bei Auer an die Etsch tritt, endet das rebenreiche porphyrische Mittelgebirge des Etschthals; abwärts schliessen unter Salurn die beiderseitigen Kalkdolomitzüge zur tiefen Felsenge zusammen, welche deutsche und italienische Sprache und Sitte scheidet. Hinter jenem geschlossenen westlichen Zug des Mendelgebirgs liegt der liebliche Nonsberg, Val di Non, das Gebiet eines einzigen Baches, der Noce, dessen Quellen bis an das Gebiet des Monte Adamello und Orteler nach Westen reichen, während der Bach, welcher alle Gewässer des weiten Gebiets zur Etsch führt, sich durch die Felsenge an der Rocchetta hindurchdrängt.

Die von Norden nach Süden sich, von 2826' bei Castelfondo und 2021' bei St. Zeno bis 884' bei der Rocchetta, senkende Mulde ist in ihrer Tiefe erfüllt von den weichen, leicht verwitternden Kreidegebilden, unter denen ringsum die Unterlage des Diphya- und rothen Ammonitenkalkes hervortritt, die mit dem Kreidemergel an der Ostseite bis 7197' ansteigt. Darunter tritt der Oolith hervor, einen waldbedeckten Gürtel bildend, um den sich endlich nach aussen ringsum die Trias schlingt. Ihr unterstes Glied bildet der, im Westen dem Porphyr und den Schiefern des Ultenthales und Val di Sole, im Osten dem Porphyr aufgelagerte, bunte Sandstein, über dem die versteinerungsführenden Seisser- und Campilerschichten und der Virgloriakalk, hoch überragt vom Dolomit, sich erheben. Erstere bilden gegen das Etschthal hin eine waldige Vorstufe, gleichsam den Unterbau für die steilen, kahlen Felsgewände des Mendoladolomits, die sich über ihm erheben. Nur wenig Pässe führen aus dem Etschthal hinüber in den abgeschlossenen Nonsberg: der am tiefsten eingeschnittene unter ihnen ist der, 4787' hohe, von Kaltern nach Fondo. Nur wenig erheben sich die Gipfel des Mendelgebirgs über die Höhenlinie seines Steilrandes; der Monte Roen über Tramin ist 6784' hoch. Im Westen ist der untere Sandsteinzug nicht so unterbrochen; bei Unserer lieben Frau im Wald legten sich sogar nach der Tiroler Karte die oberen Triaskalke unmittelbar an und über den Porphyr, während südlicher der Porphyr beiderseits von buntem Sandstein begrenzt wird. So steil der östliche Aussenrand, so sanft ist die Verflächung des Ooliths gegen das Innere; er bildet mit dem Dolomit einen ungleich breiten Gürtel waldbedeckten Grundes, während die Kreide den weichen Untergrund des hügeligen, fruchtbaren, reich angebauten Innern zusammensetzt. Der im Norden schmale Westrand wächst südlich von Cles an Breite und Höhe und erreicht in der, westlich von der Rocchetta gelegenen, Cima Bistabel die Höhe von 7597'. Verläuft auch die Tiefenlinie der Nonsberger Mulde wie der Hauptbach von Norden nach Süden, so herrscht doch im Bau der westlichen Umwallung, im Verlauf der oberen und westlichen Thäler die der westlichen Centralmassen, die fast nordost-südwestliche Richtung, und bleibt so bis zum Gardasee die Alles dominirende. Nach dieser Richtung zieht die hochgelegene Jurakreidemulde auf dem höchsten Rücken zwischen Val di Non und Val di Sole, die im Sas rosso 8366' erreicht. Das Thal des Tersengabaches trennt sie vom hohen Gebirgsrücken des Monte Fulvan mit der Cima di Bistabel, auf deren Höhe nur an einzelnen Punkten die jüngeren Sedimente auftreten; wo beide Bergzüge zusammenstossen, erreicht das Kalkgebirge des südwestlichen Tirols in dem mächtigen Brentagebirge, das gletscherreich (Vedretta di Nodis) dem Monte Adamello gegenüber, wild emporragt, seine höchste massenhafteste Erhebung. Auch in seiner südlichen Fortsetzung, welche westlich über die tiefe Einsenkung Judicariens, zwischen Tione und Storo, übergreift, liegt hoch oben am Ostgehänge über Tiarno noch eine jüngere Flötzmulde. Oestlich von Storo schneidet dagegen das Val Ampola tief in die Unterlage ein. Oestlich dieser höchsten Anschwellung des Kalkgebirges folgt Jura und Kreide,

3 *

dagegen eine Einsenkungsmulde, die, von Spermaggiore im Val di Non beginnend, über Stenico und Ballino bis gegen Riva sich verfolgen lässt. Bei Stenico erweitert sie sich zu dem fruchtbaren Kessel, der im lieblichsten Gegensatz zu den wilden Felsengen tritt, die vom Sarca- und Rendenathal zu ihm durch die älteren Kalke führen. Hoch liegt dort übrigens noch, ein Rest alter Bedeckung, der Jura am 6642' hohen Gavadina im Westen. Auch längs des Etschthales folgt das Jurakreidegebirge jener durch die westlichen Grenzmassen bestimmten Südwestrichtung: so am Gehänge des südlichsten Mendelgebirgs zwischen Aichholz und Mezzo tedesco; so der Zug vom Lago santo über die freundliche Mulde von Vezzano nach dem Lago doblino, in deren Fortsetzung die tiefe breite Einsenkung des unteren Sarcathales liegt. Isolirt ist die Mulde von Terlago, umschlossen vom höheren älteren Kalkgebirge. Vom Westabhang des Monte Calis bis Trient reicht zum scharfgeschnittenen Dos della Croce nicht allein der Jurakreidekomplex über dem Oolith, wie wir ihn bis jetzt verfolgt haben, sondern auch versteinerungsreiches Nummulitengebirge, das von nun an sich in allen Mulden, als letztes Glied mariner Sedimente innerhalb der Alpen, wiederfindet. Am südlich gelegenen Monte d'Orto d'Abram erreicht es mit 6936' seine höchste Höhe in unserem Gebiet. Vom Val degli Inferni, südöstlich vom vorigen, beginnt eine neue Mulde und zieht, im weiteren Verlauf sich gabelnd, einerseits nach Torbole und Riva zum Gardasee hinüber, andererseits über Brentonico zu den oberen Ostgehängen des Monte Baldo. Trient und dieser Zug besitzen dazu zahlreiche basaltische Durchbrüche. Reicher noch als bei Trient sind die Marmore der Steinbrüche von Roveredo an Versteinerungen. Beide Orte werden mit Brentonico Ausgangspunkte für die genauere Erforschung der geognostischen Gliederung Südtirols abgeben; wie im Westen das Val Ampola für die Trias. Gewiss war dies ganze Südwesttirol voreinst nicht mit einer zusammenhängenden Decke der Sedimente über dem Oolith bedeckt, die nun weggeführt worden sind, in so grossartigem Massstabe auch die spätere Entblössung Südtirol wirklich betroffen haben muss; sondern wahrscheinlich war dies ganze Gebiet nur bis zum Abschluss der Ablagerung des Ooliths Eine grosse Bucht, die sich dann in mehrere fiordähnliche Buchten durch Zusammenfaltung abgliederte; in ihrer vorherrschenden nordnordöstlichen Erstreckung griff das spätere Jurakreidemeer tief ins Innere ein und hinterliess hier seine Absätze. Noch zur Eocänzeit blieb im Ganzen der Umriss derselbe, nur trat das Land hier höher über den Spiegel des Meeres hervor, so dass das Nummulitengebirge nur noch bis Trient nordwärts reicht. Erst später können die Niveauveränderungen vorgegangen sein, welche die jüngsten Kreideglieder mit auf die höchsten Rücken des westlichen Nonsbergs erhoben; sie waren von zahlreichen Verwerfungen begleitet, daher an den halbgiebelig aufgerichteten Bergzügen die oftmals gleiche Richtung des felsigen Steilgehängs und der entgegengesetzten flacheren Abdachung. Auch im Osten der Etsch haben bedeutende Niveauveränderungen stattgefunden. Dort muss zur Zeit nach Ablagerung des Ooliths eine Senkung stattgefunden haben, da der obere Jura im Westen von Strigno ohne Zwischenlagerung älterer Sedimente unmittelbar die Thonschiefer im Süden der Cima-d'Astamasse bedeckt. Wie gross und ungleich die spätere Hebung gewirkt, zeigt uns das ungleiche Niveau, auf dem wir Jura, Kreide und Eocän treffen; denn während das den Diphyakalk überlagernde versteinerungsreiche Nummulitengebirge in der Tiefe des Val Sugana zwischen Borgo und Strigno lagert, krönt letzteres unfern, der Kreide aufgelagert, die höchsten Höhen im Osten von Val Tessino. Bis auf die Höhen im Südosten von Primiero kann man den jüngeren Jura, aufgelagert auf dem Oolith, verfolgen. Während hier eine Einwirkung der angrenzenden Cima-d'Astamasse auf Thal- und Gebirgsbildung sich nicht verkennen lässt, herrscht südlich davon, im Gebiet der Sette Communi, trotz des Hervortretens der älteren krystallinischen Unterlage, trotz vielfacher, durch de Zigno nachgewiesener Verwerfungen, der Plateaucharakter. Kein Ort kann für den Geologen besser gelegen sein, um die geognostischen Verhältnisse der dortigen Alpen zu studiren, als das freundliche Bad Recoaro, um das alle Gebirgsglieder bis zum Eocän hinauf sich herumlagern, grosser Versteinerungsreichthum sich findet, — auch Monte Bolca und Monte Postale liegen unfern im Süden, — und zu den Sedimenten auch die jüngeren Eruptivbildungen, Basalte und Trachyte, hinzukommen.

Während beiderseits der Etsch, fast bis Verona, das Gebirge als eine Fortsetzung des südlichen Etschlandes in Bau und Zusammensetzung erscheint, nur in nach der Ebene zu sich verjüngendem Massstab und mit grösserem Antheil der Kreideglieder, herrscht gegen Südosten, im östlichsten Veroneser- und im Vicentinergebiet, das eocäne Berg- und Hügelland. Reihen basaltischer Kuppen, welche die Rücken seiner Höhenzüge krönen, geben dem fruchtbaren, wohlangebauten, rebenreichen Vorland einen eigenthümlichen, im Alpenland ungewohnten, Charakter. Arzignano, Montecchio maggiore, Valdagno, Vicenza am Rande selbst sind die geeignetsten Ausgangspunkte für Excursionen in das schöne, reich bevölkerte, aber wenig wirthliche Land.

Dr. H. Emmrich.

I. Das Gebiet der Etsch vom Reschenscheideck bis Bozen.

Schon beim Innthale wurde erwähnt, dass im Süden der Alpen eine andere Bildung der Thalgebiete stattfindet, dass auch hier, namentlich im Etschgebiete, ein anderer Plan der Beschreibung befolgt werden müsse. Das Etschthal ist nur eine kurze Strecke als Untervintschgau ein Längenthal der Centralkette, dann aber zieht es in der Gestalt eines Querthales gerade nach Süden, eine Folge der südlichen Richtung der Orteler Alpen im Westen, der Fassaner Alpen im Osten. In Bezug auf diese Bergrücken mit ihren Begleitern kann das Etschthal ein Längenthal genannt werden, also kann hier nicht von einer südlichen Vorlage die Rede sein. Wir wandern von der Etschquelle das Etschthal hinab und in den Seitenthälern hinan.

Das Gebiet der Etsch, ohne die Umgebungen, ist nicht nur eins der grössten Flussgebiete der Alpen, sondern wegen seiner ausserordentlichen Vielartigkeit fast in allen Verhältnissen eins der merkwürdigsten. Das Inngebiet ist zwar länger (32 M. von Maloja bis Rosenheim), aber nur halb so breit als das Etschgebiet (grösste Breite des Inngebietes vom Pfitscher Joch bis Spitzingalpe 10 M.; des Etschgebietes vom Wormserjoch bis zum Toblacher Felde 20 M.; seine Länge 27 Meil.). Vielartig, ja am vielartigsten, ist das Etschgebiet, wenn wir die angrenzenden Umgebungen im obigen Sinne und zwar nur, so weit sie zu Deutschland gehören, dazu rechnen; denn fast alle grossen Naturerscheinungen treten hier in dem grössten Massstabe auf: Tiefen und Höhen (Gardasee, Orteler); üppige südliche Pflanzenentwicke-

lung (Meran, Bozen, Arco u. s. w.) und die Wüste des Polarkrei-
ses (Sulden, Martell, Schnals u. s. w.), grösster Wechsel von Gebirgsarten (Fassa) und Volksstämmen; hier in Deutschland italienisch redende Deutsche, dort in Italien deutsch redende Italiener; ja selbst die kirchlichen Gegensätze treten hier in grellen
Gegensätzen auf: nicht weit von einander wohnen italienische
evangelische und deutsche katholische Gemeinden; Vielartigkeit
der Gewerbe; auf dem höchsten Höhenkranz, wo für den Menschen die Viehzucht, tiefer herab in der Mittelregion, wo die
Bodenbearbeitung noch nicht ausreicht und die Viehzucht nicht
mehr in dem Masse betrieben wird, dass sie ausser dem Hausbedarf noch etwas abwirft, haben sich andere künstlichere Gewerbe
eingefunden, welche jedoch auch der Mutter Erde entsprossen:
hier im Mittelpunkte bei Sterzing Reste des Bergbaues und seine
Anhängsel, am östlichen Grenzpunkte Teppichweberei, am südlichen Ende die Seidenzucht und ihr Gefolge, im westlichen Gebiet Töpferei und ihr Vertrieb, mit dem Handel der Früchte des
Südens verbunden.

Das Etschthal selbst hat einen durchaus anderen Charakter,
als die anderen Hauptthäler der Alpen, welche zwar auch sogen.
Stufen zeigen, allein der Uebergang von einer Stufe zur anderen
ist unbedeutend und wird mehr durch finstere Engen gebildet,
zwischen denen der Strom zusammengezwängt, hie und da über
Felsenriffe, sich schäumend und wirbelnd hindurch treibt. Nur die
Ens hat durch den Engpass des Gesäuses einen starken, jedoch
auch gegen 4 Stunden langen, Fall von 357'. Das Etschthal dagegen stellt 3, ja eigentlich 4 Thalböden dar, wie z. B. das Oetzthal. Der erste Thalboden ist der Sattel des *Reschenscheidecks*
(4431') am *Reschensee*, aus welchem die Etsch abfliesst; der
zweite, die *Malser Haide* (ungefähr 3200'), so dass die Etsch von
der obersten Stufe unmittelbar in 1 St. über 1200' Fall hat. 1 St.
darauf folgt von *Mals* (3352') bis zur ebenen Thalsohle oberhalb
Glurns (2900') ein abermaliger Abfall von 400' in 2 St. Bis hierher, von Nauders an, reicht *Obervintschgau* und ist ein Querthal
der Centralkette. Von Glurns beginnt *Untervintschgau*, rechtwinkelig mit dem vorigen von Westen nach Osten ziehend als ein
Längenthal der Centralkette, ziemlich horizontal, so dass die

Etsch öfters sumpft; wie das Wallis zwischen den höchsten Ge-
birgsketten der Schweiz westlich hinabzieht, so hier das *Untervintschgau* östlich zwischen den höchsten Ketten der deutschen
Alpen, östliche Orteler- und Oetzthaler Gruppe. Die nördliche
Thalwand, die Sonnenseite, aus Glimmerschiefer bestehend, ist
durchaus trocken und bis jetzt alles Anbaues unfähig; die Schat-
tenseite dagegen, grösstentheils auch aus Glimmerschiefer bestehend, sehr wasserreich. Fast in der Mitte des Untervintschgau's
legt sich von der Linken zur Rechten, aus einem kleinen Thälchen vorgeschoben, ein Schuttberg quer durch das Thal, insofern
wichtig, als er einen klimatischen Unterschied hervorruft. An
der *Töll* vor *Meran*, wo das ganze Vintschgau aufhört, bricht das
Etschthal plötzlich, wie kein anderes Thal dieser Grösse, ab. Der
Thalboden an der Töll liegt 1602′ hoch, Meran im Mittel 1013′,
der Etschfall, beinahe 600′, erfolgt binnen ¼ St. Es beengen uns
keine düsteren Felsenwände, sondern ein dem Auge wohlthuen-
des Schirmdach, des Weines, überwölbt die dadurch einzige
Strasse. Von Meran aus hat das Etschthal keine eigentliche Stufe
zu überwinden, nur hie und da engt sich das Thal in Folge der
geognostischen Verhältnisse bei seinen Wendungen ein. Durch
den Fall an der Töll wird die Kraft des Stromes gebrochen; zugleich tritt ihr der Porphyr der Sarnthaler Gruppe entgegen und
nöthigt sie zu ihrem südlichen Laufe. Dadurch wird das milde
Klima Merans, wie des ganzen unteren Etschthales, bedingt;
denn den Norden dieser breiten Thalspalte umwallt der, wenn
auch eisige, doch gegen den Nordwind schützende, Gebirgsgürtel
der Oetzthaler Gruppe. Der prächtige Thalkessel von *Meran* mit
seiner Fruchtfülle und seinen zahllosen Burgen heisst das *Mutterländchen* bis gegen *Bozen:* prangt doch hier in dem Kranze der
Burgen vor allen das Schloss *Tirol*, das dem Lande seinen Namen
gab; ruht doch hier im Schosse hoher eisbedeckter Felsenberge,
auf Reben gebettet, bewacht von den tapferen Passeyrern, die
alte Hauptstadt des Landes. — Das Etschthal mag das mildeste
und wärmste Klima in Deutschland haben. Durch seine Milde
steht *Meran* oben an, so dass zwar seine Sommerhitze weniger
heiss, gewöhnlich nur bis 27 ° R. steigt, dagegen auch der Winter sehr gelind ist. Wo aber die Thalwände von Westen oder

Osten in das Thal vorspringen, die Mittagsstrahlen der Sonne auffangen und den kühlenden Luftstrom von Norden gänzlich absperren, da entsteht eine wahrhaft afrikanische Glut, die wegen des weiten, nur theilweise entsumpften, Thalbodens öfters einen nachtheiligen Einfluss auf die deutsche Bevölkerung des Thales ausübt und dadurch, wie durch Thätigkeit und Genügsamkeit, den Welschen Gelegenheit gegeben hat, zwischen deutsch redenden Tirolern in der ungesundesten Mitte des Thales vorzudringen. Die klimatischen Verhältnisse bezeugen das Gedeihen der Pflanzen und gehen ausser aus der Richtung des Thales auch aus der stufenweis absteigenden Thalsohle hervor. *Obervintschgau*, 3 — 4000': Hafer, Gerste, keine Obstbäume; *Oberes Untervintschgau* bis *Laatsch*, 3000': Nussbäume (Glurns), *Unteres Untervintschgau*: Kastanien und Wein (Schlanders 2200'); *Mutterländchen*, 1000': Feigen, statt der Hainbuche die südliche Hopfenbuche (Ostrya carpinifolia), neben der Wintereiche (Quercus robur), Quercus pubescens, weiter abwärts gegen Bozen auch Mäusedorn (Ruscus aculeatus) und Gerbersumach (Rhus cotinus), einzeln bis Schlanders hinauf das eigenthümliche Ephedra (Meerträubchen), zahlreiche südliche Kräuter an den sonnigen Gehängen, manche bis hinauf zur Wasserscheide des Inn; das *Etschland* von Bozen abwärts, 9 — 300': Agaven, Cypressen, Pinien; *unteres Etschland*, das *Sarca-* und *obere Brentagebiet* (innerhalb Deutschland), 230': Oliven in ihrer ganzen Fülle.

Die Bevölkerung des Etschgebietes gehört drei verschiedenen Volksstämmen an: Altromanen, Neuromanen (Italienern) und Deutschen. Das deutsche Tirol reicht bis zur Einmündung rechts des Nosbaches und links des Avisio, aber das italienische, hier welsche, Element dehnt sich auf Kosten des deutschen leider immer weiter aus nach Norden. Einen Theil der Schuld trägt zwar die deutsche Bevölkerung, welche das feuchtheisse Klima nicht recht vertragen kann, welchem der Italiener bei seiner Mässigkeit leichter widersteht, während das deutsche Begehrungsvermögen nach Speise und Trank nachtheilig wirkt. Daher suchen oft deutsche Bauern Welsche in ihren Dienst, weil ihr Unterhalt weniger kostspielig ist. Auch erwirbt sich der Italiener mehr, weil ihn seine angeborene Genügsamkeit von manchen Ausgaben abhält,

wie den Juden. Sehr viel mag zum Vordringen der italienischen Sprache in diesen Gegenden beitragen, dass auf dieser Sprachscheide nur welsche und keine deutschen Geistlichen angestellt werden.

Wir beginnen nun unsere Wanderung beim Ursprung der *Etsch.* Ueber des Innthales Schatten bei Finstermünz und Martinsbruck liegt der sonnige Sattel des *Reschenscheidecks* (4431'), die Wasserscheide zwischen Inn und Etsch. Hier liegt das Dorf *Reschen* (4321'), 87 H., 606 E., $1\frac{2}{3}$ St. von Nauders am Reschensee, dem Ursprung der Etsch, obgleich dem Reisenden gewöhnlich eine Quelle links neben der Strasse als *Etschquelle* bezeichnet wird. Der *Reschensee* oder *Grüne See* ist $\frac{4}{5}$ St. lang und $\frac{1}{5}$ St. breit. In $\frac{3}{4}$ St. erreicht man *Graun*, 71 H., 889 E. Sein älterer Name Corona; Gerste, Hafer und Kartoffeln; in der neuen Kirche Altarblatt von Cosroe Dusi. Gasth. Varger und Cassian Blaas. Auf der Höhe links hat man eine herrliche, grossartige Ansicht des Ortelers, der sich im See spiegelt. Im Etschthale herabsteigend erblickt man von der ganzen Gruppe zuerst den Doppelgipfel des *M. Cevedale* (11,901'), später ihm zur Rechten die *Suldenspitze* (10,701'), die *Königsspitze* (12,194') und endlich den *Orteler* (12,356') selbst.

Flora. Ononis rotundifolia, Oxytropis lapponica, Ribes petraeum, Epilobium Fleischeri, Laserpitium Gaudini, häufig auch auf den Mähdern am Fusse des Spitzlat gegen Nauders.

Das Thal Langtaufers.

Etwas unterhalb des Ortes kommt links aus dem Gebatschferner der *Carlinbach* durch das Thal *Langtaufers* herab und ergiesst sich etwas östl. der Etsch in den Mittersee, den zweiten See des Hochsattels. Bei Ueberschwemmungen droht dieser Bach dem Dorfe Graun den Untergang. Der Eingang in dieses Thal ist sehr eng. $\frac{1}{4}$ St. aufwärts, wo eine Kirche auf der Höhe die Gemeinde *Pedross* verkündet, hellt sich das Thal etwas auf. Die unteren Abhänge sind noch spärlich bebaut und mit Häusergruppen besetzt. Nur die wildschäumenden grauen Eiswogen über die noch weisseren Gneissblöcke rechts neben dem Wege haben bei dem Eishauche des Baches an einem düsteren Abend etwas Unheimliches. Viele Giessbäche haben auf beiden Seiten die Thalwände ausgefurcht, und sie sind es hauptsächlich, welche bei Gewittern oder dem Schneeschmelzen die Fluten des Baches mit ihrem Schutte erfüllen, den dann die Gewalt des eingeengten Baches sich nicht eher niederschlagen lässt, bis er hinaus auf die weitere Fläche der Malser Haide tritt bei Graun; hier vernichten dann die Steine und Schutt führenden Wogen durch ihre Wucht jedes menschliche Werk. Die 2 bedeutendsten Seitenschluchten, schon Thälern gleichend, das *Küh-* und *Ochsenthal*, ziehen sich hinan zur vierschneidigen Felsenpyramide des *Danzewell* (10,842'), von Graun aus, wo man auch gute Führer erhält, in 6—7 St. leicht zu ersteigen. Er gewährt den besten Einblick in die südwestl. Abdachung des Oetzthaler Gebirgsstocks und scheidet *Langtaufers* von dem Thale *Planail.* Durch beide Thäler führen Jochsteige, rechts und links unter der Spitze des Danzewelles nach Plenail, selten begangen und nicht lohnend. Von *Pedross* zieht sich das Thal sanft ansteigend nordöstl. fort; Schneeberge leuchten schon herein, indem man die Häusergruppen *Kaprun*, wo gute Unterkunft, *Pleif, Pazin* u. s. w. durchwandert, den Bach immer rechts lassend. In 1¼ St. erreicht man *Hinterkirch* (5816'), den Hauptort des Thales, alle 4 Orte zusammen 85 H., 450 E.; hier gedeihen nur noch Gerste und Kartoffeln. Bei der letzten Häusergruppe *Mallag* (Führer: Blass) verschwinden auch diese; das Thal wendet sich beinahe rechtwinkelig nach Südost, bietet einen schönen Grasboden und wird umglänzt von prächtigen Eisbergen. Unweit der letzten Hütte, 4 St. vom Eingange des Thales, streckt der *Langtauferer Ferner* seinen eisigen Riesenarm zwischen düsteren Wänden herein, oben von einem schimmernden Amphitheater hoher Eisgebirge umstarrt. Ueber und neben ihm gingen früher kühne Bergsteiger über das *Langtauferer Jöchl* ins *Rofenthal* (Oetzthal); jetzt, wo der Gletscher sich weiter vorgeschoben hat und arg zerklüftet ist, lohnt der Weg die damit verbundene Anstrengung und Gefahr nicht mehr. Andere Jochsteige: von *Hinterkirch* über die *Tscheyer* (Thay) *Scharte* ins *Radurschelthal* (Innthal bei Pfunds), eben dahin bequemer und direkter über den Sattel des *Wintlelockspitz* (7231'); durch den *Mallaggrund* unter dem *Hohen Glockthurm* (10,578') und über dessen nördl. hinabgehenden Ferner in das oberste Kaunser Thal (Th. II, S. 56); ebenfalls durch *Mallag* zwischen der *Karlsspitze* und der *Nassen Wand* bietet auf der *Schneide*, 4 St. von Hinterkirch, die volle Ansicht des Gebatschferners, verbindet sich mit dem vorigen unweit des *Weissen Sees*. Von der Schneide bis Prutz 7 St. Ueber dieses Joch, sowie vom obersten Kaunserthal über ein zweites am Oelgrubenspitz vorüber ins Pitzthal, zog der österreichische General Laudon 1799. Bevor Kaiser Max den Pass von Finstermünz öffnete, bildeten diese beschwerlichen Saumwege die einzige Verbindung zwischen Oberinnthal und Obervintschgau. Trotz der grossen Ferneranhäufungen im Thale sind dennoch die Alpen sehr gut und Viehzucht ist Hauptgeschäft, da die Alpen den Thalbewohnern selbst gehören. Auf den meisten Alpen weiden 60— 90 Stück Vieh, Schaf- und Galtvieh ausgenommen, welche ihre besonderen Weideplätze haben. Reschen und Graun haben aber das Recht, gegen Entgelt von 48 Kr. bis 1 Fl. 12 Kr. für das Stück, ihr Vieh aufzutreiben. Das Thal ist ziemlich reich an Wild, sogar Wölfe und selbst Bären sollen sich zeigen. Durch die Viehzucht und weise Sparsamkeit haben sich die Langtauferer den guten Ruf der Zahlungsfähigkeit fortwährend zu erhalten gewusst; doch müssen bei wachsender Bevölkerung auch viele ihr Brot auswärts suchen.

Geogn. Am Eingang Thonglimmerschiefergebirge, über dem im Süden Triaskalk mit mächtigen Gypsstöcken an seiner unteren Grenze; tiefer im Thale krystallinisches Gebirge.

Flora. Aronicum Clusii, Viola calcarata, Salix glauca, Hegetscheveileri, arbuscula, glabra, Luzula spadicea, Agrostis rupestris.

Das Etschthal (Fortsetzung).

Von *Graun* führt die Strasse, rechts von dem in einem von Brettern und Bohlen eingeengten Kanale wild dahinschlessenden *Carlinbache*, links von einer kahlen, mit Geröll überdeckten Wand begleitet, zum *Mitter-* oder *Grauner See*, ¼ St. lang und ebenso breit, der auch von der Etsch durchströmt wird und den *Carlinbach* aufnimmt. An seinem östl. Ufer hin führt die Strasse in 1¼ St. zur Gemeinde *Haid* (4529'), 96 H., 945 E., um den *Haider-* oder *Weissen See*. Das St. Valentinsspital entstand auf ähnliche Weise, wie St. Christoph auf dem Arlberg, gestiftet 1140 von Ulrich Primele zu Burgeis; der Vorsteher hatte die Pflicht, im Winter bei Schneegestöber an jedem Abende mit Laternen,

Stricken, Stangen, Brot und Wein die Haide zu begehen und
Hilfsbedürftigen Beistand zu leisten. Seit sich die Volks- und
Häuserzahl längs der guten Strasse vermehrt hat, ist die Stiftung
in ein gewöhnliches Spital verwandelt. Diese Stiftung ist aber
ein Beweis für die stürmische Rauhheit dieser Gegend; kaum
möchte es sonst der im Sommer bei gutem Wetter hier Durch-
reisende ahnen. Der See ist von vielen Wasservögeln, besonders
wilden Gänsen, belebt und wie die vorigen fischreich; das Fischrecht, welches früher den Karthäusern zu Schnals, die zu bestän-
digem Fasten verpflichtet waren, zustand, haben die Umwohner
an sich gebracht. Vom Westgebirge braust der *Zerzerbach* herab
in den See. Er kommt vom *Vernumspitz* (8866'), leicht ersteiglich, aber nicht lohnend. Auf einem Vorsprunge über seiner Mündung in den See liegt die kleine Kirche *St. Martin in Zerz*, mit
schöner Aussicht. Das Wirthshaus am See ladet zur Einkehr und
bei einer Fahrt auf dem See sieht man den Orteler in seinen Wellen spiegeln. Gegen die Versumpfung der Ufer wird schon seit
Jahren an der Tieferlegung des Sees gearbeitet.

Die *Malser Haide* ist gebildet durch die Muren oder früheren
Schlammberge der östl. Seitenthäler, *Plawen* und *Planail*. Von
der *Hohen Brücke* steigen wir, der Strasse am rechten Ufer der in
wilden Fällen abstürzenden Etsch folgend, in 1 St. hinab nach
Burgeis (3450'), 54 H., 348 E.; es liegt dicht zusammengedrängt
und die Strasse windet sich mit Mühe durch die engen Gassen;
4 Kirchen liegen in und um den Ort. Gasth. *J. Theiner.* Gute
Führer für das Schlinigthal. Vom *Burgeiser Berge* zieht der Tobel *Valarga* herab vom Westgebirge, eine Bahn verderblicher Lawinen. Im J. 1487 verschüttete eine Lawine die Kirche, worauf
die jetzige Pfarrkirche gebaut wurde; 1836 kam eine ähnliche
Lawine, welche ein Haus zertrümmerte. Südwestl. liegt die Burg
Fürstenberg, einst Eigenthum und oft auch Sitz der Bischöfe von
Chur, erbaut 1274. — Während des Streites der Luxemburger
und Baiern um den Besitz von Tirol nahm Ludwig von Brandenburg das Schloss ein, weil die Bischöfe den Luxemburgern anhin-
gen. Nach 7 Jahren kam es wieder an die Bischöfe und blieb
ihnen bis zur Säcularisation; die schöne Bibliothek wurde nach
allen Richtungen verschleppt. Gegenwärtig wird es von etwa

30 armen Familien bewohnt, die durch die Verheerungen der Etsch am 16. — 18. Junius 1855 Hab und Gut verloren haben. Ueber dem Orte thront, der Gegend zum Schmuck, auf einem Felsenvorsprunge burgähnlich die Benediktinerabtei *Marienberg.* Die neuerlich wieder hergestellte Stiftskirche enthält schöne Gemälde, den heil. Sebastian aus der lombardischen Schule und Joseph von Holzer. Die Abtei wurde 1090 zu Schuls im Unterengadin von Eberhard v. Tarasp gestiftet, 1146 aber hierher verlegt. Ihr Schirmvogt wurde Egno v. Matsch. Fortwährende Unglücksfälle liessen das Stift nie aufblühen. Nicht genug, dass es von Raubrittern heimgesucht wurde, zeigte sich der eigene Schirmvogt als grösster Gegner, indem er die Güter des Stiftes an sich riss. Als sich der Abt Hermann darüber bei dem Grafen Otto v. Tirol beklagte, überfiel jener das Stift und tödtete den Abt 1304. Die Grafen v. Matsch verloren deshalb ihre Schirmvogtei, und der Mörder wurde, wahrscheinlich von der heimlichen Vehme ereilt, getödtet gefunden und auf ungeweihter Erde begraben. Seuchen, Heuschrecken, Erdbeben und Lawinen folgten auf diese Plage; 1418 brannte das Stift ab. Im Kriege gegen Graubündten verwandelten es die Tiroler in eine Festung. Von Baiern 1801 aufgehoben, wurde es 1816 wieder hergestellt, aber gering dotirt. Mehrere Ordensglieder haben sich Ruf erworben: Goswin (14. Jahrh.) als Chronikenschreiber, und neuerer Zeit Langes, Raas, Zingerle, Jäger und *Beda Weber.* Es versieht das Meraner Gymnasium mit allen Professoren und unterhält einige Seelsorger. Der jetzige Prälat, Peter Wiesler, ist aus Taufers im Vintschgau gebürtig. Im Archive ist noch eine handschriftliche Chronik von Goswin. Herrlich ist die Aussicht hinab in das ebenere Untervintschgau; 13 Orte erblickt das Auge in der einem Garten gleichenden Tiefe, durchblitzt von dem silbernen Faden der Etsch, umragt vom allseitig hochaufstrebenden Gebirge, überschimmert von der Fernerwelt des Oetzthales und des Ortelers. Burgeis ist der Geburtsort des Malers *Joh. Ev. Holzer* und des Bildhauers *Lorenz Frank.*

Geolog. Westl. der Strasse am Haidersee nach Burgeis: Hornblendegestein und Glimmerschiefer, die zur Schieferhülle der kleinen Servennamasse gehören, zu deren centralem Gneissgranit und Granit das Schlinigthal führt. Nördl. und westl. des Sursasspasses folgt Kalk; mitten im Kalkgebirge taucht aus dem Gletscher zwischen Lischana und Piz Cornet Gneiss, Verrucano und Porphyr auf (nach Theobald).

Flora. (Mals) Erysimum rhaeticum, strictissimum, Ononis rotundifolia, Oxytropis lapponica, Rosa pomifera, Lychnis flos Jovis (Weg nach Schlinig), Sempervivum Wulfini (Marienbergalpe), Plantago maritima, Bipa capillata, Koeleria hirsuta, Lazula lutea (Cantane).

Nordöstlich von *Burgeis* durch die Haide, hier *Mutte* oder *Muotte* (Matte), getrennt, liegt am Abhange des Ostgebirgs, am Eingange des kleinen Thales gleiches Namens der adelige Ansitz *Plawen*, dem Herrn v. Plawen in Innsbruck gehörig. Etwas südlicher liegt *Planail*, 61 H., 376 E., im Eingange des gleichnamigen Thales. Ehe man den Ort erreicht, kommt man durch die Weiler und Höfe *Ulten*, *Malsack* und *Sack*. Von Planail sagt man, dass die Sonne in der Zeit vom 15.—29. November und vom 12.—28. Januar an einem Tage zweimal auf- und untergehe, weil nämlich im Süden des Ortes sich der Berg *die spitzige Lun* erhebt, hinter deren aufragendem Gipfel die Sonne wegen des niedrigen Sonnenstandes um die Mittagsstunde verschwindet, Nachmittags aber wieder hervorkommt. Das an Wild aller Art reiche Thal zieht sich 4 St. hinan, in der zweiten Hälfte rechts von einem mächtigen eisbepanzerten Gebirgsrücken umstarrt, links überragt von dem Felsenhaupte des Danzewell, im Hintergrunde durch die Arme der Falbanois-, Freibrunner-, Wallner- und Kleinberg-Ferner gegen das Thal Langtaufers verschlossen. Der *Punibach* durchtobt das Thal und hat mit dem Bach des *Plawenthales* die gewaltige Mure der Malser Haide geschaffen, welche die Etsch an die jenseitige Thalwand hinüberdrückt. Der *Punibach* behauptet aus diesem Grunde auch lange Zeit seine Selbständigkeit neben der Etsch in der breiten Thalsenkung und vereinigt sich erst nach 3 St. in der Tiefe des unteren Vintschgaues, nachdem er den *Saldurbach* des *Matscher Thales* aufgenommen hat, mit der Etsch.

Der nächste Ort, welchen die Strasse von Burgeis erreicht, ist *Mals* (3355'), 173 H., 1131 E. So klein und zusammengedrängt dieser Markt erscheint, wenn man ihn, von unten herauf kommend, auf der ansteigenden Fläche wie eine Häuseroase erblickt, ein so grossartiges Ansphen hat er von oben herab auf der sich allmählich senkenden Fläche. Der Anblick der vielen Burg-

und Kirchthürme, die alten Mauern u. s. w. geben dem Ganzen etwas Grossartiges, so dass man sich einer grossen Stadt zu nähern glaubt; wahrhaft majestätisch aber wird dieser Anblick durch die Alles überragende Eispyramide des Ortelers, welche die Gegend noch erleuchtet, wenn Dämmerung über das Thal hereingebrochen ist. Gasth.: die *Post* und der *Hirsch.* Der enggebaute Markt wird vom *Punibach* durchbraust und besitzt 6 Kirchen; 11¼ Posten von Innsbruck, 1⅘ P. von Nanders entfernt. Von beiden genannten Wirthshäusern erblickt man den Orteler und die hohe Bergkette, welche sich zwischen ihm, dem Suldenund Etschthal aufbaut. In der Pfarrkirche ist ein schönes Gemälde von Knoller. In ihrer Mauer befindet sich ein Theil eines Römersteins eingemauert mit der Inschrift: Dis Manibus. Rufinae. Conjugi. Chrusonius. Mucianus et Rufinus et Chrysis matri Carissimae ponerunt. — *Mals*, der Hauptort des oberen Vintschgaues, wurde von der Erzherzogin Claudia zum Markte erhoben. In dem Orte selbst sind die bedeutenden Ruinen der *Fröhlichsburg* mit einem hohen runden Thurme und die ebenfalls ansehnlichen Ruinen der Feste *Trostthurm*. Mals ist der wahrscheinliche Geburtsort des Malers *Joh. Victor Platzer*. Die Franzosen zerstörten den Markt 1799. Den schönsten Standpunkt in der Nähe, um die Gegend zu übersehen, bietet die Anhöhe bei der Post. Unerlässlich ist von *Mals* aus, wo es an Führern nicht fehlt, ein Abstecher auf das in 4 St. erreichbare *Glurnser Köpfel*, südwestl. von Glurns, oder auf den *Ciavalazspitz*, wo man links die ganze Oetzthaler-, rechts die Ortelergruppe, dazwischen das grüne, rebumsäumte, burgenreiche Etschthal überschaut.

An der rechten Thalwand, *Mals* gegenüber, ¼ St. entfernt, liegt an der Mündung des Thales *Schlinig* das Dorf *Schleiss*, 52 H., 374 E.; Geburtsort des Malers *Franz Pund*, † 1764; Gasth. beim Agathle. Um in das Innere des Thales *Schlinig* zu gelangen, muss man die Höhen, welche seinen Eingang vermauern, übersteigen. Mit ihm vereinigt sich das *Arundathal* mit den Ruinen der Burg *Arunda*. In dem Hauptthale liegt die Gemeinde *Schlinig*, 32 H., 184 E. Einkehr nur beim Geistlichen. Unter den Bauerhöfen ist der *Polsterhof* deshalb merkwürdig, weil er in früheren Zeiten die Verpflichtung hatte, bei vorkommenden Hinrich-

tungen in Glurns ein Polster auf den Armensünderstuhl zu liefern.
Das Thal zieht sich 3 St. hinan zur schönen Hochfläche *Sursass*,
wo sich die Wasserscheide gegen den Inn und die Schweizer
Grenze befindet; die Alpenfläche liegt zwischen dem *Vernumspitz*
und dem höheren beeisten Rücken des *Maipitsch* und *Kristanes*;
jenseits zum Inn hinab zieht das *Luinathal*, und in ihm ein Weg
nach *Sins* im Engadin. Der Weg im *Schlinigthal* ist lieblich, über
die *Sarsannesalpe* wild-romantisch. Ein anderer Steig führt unter
der *Vernumspitze* vorüber in das *Zerzerthal.* Auf dem Joche hat
man eine herrliche Aussicht nach fast allen Richtungen. Ein dritter Pfad geht durch das *Arundathal* und über den *Tauferser Berg*
nach *Taufers.*

Flora. Alsine lanceolata, Draba Wahlenbergii, Moehringia polygonoides,
Arenaria ciliata, Oxytropis campestris, Potentilla nivea, Saxifraga stellaris, Erigeron uniflorus, — (*Schlinig*) Aronicum glaciale, Leontodon incanus, Crepis Jac-
quinti, grandiflora, Hieracium Schraderi, Campanula Scheuchzeri, Rhododendron
intermedium, Gentiana tenella, Salix cuspidata, caesia, Luzula flavescens, Carex
Hornschuchiana, Agrostis alpina.

Von *Schleiss* der Etsch folgend kommen wir in ½ St. nach
Laatsch, 95 H., 704 E., in der Mitte zwischen Mals und Glurns,
auf beiden Seiten der Etsch liegend. Sehr schöne alte Kirche
St. Leonhard. Ausserdem Trümmer alter Befestigungswerke aus
den Zeiten der Kämpfe mit Engadin, sowohl in dem Orte, als in
dem Eingange des *Tauferser-* oder *Münsterthales.* Ausserhalb des
Ortes steht die kleine, ebenfalls alte *Cäsariuskirche.*

Das Münsterthal.

Hier entströmt der *Rambach* dem ebengenannten Thale von
Taufers oder *Münster.* Im Eingange liegen die Felder von *Galfa*,
mehrfach umkämpft in den Kriegen der Reformation und der Revolution. Der Engadiner Krieg, welcher 8 Monate dauerte, wurde
mit gegenseitiger beispielloser Erbitterung gefochten. Hier kam
es den 22. Mai 1499 zu einem blutigen Kampfe, welcher jeder
Seite 4000 Mann kostete; der Sieg der Engadiner wurde dadurch
entschieden, dass die Tiroler von den Engadinern von Schleiss
und Schlinig aus über das oben erwähnte Joch umgangen wurden,
und weil die unter den Tirolern gezwungen mitkämpfenden Engadiner die Flucht ergriffen. Alle Orte der Umgegend gingen in
Feuer auf. Einige Tage darauf kam Kaiser Maximilian I. hier-

her und konnte beim Anblick des noch mit Leichen bedeckten
Schlachtfeldes sich der Thränen nicht erwehren. Am 25. März
1799, also fast gerade 300 Jahre später, kam es hier abermals zu
einem blutigen Kampfe zwischen den Franzosen und Tirolern.
Die Franzosen rückten unter Desolles durch das Münsterthal heran, die Oesterreicher unter Laudon hatten zwar Verschanzungen
aufgeworfen, wurden aber umgangen und grösstentheils gefangen;
nur ein Theil unter Laudon zog sich zurück, musste aber, da
auch schon die Franzosen von Nauders her vordrangen, jenen
oben erwähnten, für ein Heer gewiss merkwürdigen, Weg durch
Langtaufers und über die Fernerwelt ins Pitzthal nehmen. Die
Tiroler Schützen aber und die Siege des Erzherzogs Karl bei
Ostrach und Stockach über die Franzosen setzten dem weiteren
feindlichen Vordringen Grenzen und nöthigten die Franzosen zum
Rückzuge, nachdem sie von Bellegarde angegriffen waren; Plünderung, Mord und Brand in der ganzen Umgegend begleiteten
diesen Rückzug der Franzosen; sie liessen 300 Gefangene und
ihre Artillerie in Tirol zurück. Das *Münsterthal* ist das einzige
Thal im Etschgebiet, welches sich in die Schweiz hineinzieht. Es
wird bald nach dem Tiroler Orte Taufers *Tauferser-*, bald nach
dem ersten Schweizer Orte Münster *Münsterthal* genannt. So weit
es zu Deutschland oder Tirol gehört, wird deutsch gesprochen,
im Schweizer Antheile herrscht die romanische Sprache. Die
südöstliche Bergkette, welche es von dem Thale Trafoi oder Sulden trennt, besteht aus dem Glimmerschiefer und Gneiss der Stel-
viomasse, umringt von dem sogen. Casannaschiefer (Thonglimmerschiefer), welchem auch Triasfolgen auflagern.

Nach 2 St. von Laatsch kommt man thaleinwärts über *Rifaier*
nach *Taufers* (3932'), 107 H., 922 E.; 3 Kirchen. Gasth. Mug-
lach. Von *Taufers* führt nordwestl. ein Jochsteig durch das hier
mündende *Avignathal* über das *Scharljoch* hinüber nach Schuls im
Engadin. Die schöne Gegend um *Taufers* zieren die Burgruinen
von *Rotund*, *Reichenberg* und der zwischen ihnen aufragende
Thurm *Helfmirgott;* sie liegen rechts über dem Dorfe. *Reichen-*
berg und *Rotund* gehörten früher den mächtigen *Eppanern;* von
ihnen kamen sie auf die gefürchteten Reichenberger, nach deren
Absterben sie die Vögte von Matsch, die Trapp und Schlanders-

berger übernahmen. Friedrich m. d. l. T. eroberte und zerstörte
sie. Im 16. Jahrh. kauften sie die Hendl, welche sie bis auf die
neueste Zeit behielten, wo sie ein Bauer übernahm. Der Thurm
Helfmirgott hat seinen Namen von einem besonderen Vorfalle erhalten. Eine schöne Jungfrau wohnte oder sass in dem Thurme
gefangen. Einst war sie allein, welches der Herr auf Rotund benutzte, sie überfiel und zwingen wollte, ihm zu willfahren. Sie
hatte keinen Ausweg, als die Zinne des Thurmes; aber auch hierher verfolgt, stürzte sie sich mit dem Ausrufe: Helf mir Gott! in
den Abgrund. Doch unverletzt erreichte sie die Tiefe und stand,
hocherfreut über ihre Rettung, auf dem grünen Hügel unter dem
Thurme. Erschüttert von diesem Vorfalle, warf sich ihr Verfol-
ger ihr zu Füssen und wurde aus einem frechen Sünder ein from-
mer Büsser.

Ueber herrliche Wiesen wandernd erreicht man in ¼ St. das
erste Schweizerdorf *Münster*, 500 E. Die Sprache ist hier schon
romanisch, die Gemeinde aber noch katholisch. Die uralte Benediktinerabtei *Münster* daselbst soll Karl d. Gr., als er auf seinem
Zuge gegen die Avaren hier durch kam, gelobt haben. Die kriegerischen Ereignisse, die aber diese Gegend so hart mitnahmen,
zerstörten alles Alterthümliche und die Archive. 1 St. weiter hinan kommt der Wanderer nach *Santa Maria* (4358'), mit 600 re-
formirten E. romanischer Zunge. Das Thal bildet hier einen weiten grünen Thalkessel, in welchem allenthalben die weiss ange-
strichenen Häuser mit ihren grauen Schindeldächern zerstreut
umher liegen. Der Gastwirth ist ein gebildeter Mann; doch darf
man an kein Schweizer oder Tiroler Gasthaus denken; man erhält wenigstens guten Veltliner. In der evangelischen Kirche
wird auch katholischer Gottesdienst gehalten, besonders für die
vielen hier arbeitenden Tiroler. Hier laufen von allen Seiten die
Thäler zusammen und durch sie hin und über ihre Grenzjöcher
führen Steige in die angrenzenden Gebiete von Engadin, Veltlin
und Trafoi, also in die Gebiete der Donau, des Po und der Etsch:
nämlich westl. über das Joch *Buffalora* (6800') nach *Brail* im
Oberengadin, südwestl. über den *Passo dei Pastori* ins Addathal
nach *Bormio*, südl. durch das Alpenthal hinan über den *Umbrail*
zur höchsten Cantoniera der Stilfserjochstrasse, und von hier ent-

4 *

weder nordöstl. über Trafoi hinab ins Etschthal oder südwestl.
hinab ins Addathal oder Veltlin.

Flora. Münsterthal: Polemonium coeruleum, Erysimum helveticum. — Weg
zum Wormser Joch: Viola calcarata.

Das Etschthal (Fortsetzung).

An der Ecke rechts von der Ausmündung des *Münsterthals*
liegt das Städtchen *Glurns* (2933'), 98 H., 882 E.; ⅓ St. von
Mals; Sitz des Bezirksamts. Gasth. Joh. Flora. Als Stadt erscheint es 1304. Ferdinand I. umgab sie 1530 mit Mauern gegen
die Einfälle der Engadiner, welche 1499 die Stadt gänzlich zerstört hatten; dasselbe thaten 1799 die Franzosen. Die Pfarrkirche, welche ausserhalb der Mauern steht, ist ein sehenswerthes
Alterthum; der Kirchthurm trägt die Zahl 1290. Das Städtchen
ist sehr in seine Mauern zusammengedrängt; die Gräben sind in
Gärten verwandelt; überhaupt ist die Umgegend trotz der hohen
Lage sehr fruchtbar, besonders nachdem der Lauf der Etsch durch
einen Kanal geregelt und dadurch die Gegend entsumpft ist; denn
hier hört die Abdachung der Malser Haide auf und mit Untervintschgau beginnt ein ebenerer Thalboden. Doch hat der Ort
durch die Fluten der Etsch 1855 sehr gelitten, auf einer Strecke
von 40 Kl. ist die Stadtmauer eingestürzt und die Etsch in ihrem
höheren Bette bleibt gefahrdrohend.

Flora. Ononis rotundifolia, natrix (im ganzen Etschthal abwärts), Coluta
arborescens, Phaca australis, Oxytropis pratensis, Lathyrus heterophyllus, Achillea
nobilis, Althaea officinalis, Alsine Jacquinii, Pedicularis tuberosa.

Von *Glurns* halten wir uns fortwährend auf Landwegen, denn
die Strasse zieht jenseits der Etsch hin, an der rechten Thalwand
fort. Noch eine Zeit lang glänzt die Eispyramide des Ortelers
herein ins Thal, ehe sie hinter die Vorberge tritt. Herrlich ist
das Geläute der hiesigen Orte, und es macht einen tiefen Eindruck, an einem heiteren Sonntagmorgen, im Angesichte dieser
grossen Natur und unter dem Geläute von Mals, Glurns, Tartsch,
Schluders und Laatsch, durch diesen Garten zu wandern; besonders übertönt die grosse Glocke von Schluders dieses Glo-
ckenkonzert mit ihrem ehernen Bass.

In 1¼ St. erreicht man *Lichtenberg*, 46 H., 479 E., mit einer
prächtigen grossen Burg auf der Höhe, sich rechts in eine Bucht
des Etschthales schmiegend. Am meisten fallen hier schon die

grossen Nussbäume auf, welche das Dorf und die Burghöhe umschatten. Am 18. und 19. Mai 1847 wurde der Ort von einer
Schlammflut heimgesucht. Die Pfarrkirche liegt auf einem Hügel; höher liegt die kleinere *Christinakirche*, ehemalige Pfarrkirche mit herrlicher Umsicht. Die Burg *Lichtenberg*, ein grosses,
echt ritterliches Gebäude, war die Stammburg der Herren v. Lichtenberg, welche 1540 ausstarben. Noch ¼ St. weiter hinab liegen
an der Mündung des *Suldenthales* diesseits des Baches *Agums* und
jenseits *Prad*, 2 Dörfer. *Agums* mit starkbesuchter Wallfahrtskirche. Nicht weit davon, schon gegen das Suldenthal hinein,
ragt das alte Schloss *Gargitz* auf, Besitzthum der Grafen v. Wolkenstein-Trostburg, jetzt im Besitze des Bauern Wallnöfer.

Flora. Thalictrum foetidum, Anemone vernalis, montana. Dracocephalum
austriacum (nach Tschengels zu).

Jenseits des *Suldenbaches* liegt *Prad* (2967'), mit Agums
117 H., 1318 E.; hier eine alte sehenswerthe Kirche. Postwechsel zwischen Mals (3¼ Stunden) und Eyrs (¼ Station), auch von
Trafoi (3 St.). *Prad* ist der Geburtsort der beiden, in der gelehr-
ten Welt bekannten, Primisser, von denen Cassian 1771 als Mönch
zu Stams, Joh. Baptist 1815 als Custos des Münz- und Antiken-
kabinets und der Ambraser Sammlung in Wien gestorben ist.

An der linken Thalwand gelangt man von *Mals* auf der
Hauptstrasse in ¼ St. nach *Tartsch*, 41 H., 398 E., an dem Abhange des *Tartscher-Bühels*, auf welchem die uralte *St. Veitskirche* liegt; am Namenstage des Heiligen, den 15. Juni, wird hier
ein Jahrmarkt gehalten, auf welchem sich nicht nur das Volk der
näheren Umgebung, sondern auch aus dem Engadin und Veltlin
versammelt; Hauptgegenstand des Handels sind Pferde. Vor allem
muss der Freund schöner Aussichten hier herauf steigen: In der
Tiefe liegt der weite Thalkessel von Glurns und Laatsch mit ihren
Baumgärten, umschlossen von einem riesigen Amphitheater von
Hochgebirgen; hoch glänzt über alle der Eispalast des Ortelers
und seiner Trabanten. Gerade gegenüber erschliesst sich die
schöne Durchsicht des Münsterthales, weiter rechts die Oeffnung
des Schliniger Thales und nun die vielen Burgen, die allenthalben von Felsabhängen oder von umbuschten Höhen herab glänzen; hier zunächst die romantische Churburg, dort im Münster-

thal Rotund, Reichenberg und Helfmirgott; tiefer die weissen
Mauern von Lichtenberg, rechts die Burgen in und um Mals. —
Die Strasse führt von hier in 1 St. hinab nach *Schluders*, 125 H.,
1218 E., an der Mündung des *Matscher Thales*, vom wilden, die-
sem entströmenden *Saldurbache* durchbraust, der oft grossen Schaden anrichtet. Eine besondere Zierde des Ortes und der ganzen
Gegend ist die aus einem Walde von Obstbäumen aufragende malerische, noch wohnlich erhaltene *Churburg*. 1311 starb der letzte
Herr v. Churburg, welchem die mächtigen Grafen und Vögte von
Matsch im Besitze folgten. Der letzte Matscher war Ulrich, dessen einzige Tochter 1440 Jakob v. Trapp heirathete, wodurch die
Burg an die Grafen v. Trapp kam, welche noch im Besitze sind
und im Sommer hier wohnen. Die Burg, nicht immer zugänglich, enthält ein geordnetes Archiv und eine Rüstkammer, zu welchen der in Mals wohnende Verwalter die Schlüssel hat. Auf dem
Kirchhofe befindet sich der schöne Grabstein des Jakob v. Trapp
und auf der Burg seine hölzerne Bildsäule, angeblich von ihm
selbst verfertigt.

Das Matscher Thal

zieht in einer Länge von 6 St. zum Oetzthaler Gebirgsstock hinan.
Von *Mals* kann man sogleich über die *St. Veitskirche* auf dem
Tartscherbühel in die obere Mündung des Thales hinein kommen;
es ist dieses der bequemste und der fahrbare Weg. Beschwerlicher, aber an Naturschönheiten reicher, ist der Weg von *Schluders* gerade durch die untersten wilden Engen des Thales. Das
Thal hat nämlich, wie sehr viele Alpenthäler, einen engen, fast
unwegsamen Eingang, indem sich der Bach selbst ein Bollwerk
vor seiner Ausmündung aufgebaut hat, das er nun mit Mühe
durcharbeitet im tiefen dunkeln Schlunde; die Häuser des Dorfes
Matsch haben sich daher auf der Höhe über diesen Einschnitt angesiedelt. Erst 1½ St. thaleinwärts läuft der Bach in seinem
eigentlichen Thalbette, nur noch von den festen Bergwänden auf
beiden Seiten begleitet. Die beiderseitigen Thalgehänge sind sehr
steil und viel von Gräben zerrissen. Noch in der tiefen Rinne
hat ein Seitenbach, dem Hauptbach spitz zulaufend, einen Hügel
ausgeschnitten, auf dessen vorderem Kopf die Ruinen von *Unter-
matsch*, und auf seinem hinteren höheren Theile die Ueberreste

von *Obermatsch* liegen. Diese Burgen waren der Stammsitz der
mächtigen Vögte und Grafen von Matsch. Nur die Schlosskapelle
von *Obermatsch* hat sich erhalten und ist zur Kirche geweiht. Der
erste Matscher, welcher sich urkundlich nachweisen lässt, ist der
Ritter Andreas v. Matsch, welcher 1165 auf einem Turniere zu
Zürich erscheint. Ausser ihren vielen Besitzungen in Tirol, gehörten ihnen noch Güter in Veltlin, Graubündten und Schwaben.
Unter Heinrich IV. liess sich ein Seitenzweig im Veltlin unter
dem Namen Grafen v. Venosta (Vintschgau) nieder und diese Linie blüht noch jetzt fort. Unter der Margaretha Maultasche standen Ulrich der Aeltere und der Jüngere an der Spitze der beiden
Zweige in Tirol und an der Verwaltung des Landes, misbrauch-
ten aber ihre Macht und die Schwäche der Fürstin so sehr zur
Vergrösserung ihres Besitzthums, dass sie sich allgemein verhasst
machten. Als Tirol an Oesterreich überging, nach dem Tode der
Margaretha, musste eine Untersuchung über ihre Verwaltung ver-
hängt werden und sie verloren in Folge derselben einen Theil
ihrer Besitzungen. Sie wussten sich dennoch bald wieder bei dem
neuen Fürsten in Gunst zu setzen und waren dessen Helfer in
Krieg und Frieden. Gaudenz v. Matsch schlug auf einem Zuge
Sigmunds gegen Venedig die Venezianer 1488 bei Roveredo.

Etwas thaleinwärts liegt an dem sonnseitigen Abhange des
Gebirges lang hin das Dorf *Matsch*, einst Amatia oder Amasia
(von mansus, ital. maso, deutsch Matte), 55 H., 463 E., die
ganze Gemeinde 79 H., 668 E. Die jetzige Pfarrkirche ist vom
J. 1496 und hat schöne Altargemälde. Die Kirche oder die Pfarrgemeinde stammt aus früheren Zeiten. Nach einer Urkunde ist
sie von den lombardischen Königen dem Bischofe von Como im
6. Jahrh. geschenkt. Wahrscheinlich war zu den Zeiten der Völkerwanderung dieses Thal eine Zufluchtstätte der christlichen Umwohner. Nach der Legende wurde hier im 7. Jahrh. der heil. Flo-
rinus geboren, indem sich hier seine Eltern, Britten, von einer
Pilgerreise zurückkehrend, niederliessen. Florin wurde Pfarrer
der Gemeinde, schon im Leben als heilig verehrt, noch mehr
nach seinem Tode, und die von ihm verwaltete Kirche ihm geweiht. — Hinter dem Dorfe wird das matten- und alpenreiche
Thal freundlicher und etwas offener; nur den Hintergrund um-

grauen schauerliche wildzerrissene Wände, überglänzt von dem blauen Eise der Ferner. 2 St. hinter der Kirche öffnet sich das Thal selbst zu einem ebenen Thalboden, allseitig von ganz bematteten Bergen umschlossen; 110 Kühe weiden auf den 4 Alpen dieses Thalkessels. Hier findet man auch beim Bauer Heinisch gute Unterkunft und Führer auf die Remsspitze, den Salurnfernerspitz und (schwieriger) für den Uebergang neben der Weisskugel ins Rofnerthal. Drei Gründe treffen hier zusammen, aus denen der *Klammbach* (der Hauptarm), der *Ranudla-* und *Oppiabach*, lauter Gletscherbäche, sich zum *Saldurbach* vereinigen.

Gerade im Süden jenes Thalbodens erhebt sich die 10,136' hohe *Remsspitze* mit prächtiger Aussicht, von Matsch aus in 5— 6 St. leicht ersteiglich. Will man weiter von hier, so muss man allerwärts einen grünbematteten Bergabsatz hinan. Ueber diesem erhebt sich nochmals eine grüne Alpenwelt, die Strebepfeiler des dahinter in den wildesten Formen sich aufbauenden Fernergebirges. Die Ferner ziehen zwar nicht, wie auf der Nordseite, langartnig in die Thalsohle, aber desto wilder hängen sie über die Felskante herab. Der Hauptarm des Thales strebt nördlich, sich dem obersten Ende des Langtauferser Thales zuwendend. Doch zwischen ihnen lagert, sie trennend, eine grosse Fernerwelt, beherrscht von der *Weisskugel* (11,840'), auch *Schweinferjoch* oder *Hintere Wilde Eisspitze* genannt. In der nächsten Tiefe des Thales nicht sichtbar, erblickt sie der Wanderer im unteren Thale, noch besser im jenseitigen Suldenthale und auf der Jochstrasse hinansteigend. Von allen Seiten steigen in wilden Formen die Ferner herab. Unter der steil abstürzenden Fernerwand liegen 3 Hochseen, von den niederbrausenden Eisbächen ernährt, oft aber auch in heissen Sommern von den thauenden Gletschern oder ihren Eisbrüchen überschwellt, um durch Ueberschwemmungen grossen Schaden anzurichten. Im J. 1737 betrug der Schaden, welchen der Ausbruch einer dieser sogen. Wasserstuben verursachte, im Thale allein 30,000 Fl.; eine ähnliche Verwüstung brachte die Sommerhitze von 1835. Lämmergeier und Wölfe waren nächst diesen die Plagen des Thales, daher das Sprichwort: Matsch der Wölfe Heimat. Doch auch seinen Segen hat dieses Thal. Die Viehzucht steht oben an und seine Matten und

Weideplätze gehören zu den schönsten Tirols; und obgleich das
Thal ein Hochthal ist, indem schon der unterste Eingang über
3000' hoch liegt, ist dennoch der Getreidebau so blühend (Korn,
Gerste, Hafer und wenig Weizen), dass viel mehr gebaut, als
verbraucht wird. Sonst sammelte jeder Hof seine Ernte an bestimmten Tagen ein und da halfen alle Nachbarn; in kurzer Zeit
war das Geschäft vollbracht unter Sang und Klang. Kost und
Wein stand allen nach Belieben bereit. Dem hat die Prosa der
Berechnung des eigenen Vortheils ein Ende gemacht und die schöne alte Sitte ist verschwunden. Wenn die Thalgemeinde nicht so
wohlhabend ist, wie sie es unter diesen Verhältnissen sein könnte,
so sind die vielen Eigenthumsrechte der ehemaligen Herren daran
schuld. Das Thal verdient von allen Reisenden, besonders Malern, Botanikern und Mineralogen, besucht zu werden, indem es
zu den schönsten des Vintschgaues gehört. In den Seen finden
sich Goldforellen, auf den Höhen Gemsen, und die Wälder bestehen zum Theil aus Zirbeln. Aus dem Hintergrunde führt ein
Fernersteig, voll der grossartigsten Bilder, über den *Salurnferner*
in 8 St. nach Unserer lieben Frau in Schnals; eben dahin nach
v. Mojsisovics (Jahrb. d. A.V. I, S. 335) durch das mit alten Mo-
ränen erfüllte *Mastaunthal* und über die *Mastaunscharte* (9300')
in 6 — 7 St.

Flora. Draba Thomasii, Phaca alpina, Potentilla frigida, Linnaea borealis,
Dracophyllum Ruyschianum, Primula glutinosa, Cortusa Matthioli, Juncus Jacquinii, alpinus, arcticus (in der Nähe des Ferners), Carex Vahlii.

Das Etschthal (Fortsetzung).

Von *Schlanders* erreicht die Strasse die Häusergruppe *Spondinig* in 1¼ St. Hier vereinigt sich erst der *Punibach* mit der
Etsch. Von hier aus zweigt sich rechts, fast rechtwinkelig von
der Vintschgauer Strasse, die Strasse nach Prad und dem Stilfser
Joche ab, in schnurgerader Richtung, die ebenso gerade geleitete
Etsch und ihr Thal auf einer langen, einen Damm bildenden,
Brücke übersetzend. Diese Strasse ist ungefähr die Grenze des
oberen und *unteren Vintschgaues* (Vallis venosta, das Thal der Ve-
nonen oder Venosten). Im *oberen Vintschgau* ist die Viehzucht
ein einträgliches Gewerbe; das Alpenleben steht aber besonders
für den Reisenden im grellen Widerspruch mit dem liederlustigen,

reinlichen Alpenleben der steierischen Alpen; keine Sennerinnen, ungeheurer Schmutz. An einem bestimmten Tage kommen die Eigenthümer der Alpen zur sogen. Maass (wieviel Milch jede Kuh an einem Tage gibt) auf die Alpen. Der Milchgewinn dieses Tages wird als Massstab genommen, was der Bauer von dem Senner fordern kann. Die beste Kuh heisst die Proglerin (Prahlerin); sie erhält beim Heimzuge die grösste Glocke und einen Blumenkranz. Früher war das ein Sennerfest mit Schmaus; jetzt erhalten die Senner höchstens etwas Wein. Neben der Viehzucht wird auch Getreidebau betrieben. Nebenerwerb ist Kärner- und Dienstgeschäft. Die Törcher, wie die Kärner heissen, fahren mit ihren kleinen Wagen, an denen ein Pferd oder Esel und der Mann ziehen, einen kläffenden Hund zur Seite, während Frau und Kinder schieben, gewöhnlich mit Flachs, Töpfergeschirr und Alpenerzeugnissen nach Meran und Bozen, tauschen daselbst Süd- und andere Früchte ein und bringen diese auch ausserhalb Tirols zu Markte. Viele, besonders Mädchen, gehen in Dienste nach Schwaben. — Blicken wir abwärts nach Untervintschgau, so gewährt die linke Thalwand, besonders ihre unterste Stufe, keinen erfreulichen Anblick; da nämlich das Thal von hier an rechtwinkelig umbiegt und von Westen nach Osten zieht, so ist diese Thalwand den brennenden Strahlen der Mittagssonne, die alles Gras versengt und den Boden völlig austrocknet, so ausgesetzt, dass nichts aufkommen kann; erst in den höheren Regionen, wo eine freiere Luft mehr Zugang hat, überzieht sich die Erde mit einem Pflanzenteppich und Bauernhöfe liegen zerstreut hinan bis zum Waldgürtel. Schöner und frischer erglänzt die südl. rechte Thalwand. Der Thalboden zeigt Versumpfungen, von Erlenauen umdüstert; der ganze Boden ist sehr salzhaltig, wodurch derselbe sehr unfruchtbar wird. Guten Absatz findet das Erlenholz, welches, in Bündelchen gebunden, nach Meran und weiter verführt wird. Wegen des sauern Grases ist die Pferdezucht beträchtlich; mancher Bauer hält 15—20 junge Zuchtpferde, die besonders stark nach Italien gehen. Die Thalwände links bestehen aus Glimmerschiefer, weiter hinein auch aus Gneiss und Granit; so auch rechts, wo aber weiter ins Gebirge hinein der krystallinische Marmor in mächtigen Lagern auf-, auch hie und da bis gegen die Etsch vortritt und die grossen Marmorbrüche von Schlanders, Göflan u. s. w. bildet. Merkwürdig ist wohl für den Sprachforscher die Endung der meisten auf der Thalstufe Untervintschgau's, von Mals bis zur Töll, vorkommenden Ortsnamen auf **atsch, rtsch** u. a., z. B. Compatsch, Matsch, Mals, Tartsch, Laatsch, Madatsch, Laas, Kartsch, Patsch, Latsch, Tarsch, Flatsch(berg), Tschars, Plars, Gratsch, Bartsch(elberg), Etsch, Schnals u. a. Die Töll hinab nach Meran und Bozen kommen solche Namen nur noch als einzelne Geschiebe vor, indem an ihre Stelle die Endung auf **an** tritt, Meran, Terlan u. a. Nach Dr. Goldrainers Beobachtungen herrscht hier durchaus der mongolische Schädelbau. Sollten nach der Schlacht von Chalons Hunnen hierher verschlagen sein?

Die Orteler Alpen.
Geologisches, von Dr. E. v. Mojsisovics.

Leider nur allzu begründet sind die von Dr. Emmrich (S. 13) ausgesprochenen Klagen über unsere mangelnden Kenntnisse der geologischen Verhältnisse. Doch mag man allenfalls fadenscheinigen Trost darin suchen und finden, dass auch die Topographie bis in die allerneueste Zeit sehr im Argen lag und noch jetzt auch nach dieser Seite viel zu thun erübrigt. Ich finde im ersten die Aufforderung, die noch sehr lückenhaften Daten, die ich, theilweise in Gesellschaft meines hochverehrten Freundes Prof. Suess, gesammelt habe, hier mitzutheilen, kann jedoch die Bitte nicht unterdrücken, dass dieselben nur als ein Wechsel an die Zukunft betrachtet werden.

Gesteinscharakter und Bau der Hauptmasse erinnern lebhaft an Studers Walisermasse. Das herrschende Gestein ist der Casannaschiefer Theobalds, der im breiten Zuge aus dem Veltlin herübertritt und die mannigfachsten Uebergänge von halbkrystallinischem grauem Schiefer, häufig mit Granaten, bis zu festeren Gneissen, oft auf engbegrenztem Raume horizontal und vertical, zeigt. Wäre der tirolische Theil gleich gebaut dem lombardischen, dann hätte der schon zur Sentenz gewordene Satz: „Der Cevedale ist der Mittelpunkt der Orteler Alpen" seine volle Berechtigung. Es tritt aber mit der Wasserscheide zwischen Etsch und Adda eine bedeutsame Aenderung im Schichtenbaue der Gebirge ein, die, wenn der Hauptstock des Adamello wirklich gewölbförmig konstruirt ist, ein schönes und vielleicht zur Klärung der Verhältnisse höchst wichtiges Analogon im Adamello-Presanellastocke findet. So einfach der Bau des lombardischen Gebietes ist — ein kolossaler Dom, eingerissen durch radiale Spaltenthäler, dessen Südseite bis zu dem nördlich des Tonale streichenden Kalkzuge im Einfallen immer an Steilheit gewinnt, in den mittleren Theilen am Confinale schweben die Schichten, das nördliche, etwas verkürzte Kugelsegment greift unter den hoch aufgeworfenen triasischen Kalken und rhätischen Dolomiten des Cristallozuges auf den Stelvio und in das Münsterthal über — so komplicirt scheint, wenigstens bis heute, das tirolische zu sein. Auf flüchtiger Streifung könnte man vielleicht zur Ansicht gelangen, man habe es mit einem doppelten Fächersystem zu thun. Bei eingehende-

rem Studium dürfte man aber geneigt sein, in gewissen Thonschiefern mit meta-
morphischen Graniten, Hornblendegesteinen, Quarziten und Kalken, deren oro-
tektonische Bedeutung im lombardischen Gebiete gleich Null ist — weil da von
der gewaltigen Unterlage mit aufgehoben, ohne die geringste Störung im Gebirgs-
baue zu veranlassen — einen Schlüssel zur Deutung zu erkennen. Wir würden
uns dann entschliessen müssen, einen bedeutenden Theil des tirolischen Terrains
von der eigentlichen Centralmasse auszuscheiden und mit dem Gneisszuge des
Tschegol in Verbindung zu bringen, dessen östliche Fortsetzung höchst wahrscheinlich die Zillerthaler- und die Tauernmassen sind. Diesen Theil bildet die
centrale Gneissmasse der Vertainspitze [1]), der einzigen Gegend im Ortelergebiete,
wo Massengesteine in grösserer Ausdehnung auftreten. Rings wird sie umgeben
von einer mächtigen Schale von Schiefern. Quarzite, Kalke und Hornblendgesteine aber sind es, denen wir den meisten Einfluss auf die Grenzbestimmung zu-
erkennen. Setzen wir die Ostgrenze an den Eingang des Martellthales, so begleiten wir, südlich des Etschthales, eine fortlaufende Zone von Casannaschiefern und
das prächtige Marmorgebiet des Kreuzjoches und der Jemwand; auch letzteres
setzt in schmäleren Streifen über den Saurüssel und die Gegend der Prader Wasserfälle nach Sulden fort, wo wir an die mächtigen triasischen und rhätischen
Massen des Orteler stossen. Mit der Königsspitze setzen wir in Verbindung
die CC-förmig im Casannaschiefer eingekapselten Kalke des Butzenthales und die
Quarzite und Marmore am Absturze des Langenferners, die muldenförmig ein-
gesargt über Konzenspitze, Ultenermarkt, Fuss der Gramsenferner in nahezu ununterbrochener Linie fortsetzen auf das Soyjoch und im Osten der Salterebenspitze
uns wieder an den Eingang von Martell führen. Bemerkenswerth in diesem Gebiete sind trachytähnliche Dioritporphyre, die mit Verrucano auftreten und sehr
verbreitet sind: Butzenböden, Südseite des Soyjoches, Fuss des Orteler, Peder-
thal (hier in naher Verbindung mit Gypsen), Südseite des Suldnerferners. So-
dann muss der in Verbindung mit schwarzen, glimmerreichen Thonschiefern mächtig auftretende metamorphische Granit Erwähnung finden, für den wir, vorbehalt-
lich weiterer Begründung, den Namen „Martellgranit" vindiciren. Eine ansehnliche Ellipse im unteren und mittleren Theil Martells bildend, an die beiderseitigen Gebirgshänge hoch hinaufreichend, conform mit den Schiefern einfallend und
wohl weiter nach W. unter der Schieferdecke fortsetzend, besteht das grosskör-
nige Gestein aus weissem Feldspath, weissen, Zollgrösse erreichenden Glimmerblättchen, lichtgefärbtem Quarz und enthält ziemlich häufig bis 2, 3 Zoll grosse,
schwarze Turmalinkrystalle. Auch Hornsteine kommen in dicken Bänken darin
vor. — Der centrale Gneiss, wohl einen gegen S. weit überwiegenden Dom bildend, tritt in einer zusammenhängenden Masse an der Tschengelser Hochwand,
Hochofenwand und Vertainspitze auf und taucht unter den Firnen des Laaserthal-
ferners und Rosimferners unter. Der Martellgranit tritt a u c h jenseits des Etschthales, bei Schlanders und Castelbell, auf.

1) Wird auch durch das Auftreten des Gneisses am Sonnenberg bei Schlanders (nach v. Saeger) eine solche Verbindung mit der kleinen Tschegolmasse hergestellt, so dürfte doch der Gneiss der Laaserferner eher Anspruch auf Selbständigkeit machen können, aber mit v. Mojsisovics aus den übrigen Orteleralpen auszuscheiden und als selbständige Centralmasse anzuerkennen sein.   Dr. Emmrich.

Viel unbekannter und mit grösserer Vorsicht zu behandeln ist das Gebiet süd-lich der Vertainmasse. Die meiste Schwierigkeit bietet die Deutung eines Systems von kleinen Fächern, die die Südseite der Gruppe gegen die V. di Sole begren-zen. Während dieselben am Mandrić aus ziemlich festem grauem Gneisse be-stehen, sind die Gesteine der westlicheren schöne Thonglimmerschiefer, theilweise in Gneiss übergehend. Auffallend ist, dass im Fortstreichen gegen W. die Anti-klinale immer weiter gegen S., gegen das V. di Sole zu tritt. Mit einem aus Ul-ten über das Sassforajoch herübertretenden, die Mitte von Rabbi überquerenden und gegen den Tonal zu streichenden Zug von Quarziten, Dioriten und Kalken, der nach W. in die V. Cammonica fortsetzt, bildet die Antiklinale einen sehr spi-tzen Winkel, ja am Corno di Boai schneiden sie sich. Fällt nun auch der kleine Gneissfächer des Mandrić ausserhalb des zu Tage liegenden Gebietes der Ada-mellomasse, so fühlen wir uns dennoch gedrängt, die Aufrichtung dieser, an der Peripherie liegenden, kleinen Fächer dem Seitendruck des Adamellomassivs zuzu-schreiben. Die auf der N.Seite vom Tonalit überlagerten Gesteine des Presanel-lazuges sind genau dieselben glänzenden Thonglimmerschiefer.

Das nun übrig bleibende Mittelstück der Gruppe stellt sich uns als eigent-liche Fortsetzung der lombardischen Masse dar. Wir erhalten ein Gewölbe, das freilich im Zuge der Ganani im Süden durch den peripherischen Fächer sehr verkürzt wird. Gesteinscharakter ist derselbe, wie in der Vertainmasse. Die Dio-ritporphyre sind seltener, der Martellgranit tritt in der V. della Mare in der Um-gebung von Cogolo, namentlich nördlich davon, auf, theilweise in Gangform in seinem zugehörigen Thonglimmerschiefer. In V. di Rabbi wird er mit einem schönen Gabbrogestein vom Gneisse des Mandrić überlagert. Die Kalke, als kleine Mulden, folgen dem Bogen der Gewölbe. Mit den Gesteinen der Vertainmasse im N. zusammenstossend bilden die Casannaschiefer dieses mittleren Zuges eine Mulde, deren centrale Schichten vertical zusammengequetscht sind. Die dadurch entste-hende Antiklinale lässt sich vom Soy- bis über das Saentjoch hinaus auf der Süd-seite des hohen Zufridkammes verfolgen, im Osten der Venezia aber tritt sie schon auf die Nordseite und unter den Firnen des Förkeleferners verbirgt sie sich schliess-lich dem wissbegierigen Auge. — Lokale Schichtenstörungen stellen sich regelmäs-sig in der Nähe der Längskämme ein, auf der dem betreffenden Centrum zuge-wendeten Seite.

Ueber die Kalkwelt des Orteler lässt sich wenig berichten. Bei dem gänz-lichen Mangel an Fossilien lässt sich nur nach Analogie der nahen, von Theo-bald so gründlich studirten, Graubündtner Kalkberge annehmen, dass der untere Theil dem triasischen System zufällt. Nach unten ist der Verrucano in Sulden am Fusse des Orteler, hier mit Gypsen, und in Trafoi auch die Rauchwacke si-cher gestellt. Den oberen mächtigen Theil bilden Dolomite und Kalke der rhä-tischen Stufe, in der Lithodendren sich vorfinden. Im Schutte des Orteleferners wurde ein noch nicht näher bestimmter Encrinitenkelch gefunden. Wolf brachte von der Knot am Orteler unbestimmbare Belemniten herab. Das Kalkgebirge des Orteler bildet mit dem des Cristallokammes eine gegen Trafoi abfliessende Mulde. Aehnlich der Bau in V. di Brauglio. Die Bäder von Bormio erhalten nach Theo-bald aus der, wie uns scheint, durch den M. Video und M. Scorluzzo von der vorigen getrennten Mulde des westlichen Cristallokammes ihre Speisung.

Aus dem lombardischen Theil seien schliesslich noch die „eruptiven" Gesteine der Serra (Granite, Gabbrosyenite?) erwähnt, die wohl mit den Martellgraniten, namentlich in der Form, wie sie in V. Rabbi auftreten, in Verbindung gebracht werden dürften. v. Rath erwähnt auch noch eines, dem Tonalit ähnlichen, syenitischen Gesteins vom Fornogletscher.

Das Sulden-Trafoithal.

Die Strasse über das Stilfser- oder Wormser Joch, obgleich jetzt bloss bis Gomagoi unterhalten und wenig benutzt, bleibt merkwürdig wegen der Kühnheit des Gedankens, über solche Höhe eine Heerstrasse nach allen Regeln der Kunst zu bauen, und der energischen Raschheit, womit das ungeheure Werk, an dem nur 4—5 Monate in jedem Jahre gearbeitet werden konnte, binnen 4 Jahren (1825) vollendet wurde. Der Hauptzweck war: Herstellung der kürzesten Verbindung der österreichischen Monarchie mit Mailand, vorzüglich zu militärischen Zwecken. An den Bau einer Eisenbahn durch Tirol nach Peschiera und weiter dachte freilich damals niemand, und an Eisenbahnen, z. B. über den Semmering, haben wir jetzt ungleich grössere Leistungen der Bautechnik zu bewundern. — Jetzt hat der Staat die Unterhaltung der Strasse aufgegeben, Posten fahren nicht mehr hinüber, sondern bloss im Sommer Lohnkutscher und Stellwagen. — Immerhin bleibt das *Stilfser Joch* die höchste, bis jetzt fahrbare, Alpenstrasse, denn es hat 8804', Bernina 7185', Julier 7040', Bernardin 6584', Splügen 6517', St. Gotthard 6507', Mont Cenis 6354', Mont Genevre 6258', Simplon 6218', Brenner 4424', Semmering 3055'.

Von *Prad* ¼ St. thaleinwärts kommen wir zur Häusergruppe *Schmelz*, einem eingegangenen Hüttenwerk. Die Berge auf beiden Seiten sind morsches Thonglimmerschiefergebirge; diese Auflösung ist eine Folge des Quellenreichthums, denn so viele Quellen, wie man hier besonders links hervorbrechen sieht und welche über und durch die Seitenmauern der Strasse herabrinnen, möchte es selten irgendwo geben. Um so schwieriger war der Bau der Strasse. Noch zeigt sich kein besonders malerischer Gegenstand; nur rechts in der Höhe staunt man über die Lage des Dorfes *Stilfs* mit seinen am steilen Abhange schwebenden Gärten. 72 H., 625 E.; die ganze Gemeinde, zu der das *Suldenthal* gehört, 143 H., 1218 E. Sie sind arm und leben theils von der Kärnerei mit Süd-

früchten, theils vom Sennergeschäfte; sie selbst haben kein Vieh,
um ihre Alpen zu betreiben, daher sie das Vieh ihrer Nachbarn
auf ihren Alpen pachtweise weiden lassen. Vor 4 Jahren ist der
Ort fast ganz abgebrannt. — Von der *Schmelz* kommt man in
1¼ St. nach *Gomagoi* (4186'), ein Weiler und ein Wirthshaus, wo
es wenigstens guten Wein gibt. Hier, an der engsten Stelle des
Thales, steht seit 1860 ein kleines Fort mit ¼ Kompagnie Besatzung, und vereinigt sich mit dem *Suldenbach*, welcher links aus
seinem Thale hervorbraust, der rechts herabkommende *Trafoibach*, in dessen Thal die Strasse fortführt. In der Ecke, wo beide
Bäche zusammenfliessen, liegt jenseits *Bedrasser*. Aus dieser Gabeltheilung steigt südl. das Fussgestell des *Ortelers* empor.

Von hier besucht man das wilde *Suldenthal*. Ein nicht immer
guter Steig bringt uns von *Gomagoi* in 3 St. zur Kirche *St. Gertrud* (5823'); Wirthshäuser gibt es nicht; desto dankenswerther
ist die hier, wie in anderen Hochgebirgsthälern vorwaltende Gast-
freundlichkeit der Geistlichen, wo man meist auch einige Betten
findet. Noch höher als *St. Gertrud*, schon in der Nähe des *Suldenferners*, liegen die letzten Häuser, der *Gampenhof*. Im J. 1817
erzitterte die ganze Gegend von dem furchtbaren Krachen und
Donnern dieses Ferners; von der Höhe her, wo der Ferner gegen
die Tiefe abbricht, um nochmals fortzusetzen, entstürzten ungeheure Eislasten und der tiefere Ferner schob mit furchtbarer Gewalt, Felsen zermalmend, Bäume, wie Halme, zerknickend und
die Rasendecke aufwühlend, so rasch vorwärts, dass die Bewohner des Gampenhofs jeden Augenblick ihre Wohnungen vernichtet zu sehen glaubten. Dabei bedeckte Eisstaub und Schneegestöber der abstürzenden Massen die Luft. Der Ferner war so geborsten, dass man den Eisgang eines mächtigen Stromes zu sehen
glaubte; dazu donnerten die Lawinen von den furchtbaren Wänden des Ortelers herab. Zum Glück für die Umwohner machte er
plötzlich Halt und zog sich in den folgenden Jahren wieder zurück, seine Schuttwälle zurücklassend. Die Umgegend ist sehr
grossartig. Der Ferner selbst steigt wild zerklüftet zwischen Rie-
senwänden von Felsennadeln und Eishäuptern herab; rechts zeigen die Grate und Nadeln zum Orteler hinan, ihre Zwischenräume
erfüllt mit Fernereis; im Hintergrunde der Eiswüste erhebt sich

die *Königsrand* (12,193') oder *Zebru* und der nicht viel niedrigere
Cevalspitz. Der Suldenferner ist für den Geologen merkwürdig,
besonders jetzt, wo man diese Gebilde nicht mehr so geringfügig
ansieht in Bezug auf die Oberflächenbildung der Erde, wie früher.

Flora. (Nach Lorenz). Hinter dem Gampenhof: Epilobium Fleischeri; in
der Buschregion von Alpenrosen und Grünnalen: Cerastium latifolium, Saxifraga
bryoides, aspera, Oxyria digyna, Avena subspicata, Artemisia Mutellina, spicata.
Achillea nana, Salix Lapponum, Conostomum, Eurhynchium diversifolium, Brachy-
thecium Funckii; — in der Region der Zwergweiden: Ranunculus glacialis, Hieracium Schraderi, glanduliferum, Anacalypta latifolia, Dicranum albicans; höher:
mit Salix herbacea und Azalea procumbens, Arabis caerulea. Cardamine alpina,
Saxifraga muscoides, Ranunc. glacialis, Cherleria sedoides, Gentiana bavarica, Primula glutinosa (Speik), Carex curvula, Polytrichum septentrionale. Webera Lud-
wigii, Peltigera crocea; noch höher: Gräser und Artemisia Mutellina (Gamsraute),
Silene acaulis, Androsace glacialis, Grimmia mollis: auf der Schneide des Suldner
Jochs: nur noch Androsace glacialis, Ranunc. glacialis, Grimmia contorta, Hypnum
Heuffleri und zahlreiche Steinflechten. — Ausserdem nach Fleischer und Tappeiner in Sulden manche Seltenheit: Ranunculus Pyrenaeus, Draba frigida, Wahlenbergii, Viola lutea, angeblich Salix glauca: gegen Martell: Artemisia nana, Koeleria hirsuta.

Seit Gebhards ersten Ersteigungen des Orteler (1805),
die auf dem zum *Suldenferner* abdachenden Grat stattfanden,
glückte bis in die neueste Zeit kein einziger Versuch, den Orteler
von Sulden aus zu erreichen, so dass der Berg in den Ruf kam,
von Sulden aus unersteiglich zu sein. Erst am 7. Juli 1865 be-
wies Dr. Edm. v. Mojsisovics durch die That das Gegentheil. Der
eingeschlagene Weg war ein ganz neuer, indem v. Mojsisovics
von *Sulden* aus direkt den noch unbetretenen Wänden des *Orteler*
sich zuwandte und über das *Marleck* den Kamm des *Orteler* im N.
der *Tabarettaspitze* an einer, durch eine hohe Felssäule wohl cha-
rakterisirten Scharte erreichte, die er, des frohen Gelingens nun
sicher, „Die Durchfahrt" nannte. Die *Tabarettaspitze* ward nun
im W. umgangen und durch einen hohen Kamin in den obersten
Grund der *Eisrinne* hinabgeklettert, aus der er jenseits in grossen
Zickzacklinien dem obersten Plateau des *Orteler* zuging. Um die
Spitze zu erreichen, ging man, wie es auch die meisten Vorgän-
ger gethan, an den südlichen Aufsatzpunkt der eigentlichen *Ortelerspitze*, und hier auf dem schmalen Grate gegen N. vorwärts
schreitend auf die Spitze selber. Abwärts schlug Dr. v. Mojsisovics denselben Weg bis in den obersten Grund der *Eisrinne* ein,

von hier aber wandte er sich westl. und stieg durch die steile *Eis-rinne* abwärts nach *Heiligen drei Brunnen* bei *Trafoi.* Dr. v. Mojsi-sovics hält den Suldener Weg für den nächsten und besten, und empfiehlt ihn allen zukünftigen Ortelerführern. Wesentlich er-leichtert wird die Partie sein, wenn die Hütte, welche die Sul-dener auf Veranlassung Dr. v. Mojsisovics' zu bauen vorhaben, hergestellt sein wird. Sie wird auf die W.Seite der Tabaretta-spitze kommen und eines der herrlichsten, freiesten Nachtquar-tiere bilden.

Wir betreten von *Gomagoi* an das *Trafoierthal.* Der Stras-senzug wird sowohl durch die Umgebungen, als durch die Anlage der Strasse selbst unterhaltender. Blickt man rückwärts, so sieht man thalabwärts durch das Thal und jenseits wieder im Matscher Thal hinan, in dessen Hintergrunde die *Hintere Wilde Eisspitze* (11,800') sich aufthürmt. Links, jenseits des wild daher stürmen-den grauen *Trafoierbaches*, bauen sich die Wände des *Ortelers* auf; aber trotz der fast senkrechten Abstürze erreicht das Auge wegen der Nähe des Standpunktes kaum die Schultern des Riesen, von denen eine blaue Eiswand herab leuchtet. Den Hintergrund des Thales versperrt ein prächtiger Eisberg, sanft gewölbt, der *Monte Cristallo,* und der obere Theil des grossen *Madatschferners*, an dessen Rande uns später die Strasse vorbeiführt. Den Vorgrund bildet der kühne Bogen einer Strassenbrücke über den wild durch ihn herabstürzenden *Trafoibach;* in einiger Ferne zeigt sich eine zweite Brücke; links graue Wände, himmelhoch anstrebend, rechts dunkele Waldung. Von der Schmelz an kommt man über 5 Brücken. Hinter der letzten steigt das Thal etwas steiler an und die Strasse muss diese Höhe mit 2 Windungen übersteigen, um im oberen Thale immer gleichmässig fortzulaufen. Der *Monte Cristallo* mit dem *Madatschferner* zieht sich jetzt rechts hinter die Thalwand und der pyramidale *Madatsch* schiebt sich, jene links begrenzend, als ein brauner Felsenstock hinter der linken Thal-wand hervor. Während wir uns an den wilden Stürzen des *Tra-foierbaches* ergötzten, der sich hier eine Art S t r u b oder O e f e n schuf und an manchen Stellen durch förmliche Seitenhöhlen strömt, hat sich wieder eine neue Gletscherwelt vor uns aufge-than. Der erst vorgetretene *Madatsch* lehnt schon rechts an der

Thalwand, um sich auch hinter sie zu verkriechen, und in der
Mitte steigen die beiden *Trafoiscrner* bis auf die Tiefe der Thalsohle steil, zerklüftet und im blaugrünen Gestuf herab, gespalten
durch einen scharfen Felsengrat und oben am blauen Himmels-
zelte amphitheatralisch umragt von einem Kranze mächtiger Eis-
firsten; nur hie und da ragt das schwarze Kalkgestein hervor aus
der dicken Firnhülle. Die grosse Eis- und Schneewüste, in welche hier das ganze Gebirge gehüllt ist, von 11,000' hohen Gipfeln
bis herab in die Tiefe, blendet das Auge, das aus dem Schatten
des Ortelers heraus tritt. Der Maler hat nicht Hände genug; jeden Schritt von jener Brücke möchte er die sich fortwährend ver-
ändernde Landschaft zeichnen. Die Strasse zieht vom Bache ab
etwas rechts an der Thalwand hinan und bald liegt die Häusergruppe von *Trafoi* (5070') auf der sich links zum Bache abdachenden saftig grünen Wiese vor uns. Der Name wird abgeleitet
von Tresfontes und der Ort hiess früher zu den drei Häusern.
Der Name Tresfontes lässt sich leicht erklären, da an mehreren
Stellen hier 3 Quellen hervorbrechen, und das ganze Thal ein
Quellenthal genannt werden könnte. Kaiser Joseph II. versah
den Ort mit einer Kaplanei und Schule. Von Gomagoi ist er
1¼ St. entfernt, von Glurns 5 St. — Beim Posthause von *Trafoi*
geht ein gebahnter Fussweg auf die *Korspitze* (9261') ab, die man
in 3—4 St. erreicht und oben einen Einblick in die ganz nahe
Ortelergruppe, sowie in die italienischen und Schweizer Gebirge
geniesst.

Wir wandern zuerst zu den *Heiligen drei Brunnen* (5109').
Ueber die Wiesen von *Trafoi* wandert man südl. dem Walde zu,
die Windungen der Strasse rechts über sich lassend. Ein Fahrweg leitet durch den Wald hinab zur Sohle des Thales; diese
gleicht einer frisch mit zerschlagenen Steinen überschütteten
Strasse. Alles Gestein ist schwarzer Kalk, von weissen Kalk-
spath-Gängen und -Adern durchzogen. Rechts zeigt sich der *Madatsch*, schwarz aufragend aus den ihn umgürtenden Gletschern
und an seiner Wand brechen aus 3 Höhlen 3 mächtige Bäche hervor und werfen sich milchweiss schäumend zwischen einem Zwerg-
wald in den Abgrund; sie sollen dem Ort den Namen gegeben haben. Doch sind dieses nicht die drei heiligen Brunnen. Diese

heilige Stätte erreicht man in $\frac{3}{4}$ St. von Trafoi, indem man das
Geschiebmeer durchgangen und die verschiedenen Zweige des Ba-
ches auf Stegen überschritten hat. So heisst eine Hütte, unter
deren Dache 3 Bildsäulen, der Erlöser, seine Mutter und Johannes, stehen, aus deren Brust eiserne Röhren das frischeste und
köstlichste Wasser spenden (Wärme 2,95 ° R. an einem heissen
Tag nach Thurwieser). Daneben steht ein Haus, sonst von einem
Einsiedler bewohnt, jetzt ein Unterstand für den Geistlichen aus
Trafoi, daneben die Kapelle und die Kirche. Letztere ist ein
Wallfahrtsort zur Mutter Gottes mit 3 Altären und Gemälden. Sie
ist jedoch düster umschattet von Tannen in der ohnehin grässlichen Wildniss. Weiter thaleinwärts wird das Thal völlig bahn-
los; nur einige dampfende Meiler und eine Art Schneidemühle
rechts jenseits des Baches beleben, verdüstern aber auch zugleich
das Gemälde noch mehr; über dieser ernsten Wildniss sieht man
die 3 Bäche aus ihren Felsenhöhlen schäumend herabstürzen. Man
kann nun noch bis zu dem unteren Ende des ersten *Trafoier Fer-*
ners gehen, den ein fürchterliches Chaos von Felsblöcken umgibt;
eine Eisgrotte erschliesst sein Inneres.

Von *Trafoi* aus ist der *Orteler* 1826 vom k. k. Ingenieuroffi-
zier Schebelka, 1834 vom Prof. Thurwieser, seitdem öfter, erstiegen.

Von *Trafoi* aufwärts, wo man rechts vom *Orteler* die Schneide der *Thurwieserspitze* sieht, windet sich die Strasse rechts an der
dünnbewaldeten Wand empor; weit hinan kann man ihre Windungen oder R i e d e n sehen, welche nun in ununterbrochener
Reihe einander folgen. Jede Ecke bildet eine Art Brustwehr,
denn sie sind sämmtlich untermauert; und da diese über einander
stehen, so gleicht das Ganze dieser über einander sich aufbauenden Gemäuer dem babylonischen Thurme. Für Fussreisende ist
zwar der Fahrweg etwas langweilend wegen der unaufhörlich auf-
einanderfolgenden Windungen; allein der Fusssteig etwas zu steil
und ermüdend, um die grossartige Natur zu geniessen. Man
schneide daher nur dann und wann eine Windung der Strasse ab.
Der Wald besteht theils aus Fichten, theils aus Lärchen und Zirben. Indem man hinangeht, hat man auf der Richtung thaleinwärts, links in der Tiefe, die öde Wildniss der *Heiligen drei Brun-*

5 *

nen, darüber die Wände, die Riffeln und die blauen Abbrüche des *Oberen Ortelerferners;* rechts an ihm steigt der *Untere Ferner* zuerst steil, dann thaleinwärts empor, sich an die Wände anschliessend; von diesem Ferner rechts, nur durch den Grat des *Ziegerballns* getrennt, steigt der *Trafoier Ferner* herab zur Thalsohle. Beide Ferner sind in der Höhe, wo sie sich vereinigen, von einem eisigen Grat überragt, aus dem nur hie und da ein schwarzer Felsen herausschaut. Sowie sich der Untere Ortelerferner an den Wänden des Ortelers herabschiebt, so der Trafoier Ferner an denen des Madatschs. Dieser Felsenstock ist lange Zeit rechter Hand die Grenze der Aussicht. Die schwarzgrauen, hie und da gelblichen Wände des *Ortelers* bilden den Mittelpunkt und der ganze Bau erscheint symmetrisch hier in der Nähe, wie schon in der Ferne, eine den Kalkgebirgen besonders eigenthümliche Erscheinung. Sowie sich die Strasse wendet, blickt man das Thal hinab und hinaus über das Etschthal und durch die schmale Oeffnung gerade auf die Weisskugl des Oetzthaler Eismeeres. Bei jeder Wendung steigen die Gebirge riesiger empor, und zwar thaleinwärts der *Orteler* und seine Trabanten, thalauswärts die Oetzthaler Eisberge. Jetzt kommen wir an eine zweite Strecke der Strasse, nachdem man den Bach *Tarsch* auf einer Brücke überschritten hat; die Strasse zieht nun tiefer in den hintersten Winkel des Thales hinein. Der *Madatsch,* der eben noch rechts den Rahmen des Gemäldes bildete, rückt wieder in die Mitte, und rechts von ihm zeigt sich der dritte Ferner des Thales, der mächtige *Madatschferner.* Ihm kommt man bei dem ersten Zufluchtshaus oder der Cantoniera gerade gegenüber; seine blauen, von Schutt zum Theil überschütteten und geschwärzten wildzerklüfteten Massen schieben sich ganz nahe heran, so dass man ihn von dieser Cantoniera ganz genau betrachten kann. Das untere Ende der beiden vorigen Ferner verbirgt sich hinter einem vom *Madatsch* vortretenden Hügel; immer spärlicher wird nun der Waldwuchs. Immer höher steigen nun die Wände des *Ortelers,* aber noch ist seine Spitze nicht sichtbar. Man erreicht das obere **Kahr** des Joches, einen kleinen Thalboden, umgeben und umstarrt von den kahlen schneegefurchten Wänden des Joches. Auf dem Rande der Ebene, wo sie in das tiefere Thal gegen Trafoi, welches

hier eine enge Schlucht ist, abbricht, steht das ehemalige Posthaus *Franzenshöhe;* man übersieht von hier aus den ganzen letzten Theil der diesseits merkwürdigsten Strecke. Hier zuerst zeigt
sich auch die scharf zugeschnittene eigentliche *Ortelerspitze*, das
weite Schnee- und Eisgefilde des *Oberen Ferners* ein wenig überragend. Der unterste Theil des *Unteren Ortelerferners* ist zwar
durch einen vorspringenden Rücken des *Madatsch* verdeckt, doch
sieht man den oberen Theil, welcher sich in das grosse Eisthal
hineinzieht und über welchen die Ortelerbesteiger wanderten; hier
kann man sich auch die Rinnen und Wandln an den Wänden des
Ortelers zeigen lassen, durch welche man emporklettert zum *Oberen Ferner.* Der Berg, welcher rechts vom *Orteler* ans furchtbarer Eiswüste aufragt, ist die *Königswand* (12,198').

Von hier an beginnt nun die oberste Bergstrasse, die eigentliche Ersteigung des Joches, dessen Wände ein ödes, völlig baum-
loses Felsenamphitheater bilden. Bei anhaltend warmem Som-
merwetter findet man die Strasse schneeleer. Doch noch im Juli
baut mitunter der Schnee Mauern von 6—7' auf, und ebenso fällt
bei der geringsten Erkältung der Atmosphäre sehr starker Schnee.
Die Jochhöhe (8804'), 2 St. von Franzenshöhe, 4 St. von Trafoi,
wird in Tirol *Wormserjoch*, in Italien *Stilfserjoch* genannt; nach
einigen wäre das Joch gegen Sta. Maria das *Wormserjoch.* Der
Kopf rechts am Joch ist ein Dreivölker- und Dreisprachenspitz;
nordöstl. hinab senkt sich das deutsche Thal *Trafoi*, nordwestl.
ein Seitengrund des schweizerisch-romanischen *Münsterthales* und
südwestl. das italienische *Veltlin* hinab. Die Aussicht hinab nach
Trafoi ist wild und öde; höher erhebt sich hier die Spitze des Orteler über die breite Schneewüste seines Oberen Ferners; doch
sind die anderen Ferner durch vortretende öde Felsrücken verdeckt; staunend und nicht ohne Schwindel blickt man in die
Tiefe hinab, und sieht die Windungen der bedeckten Strasse zu ihr
hinabsteigen nach Franzenshöhe. Auf italienischer Seite ist die
Aussicht beschränkter, und die graubraunen Wände des *Brauglio*
rechts, wie die weissen, bis zur Strasse heranziehenden, Schneefelder des flachgewölbten *Monte Cristallo* links, tragen noch mehr
zur Verödung bei. Hier senkt sich das Joch, jedoch nur allmählich, über eine schiefe Fläche nach der *Cantoniera di Santa Maria*

hinab, über ein wüstes Steinfeld voller Gehügel und moosiger Tiefen.

(E. v. M.) Die auf der Wasserscheide zwischen Etsch und Adda gelegenen hohen Firnspitzen des südl. Ortelergebietes und die Häupter des Adamellostockes gewähren durch ihre weit nach Süden vorgeschobene Lage und ihrer gegen O. und W. durch ihre Höhe isolirten Standpunkte die weitumfassendsten, lehrreichsten Panoramen der ganzen Alpen. Denn von der Spitze des sowohl von V. Gavia, als auch von V. Piano und V. Umbrina für halbwegs geübte Reisende leicht erreichbaren *Pizzo della Mare* schweift der Blick vom M. Viso im W. der piemontesischen Ebene über die Gruppen: M. Blanc, M. Rosa, Bernina, Orteler, Oetzthaler-, Stubayer-, Zillerthaler-Tauern bis über den Grossglockner im fernen Osten hinaus; er umfasst die stolzen Dolomitfürsten von Ampezzo, Fassa und vom Cordevole, dann im nächsten Süden die grossartige Granitwelt der Presanella und des Adamello. Und inzwischen dieses Kreises welch' Meer von Spitzen und Jöchern! — Aehnlich ist die Aussicht vom *Adamello.* Tuckett erkannte im W. Grand Paradis und Grivola, und im O. den Grossglockner. (Alpines Journal Nr. 11, 1. Sept. 1865.) —

Mineral. (Sulden) Im Schutt der Moräne Granat im Glimmerschiefer und schöner Turmalin im Granit.

Ausflug durch das Veltlin an den Comersee.

Die Strasse führt zunächst durch das *Braugliothal* hinab zur *Adda,* dann an dieser hinab zum *Comersee.* In ¾ St. allmählichen Absteigens in der jenseitigen obersten flachen Thalmulde, erreichen wir die *Cantoniera Santa Maria* (8100'). Unterhalb der Cantoniera liegt auch noch eine kleine Kirche und eine Häusergruppe, von Strassenarbeitern bewohnt. Nach Santa Maria hinab hat man 3 St. Ohngefähr 1½ St. unterhalb des Joches war diese oberste Thalmulde fast völlig verschlossen; mühsam zwängen sich Bach und Strasse durch diese Enge, die *Bocca del Brauglio,* abwärts an der *Cima von Spondalonga*, einer Schulter des *Monte Cristallo,* vorbei. Bald darauf bricht die Schlucht zu einem tieferen, aber grossartigen, Thalkessel ab, in welchen sich der Bach schäumend hinabwirft. Nachdem man den Thalkessel durchschritten hat, erreicht man eine abermalige Enge, das *Diroccamento,* eine gross-

artige Felsenspalte; dieses ist die Strecke der schönen, in Felsen
gehauenen oder ausgemauerten Gewölbe, durch welche die Strasse
sicher vor dem Sturze der hier wegen der Steilheit der Wände
häufig niedergehenden Lawinen ziemlich eben hinführt. Die ganze Länge dieser Enge beträgt nur 2731′ und hiervon kommen
2121 auf die Gewölbe. Hat man das *Diroccamento* zurückgelegt,
in welchem man immer rechts in der Tiefe den Abgrund des
Braugliobaches hat, so windet sich die Strasse abermals an einem
steileren Abhange hinab, auf 2 Brücken, einer hölzernen und steinernen, die Ausgänge zweier Seitenthäler, berüchtigt durch La-
winenstürze, übersetzend nach der *Cantoniera di Piatta Martina*.
Von den senkrechten Abstürzen rechts kommen kleine Wasserfälle herab, wie links ein anderer Bach hoch oben aus einem Fel-
senloch hervorbricht und schäumend über glatte Felsplatten her-
abrauscht. Nur ¼ St. zieht die Strasse etwas ebener fort, um sich
sogleich wieder im Zickzack tiefer zu senken, streicht dann wieder an der Wand hin und schwingt sich auf einmal links um eine
Ecke gerade nach Süden. Hier sieht man rechts an der jenseitigen Thalwand eine Höhle, aus welcher ein starker Bach hervorbricht und sich sogleich 60′ in den Abgrund des *Brauglio* stürzt;
dieses sieht man gewöhnlich als die *Quelle der Adda* an. — Nochmals treten beide Wände zu einer Engkluft zusammen; im dunkeln Schlunde rauscht die neugeborene *Adda* zwischen den nackten Schroffwänden; doch nach der Wendung der Strasse fällt der
Blick auf einmal hinaus ins freiere Becken von *Bormio*, eine
grüne lachende Thalfläche mit Häusergruppen. Rechts in der
Tiefe, aber noch auf dem Abhange des Berges, gegen den Schlund
der *Adda* hinabhängend, zeigt sich die Häusergruppe der alten
Bäder von Bormio. Die Quellen haben eine zwischen 28 ° und
38 ° R. wechselnde Wärme; das aus Kalktuff brechende Wasser
ist krystallhell und ohne Geschmack. Man kommt nun durch die
Bädergallerie, welche die vorspringende Felsenecke durchbricht;
das Gewölbe ist 120′ lang. Hier hat man einen schönen Blick ins
Thal hinab, im Hintergrunde überthront von einem grossen breiten Schneeberge, wahrscheinlich dem M. delle Disgrazie. — Ueber
eine starke hölzerne Brücke, welche einen Abgrund überspringt,
gelangt man an den letzten Abhang des Berges, von wo man in

das *Pedenosthal* hinaufsieht. Oestl. zeigt sich das Schneehaupt des hohen *Gavia*, und die hohe Eispyramide über dem *Furbathale* ist der *Tresero* (11,445').

Geogn. Von Prad bis S. Maria herrschen auf der rechten Seite die talkigen und quarzigen Schiefer, auf der linken die Triaskalke und Dolomite, die nur zwischen Gomagoi und Trafoi auch auf der rechten Seite sich ausbreiten. Bei Gomagoi liegt viel Granit, den die Tiroler Karte auch im Süden von Gomagoi anstehend angibt. Im Westen von Stilfs bestand einst Bergban auf Spatheisensteinlager mit Kupferkies, Fahlerz und Quarz.

Flora. Nach Funcke an der unteren Strasse südliche Formen: Chenopodium botrys, Ononis natrix, zugleich mit subalpinen, wie Thalictrum foetidum, das bis zur Franzenshöhe reicht. Anemone montana, Calamintha alpina, Cnicus Crisithales; auf der Stilfser Alpe: Gagea Giotardi, Draba Joannis etc.; bei Trafoi: Saponaria ocymoides, Silene alpestris, Spergula saginoides, Phyteuma betonicaefolium, Carduus personata, Polemonium coeruleum, Hormium pyrenaicum, Carex mucronata; höher oben: Sempervivum Wulfenianum; beim Hause zum Schuster: Potentilla grandiflora, Trifolium alpinum, Hieracium intybaceum, Senecio incanus, Doronicum abrotanifolius, Koeleria hirsuta; am Madatschferner: Juniperus nana (auch sonst häufig), Saxifraga Seguierii, Alchemilla pentaphylla, Euphrasia minima, Linaria alpina, Leontodon Taraxaci; Franzenshöhe: Lomatogonium carinthiacum, Veronica alpina, Geum reptans, Potentilla minima, Capsella pauciflora (auch b. d. Heil. drei Brunnen), Viola calcarata, Carex nigra, Luzula spadicea, Poa laxa. — Vor allem reich ist die lombardische und schweizerische Seite. Am Fusssteig zum Posth. Brauglio: Ranunculus glacialis; um das Posth. selbst: Cardamine alpina, Trifolium alpinum, Veronica bellidioides, Gnaphalium pusillum, Arabis caerulea, Hutchinsia brevicaulis, Pyrethrum alpinum, Oxyria digyna, Luzula spadicea, Desmatodon latifolius; am nahen Bache: Ranunculus pyrenaeus, glacialis, Androsace alpina, Aronicum glaciale, Grimmia donniana; auf der nahen Anhöhe: Arenaria biflora, Saxifraga bryoides, androsacea, Primula villosa, Phyteuma hemisphaericum, pauciflorum, Salix reticulata, herbacea, retusa, Luzula lutea, Sesleria disticha, Dicranum Starkii; ebenda noch Viola calcarata, Dianthus glacialis, Astragalus uralensis. Trifolium badium, Potentilla glacialis, Achillea nana, moschata, Gnaphalium Leontopodium, Horminum pyrenaicum, Juncus Jacquinii, Eriophorum capitatum, Avena distichophylla, subspicata, Draba aizoides, stellata, helvetica (Thomasii), Meesia demissa, Duvalia rupestris, Ingermannia concinnata, Anomyrtannia, Solorina crocea. — Auf der Schweizer Seite des Jochs: Crepis pygmaea; am Monte Brauglio mit anderen Seltenheiten: Braya pinnatifida; zwischen den alten und neuen Bädern von Bormio: Viola pinnata, Saxifraga Vandelli; beim alten Bad: Alsine rostrata. — Ausserdem werden für die Strasse noch angegeben: Ranunculus Traunfellneri, Draba Thomasii, Kernera saxatilis, Hutchinsia brevicaulis, Aethionema saxatilis, Alsine recurva, Arenaria Marschlinsii, Saxifraga squarrosa, Seguierii, stenopetala, Geum reptans, montanum, Potentilla frigida, Sibbaldia procumbens, Pedicularis asplenifolia, tuberosa, Androsace carnea, glacialis etc.; als thierische Bewohner des Gletscherrandes: Helix glacialis und Vitrina diaphana.

In ¼ St. von der Badhöhe, in 4 St. vom Joche, erreicht man *Bormio* oder *Worms* (8848') in seinem grünen, aber ziemlich baumlosen Thalkessel, aus dem nach Norden das *Braugliothal* mit der *Adda* und das *Fraëlethal*, südöstl. das *Furbathal* mit dem *Fradolfobache*, südl. das *Addathal* oder der Abzugsgraben aller dieser sich hier sammelnden Gewässer, westl. das *Pedenosthal* mit dem *Violabache* auslaufen.

Kommt man vom Joche herab, so münden von entgegengesetzter Seite die Thäler *Pedenos* und *Furba*, parallel mit dem Jochrücken laufend. Sie bilden eine geognostische Grenze, denn nicht nur dieser Rücken, welcher das Joch macht, sondern auch der zweite ihm parallele, welcher durch die Adda beim Bade durchbrochen wird und das Fraëlethal südl. begleitet, besteht aus Kalkstein von gelbgrauer Farbe. Südl. folgt krystallinisches Gebirge. Das Veltlin ist eine mit dem Engadin und Bregagliathal gleichlaufende Urgebirgsspalte, durch die Berninakette getrennt. Während der Inn nordöstl. fliesst, strömt die Adda südwestl.

Das grosse *Addathal* von hier an abwärts ist das *Veltlin* oder *Valtellina*, ein besonderes Thalland, dessen Grossartigkeit und Schönheiten noch im Ganzen wenig bekannt sind, mit Ausnahme dessen, was an der Strasse liegt. Einen eigenen charakteristischen Anblick gewähren die weissgrauen Eisbäche, welche mit dem ihnen eigenen Ungestüme durch die von Wein, Feigen und Mais überschatteten ebenen Fluren dahinstürmen; von den sanften, weinumrankten und von Kastanien dicht beschatteten Höhen winken Klöster, Kirchen, Landhäuser, Paläste und Dörfer herab; aber hinter ihnen strotzt der ewige Winter, bald auf breiten Rücken, bald zwischen rauhen Zacken und Nadeln gelagert. Doch lange seufzten die scheinbar üppigen Ebenen des Thales unter einer grossen Plage, der Versumpfung, und den daraus entstehenden Krankheiten, ein Uebel, das um so stärker um sich griff, als die vorhergehende, öfters wechselnde Herrschaft, wie noch mehr die Vielherrschaft, allen gemeinschaftlichen grösseren Unternehmungen entgegen war. Dieses ist zugleich die Ursache des Widerspruches zwischen dem Reichthume des Landes und der Armuth, und besonders der Niedergedrücktheit seiner Bewohner; doch lastet auch noch der Druck der alten eisernen, nicht der österreichischen, Krone mit ihrem Feudalismus auf diesem Lande, wie in der ganzen Lombardei. Noch lange wird es dauern, ehe sich dieses Thal, eines der schönsten in den Alpen, unter Beseitungen dieses Drucks erholen wird von den Bedrückungen früherer Zeiten. Hier gedeihen Kastanien, Mandeln, Feigen, Granaten, Oliven, Lorbeer, Maulbeerbäume, vorzüglich guter Wein, den schon Kaiser Augustus auf seiner Tafel liebte. Einer der vorzüglichsten italienischen Weine ist der Sasella und Vino dell inferno; die Traube Muscatellon d'Espagne, Traube des Paradieses, wird 2′ lang, mit pflaumengrossen Beeren. Der Boden gibt 4 Ernten: Winterfrucht, Mais, Nachmais und Rüben. Auch die Alpen sind trefflich, das Vieh ist schön und die Milchkeller zum Theil trefflich eingerichtet. Die Käse von alla Costa und von Bitto wetteifern mit dem Parmesankäse. Die *Adda* und ihre Seitenbäche sind sehr fischreich. Die Luft ist wegen des noch immer nicht ganz entsumpften Bodens feuchtheiss und mag daher die Ursache des hier vorkommenden Cretinismus sein. Auffallend ist der Unterschied des Italieners im Veltlin und des starken, schöngebauten und kräftigen Deutschen im nahen Etschthale; ebenso, wie der schmutzigen Hütten des Veltliners und der reinlichen wohnlichen Häuser Tirols.

Die Seitenthäler besitzen einen ungeheuren Reichthum an Holz. Den Norden des von *Bormio* bis *Colico* am *Comersee* 14 Meilen langen Thales begleitet grösstentheils die grosse Gletscherkette des *Bernina*, die es von *Bormio* bis *Sondrio* vom obersten Innthale trennt; von hier bis *Colico* liegt hinter dem nördl. Rücken das Thal der *Maira*. Im Süden des Thales bildet die niedrigere *Legnonekette* die Scheidewand, so weit im Süden die Gebiete des *Brembena*- und *Seriothales* anliegen; östlicher oder die nordöstliche Scheidewand gegen das Ogliogebiet (Val Camonica) und Etschgebiet und Tirol bilden die *Orteleralpen.* Seinen Namen soll das Thal von dem alten Hauptorte Teglio erhalten haben. Eigentlich heisst nur das Thal der *Adda* von Tirano bis zum See *Veltlin.* Karl d. Gr. schenkte es 780 der Abtei St. Denis bei Paris. Schrecklich litt es im Parteienkampfe der Hohenstaufen und Welfen, während dessen es zu Como gehörte. Visconti von Mailand, der vor seinen Söhnen nach Chur floh und daselbst gastlich

aufgenommen wurde, schenkte das Veltlin 1404 dem Bisthum
Chur. Aber erst nach 100 Jahren konnte Graubündten Gebrauch
von dieser Schenkung machen. Doch jetzt brach eine unglück-
liche Zeit für das Land an. Die Graubündtner suchten in dem
fanatisch-bigotten Veltlin die Reformation einzuführen und verfolgten die Häupter der katholischen Partei mit Härte und Grau-
samkeit; namentlich wurde ein im Veltlin angesehener fanatischer
Geistlicher von ihnen zu Tode gemartert. Dieses entflammte zur
Wuth und fast alle Protestanten wurden in einer zweiten Bartho-
lomäusnacht, den 13. Juli 1620, ermordet; einige nur entkamen,
und nur wenige Elende retteten ihr Leben, indem sie ihrem Glauben abtrünnig wurden. Unter dem Vorwande, die Katholiken zu
schützen, nahm Spanien Besitz vom Veltlin; ebenso edelmüthig
nahm sich nun Frankreich der Protestanten in Graubündten an
und vertrieb die Spanier wieder 1628; ja es gab Veltlin dem
Grauen Bunde wieder. Zur Zeit der französischen Revolution
kam es nun zu Streitigkeiten zwischen Graubündten und Veltlin;
man wandte sich um Vermittelung an Bonaparte, der Veltlin, um
ferneren Streitigkeiten vorzubeugen, mit der cisalpinischen Republik vereinigte. Im Wiener Frieden kam es an Oesterreich, im
Frieden von Villafranca an das neue Königreich Italien. Nur das
Thal Poschiavo oder Pusclaven blieb bei Graubündten und von
Protestanten bewohnt, fast das einzige italienische protestanti-
sche Thal. Der Bezirk von Bormio, obgleich er gleiches Schicksal mit Veltlin hatte, gehört im engeren Sinne nicht dazu.

Bormio, Markt, 243 H., 1630 E., in einer ziemlichen Thalfläche der *Piano di Bormio*. Heu, Roggen, Erdäpfel und besonders auch in weiter Umgegend gesuchter Honig, sind die einzigen
Erzeugnisse der Gegend. In der alten Antoniuskirche sieht man
gute Gemälde von Antonio Canelino aus Bormio. Gasthof: die
Post. Schon im Mittelalter ging hier eine besuchte Strasse über
den Umbrail. Zur *Addaquelle* geht es durch den engen Schlund
in der Tiefe in 3 St.

Geogn. Das Veltlin, soweit es Längenthal ist, trennt die mächtige *Berni-
nagruppe* mit ihren granitischen Centralmassen von dem langgestreckten *See-
gebirge* im Süden, das von der Sesia bis zum Oglio zieht, durch 4 Seen durchschnitten. An der Südabdachung des Seegebirges folgen die, durch ihre Spath-

eisensteinstücke und -lager im Bergamaskergebiet so wichtigen, älteren paläozoischen Sedimente, Trias und die jüngeren der Lombardei.

Von dem tiefen Schlund an, aus welchem die Wormser Jochstrasse nach Bormio heraustritt, folgt zunächst wieder die talkigquarzitische Unterlage der Triassedimente des Orteler. Etwa 1 Meile unter Bormio treten dann, nach Studer, darunter die echten krystallinischen Gesteine hervor, kleinkörniger Granit und Glimmerschiefer, dieser von ersterem in Gängen durchsetzt. Es folgt auf den Schiefer am Ponte di Diavolo wieder der kleinkörnige Granit, weiterhin übergehend
in Syenit. Bei le Prese und Bolladore verbindet sich mit dem Syenit ein ausgezeichneter Gabbro, im Val d'Altasco ober Prese mit 3'' grossen Diallagkrystallen.
Nach Studer kommen mit dem Gabbro bei le Prese die schönsten Gemenge von
hell- und dunkelgrünem Granat und weissem Feldspath, von Granat und Hornblende und Nester und Adern eines quarzreichen Granits mit Rosenquarz, silber-
weissem Glimmer, grauem Feldspath und Turmalin, stänglich und in Krystallen,
vor. Von Bolladore bis Tirano herrschen dann wieder Glimmer- und Talkschiefer mit untergeordnetem Chlorit- und Hornblendschiefer. Ausgedehnt treten diese
grünen Schiefer, auch Magneteisen führend, und mit ihnen in Verbindung Serpentine zwischen den Granitmassen des Monte della Disgrazie im Westen und des
Monte Corna mare im Osten des Malenkerthales auf; im Malenkerthal, insbesondere bei Chiesa, so reich an Asbest (Amianth in bis 20'' langen Fasern, gemei-
ner Asbest, Bergleder, Bergkork), dass man den Amianth für technische Zwecke
benutzt. Die talkigen Gesteine der Prov. Sondrio werden auch als Topfstein gebrochen (Frongia, Monte dell' Oro). Auch Gold wurde einst in seinen Bächen
bis ins Val Zebru hinauf gewaschen.

Das *Furbathal*, eine Gemeinde mit 235 H., 1175 E., durchströmt vom *Fredolfo*, zieht sich mit seinen Zweigen in die höchste
und wildeste Eiswildniss der Orteleralpen. Ueber *St. Nicolaus*
kommt man in 2 St. nach *St. Gotthard;* hier öffnet sich das links
zwischen ungeheuren Eis- und Felsenbergen herabziehende *Zebruthal.* Zur Linken zeigt sich in furchtbarer Wildheit jene Wand,
deren Nordabhang nach Trafoi hereinleuchtet und die 3 Ferner dahin absendet. Den Hintergrund schliesst der *Zebruspitz* (12,000'),
auf deutscher Seite die *Königswand* genannt, die wir von der Malser Haide links des Ortelers erblickten und von welcher jenseits
der Suldenferner hinabsteigt. Der Gletscherwanderer kann aus
dem Hintergrunde dieses Thales über einen Ferner am *Suldenspitz*
oder *Monte Ceredale* vorüber ins oberste *Fredolfothal* gelangen.
Nach *St. Gotthard* zurückgekehrt, wandert man noch 2 St. weiter
im *Furbathale* hinan nach *Sta. Catarina*, ein Sauerbrunnen. Darüber der aussichtreiche *Monte Confinale.* Die Quelle bricht in einer
etwas sumpfigen Stelle aus Thonschieferboden hervor. Wie die

Bäder von Bormio war auch dieses den Römern schon bekannt. Bei *Sta. Catarina* theilt sich das Thal, links zieht das oberste *Furba-* oder *Fredolfothal* hinan; hier zeigt die Wand rechts ungeheure Gletscher, links schroffe Felsen, nur oben blau bekantet mit Eisbrüchen, im Hintergrunde den hohen *Cevalspitz*, der dritte im Bunde mit dem Orteler und der *Königswand.* Unter seiner Spitze hin führt ein Gletschersteig in das jenseitige *Martellthal.* Rechts kommt von Süden ein Seitenthal herab, durch welches ein Weg führt. — Der im *Veltlin* weiter Reisende braucht nicht nach Bormio zurückzukehren, sondern wählt diesen Steig, welcher über ein niedriges Joch unter den Wänden des *Monte Tresero* (11,445'), durch ein anderes Seitenthal der Adda, das *Rezzothal*, unterhalb der Thalenge der *Serra*, welche man links umgangen hat, oberhalb *Montadizza* wieder ins *Veltlin* zieht. Wer von hier in das Etschthal zurückkehren will, steigt über den *Lago Nero* in das *Val Camonica*, oberstes *Ogliogebiet*, in ihm hinab bis *Ponte di Legno* und von da über den Pass *Tonale* (6287') in das tirolische Val di Non, Nonsberg, von dessen Mittelpunkte, Cles, er nach Meran, Bozen oder Trient gelangen kann.

Westl. von *Worms*, bei *Torrepiano*, münden 2 Thäler, *Pedenos* und *Fraële*, zus. die Gemeinde *Valle di Dentro*, 293 H., 1348 E. *Pedenos* ist ein angenehmes, bewohntes Thal. Unweit *S. Carlo* theilt sich das Thal; gerade westl. setzt es fort, bis es durch die Höhe des *Trepal* vom *Livignothal* (Engadin) getrennt wird, wohin ein angenehmer Weg führt. Ueber den *Trepal* führt vielleicht einst eine Eisenbahn; denn er ist wohl die niedrigste Einsenkung der Hauptalpenkette (s. Th. II, S. 46). Der südwestl. Zweig heisst *Valviola*, eigentlich *Valviola Bormina (Wormsisches Violathal)*, weil hinter der Jochhöhe desselben, dem Passo di Valviola jenseits, sich ein anderes Valviola in das graubündtnerische Puschiavothal senkt, und daher zum Unterschied *Valviola Poschiavano* heisst. Nur die letzte Strecke des *Valviola Bormina* liegt zwischen Gletschergebirgen.

Wilder und enger, als Pedenos, ist das Thal *Fraële* oder *Freele*, welches selbst nicht unmittelbar bei Torrepiano mündet, sondern nur durch seinen Zugangsweg, welcher bezeichnend *Scaletta di Freel* heisst, denn der Ausgangsschlund muss überstiegen werden. Das Thal ist 6 St. lang. In einem Seitenthale, *Val d'entri Laghi*, liegen 2 fischreiche Seen, deren Abfluss als der Ursprung der Adda angesehen, sowie jener aus der Felsenhöhle bei den Bädern hervorbrechende Bach als der Abfluss dieser Seen betrachtet wird. Das Hauptthal endet bei *S. Giacomo*, in dessen Nähe die dreiseitige Abdachung zwischen Inn, Etsch und Adda (Donau, Po und Etsch) sich befindet. Der Name *Freel* wird von Vallis ferrea abgeleitet, da sich hier bedeutende Eisengruben schon seit den ältesten Zeiten befinden.

Die Strasse bringt unweit des Dorfes *Tola* in eine schauerliche Enge des Addathales, passend die *Serra* (Schluss) genannt, welche den Thalkessel von Bormio vom eigentlichen Veltlin absondert. Hier war einst die Grenze zwischen Veltlin und der Grafschaft Bormio, auch das *Kalte Land* genannt, durch eine Mauer bezeichnet. Von Bormio bis Tirano, 4 Meilen, fällt die *Adda* 2405', wovon der grösste Theil auf diese Enge kommt. Grosse Felsenmassen mussten hier im Granitgebirge gesprengt werden. Dort, wo die Enge am wildesten ist, wo Felspyramiden jeden Ausgang versperren, setzt die *Teufelsbrücke*, sich auf 2 grosse Felsblöcke stützend, auf das rechte Ufer über. Beim Ausgange aus diesem Schlunde springt sie wieder nach *Mondadizza* hinüber. Bei *Prese* mündet das *Rezzothal*, durch welches eine Art Strasse über den *Gavia* und *Tonale* führt; doch erst bei *Bolladore* (2650') eröffnet sich das erste Thalbecken des *Veltlins*. Schon zeigt sich südlichere Ueppigkeit im Pflanzenwuchs. Die *Adda* ist aber noch nicht gebändigt, sie fällt noch in den nächsten 4 St. 1200'. — Bei *Grosotto* mündet rechts der *Ruasco*, welcher das *Grosinathal* durchströmt. Durch dasselbe ziehen Jochsteige in das *Valviola*, an Gletscherbergen vorüber.

Bei *Mazzo*, 172 H., 1294 E., setzt die Strasse abermals auf das linke Ufer der *Adda* über. In der Marienkirche zu *Mazzo* befindet sich ein schönes Altarblatt von Malacrida, der aus diesem Orte stammte. 2 St. von hier liegt *Tirano* (1443'), m. 3 Fractionen 1018 H., 5496 E., Gasth. due torri. Ehe man noch dahin kommt, hat man rechts jenseits der Adda den *Monte Masuccio* (8676'), dessen unterste Stufe steil in das Thal abfällt; von dieser Wand stürzte am 7. Decbr. 1807 ein grosser Theil in das Thal,

bedeckte die Mühlen und Weinpressen von *Sernio* und warf einen
Damm durch das ganze Thal, so dass nicht nur die *Adda* ganz in
ihrem Laufe gehemmt, sondern auch das jenseits von der linken
Thalwand herabziehende *Valchiosa* verstopft wurde. Das Bett der
Adda lag bei *Tirano* trocken. Der See oberhalb des Dammes
stieg höher und setzte die Ortschaften bis über 2 St. thalaufwärts
unter Wasser; erst in der Mitte Juni 1808 brach der Damm und
furchtbar war die Verwüstung, welche die Fluten nun im unteren
Veltlin anrichteten.

Tirano hat einige alte Paläste der Visconti, Paravicini und
Salis; Gasth.: die Post. Die Umgegend ist ganz südlich, überall Weinbau, prächtige Kastanien und Nüsse. Aus den Seitenthälern treten allenthalben Schuttberge hervor; die Stufen der
Berge sind bis hinan zu den höchsten Höhen bebaut und von
ihnen blicken weisse Häuser, Kirchen, Klöster und Schlösser
herab. Die Strasse überschreitet hier die *Adda*. In der Nähe
liegt die Wallfahrtskirche *alla Madonna*, wohin die Strasse in
einer geraden Pappelallee führt.

Hier öffnet sich auch rechts das schöne *Pusclaver Thal* oder
Val di Poschiavo, in welches von Tirano aus ein sehr lohnender
Abstecher gemacht werden kann. Es ist gegen 6 St. lang, zieht
vom Bernina herab und wird vom *Poschiavino* durchflossen. Während der Streitigkeiten zwischen Mailand und Graubündten kauften sich die Bewohner vom Stifte Chur los, und traten als freie
Bündtner zum Gotteshausbunde. Die Reformation breitete sich
besonders durch Anlegung einer Buchdruckerei hier schnell aus;
ein grosser Theil der Bewohner ist noch protestantisch. Der Eingang in das Thal ist sehr eng; hohe Kastanien beschatten den
Weg. Nach 1 St. thaleinwärts stürzt links ein schöner Wasserfall herab; in ¼ St. erreicht man *Brüs* oder *Bruscio*, 192 H.,
1036 E., mit einer protestantischen Kirche; grosse Felsblöcke
liegen umher zerstreut, die Ueberreste eines Bergsturzes. 1 St.
weiter hinein liegt der *Pusclaver See*. Diese untere Thalstrecke
vom Eingange bis zum See heisst auch das *Brusascathal*. Der
See ist 1½ St. lang und ⅓ St. breit, sehr tief und fischreich. Hier
ist Nadelholz an die Stelle der Kastanien und Nussbäume getreten, denn der See liegt schon 3200' hoch. Der Anblick des Sees

ist düster, aber erhaben; rings umschatten seine schwarzen Fluten hohe Gebirge, im Hintergrunde noch überragt von den schneegefurchten Häuptern des Bernina. ½ St. hinter dem See liegt der
Hauptort *Poschiavo*, 460 H., 2741 E., ein sehr wohlhabendes Dorf
mit protestantischer Kirche. Von hier theilt sich das Thal aufwärts in 2 Aeste : rechts das oben erwähnte *Valviola Poschiavina*,
durch welches ein Steig nach Bormio führt, ins Valviola Bormina, links führt ein anderer über den *Forcolapass* in das Engadiner Livignothal. 2 Wirthshäuser liegen unweit dieses Passes. —
Der andere Thalast, die oberste Fortsetzung des Hauptthales,
steigt nördl. hinan zum vielbesuchten *Berninapass* (6200'). Von
Poschiavo bis auf die Höhe des Passes, wo sich 3 Seen und
3 Wirthshäuser befinden, hat man noch 6 St. Jenseits senkt sich
der Weg durch das Thal *Pontresina* hinab zum Inn. Man kommt
auf diesem Wege bei den schönsten Gletscherscenen vorüber, welche links das Eismeer des Bernina darbietet. Ehe noch die grossen Verbindungsstrassen über den Bernhardin, Splügen und das
Wormser Joch eröffnet waren, gehörte dieser Pass, ein tiefer Einschnitt in der langen begletscherten Berninakette, zu den besuchtesten, so dass wöchentlich 750 Saumpferde ihn überschritten.

Das *Addathal*, welches von Bormio an fast südliche, dann
von Bolladore an südwestliche Richtung hatte, nimmt in der folgenden Strecke von S. Giacomo eine westliche Richtung an bis
zur Mündung in den Comersee. Auf dem rechten Ufer der *Adda*
kommt man nach *Boalzo*, wo man nicht versäumen darf, die Höhe
rechts zu ersteigen, auf der *Teglio* liegt (1409 H., 5887 E.), der alte
Hauptort des Veltlins (*Val Teglino*); bei einigen alten Mauerwer-
ken hat man die schönste Uebersicht fast des ganzen Veltlins; denn
diese Höhe tritt gerade da hervor, wo das Thal seine Wendung
macht, so dass man thalaufwärts wie abwärts weit sehen kann.

Gerade im Süden von *Teglio*, jenseits der *Adda*, kommt das
Coronellathal herab, durch welches ein Steig, zuletzt über etwas
Eis zu dem obersten Anfange des grossen, jenseits südl. hinab
nach Bergamo ziehenden Serianathals geht. Hier entspringt aus
mehreren Seen auf der Alpe *Barbellino* der *Serio*, und bildet gleich
darauf die bis jetzt bekannten grössten Wasserfälle der italienischen Alpen, die *Cascata del Barbellino*. Der oberste Sturz ist

50' hoch; von hier kommt man über die *Scala del Barbellino* zu
dem untersten der 3 Stürze, welcher 200' senkrecht, 10' breit in
ein tiefes Becken stürzt; neben ihm stürzen noch 2 andere 80'
hoch herab, deren einer, delle quatro valli, himmelblau gefärbt
zu sein scheint.

Im weiteren Verfolge der Strasse behält man rechts auf der
Höhe das schön gelegene *Ponte*, 311 H., 3022 E., in dessen Kirche sich eine sehr schöne Madonna von *Luini* findet. Auch ist es
der Geburtsort des berühmten Astronomen *Piazzi* (geb. 1746), des
Entdeckers der Ceres, Direktors der Sternwarte zu Palermo, welche Ehre jedoch auch das nahe Dörfchen *Boffetto* in Anspruch
nimmt. In 6 St. erreicht man von Tirano aus die hart am Berge
rechts, 400' tiefer liegende Hauptstadt des ganzen Thales, *Sondrio* (1074'), 983 H., 5954 E., nach welcher auch jetzt die Pro-
vinz benannt ist. Die *Post.* Rechts auf steiler Höhe liegt ein
Schloss, welches meist in der Geschichte des Veltlins eine grosse
Rolle spielte. Geburtsort des besten veltlinischen Malers Pietro
Ligario, 1686. Von ihm findet man Gemälde in der Hauptkirche,
in der Kirche des Nonnenklosters, in den Häusern der Herren
Vicari und Perigalli; ausserdem noch in den Kirchen zu Ar-
denno, Cidrasco und Morbegno.

Hier mündet das grosse und schöne *Malengo-* oder *Malenkerthal*, vom *Malero* durchströmt, dessen oberstes Thalgebiet in einem
grossen Halbkreise von der Gletscherwelt des Bernina umschlossen wird. 3 St. oberhalb Sondrio, bei *Chiesa*, 263 H., 1261 E.,
theilt es sich; das *Lanzadathal* zieht rechts hinüber zum Puscla-
verthal, mit dem es durch einige Gebirgspässe in Verbindung
steht; links, die obere Fortsetzung des *Malengo-* oder *Malenker-
thales*, führt zum Gletscherpass *Muretto* hinan, dicht unter einem
der höchsten Hörner der Berninakette, dem *Monte dell' Oro* (8950').
Dieser Pass bildet die Grenze gegen Graubünden und führt jenseits auf den *Malojapass*, von wo Inn und Maira nach entgegengesetzter Seite hinlaufen. Der hinterste Thalkessel, *Piano dell'
Oro*, liegt in sehr grossartiger Gegend, sowie man überhaupt auf
diesem Uebergangspunkte die Gletscherwelt des Bernina am besten überschauen kann; gerade im Süden über *Piano dell' Oro* erhebt sich der höchste Gletscherstock des Bernina, der *Monte delle*

Schaubach d. Alpen. 2. Aufl. IV.   6

Disgrazie (11,316'). Die zahlreiche Bevölkerung des *Malenker-thales* zeichnet sich vortheilhaft aus durch ihre Lebensart, Gewerbthätigkeit und Wirthschaftlichkeit. Die Kühe werden wegen ihres Milchreichthums (täglich 50 leichte Pfund Milch) gesucht. Viele Bewohner im Thale, wie auch in Sondrio, beschäftigt die Verfertigung der Gefässe aus Topfstein, der hier in grosser Menge bricht. In dem Thale finden sich Urkalklager, ein feiner weisser Marmor. Das eben erwähnte Talk- und Topfsteinlager befindet sich bei *Chiesa;* unweit davon werden Talkschieferplatten gebrochen, mit denen fast das ganze Veltlin seine Häuser deckt; daher die weithin schimmernden Bedachungen. In denselben Brüchen findet man feinen und langen Amianth, Bergleder, Bergkork u. s. w. Der Wein um *Sondrio* gilt als einer der besten Veltliner.

Wir folgen nun der grossen Hauptstrasse wieder, die uns hier bis zur nächsten, 6 St. entfernten, Poststat. Morbegno durch den schönsten Theil des Veltlins bringt. Fast 3 St. lang führt die Strasse gerade fort durch die Ebene des Thales und übersetzt die Adda in dieser Richtung zweimal, worauf man, nachdem man auch den rechts aus dem *Masinothal* kommenden *Masino* überschritten hat, nach *Masino* selbst kommt, wo wieder ein Abschnitt im Thale ist. Das Thal wendet sich nämlich plötzlich aus seiner bisherigen westlichen Richtung nach Süden, doch nur auf kurze Strecke, denn schon nicht in ganz 1 St. nimmt es seine vorige Richtung wieder an bei *Morbegno.* Durch diese kleine Verrückung des Thallaufes gewinnt aber hier die Gegend ungemein an Reiz wegen der Durchsicht, welche diese Thalstrecke gewährt, man mag von oben herab oder von unten heraufkommen; denn bis jetzt geht das Thal in so gerader Richtung fort, dass man rechts und links fast nur die unteren Gehänge der beiderseitigen Bergketten gewahr wird; diese sind aber so im Anbau verhüllt, dass man eine ziemlich zahme Gegend vor sich zu haben glaubt und nicht den rauhen Kern dieser Schale vermuthen würde, wenn nicht dann und wann plötzlich die eisigen Fluten eines wild daherstürmenden Baches seine Gegenwart verriethen. Sowie man sich aber jener Umbiegung des Thales nähert, so streift der Blick südwestl. auf den Gipfel der Südkette, den *Legnone* (8000'), der sein schneegefurchtes Felsenhaupt stolz über die niederen, in

üppige Fülle des Pflanzenwuchses gehüllten, Höhen emporhebt.
Hat man während der südl. Richtung des Thales und der Strasse
sich schon an diesem Anblick geweidet, so wird man noch mehr
überrascht, wenn man sich bei *Morbegno* umwendet und nun in
nordöstl. Richtung über den mit Dörfern und Landhäusern übersäeten Vorbergen die stolzen, 11,000' hohen Häupter der Berninakette erblickt, bis herab hinter ihre Vormänner tief in Schnee
und Eis gehüllt; gerade über der heissen Ebene von *Morbegno*
und den nördl. Sonnbergen steigt stolz die Gruppe des *Monte
delle Disgrazie* (11,316') empor.

Noch vor Morbegno steigt das *Masinothal*, mit Nebenthälern
eine Gemeinde mit 147 H., 634 E., von *Masino* rechts in die
Berninakette hinein. Wie das Mallengothal ist auch dieses im
Hintergrunde durch ein Amphitheater von Eisbergen des Bernina
umschlossen, die sich in ihrer südwestl. Richtung schon näher an
das Addathal herangezogen haben. Es ist daher nur 6 St. lang.
Der Eckpfeiler rechts ist der mehrerwähnte *Monte delle Disgrazie;*
im Hintergrunde erhebt sich die *Cima Liconcio* (10,221'). Der
Eingang ist eng; in 2 St. von diesem zieht rechts das *Val di Sasso* hinan zum *Monte delle Disgrazie*. Wieder 1 St. hinan ästet es
sich nochmals, rechts ins Thal *Mello*, links ins *Bäderthal, Val de'
Bagni;* denn hier liegen die *warmen Bäder von Masino*. Topf-
steinbrüche, Kupfererze, Eisen, Goldkiese.

Morbegno, 654 H., 3514 E., ist wohl der anziehendste Punkt
des Veltlin, indem sich nirgends in diesem Thale die Gegensätze
des Südens und winterlichen Nordens so nahe berühren; denn
hier überschattet nicht nur die Rebe, sondern auch der Feigen-
baum, der Lorbeer, die Granate, die Myrthe und Cypresse die
Anhöhen, während mit den vaterländischen Getreidearten der
Durra (Sorghum) Arabiens und der Canariensamen in den Fluren
wechselt. Man ersteige an einem heiteren Abend die südl. Höhen von Morbegno, und blicke, selbst in tiefen Schatten der Kastanien gehüllt, die an den Aetna erinnern, umrankt von Epheu
wie alte Burgthüren, hinaus in das Meer der Fluren von Mais und
Wein, über die bethürmte Häusermasse von Morbegno, hinüber
auf die mit Kirchen, Dörfern und Schlössern besäeten Anhöhen
und endlich hinauf auf den ewigen Winter des Bernina oder das

6 *

Thal hinab, wo das obere Ende des Comersees, von der Abendsonne vergoldet, heraufleuchtet, so hat man ein Bild des Veltlin.
Die hier geborenen Maler, Antonio Cadelino (1655), Giovan Pietro Romegiallo (1739), Giovan Francesco Cotta (1727) und Pe-
tro de Petris (aus Campo bei Morbegno), schmückten die Kirchen
mit ihren Werken. Die Hauptkirche von 1588 gilt für die schönste Veltlins.

Im Süden von *Morbegno* öffnet sich das *Bittothal*, über dessen
Bach bei Morbegno sich eine schöne Brücke in einem Bogen
wölbt. Die in diesem alpenreichen Thale verfertigten Käse sind
sehr gesucht und dem Parmesankäse gleich. Im Hintergrunde
des Thales, bei *Girola*, sind Eisengruben. Dahinter führt ein
Bergpass südl. hinüber in das *Brembothal* und nach Bergamo. Der
Botaniker findet im Addathal hier herum: Angelica Archangelia,
Molospermum cicutarium (auch im Puschlaverthal), Phytolacea de-
candra, Erica arborea, Sida abutilon, Serapias lingua, auf dem Ze-
ze Aristolochia Pistolochia und auf dem Fröla Asphodelus luteus.

Die grosse Ebene um *Morbegno* war einst sehr sumpfig bis
hinab zum See, daher sehr ungesund, so dass man die Namen
Morbegno und Colico davon ableitet. Jetzt ist dieser Boden
ziemlich trocken gelegt und dadurch nicht nur die Luft gesünder
gemacht, sondern auch dem Ackerbau ein grosses fruchtbares Gebiet gewonnen. In und um *Morbegno* wird die beste Seide des
Veltlins gewonnen.

Von *Masino* an führt auch auf dem rechten Ufer der *Adda*
eine Strasse hin bis *Fraone*, wo sie dann rechtwinkelig über die
Adda setzt und sich bei *Cosio* mit der Hauptstrasse vereinigt.
Von *Morbegno* kommt man auf der Hauptstrasse über *Cosio, Ro-
golo* und *Delebio*. Hier öffnet sich das schon sehr breite Thal noch
mehr zum *Piano di Colico*, indem sich das Thal der *Maira*, nördl.
von Chiavenna herkommend, mit dieser Ebene vereinigt. Am
unteren Ende dieses Thales, dem *Piano di Chiavenna*, liegt der
Lago di Mezzola, die ganze Thalbreite einnehmend, von der *Adda*
durchströmt, die sich bald darauf in den Comersee ergiesst. Ehe
man in etwa 4 St. von Morbegno *Colico* auf der Strasse erreicht,
erblickt man die Ruinen von *Fuentes*, einer alten Festung, und
hier zweigt sich die eine Strasse nördl. ab längs dem östl. Gestade

des *Mezzolasees* nach *Chiavenna* und von da nördl. über den Splügen nach Graubündten, östl. durch das *Bregell-* oder *Bragaglia-thal* zum *Maloja* und über ihn ins Engadin. Auch kann man sogleich oben von *Fraona* aus auf dem rechten Addaufer sich halten, um am *Mezzolasee* mit der ersteren Strasse zusammenzutreffen. *Colico*, 703 H., 2988 E., hat Postwechsel. Ehe die neue Strasse fertig war, fuhr man von *Colico* hinüber nach *Domaso*, wo man immer Gelegenheit fand, den See hinabzufahren nach Lecco oder Como. Jetzt kann man längs dem ganzen östl. Gestade auf herrlicher Kunststrasse hinfahren, und so schön es sonst ist, auf den Wellen eines Sees hinzugleiten, so ist doch wegen der herrlichen Aussichten, wegen der vielen Gewölbe, durch welche die Strasse hinzieht, dieselbe der Seefahrt vorzuziehen.

Von *Colico* oder dessen Umgegend ist der belohnendste Ausflug die Besteigung des *Monte Legnone*, welcher sich 8130' erhebt, und wegen der tiefen Lage der Umgegend von nur 198' um so stolzer und höher erscheint. Ueberrascht wird man durch die unermessliche, schöne und grossartige Aussicht; südl. schweift der Blick in die unendlichen Ebenen Oberitaliens, in deren Mitte sich Mailand mit seinem Dome zeigt; in der Tiefe gegen Westen fast der ganze Comersee, darüber der Luganer See; im Norden und Nordost das lang hingestreckte Veltlin, darüber die ganze Gletscherkette des Bernina bis hin zu den mächtigen Tiroler Grenzwächtern.

Der *Comersee*, Lacus Larius, Lago Larlo, Lago di Como, an dessen oberem Ende wir stehen, hat eine Länge von fast 9 Meilen mit dem *Mezzola-* und *Leccosee*, bei einer Breite von 1 St. und einer Tiefe von 1858'. Der Flächeninhalt beträgt 11 Q.M. Fast in seiner Mitte wird er durch eine von Süden hereintretende felsige Halbinsel in 2 Arme getheilt, von welchen der westl. Arm bei Como ohne Abfluss endet, während dem Ende seines östl. Armes bei Lecco die Adda schiffbar unter einer langen Brücke entströmt.

Geolog. Bis S. Abbondio an der West- und bis Bellano an der Ostseite begrenzen den See zu beiden Seiten die Höhen des krystallinischen Schiefergebirgs der Centralmasse der vier Seen. Dann folgen bis zur Tremezzina im Westen, durch den Norden der Halbinsel Bellaggio und bis Mandello an der Ostseite des Armes von Lecco hinab die meist wohlgeschichteten kalkigen und mergeligen Bildungen der Trias und Kössenerschichten, aus denen sich jedoch schon der massige Esinodolomit auf den schrofferen Höhen von M. Defendente und Sasso Mattolino hervorhebt. Südwärts bis Como im Westen und Lecco im Osten herrschen an allen Ufern die mächtigen geschichteten Dachsteindolomite. Erst südl. von dieser Linie erscheinen die jüngeren Sedimente: Lias, Jura, Neocom in der Brianza; an der Bildung der äussersten Hügel nehmen selbst noch jüngere Kreide und Nummulitenformation Theil. Beide Ufer liefern ausgezeichnete Profile, an der Westseite folgen die Triasglieder vom bunten Sandstein bis zu den Kössenerschichten bis zu der Tremezzina regelmässig auf einander. Interessanter, versteinerungsreicher ist aber das Ostufer, wo die Trias das, zwischen dem Val Sasina und dem See vorspringende, Gebirge von Esino über Varenna zusammensetzt; hier steigt man aus dem bunten Sandstein, unter dem in der Tiefe des Sasinathales die Glimmerschieferunterlage hervortritt, über die untersten Kalke und Dolomite der Trias zu dem dunkelen Marmor von Varenna und den, an Resten von Fischen und Amphibien reichen, bituminösen Schiefern von Perledo, über welchen sich der Esinodolomit des M. Defendente erhebt. Auf den Alpenweiden der Prati d'Agueglio erreicht man das oberste Glied dieses Vorgebirges, die mergeligen Raiblerschichten mit der Gervillia bipartita, Pecten filosus. Eine Faltung ist wohl Ursache, dass es gleichförmig von dem Esinokalk und Dolomit des Sasso Mattolino, der dahinter sich erhebt, und der Gegend um Esino selbst bedeckt erscheint. Reich an grossen und zahlreichen Schnecken (Chemnitzia, Natica) ist der Val Pallagia unter Esino, ein Seitenthal des, bei Varenna mündenden, Val d'Esino. Alle Profile aus dem, bei Bellano mündenden, Sasinathale auf die Höhen von Esino zeigen diese Zusammensetzung; nimmt man seinen Weg über Regolido hinauf, so findet man unter dem Pavillon über der dortigen Sauerquelle im Bachbette in dem, nach Stoppani dem untersten Trias angehörigen, bituminösen Kalk die schöne Posidonomya Moussoni. Die ganze Nordhälfte der Halbinsel Bellaggio wird von den Kössenerschichten eingenommen, ihrer Westseite gehört die versteinerungsreiche Lokalität von Azarolla an; die Steinbrüche des Pian d'Erba in der Brianza und von Arzo sind reich an den Versteinerungen des liasischen rothen Marmors und fehlen auch die Wetzschiefer nicht; bei Erba folgt oberjurassischer Diphyakalk, endlich der weisse Neocom, die Majolica, am See von Annone, im Südwesten von Lecco. In den äussersten Hügeln zwischen dem Lamore und der Adda finden wir mit dem Neocom auch den Kreidemergel (Scaglia); zu Bussorst, beiderseits des Lamore, sind selbst noch Fetzen der Nummulitenschichten erhalten.

Von *Colico* der Strasse folgend kommen wir zunächst zu der kleinen Bucht von *Piona;* die Strasse windet sich kühn und malerisch durch eine Felsenenge. Bei der darauf folgenden Halbinsel erhebt sich die Strasse etwas am Felsenhang und gewährt einen herrlichen Ueberblick bis hinab nach Bellaggio, welches gerade auf der Spitze der Halbinsel liegt, die den See in 2 Arme theilt; links zeigt sich zunächst etwas erhöht Dosio, dann auf kleinem Vorsprung Coreno, auf noch weiter vorspringender Halbinsel

Dervio; über Bellaggio und seinen hinter ihm sich erhebenden grünen Vorbergen die nackten Felsenmauern des *Monte S. Primo* (4910′); rechts zieht sich der Seearm von Como hinter den Höhen von Menaggio hin; am Abfall des Monte Grona zeigt sich Rezonico und gegenüber Gravedona. Bei *Coreno*, 57 H., 217 E., schmiegt sich die Strasse abermals an die Wände an und ist hoch untermauert. Burgartig erhebt sich die eng zusammengedrängte Häusermasse von *Coreno (Corinth)*, beherrscht von der Kirche. Bei *Dervio (Delphos)*, 133 H., 694 E., das auf einer niedrigen Halbinsel liegt, erhebt sich der *Legnoncino* (4677′), ein Vorsprung des *Legnone;* hier soll der See am tiefsten sein. Links öffnet sich das eisenreiche Thal *Varona*, durch welches ein Steig über den *Pizzo di tre Signori (Dreiherrnspitz)* nach Morbegno führt. Dieser Berg liegt da, wo der Südarm des Legnone sich an den Ostarm, die Legnonekette, anschliesst und die Thäler Bitto (Veltlin), Varona und Brembo scheidet, von denen das erste einst zu Graubündten, das zweite zu Mailand, das dritte zu Venedig gehörte.

Von *Dervio* aus führt die Strasse durch das erste Felsengewölbe. In der Ferne zeigt sich *Bellano*, 413 H., 2605 E., der nächste bedeutende Ort an der Mündung des *Sassinathales*. Die drei- bis vierstöckigen Häuser geben dem Orte ein grossartiges Aeussere. Das *Sassinathal* öffnet sich 200′ über dem Orte und aus ihm herab wirft sich die *Pioverna* die ganze Höhe senkrecht in einer wilden Schlucht herab; der schöne Wasserfall ist bekannt unter dem Namen *il Horrido di Bellano*. Die einst über dem Abgrunde in Ketten hängende Brücke ist mit dem Felsen, der sie trug, in den Abgrund gestürzt. Der Bach stürzt 205′ in eine finstere Schlucht; zu dem schönsten Standpunkte führt jetzt eine Treppe. Einen sehr schönen Rückblick hat man oben beim Eingang in das *Sassinathal.* Im *Sassinathal* sind die Hauptorte *Introbio*, 105 H., 752 E., und *Primaluna*, 51 H., 383 E.; viele Hochöfen; der *Lago di Sasso* und *Troggiafall*. In *Bellano* sind Seidenfabriken und Handel Hauptgeschäfte. Ueber dem Orte erhebt sich der *Monte Grigno* (6805′). Von hier führt die Strasse durch eine ganze Reihe von Felsengewölben, über denen die Felsenhörner des *Grigno* und *Grignone* lagern. Sowie man aus dem letzten Felsenthor tritt, liegt, terrassenförmig aus dem See aufsteigend bis

an die steilsten Wände, das stadtähnliche *Varenna*, 288 H., 860 E.,
vor den Augen. *Varenna* gehört zu den schönsten Punkten am
See; denn es liegt gerade der Oeffnung und Richtung des westl.
Seearmes nach Como hin vor, blickt ebenso in den östl. hinab
und den See hinauf. Schräg gegenüber liegt *Bellaggio*. In den
Gärten Varenna's glaubt man sich schon in den tieferen Süden
versetzt; hier prangt die Goldfrucht neben der Granate und Citrone, und stolz erhebt sich die düstere Cypresse neben dem
blassen Oelbaum. Zwischen den Klippen starren die Blätter der
Aloë und die syrische Melia azedarach. In *Varenna* selbst werden fast alle Marmorarten der Umgegend auf alle mögliche Weise
verarbeitet. Auf dem hinter *Varenna* liegenden *Moncodine* soll
sich ein Gletscher befinden, dessen Abfluss der etwas weiter abwärts, 1000' über dem See aus einer Felsengrotte hervorbrechende *Milchbach*, Fiume di latte, sein soll; er stürzt sich in
einem schönen Wasserfalle herab; seine weissgraue Farbe, wie
die Erscheinung, dass er bei grosser Hitze, wo andere Bäche ver-
trocknen, zu- und bei Kälte abnimmt, ja im Herbste ganz verschwindet, deutet allerdings auf einen solchen Ursprung.

Von diesem Wasserfalle an tritt man in den *See von Lecco*,
den östl. Arm des südlicheren *Comersees*. Bei *Capuano* fand man
römische Mosaikböden. Von *Lierna*, 233 H., 1032 E., an tritt
der *Sasso di Olcio* an den See hinan und nöthigte zu grossen Un-
termauerungen, Sprengarbeiten und mehreren Gewölbgängen.
Man kommt nun über *Olcio*, *Mantello*, mit dem grossen Palaste
Airoldi und Marmorbrüchen, *Abadia*, links das aufgehobene Kloster *S. Martino* auf der Höhe lassend, in dessen Nähe eine schöne
Tropfsteinhöhle ist, nach *Lecco* am unteren Ende des Sees, wo
die nun schiffbare *Adda* unter einer steinernen alten Brücke von
12 Bogen aus dem See rauscht. *Lecco*, 466 H., 6285 E., hat
Eisen- und Seidenfabriken; auch wird viel Oel gepresst. Durch
die Anlage der neuen Strasse hat es besonders gewonnen. Nordöstl. über der Stadt erhebt sich der zerrissene Kalkberg *Resegone
di Lecco* (die Säge von Lecco), 4939' über Lecco. Rings herum
Weinreben, Oel- und Maulbeerbäume. Von *Lecco* führt die Strasse
über *Monza* nach Mailand (3 Stationen). Wir lassen es jedoch
linker Hand liegen und wenden uns auf der Grundlinie des Drei-

ecks, dessen Schenkel die Seearme von Lecco und Como sind,
nach der Stadt *Como*.   Das führt uns in die

    Brianza (12 Q.M. mit 192 Gemeinden), eine der reizendsten
und fruchtbarsten Gegenden Italiens, daher die Hauptsommerfrische der nahen Hauptstadt; das herrliche frische Wasser im
Gegensatz des schlechten matten Wassers der Ebene ist ein
Magnet mehr; die schönen Aussichtspunkte, die Ebene, das Gebirge, der grosse See, die vielen kleineren Seen, die südl. Pflanzenfülle, der fleissige Anban, kurz alles vereinigt sich, um diese
Gegend zu einem wahren Paradiese zu machen.

    Von *Lecco* aus kommt man an *Malgrate* vorüber, an dem
Ausflusse des *Oggionesees*.   Bei *Onno* geht eine Strasse hinüber
in das vom *Lambro* durchströmte *Assinathal*, und quer durch dasselbe nach *Como*.   Das *Assinathal* ist ein wahres Kalkalpenthal,
ehemals ein Seebecken, dessen Ueberreste der *Pusiano-*, *Sagrino-*
und *Alseriosee* sind; zwischen den beiden letzteren fliesst der
Lambro hindurch, welcher weiter über Monza oberhalb Piacenza
in den Po fliesst.   Oberhalb dieser Seen liegt *Asso*, 150 H.,
1400 E., Poststation auf der Strasse von Mailand nach Bellaggio,
mit schönem Wasserfall.   Römische Inschriften eines C. Plinius.
Weiter hinan kommt man nach dem hochgelegenen *Barni*, 75 H.,
313 E., bekannt wegen seiner Schneckenzucht.   Nicht weit davon
Magreli, wo eine Höhle ist, in welcher sich die merkwürdige
Quelle des *Lambro*, *Menaresta*, befindet; sie wächst 3 Minuten
lang, nimmt 5 Minuten lang ab und bleibt sich dann wieder 8 Minuten lang gleich.   Nun kommt man zu dem obersten Thalboden
dieser Gegend, zu der 3566' hoch gelegenen alpenreichen Hochebene von *Tivano*, welche rings von einem Kranz höherer Kalkfelsen umgeben ist, unter denen der *Santo Primo* (4910') der
höchste ist, der sich gerade über der Landspitze von Bellaggio erhebt, und daher eine wundervolle Aussicht über den See gewährt.
Es finden sich hier viele Versteinerungen im Flötzkalk, rother
Wetzschiefer, Feuerstein, rother Marmor, Hornstein, Gyps, feiner, weicher Sandstein, gegen Como versteinertes Holz, Nagelflue aus Porphyr, Granit und Kieselsteingerölle, aus welcher
Mühlsteine gehauen werden.   Auf den Höhen von Tivano allenthalben Geschiebe von Granit, Glimmerschiefer und anderen Ur-

gebirgsarten. Auch befindet sich hier ein Torflager mit grossen Lärchenstämmen.

Nach *Onno*, unweit Lecco, zurückkehrend fahren wir längs dem westl. Ufer des *Leccosees*, *Antirite* genannt, weiter nach *Limonta*, 88 H., 386 E., welches von Lothar 835 den Mönchen geschenkt wurde, um von da das Oel für die Lampen am Altare des heil. Ambrosius zu Mailand zu beziehen. Berühmt sind die Kastanien von Limonta. Bald darauf gelangen wir zur *Punta di Bellaggio*, jene Landspitze, welche den See theilt. Darüber die prächtig gelegene *Villa Serbellone*, gegenüber am Nordgestade das Wirthshaus *la Cadenabbia*, unweit von diesem die *Villa Carlotta* (früher v. Sommariva), dem Erbprinzen von Meiningen gehörig, mit dem berühmten Marmorrelief von Thorwaldsen, „der Alexanderzug". An diesem Vereinigungspunkte der 3 Seearme stehen viele Landhäuser der Mailänder; römische Alterthümer; Strasse in das Assinathal. Um die Spitze umbiegend und in den *Comersee* im engeren Sinne einfahrend, trifft man auf die Insel *S. Giovanni*, im 5. Jahrh. wegen der vielen hierher geflüchteten Christen auch Christopoli genannt, ein in geschichtlicher Hinsicht merkwürdiger Punkt. Diese Insel war so mächtig, dass sie lange Kriege führte, vielen bedeutenden Personen eine Zuflucht gab, z. B. dem Francilione, Feldherrn des griechischen Kaisers Mauritius gegen den longobardischen König Lothar; dem Gandolfo, Herzog von Bergamo, gegen den König Agilulfo; den Anhängern des Königs Kunibert gegen den Usurpator Alachi; dem Asprande, Vater des Königs Luitprand, gegen Ariperto; dem Guidone, Sohn des Königs Berengar, gegen Kaiser Otto; dem Azzo gegen den Bischof von Como. Erst im 12. Jahrh. wurde die Insel von den Comasken überwältigt und ihre Bewohner mussten sich in dem jetzigen Varenna ansiedeln. Am Ufer südl. fortfahrend berührt man die Häusergruppe *Lezzero*, 265 H., 1262 E., wo der See sehr tief ist; über Lezzero thürmen sich höhlenreiche Klippen empor zum Assinagebirge. Der nächste Ort ist *Nesso* (Naxos, 255 H., 1165 E.), mit einem schönen Wasserfalle und einer periodischen Quelle, *Fugaseria*; hoch oben am Gebirge bleiben *Careno*, *Pognana*, *Lemna* und *Molina*, tiefer am See die berühmte *Villa Pliniana*, sonst Pluviana genannt; sie wurde 1570 von *Anguissola* erbaut. Der jün-

gere Plinius hatte hier 2 Villen, die freundlicher gelegenere nannte
er Comoedia (wahrscheinlich bei Bellaggio; völlig verschwunden),
die andere wegen ihrer düsteren romantischen Lage Tragoedia,
wahrscheinlich an der Stelle der jetzigen. Auf beiden Seiten stürzen Bäche zwischen Lorbeerbäumen, Cypressen, Kastanien, Maulbeerbäumen, Pappeln und Weingärten herab. Im Innern befindet sich die merkwürdige periodische Quelle, welche schon Plinius der Jüngere (Buch IV, Brief 30) beschreibt, und daher ihm
zu Ehren die Quelle *Pliniana* heisst. Ueber der Villa viele was-
serreiche Höhlen. Nächst der Pliniana folgt *Perlasca* mit der
glänzenden *Villa Tanzi*, bei der sich ein prächtiger Garten, auch
mit ausländischen Gewächsen und schönen Anlagen, befindet;
schönes Echo. Noch an vielen Landhäusern vorüber kommt man
endlich in den Hafen am südl. Ende dieses Sees, umgeben von
den glänzenden Häusermassen der Stadt
     Como, 1061 H., 24,088 E. Zur Zeit, als die Römer ihre
Herrschaft in Oberitalien ausbreiteten, wohnten hier die Orober.
Cäsar verpflanzte hier eine griechische Kolonie her, wovon sich
noch viele Namen erklären lassen, als Korinth (Coreno), Naxos
(Nesso), Lemnos (Lenno) u. a. Im Parteienkampfe zwischen Hohenstaufen und Welfen wurde die Stadt mächtig und auf Seite der
Hohenstaufen eine Nebenbuhlerin Mailands. 1127 wurde sie von
den Mailändern zerstört. Noch mehrmals hob sie sich, bis sie
endlich nach langwierigen Kämpfen unter einen Herrscher, Visconti, mit Mailand kam, 1335. Sie ist der Sitz eines Bischofs.
Schöner Dom aus Marmor von 1396. Die Taufkapelle nach Bra-
mante. *S. Fedele* die älteste Kirche, *S. Croce* mit schönen Marmorsäulen, der *bischöfliche Palast* mit antiken Basreliefs, das *Ly-
cealgebäude* mit antiken Marmorsäulen und den Büsten berühmter
Comasken, der *Palazzo al Ulmo* mit der alten Ulme, welche der
Sage nach Plinius' Lieblingsbaum gewesen sein soll, *Volta's Platz*
mit seinem Denkmale. Römische Alterthümer. Wegen des unbe-
ständigen, besonders regnerischen Wetters hat die Stadt den eben
nicht dichterischen Beinamen: *Urinajo della Lombardia.* Botanische Gärten; Landhäuser. Aus Como sind viele in Deutschland
herumziehende italienische Hausirer. Hier wurden geboren Plinius der Jüngere, der Geschichtschreiber Jovius (unter Karl V.),

die Päpste Clemens XIII. und Innocenz XI., der Physiker Volta und der Dichter Cercilius. Von Como bis zur Pliniana sind es 2 St., nach Mailand 10 St., 4 St. an das Südende des Luganer Sees. Da der See hier keinen Abfluss hat und sich hier gleichsam fängt, so steigt er hier am stärksten, einmal beim Schneeschmelzen, weil die Addaströmung, von oben kommend, längs dem ganzen westl. Ufer hinab bis Como geht, hier abgestossen, sich wieder nördl. um die Spitze von Bellaggio schlägt und nun erst den Ausgang bei Lecco findet; ferner beim Nordwind, wie sich leicht von selbst erklären lässt; endlich auch beim Südwind, der das Ausströmen aus dem Leccoarm hindert.

Wir folgen nun dem westl. Gestade wieder aufwärts. Bei *Cernobio*, 105 H., 802 E., einem ehemaligen Kloster, bekannt wegen seiner guten Schiffer, öffnet sich das Thal *Muggia*, merkwürdig wegen der ungeheuren Menge von Geschieben, welche den Kalkboden bedecken. Gefährliche Westwinde blasen aus ihm. An *Garvo* mit seinen Villen vorüber kommt man nach *Moltrasio*, 211 H., 889 E., am Fusse des malerischen *Bisbino*. Hier gibt es viele Höhlen, welche zum Theil als Keller benutzt werden. Bei *Brienno* gedeihen die Lorbeerbäume am besten am ganzen See. Dieser ist hier sehr schmal und hat nördl. Richtung. Bei *Argegno*, 126 H., 668 E., wo das ebenfalls durch seine Geschiebe und die Thätigkeit seiner Einwohner merkwürdige Thal *Intelvi* mündet, wird der See wieder breiter und nimmt eine nordöstl. Richtung an. Durch das *Intelvithal*, dessen Hauptort *S. Fedele* ist, 171 H., 713 E., führen Wege zum Luganer See. Hinter *Colonna* stürzen durch Olivenhaine 2 Wasserfälle herab. Hierauf folgt *Balbiano*, wo sich der Bach *Perlana*, in dessen schauerliche Felsenwildniss von hier ein Steig führt, in den See stürzt. Auf vorspringender Halbinsel liegt *Campo* mit schönem Hafen und Leuchtthurme; darüber das Kloster *Acqua fredda* bei einer kräftig hervorsprudelnden Quelle, welche der Abfluss des scheinbar schon im Gebiete des Luganer Sees liegenden Hochsees *Piano* sein soll. Bei *Lenno* (Lemnos, 192 H., 1172 E.) befindet sich ein unterirdischer Tempel mit Säulen und einem Altare und einer Inschrift des Vibius Cominianus; aus diesem unterirdischen Baue führen 4 Röhren in einen oberen. Die ganze Seebucht von dem Vorgebirge

Lavedo bei *Campo* bis *Cadenabbia* heisst die *Tremezzina.* Sie gilt als das Paradies Oberitaliens. Das Klima ist so mild, dass selbst die Pomeranzen im Winter keines Schutzes bedürfen; daher hier viele Landhäuser der Mailänder. Der Botaniker findet hier die Pflanzen Süditaliens. Ueber *Tremezzo* selbst, 203 H., 1151 E., erhebt sich der höhlenreiche *Monte Ceremude* (3456'). Versteinerungen. Die Knochen auf dem Kirchhofe von *S. Lorenzo* nicht weit davon sind mit Selenit überzogen. Das Wirthshaus in *Cadenabbia* galt sonst als das beste am See. Oberhalb liegt *Grianta*, 98 H., 664 E., wo grosse Höhlen und Versteinerungen. Bei *Menaggio*, 162 H., 1301 E., mündet der *Sanagra*, schräg gegenüber dem *Sassinathal*, mit dem es das überein hat, dass es geognostisch die südl. Kalkgebirge des Comersees von dem nördl. Urgebirge scheidet, welches von nun an auch auf dieser Seite die Gestade bildet. Von hier führt ein Fuss- und Reitweg nach Porlezza am oberen Ende des Luganer Sees. Ueber *Nobiale* mit Alabaster- brüchen kommt man nach *Gaëta* und *Rezzonico* (Rhaetionicum), wovon das bekannte Geschlecht seinen Namen trägt. Ueber *Pianella* liegen die merkwürdigen Reste der Feste *Musso.* Hier mün- det der Bach *Carlazzo;* auch sind hier die Marmorbrüche, aus deren Steinen der Dom von Como erbaut ist. Hierauf folgt *Don-go*, 254 H., 1286 E., mit einem Eisenwerke, dessen Erz zwischen hier und Musso bricht. Ein Weg führt von hier über die Alpen von *Pessolo* ins jenseitige *Marobiathal* und durch dieses hinab nach Bellinzona. Nicht weit von *Dongo* liegt *Gravedona*, 375 H., 1468 E., an der Mündung eines bedeutenden Thales. In der Kirche sehr alte Frescogemälde; sie selbst steht auf den Grund-mauern eines Apollotempels. Die Tracht der Frauen ist der der Kapuziner ähnlich und sie nennen sich auch Frate, in Folge eines Gelübdes ihrer Vorfahren. In *Domaso* finden sich Seidenfabriken. Bei *Gera* und *Sorico* erreichen wir wieder das obere Ende des Sees. Ein grosser Bergsturz soll einst am Zusammenfluss der Maira und Adda oder an ihrer Einmündung in den Comersee stattgefunden haben, wodurch der *Mezzolasee*, eigentlich eine Art Lagune, ent-stand, welche die obere Gegend nach *Riva* zu noch verpestet. Hier befinden sich grosse Granitbrüche, aus denen besonders die Pflastersteine von Mailand gewonnen werden.

Zur Rückkehr nach Tirol von diesem grossen Ausfluge stehen 2 Wege offen: 1) Auf der Splügenstrasse von *Colico* nach *Chiavenna* oder *Cläven*, 2 Posten, von der Hauptstrasse abbiegend in das *Bregaglia-* oder *Bregellthal* und an der *Maira* oder *Mera* auf fahrbarem Wege bis zu deren Ursprunge bei *Casaccia*. Auf dem Wege dahin bleibt rechts der Weiler *Piuro*, auf der Stelle des ehemaligen Plürs, welches durch einen Bergsturz des *Conto* 1618 verschüttet wurde, wobei 1000 Menschen umkamen. Bei *Presto* ist der Wasserfall *Aquafreggia*. Der letzte italienische Ort an der *Maira* aufwärts ist *Villa*, worauf mit *Bondo*, 2 St. von Chiavenna, Graubündten und das *Bregagliathal* beginnt, von protestantischen Italienern bewohnt. Den Wanderer begleiten noch bis *Soglio* Kastanienwälder. *Casaccia*, der letzte Ort, ist 5 St. von Chiavenna. Von hier geht es über den kaum 1000' höher liegenden, auch noch fahrbaren, *Maloyapass;* links liegt der Kopf des *Septimer* (5600'), merkwürdig als Dreiwasserspitz zwischen Rhein-, Donau- und Po-, oder Nordsee-, Schwarzen- und Adriameergebiet. Jenseits des Passes liegt der *Silsersee*, der dem Inn seinen Ursprung gibt. 2) Von *Lecco* über *Bergamo*, *Sarnico* am schönen *Iseosee* und *Brescia* nach *Desenzano* am *Gardasee*.

Das Etschthal (Fortsetzung).

Der erste Ort unterhalb *Spondinig* (2679') ist *Eyrs* (2450'), 49 H., 263 E., ½ Post von Prad, 1 Post von Mals. Die Post, Ross, ist ein gutes Gasthaus. An der Strasse von Prad hierher: Sisynebrium strictissimum. In einem Schlosse, dessen Ueberreste jetzt in ein Bauernhaus verwandelt sind, wohnten sonst die aus Baiern stammenden Grafen von *Moosburg*. Die Probstei zu Eyrs gehörte ebenfalls diesen Grafen; nach ihrem Aussterben eigneten es sich die *Matscher* zu, mussten jedoch später diesen Ort wieder herausgeben. Links oben über der ersten kahlen Stufe liegt *Tanas*, 57 H., 324 E., reich an Getreide; rechts jenseits der Etsch an einem Bache, welcher von der eisigen *Tschengelser Hochwand* (etwa 9000') niederbraust, liegt das Kirchdorf *Tschengels*, 102 H., 525 E., auch Wallfahrtsort wegen eines Gnadenbildes der heil. Jungfrau. Reicher Getreidebau, so dass Getreide nicht nur nach Graubündten, sondern auch nach Worms im Veltlin ausgeführt wird; wegen der feuchten Niederungen bedeutende Pferdezucht.

Südwestl. auf einer Höhe die Ruine der Burg *Tschengels.* früher von den gleichnamigen Rittern, später von den Grafen v. Lichtenstein besessen. Die ganze rechte Thalwand von Prad bis gegen Latsch an der Ausmündung des Martellthales ist ein hoher und breiter Felsenstock, welcher vom *Suldenspitz* zuerst als schmaler Eisgrat nördl. ausläuft, das oberste Sulden- und Martellthal trennend, sich dann am *Pederspitz* (10,762') ausbreitet, das *Laaserthal* mit seinem Ferner umfasst und in dieser Breite in 2 Stufen in das Etschthal niederstürzt. Die oberste Stufe ist ein ödes, vielfach zerrissenes, aber horizontal gerunzeltes, braunes Felsengebirge, oft zu steil, um Schnee tragen zu können; dieser hat sich daher zu bedeutenden Fernermassen um seinen Fuss gelagert. Die zweite Stufe erscheint von unten als ein vor der höheren Stufe hinziehendes, oben bemattetes, unten bewaldetes, am Fusse mit Feldbau umgürtetes Gebirge. Da, wo Thaleinschnitte von der oberen Stufe in das Vorgebirge herabziehen, steigen auch Ferner durch sie herab. Von Mals und der nördl. Thalwand sieht man diese Bildung am deutlichsten. Beim Wildschützen Jos. Stak in Tschengels findet man Führer auf die *Tschengelser Hochwand*, die am besten von Laas oder Sulden aus erstiegen wird und eine prächtige Rundschau und Einblick in die Ortelergruppe gewährt. — Die nördl. Thalwand bildet vom *Matscher Thale* bei *Schluders* bis zur Oeffnung oder dem Schlunde des *Schnalserthales* bei *Naturns* eine Masse, welche auch zuerst von der hinteren Wildeneisspitze des Oetzthaler Eismeeres als schmaler Eisgrat südl. ausläuft, die obersten Anfänge von Matsch und Schnals scheidend, dann aber am Salurnferner sich ausdehnt zu einem grossen Dreieck, dessen Grundlinie das Etschthal von Schluders bis Naturns ist, und dessen Schenkel Matsch und Schnals sind. Wie im Süden das Laaserthal jene Masse spaltet, so hier das Thal *Schlandernaun*, welches als eine senkrechte Linie aus der Spitze des Dreiecks am Salurnferner bis auf dessen Grundlinie bei Schlanders gelten kann.

Von *Tschengels* etwas abwärts, in sumpfiger Niederung des Thalbodens, liegt das ziemlich besuchte Bad *Schgums*, *Schums* oder auch *Stums* genannt. Das Bad ist sehr alt, obgleich schriftliche Belege nur bis 1555 hinaufreichen. Lange Zeit in dem Besitze eines Bauern, war es sehr in Verfall gerathen, wozu noch kam, dass häufig Kranke zwar ihr Uebel verloren, aber nur, um es mit dem Wechselfieber zu vertauschen. Letzterem Uebel ist nun durch Trockenlegung der Sümpfe schon sehr abgeholfen. Es werden im Ganzen 5 Quellen benutzt: 3 zum Baden, 2 zum Trinken, doch fast nur von Landleuten. — Bei der Ottilienkirche auf der Höhe hat man eine sehr schöne Aussicht. Zwischen Eyrs und Laas: Capsella procumbens.

Von *Eyrs* auf der Strasse kommt man in 1 St. nach *Laas* (2716'), 217 H., 1264 E., eng, fast italienisch, gebaut; im J. 1861 fast ganz abgebrannt, aber geschmackvoller wieder aufgebaut. Gutes Gasthaus zur Krone. Rechts jenseits der Etsch kommt das kurze und deshalb ziemlich steil herabsteigende *Laaser Thal* herab, in dessen Hintergrunde sich der prächtige, in 2 grossen Stufen herabsteigende *Laaser Ferner* zeigt. Der Weg zu ihm geht steil und holprig hinauf in 2 St. bis zur letzten Hütte hart am Ferner, umgeben von den Abhängen des *Saurissl* (7932'), des *Schluder-* und des *Laaserspitz* (8102'). Vor dem Dorfe steht auf einem Hügel die Kapelle des heil. Sisinius, auf der Stelle, wo einst ein heidnischer Tempel gestanden haben soll. Sehr reiche Getreidefluren umgeben den Ort. Thalabwärts wird die Etsch durch einen ungeheuren Schuttberg ganz an die rechte Thalwand getrieben. Er ist das Werk des links aus einem kleinen Thälchen hervorrauschenden *Gadriabaches*. Wie gewöhnlich die Bäche kleiner Schluchten oft weit verheerender sind, als die Hauptbäche grösserer Thäler, so sind es auch gewöhnlich diese kleineren Seitenthälchen, welche hier im Etschthale bald links, bald rechts Schuttberge aus ihren Schluchten getrieben haben, und dadurch nicht wenig zur Versumpfung des Etschthales beitrugen. Der vor uns liegende Schuttberg ist einer der grössten, und man glaubt von seiner Höhe hinab eine tiefere Thalstufe des Etschthales unter sich zu haben, sowie er in der That auch eine klimatische Scheidewand bildet. Nur mit Mühe mag sich die oben zum See geschwellte Etsch eine Bahn an seiner niedrigsten Stelle, da, wo er an die Südthalwand anstiess, gebahnt haben. Doch die Zeit hat die Wunden geheilt und auf dem einst wüsten Steinstrome hat sich nun eine reiche Getreideflur angesiedelt. Ziemlich anhaltend

steigt die Strasse empor, obgleich die höchste Höhe umgehend.
Auf dem höchsten Strassenpunkte eröffnet sich eine herrliche Aussicht; man schaut tief hinab, ins untere Vintschgau; rechts zeigt
sich, am Abhang der südl. Thalwand, *Göflan* (2362'), 55 H.,
331 E., berühmt wegen seiner Marmorbrüche, die schon seit län-
gerer Zeit von dem Münchener Bildhauer Schweyer betrieben werden. Der Marmor ist im Auslande noch bekannter unter dem Namen Schlanderser Marmor, weil Schlanders dafür der Stapelplatz
ist. Es ist ein feinkörniger weisser Urkalk, ähnlich dem carari-
schen Marmor, wenn auch nicht so fein. Die ganze Strasse ist
davon gebaut. Auf der Grenze des Marmors gegen den Glimmerschiefer alte Bergbauten auf Blei- und Zinkerze. Links liegt,
dick umhüllt von riesigen Kastanien, an der kahlen Wand *Kortsch*
und *Schlanders*. Auch die Weinrebe zeigt sich hier zuerst dicht
über den Kastanien, einige Terrassen an der kahlen Wand über-
ziehend. Gerade wie sich bei Mühlbach, oberhalb Brixen im Eisackthal, auf dürrer sonniger Höhe die herrlichen Kastanien und
die ersten Weinreben zeigen, ebenso hier. Ueber *Göflan*, hoch
oben in ätherischem Blau, glänzt das Horn der *Laaserspitze*. Es
ist eine ähnliche Ansicht, wie die, wenn man von der Malser
Haide herab gegen Mals kommt. *Kortsch* und *Schlanders* verschmelzen zu einem grossen Orte. Die Strasse führt länger und
steiler hinab, als herauf; noch am Abhange liegen jene Dörfer.
Da der *Gadriabach* nicht in der Tiefe, sondern auf der Höhe des
Schuttberges herabströmt, so entsendet er über die breite, sich
nach allen Seiten hin abdachende Höhe Seitenzweige, wirft sich
bei Ueberflutungen bald da-, bald dorthin, und bedroht so auch
diese Dörfer öfters, deren Fluren noch ein anderer kleinerer Bach
mit seinen Ausbrüchen heimzusuchen pflegt. Das ebenfalls zusammengedrängte *Kortsch* zählt 860 E.; reiche Getreidefluren;
Obst-, Nuss- und Kastanienbäume beschatten die Strasse. Steil
führt dieselbe hinab nach *Schlanders*, einem fast stadtähnlichen
Dorfe an der Ausmündung des Thales *Schlandernaun.*

Schlanders (2282'), 177 H., 1058 E. Beim Postmeister, Qui-
rin Traffoier, die beste Unterkunft und geübte Führer in die Thäler Schlandernaun und Martell zu erhalten. Es gehörte einst den
mächtigen Starkenbergern; nachdem Friedrich m. d. l. T. ihre

Macht gebrochen hatte, erhielt es Peter der Liebenberger als Lehen. Von diesem ging es auf die Hendl, dann auf die Grafen von
Trapp über, welche Herrschaft und Gericht 1829 der Regierung
überliessen. Es wurde nun mit dem Bezirksgerichte Castelbell
vereinigt. Das ehemalige Deutschordenshaus ist jetzt Sitz des Bezirksgerichtes; ausserdem liegen noch in dem schönen Dorfe das
Hendelsbergische und Mayerhofische Haus, 3 ansehnliche Gebäude. Die Pfarrkirche ist gross und enthält schöne Altargemälde und merkwürdige Grabstätten. Ein Kapuzinerkloster und
ein Spital. Ueber dem Orte, an der Mündung der Schlucht des
Thales *Schlandernaun*, liegt die Burg *Schlandersberg*, kühn tro-
tzend auf seiner Felsenspitze, mit einer wohlerhaltenen Burgkapelle, einst der Sitz der, 1240 aus Schwaben eingewanderten, Herren v. Schlandersberg. Im Freiheitskampfe der Schweizer fochten sie unter den Erzherzogen mit und einer derselben fiel 1386
bei Sempach. Dagegen traten sie später in den Bund, welcher
dem Herzog Friedrich m. d. l. T. entgegenwirkte. Doch Friedrich
brach ihre Macht 1417. Jetzt gehört die Burg dem Bauern Michael Hört. — In *Schlanders* würde armen Taglöhnersleuten am
14. August 1778 *Martin Teimer* geboren, eines der thatkräf-
tigsten und verschlagendsten Häupter des Aufstandes von 1809,
dessen Ausbruch er mit Hormayr und Hofer so gut einleitete,
dass er schon am 13. April jene in der Kriegsgeschichte einzige
Kapitulation der 8000 Franzosen und Baiern im Dorfe Wiltau vor
Innsbruck unterzeichnen konnte, welche ihn zum Freiherrn von
Wiltau, Theresienritter, und durch noch ein besonderes kaiserli-
ches Geschenk zum Gutsbesitzer in Steiermark machte.

Flora. Bei *Schlanders:* Echinops sphaerocephalus, Scorzonera austriaca;
am *Gadria:* 'Ranunc. Villarsii, Arabis saxatilis, Draba Joannis, Viola pinnata,
Alsine laricifolia, Trifolium alpinum, Phaca alpina, Lathyrus heterophyllus, Linaria italica (Fuss); im *Laaser Thal* (nach Tappeiner): Ranunc. glacialis, Draba
Thomasii (Voralpen), Zahlbruckneri, Trifolium pallescens, Oxytropis lapponica,
Potentilla frigida, Alchemilla fissa, pubescens, Sempervivum Wulfenii, Saxifraga
Seguerii, oppositifolia, Erigeron Villarsii, Gnaphal. Leontopodium, Artemisia Mutel-
lina, nana, Chrysanthemum alpinum, Aronicum Clusii, Cirsium flavescens, ambi-
guum, Leontodon pyrenaicus, Senecio doronicum, carniolicus, Hieracium glanduli-
ferum (Hochalpe), Phyteuma pauciflorum, Veronica bellidioides, Tozzia alpina,
Androsace alpina, glacialis, obtusifolia, Primula villosa, glutinosa, Plantago alpina,
Salix arbuscula, Lapponum, Myrsinites, herbacea, Betula viridis, Chamaeorchis

alpina, Lloydia, Agrostis rupestris, Sesleria disticha, Avena versicolor, Juncus alpinus, Luzula flavescens, glabrata, Carex rupestris, nigra, Vahlii, Elyna spicata;
an den Laaserleiten: Rhamnus pumilus, Phaca australis und sonst an sonnigen
Orten: Carex supina, Hieracium glabratum, Dracocephalum Ruyschianum; beim
Strimmhof: Paradisia Liliastrum; am Hof Loretz: Lavatera trimestris, Trigonella
monspeliaca, Carex stenophylla; das Etschthal bei Laas schon reich an den südlichen Formen: Ononis Natrix, rotundifolia, Asperugo procumbens, Chenopodium
botrys; Sumpfflora auf dem Moos: Typha minima, Schoenus nigricans, Heleo-
charis uniglumis.

Das Thal *Schlandernaun* ist ein enger Thalspalt, fast ganz
unbevölkert, nur im Hintergrunde, 3 St. von Schlanders, einen
kleinen Thalboden zeigend. Der Pfad dahin führt steil die Höhe
hinan, um die Schlucht des Ausgangs zu umgehen; bei der Häusergruppe *Tatatsch* vorüber geht es immer links vom Bache in
2¼ St. bis zur innersten Alpe. Von jenem Thalboden, wo sich
eine Alpe befindet, führt ein Steig an einigen Hochseen vorüber,
das *Teschlerjöchl* (8743') hinan, mit schöner, wilderhabener Aussicht auf die Abstürze des Oetzthaler Eisgebirges, wie auf die
Eisberge des Ortelers, und jenseits hinab ins oberste Schnalser
Thal, in 8 St., nicht ohne Führer.

Von *Schlanders* über den *Schlandernauner Bach* kommt man
nach *Vezan* (2244'), 31 H., 141 E., 1840 von einem harten Un-
glück betroffen; ein Gewitter ergoss sich mit aller Heftigkeit an
die linke kahle Bergwand, an welcher *Vezan* liegt; die abstürzenden Fluten, mit Erde und Felsen vermischt, wurden unglück-
licher Weise in der Tiefe von einem unbedeutenden Tobel aufgefangen, welcher nur dazu diente, die Gewalt der Fluten zu vereinigen; mit desto grösserem Ungestüm brach nun die Wucht der
schweren Gewässer aus der unteren engen Pforte des Tobels heraus, stürzte auf das Dorf und begrub es in Schlamm, so dass auch
der Geistliche und der Kirchner, die sich gerade in der Kirche
befanden, umkamen. Einen schauerlichen Anblick gewährt die
Stätte der Verwüstung, aus deren Schuttmeer oft nur die Kronen
der Bäume aufragen. Hat man dieses Werk eines einzigen Ge-
witters gesehen, so kann man sich die Schuttberge leicht erklären. Unweit dieser Oede liegt das Dorf, in der Tiefe das wohlerhaltene Schloss *Goldrain* (2273'), einst den Herren v. Goldrain, jetzt der Gemeinde gehörig, die es theilweise dem Geistlichen, dem Messner und dem Schullehrer eingeräumt hat. Dar-

7 *

über auf steil ansteigender Höhe thront die Burg *Annenberg*, im
12. Jahrh. von 3 Gewerken aus Sachsen erbaut, einst der Sitz der
in der Geschichte Tirols eine grosse Rolle spielenden mächtigen
Annenberger, welche vorzüglich von 1330 — 70 an Macht und
Ansehen blühten. Doch nicht nur in äusserer Macht suchten sie
ihren Glanz; ein Anton v. Annenberg, 1420—80, sammelte die
Minne- und Heldenlieder aus den Zeiten der Hohenstaufen in den
kostbarsten Handschriften, sowie die Kirchenväter und Klassiker
zu einer auserlesenen Bibliothek. Nach Aussterben des männli-
chen Stammes (1685) gingen die Annenbergischen Besitzungen
durch Heirath an die beiden Familien von Mohr und Fieger über.
Annenberg selbst ist jetzt in den Händen eines Bauern. Dahinter
liegt der Wallfahrtsort *St. Martin auf dem Kofel*, mit einem neu
erbauten Gasthause.

Bei *Goldrain*, wo von Alters ausgedehnte Grubenbauten auf
Blei- und Zinkerze betrieben wurden, setzt die Strasse über die
Etsch auf deren rechtes Ufer. Gerade gegenüber, auf der Südseite des Thales, öffnet sich das Seitenthal *Martell;* ehe wir dasselbe besuchen, gehen wir noch bis *Laatsch* (2030'), mit Morter,
Goldrain und Tartsch 341 H., 2068 E., Postwechsel von Eyrs
(1¼ Post), wo man in der Post gute Bedienung findet. Ein Spital
wurde von den Annenbergern, deren eine Linie hier wohnte, gestiftet; in der dazu gehörigen Kirche mit den Gräbern der Stifter
findet man alte Wandgemälde. Die hier gebackenen „Vintscher-
gelten", ein zwiebackartiges trockenes Brot, das sich lange hält,
gelten für die besten. Man braucht nur drei- bis viermal im Jahre
davon zu backen. In einem nahen Bauernhofe ist ein Bad. Auch
hier kommt südl. aus dem kleinen *Tartscher Thal* ein Schuttberg,
während das angrenzende Martellthal sich reine Bahn erhalten hat.
Auf diesem Schuttberge liegt die Gemeinde *Tartsch*, 567 E.

Das Thal Martell,

nur 1 Gemeinde, 228 H., 1010 E., ist eins der grössten Seitenthäler des Vintschgaues und erstreckt sich von der Etsch fast bis
zur S.W.Grenze Tirols, im Hintergrunde von fast 12,000' hohen
Felsen umgeben; mittlere Erhebung 4100'. An seinem Eingange
liegen die Burgen *Unter-* und *Obermontan*, die erstere Ruine, die
letztere noch bewohnt. Sie bewachten einst, den mächtigen Ep-

panern gehörig, den Eingang des Thales Martell; nach dem Sturze dieses Geschlechtes kamen diese Burgen an den Grafen Albrecht v. Tirol, der einen seiner Leute damit belehnte. Unter Maximilian I. erlosch diese Familie von Montan. Nach mehrfachem Wechsel brachte es der Graf Maximilian v. Mohr, als Geschichtschreiber bekannt, an sein Haus, 1647. Im J. 1833 fiel es nach dem Tode des Grafen Joseph v. Mohr an dessen Gattin, geborene v. Reinhart, die es ihrem Bruder überliess. In *Obermontan* hat sich eine werthvolle Handschrift des Nibelungenliedes gefunden, wahrscheinlich aus der Bibliothek der Annenberger, denen das Schloss auch einmal gehört hat. Unweit der Burg steht die alte *St. Stephanskapelle* mit sehenswürdigen altdeutschen Altar- und Wandgemälden. Von *Obermontan* breitet sich eine herrliche Aussicht aus, hinein in das Thal Martell, hinüber nach Schlanders, Goldrain, Annenberg und hinab nach Laatsch. Unten am Eingange des Thales, jenseits des Baches, liegt das Dorf *Morter.* Der Thalbach, die *Plinna*, ist wegen des starken Abfalles des Thales ausserordentlich reissend. 7 St. steigt man bald über, bald neben ihr hinan bis in den Hintergrund des Thales. Wie gewöhnlich, erschliesst sich auch dieses Seitenthal durch eine enge Kluft. Zuerst führt der Weg ½ St. auf dem linken Ufer thaleinwärts, dann setzt man auf das rechte über und erreicht ½ St. von Morter das Bad *Salt*, nachdem man den links herabkommenden *Brantabach* überschritten hat. Dieser kommt, wie der folgende *Flimbach*, von einem hohen Eisstock, welcher den rechtseitigen Eingangspfeiler des Thales krönt; seine höchste Spitze ist der tief in Schnee gehüllte *Hasenohr* (10,291'), umgeben von den beeisten Gipfeln *Arzkorspitz* und *Flatschberg* (gegen 10,000'). Der Reisende, welcher sich von Schlanders her Laatsch nähert, sieht den majestätischen Hasenohr über dem schönen Schlosse Obermontan herabglänzen; ebenso sieht man ihn von der Burg Tirol gerade über der Josephsburg recht abenteuerlich sein winterliches Haupt emporstrecken. — Das frühere Bad wurde von Fluten hinweggeschwemmt, doch 1780 wieder hergestellt in besserer Lage. Die sehr kalte Quelle wird in Röhren 1 St. weit hergeleitet; sie setzt viel Ocher ab und hat einen starken Eisengeschmack. 1 St. weiter thaleinwärts führt eine Brücke über die

Plinna zur Kirche des hier etwas erweiterten Thales, mit einer
Häusergruppe und einem Wirthshause. Dieses Dorf wird gewöhn-
lich *Thal* genannt. Wiesen, Getreidefluren und Wälder wechseln,
während den Hintergrund die ernste Fernerwelt umschimmert.
Den Bach wieder überschreitend kommt man zur Häusergruppe
Gond mit einem Wirthshause. 1 St. weiter thaleinwärts kommt
links der *Soybach* aus einem furchtbaren Steinkahr herab; an ihm
hinauf führt ein Steig über den Felsenkamm des *Soyputz* nach der
Bilseralpe, ein anderer rechts über den *Soyputzferner*, 1¼ St. über
Eis, jenseits durch das Trümmermeer der *Neuen Welt* — beide
nach St. Gertrud im Alsenthale (2 St.). ½ St. weiter erblickt man
die kleine Kirche *St. Maria Schmelz* (4943') zwischen Trümmern.
Hier stand nämlich einst ein Schmelzwerk für das hier brechende
Silber und Kupfer. Nordwestl. erblickt man von hier den westl.
Eingangspfeiler des Thales, die mit Eis bedeckte *Laaser Spitze.*
Nun wird das Thal einsam; auf beiden Seiten von ungeheuern
Eisgebirgen umlagert. Nach 1½ St. öffnet sich die letzte kleine
Thalebene, der *Kaserboden*. Von diesem steigt das Gebirge allenthalben empor und ungeheure Ferner lasten auf den nächsten Bergstufen, unter denen der *Cevalferner*, welcher den Hintergrund erfüllt, der grösste ist; mit seinem mächtigen, sich herabziehenden
blaugrünen Eisstrom verbinden sich noch viele andere Ferner von
allen Seiten. Ueberragt wird dieser schimmernde Krystallpalast
von den Zinnen des *Cevalspitzes* (10,470'), *Veneziaspitz* (10,659').
Rothspitz (*Fürkele*, 10,572') und der *Königsspitze* (*Zebru*, 11,814'),
welche schon mehr dem benachbarten Suldenthale angehört, aber
dennoch rechts über die Eisgräte hereinlugt mit ihrem auffallenden Gipfel. Die *Cevedalespitze* ist nur einmal, am 13. August,
von Ed. v. Mojsisovics unter Führung des Gemsenjägers Janiger
(Sebast. Holzknecht) aus Martell, der im ganzen Ortelergebiet zu
Hause ist, bestiegen. Sie erreichten in 3½ St. von der gastlichen
Schäferhütte im *Cevalboden* über die öden *Butzenböden*, dann über
den *Langenferner*, das *Langenjoch* (10,883'), mit herrlichem Blick
auf die Königsspitze und den Cevedale. Von dort ging es 1 St.
bequem längs der Landesgrenze, dann, mit Steigeisen bewaffnet,
zum leicht passierbaren Bergschrund. Jenseits folgten die Schwierigkeiten mit einer dreikirchthurmhohen, unter 50° geneigten,

Firnwand, in die Tritte eingehauen werden mussten. Unter eisigem Sturm, fast erstarrt, erreichten sie das Joch zwischen den beiden Gipfeln, die dann bequem zu erreichen sind. Die *Tyralm* schien etwas höher. Prachtvolles Panorama. Ringsum firnbedeckte Höhen und Gletscher, dann folgt ein Kreis freundlicher Thäler: Val di Sole, Martellthal, Malserhaide, Val di Furva, jenseits dann wieder Hochgebirge: der Adamello- mit dem Presanella- und Brentastock, die Dolomitkofel von Fassa und Enneberg, die Tauern des Pusterthales, die mächtigen Oetzthalerferner, Kalkgebirge jenseits Finstermünz, die Ortelerreihe und das Chaos der Graubündtner Hochgebirge. Der eisige Sturmwind trieb zur raschen Umkehr. Trotz dieser eisigen Umwallung führen dennoch für kühne Alpensteiger Wege nach 3 entgegengesetzten Richtungen über diese blendenden Gefilde hin: 1) Am *Paderbach* hinan über das *Suldener Joch*, ⅔ St. über Eis, in das oberste *Suldenthal*, ein zwar mühsamer Steig, aber voll der grossartigsten Gebirgsbilder; denn von der Höhe des Joches aus steht der Orteler gerade gegenüber in furchtbarer Erhabenheit, in der Tiefe vom Eise des Suldenferners umgürtet, und dann trotzig in schwarzem Gestein aufsteigend zu seinem Eisdome; links über dem weiten Eismeer steigt kühn geformt die Königsspitze stolz als Nebenbuhler des Ortelers empor, in einen vielfach gefalteten Schneemantel gehüllt. 2) Südwestl. am *Madritschbach* entlang, anfangs so lange als möglich am Saume des *Cevalferners*, dann aber, wo ein anderer Ausweg unmöglich ist, ihn betretend und sich rechts unter der höchsten Höhe des *Suldenspitzes* herumschlagend, jenseits in das *Furbathal* und durch dasselbe über S. Catharina nach Bormio, 3½ St. über Eis, nur für geübte Bergsteiger. 3) Südöstl. von der *Zafridalpe* zum *Gramser Bach*, über den *Zafridferner* (9601'), 2½ St. über Eis, an einigen Seen vorüber in das jenseitige Val di Rabbi (Gebiet Val di Sole). Auf der Höhe hat man eine schöne Ansicht der Königsspitze und nördl. hinüber auf die Oetzthaler Eisgebirge (S. 12).

Der Volksstamm im *Martellthal* ist rhätischen Ursprungs und durchaus dem Vintschgauer gleich. Gewerbe sind: Getreidebau, so dass Getreide nach Ulten ausgeführt wird; Viehzucht im eigentlichen Sinne des Wortes, denn Butter und Käse werden nur

zum Hausbedarf verfertigt; das Vieh wird gross gezogen und verkauft; Lodenweberei, der Loden wird ausgeführt; Holzwaaren,
doch nur gewöhnliche Hausgeräthe aus Zirbenholz.

Geolog. Das vorherrschende Gestein ist Glimmerschiefer, über dem sich
im Norden der Kalkstock des Schlauderser Kreuzjochs erhebt; andere Marmor- und
Kalkglimmerschieferlager sind im unteren Theile des Thales, wie an den Gehängen
der Südseite, unter Zufrid- und Gramsenferner, dem Glimmerschiefer untergeordnet. In der Mitte des Thales tritt aus letzterem Granit hervor, der an der Südseite bis zur Zufridalpe hinanreicht. Gegen die Höhe des Cevedale gehen die echten Glimmerschiefer in Thonglimmerschiefer über, v. Mojsisovics fand dunkele
halbkrystallinische Glimmerschiefer mit häufigen Einlagerungen von Chloritschiefern und dolomitischen Kalken, in 9000' aber trat aus dem Firn, südl. von den
Butzenböden, ein Gestein hervor, das Tschermak als einen Trachyt, v. Hochstetter als Dioritporphyr anspricht. Im Glimmerschiefer findet sich die vor alten Zeiten abgebaute Lagerstätte güldischer Kupfer- und Schwefelkiese.

Flora. Im Eingang: Galium rubrum: im mittleren Thal: Carex bicolor;
um die Schäferhütte im Ceval, im Hintergrunde des Thales: zwischen niedrigem
Alpengesträuch aus Alpenrosen, Zwergwachholder, Vaccinien, Empetrum, Azalea,
Daphne striata u. a., Cardamine resedifolia, Stellaria cerastoides, Primula villosa,
Hieracium albidum, Juncus triglumis, Hostii, Carex ferruginea, Hypnum molle,
Blindia acuta, Grimmia spiralis, Zygodon Mougeotii, Dissodon splachnoides, Bra-
chythecium Funckii, Webera longicollis, cucullata, Bryum pallescens, Grimmia
Mühlenbeckii, Racomitrium sudeticum, fasciculare, Barbula icmadophila. Nach Lo-
renz. Höher am Hohenferner: Androsace glacialis, Ranunculus glacialis; dieselbe
Zwergstrauchvegetation am Weg zum Suldener- oder Madritschjoch mit Achillea
nana. An den Butzenblaisen: Anemone baldensis, Sesleria microcephala, Potentilla nivea. Am Gramsenferner: Sesleria microcephala, Trifolium caespitosum.
Am Gramsenferner fand man Saxifraga adscendens, Achillea hybrida, nana, Agrostis capestris.

Das Etschthal (Fortsetzung).

Von *Laatsch* folgen wir wieder der Hauptstrasse thalabwärts
an der Etsch. Diese wird hier, nachdem sie kurz zuvor von dem
Schuttberge des Gadriabachs an die südl. Thalwand geworfen
war, jetzt von dem Tartscher Schuttberge an die nördl. getrieben.
Hier, wo sie sich zwischen dem festen Gestein der nördl. Wand
und dem Gerölle jenes Schuttes durchdrängt, setzt die Strasse auf
bedeckter Brücke über sie hin und zieht am Steilabfall der Thalwand fort nach *Castelbell*, mit Vorberg, Freiberg, Galsaun, Ma-
rein und Latschinig 157 H., 767 E. Auf einem steilen, unmittelbar über der Strasse links sich erhebenden, epheuumrankten Felsen liegt die erst seit 1842 durch eine Feuersbrunst zur Ruine gewordene malerische Burg *Castelbell*. Der Besitz dieser Burg war

stets wechselnd; zuletzt war sie Sitz eines grossen Patrimonial-
gerichts der Familie Hendl, welches hinüber ins Oetzthal reichte;
von dieser Familie aber der Regierung heimgesagt, wurde es mit
Schlanders vereinigt. Von der Burg hat man eine schöne Uebersicht der Gegend. Bald darauf erreicht man *Galsaun*, einzelne
Bauernhöfe mit der darüber liegenden Burg *Hochgalsaun*. Auch
dieses wechselte seine Herren öfters; von Otto v. Montalban im
13. Jahrh. ging es an Volker und Arnold von Schnals und von diesen an die Grafen von Tirol über, die es verfallen liessen. König
Heinrich v. Böhmen übergab es den Schlandersbergern, welche
es zu einer weithin gebietenden Burg erhoben. Doch Friedrich
m. d. l. T. brach Macht und Burgen der ihm widerstrebenden
Schlandersberger 1417. Seitdem ist es Ruine. Nicht weit davon
liegt die Burg *Kasten*, einst Getreideniederlage der Herren v.
Hochgalsaun, jetzt den Grafen v. Hendl gehörig. Die Strasse berührt nun das Pfarrdorf *Tschars*, mit Trumsberg, Tannberg, Staben und Tobland 232 H., 1370 E.; so versumpft der Thalboden
ist, so getreidereich ist dennoch die Gegend an den ansteigenden
Höhen, so dass viel Getreide nach dem weinreichen Südtirol, bis
nach Italien, verführt wird, während die feuchten Wiesen die
Pferdezucht ausserordentlich begünstigen, so dass die Pferde von
hier auch in Italien gesucht werden. Mit Obst versieht dieses
Untervintschgau das ganze obere Land. Der Wein wird nur zum
eigenen Bedarf gebaut und nicht sonderlich geschätzt. Gesuchter sind wegen ihrer Süssigkeit die Kastanien von Schlanders.
Das hier liegende Bad *Kochenmoos* wird wegen der ungesunden
und sumpfigen Niederung der Etsch nur wenig benutzt. Das
nächste Dorf ist *Staben* (1586'), mit einem Wirthshause, 1¼ St.
von Meran. Mittags zwischen 1 und 2 Uhr trifft hier der Stellwagen zwischen Mals und Meran ein. Hier mündet

das Thal Schnals.

Es bildet mit dem Pfaffenthal nur eine kirchl. und polit.
Gemeinde, 263 H., 1298 E., hat eine Länge von 6—7 St. und
mittlere Erhebung von 4315'. Kaum vermuthet der Fremde,
wenn er die enge Kluft erblickt, aus welcher der Bach hervorrauscht, die Berg- und Thalwelt, zu der dieser Bach führt; denn
die Bergwände links sind so geschlossen, dass man unmöglich

ahnen kann, was für einen Schatz von ganz eigenthümlichen Ge-
birgsscenen diese Enge birgt; denn dieses Thal mit seinen Bewohnern gehört unstreitig zu den eigenthümlichsten und grossartigsten Gebilden Tirols; es gehört, nebst dem obersten Thalgebiete des Oetzthales, unstreitig zu den innersten und abgeschlos-
sensten Räumen des Landes. Die südliche, Schnals vom Etschthale trennende, Bergmasse erscheint wie eine vom Hauptkörper
losgerissene Masse; der Riss ist das Thal *Schnals* mit dem *Pfossenthal*, denn furchtbar jäh stehen sich die höchsten Gebirgswände
gegenüber; die ganze Oetzthaler Eiswelt bricht hier in solchen
Wänden ab, dass die Ferner oft nur die blauen Kanten ihres Ab-
bruches auf der Höhe der Felswände zeigen. Wie sehr wird der
Reisende überrascht, welcher die jähen Wände hinanklimmt, und,
oben angekommen, jenseits nach Norden über mehrere Stunden
lange Gletscher allmählich hinabwandern muss! Von *Staben* aus
thaleinwärts 2½ St., in der Gegend der *Karthause*, spaltet sich
das Thal; links steigt das Hauptthal, rechts nach Nordosten das
Pfossenthal hinan. Gerade im Norden dieser Spaltung baut sich
die Riesenwelt des Oetzthales in fast senkrechten Mauern auf. In
der Mitte dieser Mauer steht als Wartthurm der *Similaun* (11,388'),
selbst schon etwas aus der geraden Linie hervortretend, mit seinem Fussgestell aber so weit vorspringend, dass eben dadurch
jene Spaltung der Thäler entsteht. Dieser weite Vorsprung verschafft der Gletscherwelt Gelegenheit, sich auch auf dieser Südseite anzusiedeln. Daher umgürtet der *Grafferner* die Schultern
des *Similaun*, jenes Eisgefilde, welches der Reisende von Staben
thaleinwärts unter der Pyramide des *Similaun* erblickt. Eine besondere Merkwürdigkeit für den Geologen ist das lockere, aufgeschwemmte oder geschüttete Gebirge von Geschieben, welche nur
viel tiefer in der Umgegend vorkommen, z. B. Porphyrblöcke auf
Höhen von fast 11,000', so dass von diesem Schutt der eigentliche Kern des Gebirges ganz umhüllt wird. An den Bewohnern
des Thales, ähnlich den Stubachern im Pinzgau (s. Th. III, S. 61),
findet der Reisende jenen Natursinn, jenen natürlichen Verstand,
der noch nicht durch den Verkehr verdreht ist. 2 Wege, ein
Fusssteig und ein Saumweg, führen auf beiden Seiten des Baches
hinan. Es ist eine schauerliche Klamm, durch welche sich der

Bach seine Bahn gebrochen hat. Der Fusspfad, der *Verbotene Steig* genannt, zieht sich an der linken, östlichen Thalwand und an ihren schieferigen Abstürzen hin, und ist nur sicheren, schwindelfreien Reisenden anzurathen; er ist nur wenig näher; links in der Tiefe braust der Bach; für die Thalbewohner ist es der gewöhnliche, aber auch für sie nicht ungefährliche, Weg. ½ St. lang muss man erst bergan steigen, um in den Schlund des Thales einbiegen zu können; dann geht es auf dem eigentlich *Verbotenen Steige* ½ St. längs den Wänden hin bis zu einer äusserst lieblichen Bucht, wo der Hof *Ladurn* liegt, das Stammhaus der in Tirol weit verbreiteten Familie gleiches Namens, umschattet von majestätischen Kastanien, Nussbäumen, Linden und Eichen, umsäumt von fruchtreichen Getreidefeldern und umrankt von üppigen Reben. Jenseits des Baches erhebt sich die stattliche Burg *Juval.* Durch Waldgruppen und Wiesen gelangt man hinab zum Bache; der ganze untere Abhang des Berges ist mit ungeheuren Blöcken übersäet, die den Bach zu wilden Sprüngen nöthigen. Bei einer Sägemühle bringt eine Brücke auf das rechte Ufer, wo sich beide Wege, der Verbotene, den wir jetzt zurücklegten, und der ganz sichere Saumweg vereinigen. Der Saumweg steigt aus dem Etschthale entweder schon von *Tschars* oder auch von *Staben* aus in vielen Windungen, an einzelnen Bauernhöfen, *Ober-* und *Unterortl*, vorüber, zur Burg *Juval* (2875′), welche den Eingang beherrscht. Auch die Besitzer dieser Burg wechselten häufig; zuletzt kauften es die Grafen v. Hendl von den Sinkensteinern; seit 1815 ist es in Bauernhänden. Die Burg ist ein weitläufiges Gebäude, durch 2 hölzerne Brücken zugänglich. Auf einer Marmorplatte über dem Thore liest man den Namen des Erbauers: Hans Swiker Sinkmoser, Kellner zu Tirol 1546—1554. Leider verfällt die Burg; die Holzarbeiten, Steinhauerwerke und Fresken verdienten besser geschützt zu werden. Hier auch schatten noch prächtige Linden, Kastanien und Nüsse. Bald ändert sich jedoch die Scene. Der Weg zieht sich thaleinwärts und Birken, Erlen, Fichten und Lärchen treten an ihre Stelle, doch von den Bergstufen lachen allenthalben freundliche Bauerngüter herab. Man kommt nun zu den sogen. *Muren*, 3 an der Zahl, welche wegen ihrer schlammigen Masse bei Regenwetter auch nicht ganz

ohne Gefahr zu überschreiten sind, und bald darauf an die schon
genannte Sägemühle, wo der *Verbotene Steig* herüberkommt. 2 St.
von Staben ladet das einzelne, aber willkommene Gasthaus *Ratteis* zur Ruhe ein. Schon bald nach dem Eintritte in das Thal
sieht der gerade im Hintergrunde thronende *Similaun* (11,388')
mit seinen Gletschern die Aufmerksamkeit auf sich; aber schon
vor Ratteis taucht diese Pyramide hinter den Vorbergen unter.
Rechts jenseits des Baches befindet sich ein schöner Wasserfall.
¼ St. weiter thaleinwärts erblickt man hoch oben auf hohem Felsen die Kirchhofmauer und die Kirche von *St. Catharina* (3918'),
gleich einer kühnen Ritterburg. Hier stand einst auch die *Schnals-
burg;* nach dem Aussterben des Geschlechtes benutzte es König
Heinrich v. Böhmen zu einer Sommerfrische. Im J. 1826 wurde
es Eigenthum der jenseits des Baches liegenden Karthause, deren
Mönche die Burg niederrissen bis auf einen Thurm. Der Bauer
Christian Weitthaler baute 1502 die Kirche der heil. Catharina an
die Stelle; bald siedelte sich ein Dorf darum an. Von dem alten
Thurme hat man eine ergreifende Aussicht tief hinab in den
Schlund des Schnalser Thales. Im Rücken des Ortes breitet sich
eine kleine ansteigende, wohlangebaute Hochfläche aus, welche
höher hinan zu grasreichen Alpen übergeht. Auf dem Thalwege fortwandernd und zuletzt links ansteigend erreicht man die
ehemalige, einer Festung gleichende *Karthause Allerengelsberg*
(4621'); sie liegt gerade über der Gabeltheilung des Thales, so
dass man in das enge, nordöstl. ansteigende *Pfossenthal* hinein-
blickt. König Heinrich v. Böhmen stiftete hier 1326 eine Karthause mit dem Rechte des Asyls und der Steuerfreiheit. Der
Prior war Ständemitglied von Tirol. Die Karthause wurde 1783
aufgehoben wegen des unklösterlichen Lebens der Mönche und an
die Umwohner veräussert, die sich nun in den Zellen der Einsiedler niederliessen, woraus eine kleine Gemeinde entstand. Für
eine Karthause passt das Gemälde wenig, wie Abraham seinen
Sohn Isaak mit einer Pistole erschiessen will, ein Engel aber auf
die Zündpfanne von oben herabpisst. Die Gemeinde zählt jetzt
etwa 200 E., meistens arme Leute. In der jetzigen Kirche ein
schönes Altarblatt von Helfenrieder. Das Wirthshaus ist gut, das
hiesige Trinkwasser im ganzen Thale berühmt.

Das hier ins Hauptthal einmündende *Pfossenthal* (fossa) zieht sich 3 St. lang hinan, anfangs nördl. in schauerlichen Engen mit Gletscherschliffen, häufig durch Muren und Lawinen bedroht, hat daher auch nur etwa 50 E. in 9 Höfen, die aus früheren Alphütten entstanden sind; erst 1827 begrub eine Lawine den Hof *Vorderkaser* mit 11 Menschen, von denen jedoch 9 wieder hervorgezogen wurden. Bei *Vorderkaser* erblickt der Geolog glatte Felswände, die nach dem Agassizischen Systeme Gletscherreibungen ihre Beschaffenheit verdanken. Beim *Mitterkaser* wendet sich das Thal östl. zum *Eishof*, dem letzten des Thales, von dem ein äusserst jäher Aufstieg zur Kante des *Grossen Oetzthaler Ferners* emporsteigt und nach Gurgl über den ganzen Ferner führt. Oestl. hinansteigend, lässt man den grossen *Aplatschferner* rechts und steigt über ein hohes, aber nicht beeistes Joch zwischen dem südlichen *Grubferner* und der nördlichen *Hochwildspitze* hinab ins *Pfelderer Thal* nach *Plan* im Gebiet des Passeyer Thales.

Auch der Hauptthalbach heisst von dem Eintritt des *Pfossenthales* aufwärts nicht mehr Schnalser Bach, sondern *Tscherninbach;* er nimmt, wie fast im ganzen Verlaufe des Thales, die ganze Sohle ein. Grosse Wälder umdunkeln die unteren Wände; höher hinan, besonders auf der sonnigen Nordostseite, zeigen sich aber wieder auf ebeneren Bergstufen einzelne Höfe und Getreidefluren; darüber ragen die rauhen kahlen Hochgipfel auf. In ⅔ St. kommt man bei einer Schmiede an eine Brücke, von wo auf jedem Ufer auf den schönen Wiesen des erweiterten Thales Wege aufwärts führen: der auf der Südseite ist der bessere. In ¼ St. erblickt man auf einer Höhe die Kirche *Unserer Frau* (4752') mit ihrem braunen Kuppelthurm, in deren Nähe das Widdumsgebäude, die Schule und einige Bauernhäuser liegen. Beim *Unterwirth* gute Aufnahme. Eine steinerne Treppe führt zur Kirche empor. Im J. 1303 noch eine kleine Kapelle, wuchs sie bald zu einer sehr besuchten Wallfahrtskirche heran. Eine Zeit lang gehörte sie dem Prämonstratenserstifte Steingaden in Baiern, von dem Bischof Heinrich v. Montfort von Chur dahin geschenkt. 1613 kam sie an Chur zurück. Die jetzige grössere Kirche ist, mit Ausnahme des Thurmes, von 1304, neu und im neuen Stil erbaut 1746. Sie enthält ein schönes Gemälde und in der Sakristei ein schönes, aus Holz geschnitztes Crucifix. Im Süden des Ortes öffnet sich das *Mastaunthal*, aus welchem der *Mastaunbach* in einem schönen Wasserfalle herabstürzt. Im *Mastaunthale*, welches sich südl. hinanzieht mit grasreichem Boden, liegt der *Mastaunhof* und weiter hinan die dazu gehörigen Sennhütten, gegen die hiesige Gewohnheit reinlich und mit heizbaren Oefen versehen und von einer Sennerin besorgt. Allseitig wird aber der grüne Boden der *Mastauner Alpe* von einem Ringgebirge starrer und rauher Art umschlossen, welches jedoch nur kleine Ferneransätze zeigt. Steige führen über die Scharten dieses Kranzes nach *Schlandernaun* und durch das oberste hochgelegene Becken des neben **Mastaun** liegenden und östl. von ihm nach Schnals hinabziehenden *Penauder Thales*, dann über ein abermaliges Joch zur Wallfahrtskirche *St. Martin auf dem Kofel*. Diese Steige bieten die grossartigsten Aussichten, da sie die Bergkette übersteigen, welche in der Mitte zwischen den Orteler und Oetzthaler Alpen liegen und diese gewaltigen Eisgebirge sich hier vor dem Auge in ihrer ganzen Majestät und grossen Nähe entfalten. Im Norden von *Unserer Frau* erhebt sich der *Similaun*, ist jedoch in der Tiefe nicht sichtbar, wohl aber, wenn man die südl. Bergwand etwas hinansteigt. Der Thalboden hinter *Unserer Frau* ist noch eine Strecke die verwüstete Bahn des Baches; dann ersteigt man einen durch den *Vernagbach* herabgeführten Erddamm, welcher jetzt eine Thalstufe bildet; die dadurch entstandene, noch immer sumpfige Thalebene heisst *Obervernag*. Von hier führt nördl. vom *Tissener Hof*, nur ¼ St. von Unserer Frau, ein Jochsteig durch das *Tissenthal* zum *Niederjoch* und jenseits nur ½ St. lang über den Ferner in das Spieglerthal und durch dieses hinab nach Vent im obersten Oetzthal. Hier ist die schwächste Stelle des Oetzthaler Eismeeres und werden auch Schnalser Schafheerden hinüber getrieben. Auch hier bricht der Ferner gegen Süden auf dem Joche mit einer blaugrünen Eismauer ab. Das Joch besteht aus Glimmerschiefer.

    Botan. Der steile Aufstieg ist pflanzenarm, nur auf den Felsblöcken am Beginn des Tissenbachs mannigfache Steinflechten, an den Wänden dann Potentilla frigida. Die oberen Wälder aus Zirben und Lärchen. Am Eingang ins Tissenthal schon Roggen und Gerste; bis auf den Thalboden von Obervernag reicht aus dem Etschthal Sedum dasyphyllum, Plantago maritima. Reich, aber noch wenig bekannt ist die Flora des Pfossenthals: Trifolium saxatile.

Westlicher kommt ebenfalls, dem abgebrochenen Oetzthaler Ferner entspringend, der *Fineilbach* herab. Zwischen dem *Tissen-* und *Fineilthal* zieht der *Rafeinberg* hinan zum Oetzthaler Eisrand und dort erhebt sich die mächtige, unschwer ersteigliche *Fineil-spitze* mit herrlicher Rundschau, der nördl. sich fortsetzende Eisgrat scheidet das Spiegler- und Rofenthal, die obersten Zweige von Vent. Auch das *Fineilthal* hat einen hohen Eingang; dort liegt der *Fineilhof* (6157'), wo sich, wie im jenseitigen Rofenthal, Friedrich m. d. l. T. nach seiner Flucht von Konstanz längere Zeit verborgen hielt. Dankbar erhob er ihn später zu einem Freihof mit ansehnlichen Rechten, die seitdem verloren gegangen sind. Hier schliesst eine Thalenge den Boden von *Obervernag*, und man übersteigt die Enge auf einem Mittelgebirge um den hintersten Winkel des Thales, den Thalboden von *Kurzras*, zu erreichen, ein Name, der die Eigenschaft des Bodens bezeichnet; er gehört schon der Alpenregion an; statt der Sennhütten stehen hier 8 sogen. Grashöfe, eine Art Sennhütten, die aber fortwährend von Familien bewohnt sind und das Vieh aus den tieferen Gegenden für eine Vergeltung aufnehmen und übersommern. Der hinterste Hof, *Kurzras* (6360') im engeren Sinne, ist das, was in den Norischen Alpen die Tauernhäuser sind, hier auch F e r n e r - w i r t h s h ä u s e r genannt. Auf dem ersten Hofe, beim Kurzenbauer, bekommt man Wein, geräuchertes Fleisch, Schnalser Nudein und kundige Führer. Ungeheure Eismassen umklammern diesen Bergwinkel; aus ihnen ragt die *Weisskugl* (*Wilde Eiskugel*, 11,838') auf, welches zugleich den Hintergrund der Thäler Rofen, Matsch und Langtaufers schliesst. Von *Kurzras* führen Steige: nördl. über das *Hochjoch* (9174'), im Gegensatz des östl. nebenan liegenden Niederjochs, und den jenseitigen *Hochjochferner* nach Rofen und ins Oetzthal, westl. (wenig lohnend) durch die *Langgrube*, über den jenseitigen *Langgrubferner*, die *Matscher Hochseen* ins Thal Matsch, südl. über das felsige, aber unbeeiste *Daschljoch* zu den jenseitigen Schlandernauner Hochseen und durch das Thal Schlandernaun nach Schlanders. Letzteres Joch bietet, wie

die Mastauner Jochsteige, die erhabensten Aussichten nördl. auf
die Oetzthaler Eiswelt, südl. auf die Orteler Ferner.
    Sehr schön schildert Beda Weber in seinem Lande Tirol,
Bd. 3, S. 376—884, das Volk und Gewerbe dieses Thales, eine
Schilderung, der wir Einiges entheben : Getreide wird nur drei
Viertheile des Bedarfs gebaut; dagegen ist die Viehzucht desto
einträglicher; hier steht die Schafzucht oben an, schon wegen der
steilen und steinigen Alpen, zu welchen die Heerden oft über die
Ferner getrieben werden müssen. Auch die Verarbeitung der
Wolle ist einträglich und es wird deshalb noch Wolle von aussen
eingeführt. Sie wird nämlich zu Loden, Strümpfen und auch als
Gespinnst verkauft. Eigene Unternehmer lassen weben und verkaufen die Waare an grössere Kaufleute in Meran und Bozen.
Gemeindealpen gibt es nicht; die meisten Bauern haben ihre
sogen. Berge, Bergweiden, von denen die Kühe des Abends nach
Hause kehren; denn viele Bauernhöfe, die an den Bergen herum-
liegen, haben schon Alpenhöhe, da die Thalsohle von Obervernag ja schon 5000' hoch liegt. — Eigentliche Arme, welche von
anderer Wohlthaten leben oder betteln, gibt es gar nicht im
Thale; jeder Bauer ist Freisasse auf seinem Grund und Boden,
mit eigenen Bergen und Alpen, mit eigenem Wasser vor jedem
Hause und eigenen zustehenden Gerechtsamen. Daraus entsteht
das den Schnalser auszeichnende Selbstgefühl, verbunden mit
einem starken Heimatsgefühl, Thalstolz. Der Schnalser ist freundlich und zutraulich, verständig, friedfertig, besonders ein Feind
von Prozessen. Wer ihnen gegenüber den rechten Ton zu treffen
weiss, kann auf ihre werkthätige und uneigennützige Unterstützung bei Fernerfahrten, oft auf ihre eigene Theilnahme rechnen.
— Es ist ein schöner, starker Menschenschlag, der breitkrämpige, spitze Hut und die grün aufgeschlagene braune Jacke stehen den Männern gut. Der Schnalser hat viele Anlage zur Me-
chanik, Schnitzerei und Uhrmacherei. Doch für die Märchenpoe-
sie des Oetzthales scheint der Ferner eine Grenzscheide, ein
Schlagbaum zu sein; nur eine einzige Hexe, die Langtütin, hat
sich herüber gewagt. Sie looste mit dem ewig umgehenden Schuster, wer von ihnen die Welt durchziehen und wer ewig auf dem
Ferner sitzen sollte; letzteres Loos traf die Hexe, und so sitzt sie

zur Fernerhut bis zum jüngsten Tage auf dem Ferner. Da die Schnalser sehr gute Schützen sind, so ist ihr Gebiet ziemlich von Wild gesäubert. Die Wege sind schlecht und Schnals ist eins der wenigen Thalgebiete, wo es keinen einzigen Fahrweg gibt; alles wird getragen oder gesäumt. Wegen der Trockenheit des Bodens muss derselbe gewässert werden; da aber gewöhnliche Wässerungen, bei der Steilheit des Bodens, die Erde bald hinabschwemmen würden, so müssen sie das Wasser nur behutsam anwenden.

Im Hintergrunde des Thals erhebt sich der *Similaun* (11,888', 3600 M.), der südl. aus der Oetzthaler Gruppe hervortritt und mit seinem weit vorspringenden Fusse das Hauptthal und Pfossenthal trennt (s. Th. II, S. 118). Am leichtesten ist er von *Vent* aus, unter Leitung des vortrefflichen dortigen Führers Bened. Klotz, über das *Niederjoch* zu ersteigen; von Süden her, mit dem guten Führer Urban Gritzsch, bricht man von *Unserer lieben Frau* auf und nimmt den allerdings steileren und beschwerlicheren, aber kürzeren und geognostisch interessanteren Weg über die *Wallrast*, das *Kaserer-Warterl*, die *Rothspitze* und den *Grafferner*, etwa 7 St., mit Einschluss von 2 St. Rast auf den verschiedenen Ruhepunkten. Die Aussicht ist eine der lohnendsten in unserem ganzen Gebiete: Gegen W.N.W. über die Berge Vorarlbergs hinaus in die Flächen Badens, Würtembergs und Baierns. Davor hin zieht die graue Wand der Kalkalpen, den Lauf des Innthales bezeichnend; am meisten fesselt die Grossartigkeit des nahen Oetzthaler Eismeeres; da sieht man die Ferner hinabziehen nördl. in die grünen Hochthäler, die mächtigen, eben so hohen und noch höheren Eisgiebel und Hörner in blendendem Weiss hoch aufragen zwischen den ferneren dunkleren Gegenden in das dunkele Blau des Aethers. Ueber den Stubayer Eisstock glänzt der Zillerthaler herüber; auch der Glockner zeigt seine Spitze, eben so die karnischen Alpen. Die Gegend von Meran bezeichnet der Ifingerspitz, südöstl. die höher liegenden Gegenden um Bozen und des unteren Etschthales, die Fassaner Alpen, die Marteller und Ultener Ferner, gegen Südwest des Orteler glänzendes Haupt, weiter rechts die ebenfalls glänzende Kette des Bernina; zwischen beiden der Montblanc, deutlich kennbar an seiner Gestalt, auch der Monterosa, vom Berner Oberlande das Finsteraarhorn, die

Jungfrau u. s. w. Der flachere Jamthaler Ferner schliesst die
Rundsicht. Angenehm ruht nach der weiten Wanderung der
Blick unten im Pfossenthal und auf dessen Matten, sowie in den
obersten Thalgegenden von Schnals.

Geognostisches. Vom Eingange des Thales an bis *Ratteis* ist Gneiss
das vorherrschende Gestein und zwar grob - und feinflaserig, am *Verbotenen*
Steig in einer schönen Abänderung mit grossen, weissen, porphyrartig ausge-
schiedenen Feldspathkrystallen. Glimmerschiefer findet sich auf dieser Strecke
nur untergeordnet. Von Ratteis an aber wird der Glimmerschiefer vorherrschend
bis hinüber in das Oetzthaler Gebiet; nur bei *Karthause* tritt der Gneiss auf
eine halbe Stunde dazwischen auf. Am Eingang in das Thal, wie im Hintergrunde
gegen das Oetzthal zu, am *Niederjoche* u. s. w., fallen die Schichten unter steilen Winkeln nordwärts. Am Joch nach Obergurgl zu erscheint Chloritschiefer.

Das Etschthal (Fortsetzung).

Sowie man den *Schnalser Bach* überschritten hat auf der
Etschthaler Strasse, betritt man das Gebiet der Gemeinde *Na-*
turns (1714'), mit Compatsch und Tschirlan 275 H., 1498 E.,
welche sich auf schiefer Fläche gegen den sumpfenden Thalboden
angesiedelt hat. *Naturns* hat mit zwei entgegengesetzten Feinden
zu kämpfen, mit zu grosser Feuchtigkeit des Etschbodens, deren
Folgen, Wechselfieber, nur durch strenge Mässigkeit verhütet
werden, und mit Wasserlosigkeit der Abhänge, welche jetzt durch
eine aus Schnals herauskommende Wasserleitung beseitigt wird.
Ueber dem Dorfe liegt die Burg *Hochnaturns* oder *Tschetsch.* Nach
dem Aussterben der Herren v. Naturns kam sie an die Familie
Tschetsch, von dieser an die Fieger v. Friedberg, an die Grafen
v. Mohr. 1835 wurde sie mit ihren Gütern der Gemeinde verkauft und ist jetzt im Besitz eines Bauern. — Beim Jochhof Luzula flavescens. Jenseits der Etsch liegt auf einem Hügel die malerische Burg *Dorns-* oder *Tarantsberg*, einst Sitz der Herren von
Toranden oder Partschins; ihnen folgten die Reichenberger (s.
oben), Annenberger, Fieger und Mohr, denen es noch gehört.
Man hat von hier eine herrliche Aussicht über Untervintschgau.
Darunter in den Sümpfen der Etsch die alte Gemeinde *Plaus* (Pa-
lus, 1621'), 180 E. Auf der Strasse erreicht man *Rabland* mit
2 Wirthshäusern; jenseits der Etsch liegt das Bad *Egart*, 1¼ St.
von Meran. Wahrscheinlich schon den Römern bekannt, wurde
es später lange Zeit nur von Landleuten benutzt, bis in neuerer
Zeit eine Gesellschaft zusammentrat und durch Errichtung zweck-

mässiger Gebäude und andere Anstalten das Bad emporbrachte, wozu besonders der damalige Distriktsarzt Gasteiger beitrug. Jetzt ist es wenig mehr besucht. Die Etsch naht hier der Töll und schneidet sich in ein Felsenbett ein; ihr wildes Rauschen säubert die Luft, statt sie, wie kurz vorher, durch Stillstehen zu verpesten.

Von hier kommen wir zur merkwürdigen *Töll*, einem Haupt- abschnitt des Etschthales, welches plötzlich abbricht und gegen 600' in die tiefere Thalgegend abfällt; denn das Wirthshaus auf der Töll liegt 1602' hoch, Meran am Fusse derselben 1008'. Ge- wöhnlich sind schauerliche Felsenengen im Gefolge der Thalstu- fen, das Etschthal aber behauptet seinen Charakter am auffallend- sten. Man steigt hier aus dem Norden mit einem Male in den Sü- den hinab und taucht in ein Meer südlicher Pflanzenfülle von sel- tener Ueppigkeit. Wenn auch schon vorher Kastanien, Nüsse und Wein sich zeigten, so war es mehr vereinzelt; hier aber steigt man hinab in den Schatten der Kastanien und Nüsse, die Strasse führt unter dem hochgewölbten Dache der Reben hin, der Epheu umspinnt Mauern und Bäume. Von allen Höhen schimmern Bur- gen, bald als prächtige Ruinen, bald als noch wohnliche Schlös- ser. Man übersieht oft von einem Standpunkte 20 Burgen. Doch nicht nur die äussere Hülle ändert sich, auch die Gebirgsbildung, sowohl in Ansehung ihrer Gebirgsart, als der davon abhängenden Gestaltung. Das granitische Gebirge der Mittelkette zieht noch in derselben Richtung, wie bisher, fort, insofern es uns bis jetzt links begleitete; es setzt bei Meran über das Passeierthal, wel- ches von der Oetzthaler Gruppe herabsteigt, und zeigt sich jen- seits im hohen *Ifingerspitz* (8149'), welcher sein Haupt stolz über die Gegend erhebt. Aber südl. an ihn legt sich das viel niedri- gere und plattgedrückte sanftere Porphyrgebirge Südtirols. Die- ses Porphyrgebirge, besonders von einem hohen Standpunkte, am schönsten vom Schlern, aus gesehen, gleicht einer mit Oel über- gossenen Wasserfläche mitten im stürmischen Oceane; nur süd- östlich scheinen zwischen dem Fassathale und Valsugano hin auch seine Wogen etwas aufgeregt zu sein. Es lagert sich aber so vor das obere Etschthal oder Vintschgau, dass es die Etsch durch seine Masse von ihrem bisherigen östl. Laufe rechtwinkelig südl.

8 *

drängt. Die Etsch durchbricht hier das Schiefer- und Granitgebirge, welches letztere an der linken Seite des Thales noch
fast bis gegen Unterlana reicht. Kühn erhebt sich dann weiter südlich das Kalkgebirge der Mendel über dem Porphyr, der
von Unterlana an südwärts zu beiden Seiten der Etsch auftritt,
den Hintergrund der Meraner Gegend bildend. Hier endet das
Vintschgau und das *Etschland* im engeren Sinne beginnt. Im
Vintschgau ist durch die neuere Zeit erst das Deutschthum auf
romanischem Boden aufgewachsen, hier aber ist es Wurzel; also
bildet die *Töll* auch eine Völkerscheide. Die Römerherrschaft
drang auch hier herauf, das beweisen die römischen Denkmäler, welche auf der *Töll*, von den Römern Sublabione genannt, gefunden wurden; vor allen fand man eine Strassensäule
mit der Inschrift: TI CLAVDIVS. CAESAR AVGVSTVS. ger-
manicus PONT. MAX. TRIB. POT. VI COS. DESIG. IIII. IMP.
XI. P. P viAM CLAVDIAM. AVGVSTAM QVAM. DRVSVS.
PATER. ALPIBVS BELLO. PATEFACTIS. DEREXSERAT.
MVNIT. A. FLVMINE. PADO. AT fLVMEN. DANVVIVM.
PER m P. CCcxx. Auch fanden sich viele römische Münzen daselbst und ein Altar der Diana, jetzt in der Sammlung des Ferdi-
nandeums. Wahrscheinlich war die *Töll* ein Pass, wie später
noch ein Zoll hier war, von dem der Name abgeleitet wird. Darüber die uralte Helenenkirche. Nördl. der Töllbrücke liegt das
Kirchdorf *Partschins* (2004'), 203 H., 1230 E., auf dem Schuttberg des dahinter einen grossen und schönen Wasserfall bildenden
Zielbachs und des *Töllbachs*. Unter den Häusern, die in einem
Obsthaine liegen, zeichnen sich mehrere durch Grösse aus, indem hier viele Meraner Familien ihre Sommerfrischen haben. Die
ehemaligen Herren v. Partschins gehörten zu den mächtigen Geschlechtern Tirols, bis ihre Macht durch Ludwig v. Brandenburg
gebrochen wurde. Auch die *Stachelburg* in *Partschins* war ein Sitz
eines blühenden gleichnamigen Geschlechts, dessen Ritter sich besonders im Kampfe gegen die Türken hervorthaten; der letzte
fiel im Kampfe gegen die französische Zwingherrschaft 1809 am
Berg Isl. Die Burg gehört jetzt dem Baron Schneeburg. In der
Kirche ist ein schönes Gemälde von Stadler. An dem *Hochhub-
benhofe* ist ein Römerstein eingemauert; dessen Inschrift nach Glo-

vanelli so lautet: Diis Manibus Quinti Caecilii Eutropii Marcus
Ulpius Primogenius Fillo. Vixit annos XXI. Menses XI. Die
Höhe links schräg hinaufsteigend gelangt man über *Harsch* zu
dem Bade *Oberhaus* in 1¼ St., mit 8 Quellen, einer sehr schönen
Aussicht in das untere Etschthal. Wer eine noch umfassendere
Aussicht wünscht, steigt noch nach *Völlan* hinauf. Der *Zielbach*
kommt aus dem *Zielthale*, welches 6 St. lang und anhaltend stark
ansteigt bis in die Alpenregion, so dass es nur von Sennhütten belebt ist und umgeben von einem Halbkreise, theilweise beeister,
Felsen, die nur durch einen vereisten Grat mit den Oetzthaler Bergen zusammenhängen. Unter ihnen lohnt die *Taxelspitze* durch
ihre Aussicht die Ersteigung mit Führer aus Partschins.

Geolog. Beim Badehause in der Töll (Egart): Porphyr, angeblich Dioritporphyr mit etwas Augit, gangförmig im Glimmerschiefer; in der Töll: Granit
mit Turmalin; bei Algund an der Etschbrücke: Lager von grosskörnigem Gneissgranit im Glimmerschiefer.

Flora. Weinberge von Algund: Eruca sativa: Rabland: Thymus pannonicus, Carex Hornschuchiana; Töll: Erysimum rhaeticum, Alsine Jacquinii.

Wendet man sich von der Töllbrücke rechts über die Etsch
hinüber, so erblickt man am Abhang des Gebirgs, welcher, wie
eine Anzahl auf ihm liegender Bauerhöfe, *Im Quadrat* heisst, aus
dunklem Walde hervorschimmernd, die Mauern des ehemaligen
Klosters *Josephsberg*, gestiftet 1695, aufgehoben von Joseph II.
In der Kirche und den ehemaligen Klostersälen sehenswürdige
Gemälde. Darüber ein schöner Marmorbruch (Quadrater Marmor).

Nach *Meran* hinab führen 3 Wege: rechts über *Josephsberg;*
dann links die *alte Töll* hinab über *Steinach.* Man kann sich auf
diesem Wege die Fälle der Etsch näher betrachten, welche in der
grösseren Ferne von der Strasse durch die grossen Umgebungen
verlieren. Endlich links, von dem vorigen Wege allmählicher
absteigend, führt die Hauptstrasse hinab. So erreicht man das
Kirchdorf *Algund*, 278 H., 1649 E., welches sich links vom Abhange herabstreckt. In der Kirche ein schönes Gemälde, desgleichen in der Todtenkapelle. Geschätzt ist der Algunder Leiten-
wein. Die Viehzucht ist bedeutend, es gibt Bauern, welche
80 Stück Grossvieh besitzen. Sehr einträglich für den Ort ist der
Ochsenvorspann die Töll hinan. Rechts in der Tiefe an der Etsch

liegt *Steinach*, mit einem Kloster, das von einer schottischen Königin 1241 gestiftet sein soll, später aufgehoben und in Privathände gekommen war, jetzt von einem weiblichen Orden besessen wird. Im Kreuzgange stellen alte Fresken die Sage der Erbauung dar. Unmittelbar jenseits der Etsch, wenn man von Meran über Josephsberg zur Töll hinangehen will, liegt die Gemeinde *Vorst* oder *Forst*, mit einer der schönsten Burgruinen, der gräflichen Familie v. Brandis gehörig, zum Theil noch von einem Pachter bewohnt. An der Zimmerdecke eines Gemachs erblickt man zwei Kreuze. Hier spielten einst 2 Ritter von Forst; ihre Leidenschaft erbitterte sie bis zum Zweikampf; der Blutstrahl des Getödteten schoss bis zur Decke und liess 2 Flecken zurück, welche durch die 2 Kreuze bezeichnet sind. Daneben liegt eine neue Brauerei mit dem besten Keller der Gegend, Haltepunkt des Stellwagens zwischen Mals und Meran, von Meraner Kurgästen und Einheimischen stark besucht. Der Strasse folgend kommen wir nach

Meran (1008'), 252 H., 3083 E. [1]) Wegen seines ausserordentlich milden Klima's, seiner saftigen köstlichen Trauben, seiner milch- und kräuterreichen Alpen und seiner vielen frischen, oft mineralischen, Quellen eine herrliche Zufluchtsstätte für Kränkelnde geworden, welche hier Erleichterung und Heilung finden. Das Klima ist milder, als in südlicheren Gegenden und der Unterschied der Temperatur im Sommer und im Winter ein geringer; die Sommerhitze wird durch die Berglüfte gemildert, so dass die höchste Hitze in 6 Jahren 29° nicht überstieg, das Thermometer nur in dem kalten Winter 1830 einmal — 9° R. stand. Durchschnittlich kommen auf den Winter 8 Tage, an welchen Schnee auch in der Tiefe fällt, der jedoch nie lange liegen bleibt, 135 heitere Tage, 58 Regentage, 11 Gewittertage. Die mittlere Temperatur für die Monate Julius und August ist $17\frac{3}{4}$°, für die Mittage $20\frac{1}{2}$° R. Mit Recht ist daher *Meran* und seine Umgegend als grosse Heilanstalt empfohlen, indem man bei dem herrlichen Klima wohl nirgends besser eine Milch-, Molken-

---

[1] Land Tirol von Beda Weber. Innsbruck 1838, Bd. 2. Meran und seine Umgebungen von Beda Weber. Innsbruck 1845. Vorzüge von Meran als klimatischer Kurort von Dr. J. Pircher in Meran. Meran als klimatischer Kurort von Dr. J. Pircher.

und Traubenkur gebrauchen kann, als hier, wozu noch die ver-
schiedenartigen Mineralquellen je nach den Umständen benutzt
werden können. Auch hat man neuerer Zeit angefangen, Heubä-
der in dem gewürzigen, frischgemähten Alpenhen zu gebrauchen.
Kurz *Meran* ist seit 1834 durch den Bürgermeister Haller und
den Dr. Lantner aus München, die, jeder auf seine Weise, zum
Emporblühen wirkten, in jeder Beziehung zu einem bedeutenden
stark besuchten Kurorte erwachsen, der allen Anforderungen entspricht (Telegraphenstationen, Buchhandlungen, Leihbibliothe-
ken, Lesehallen, Kaffeehäuser u. s. w.). Gasthöfe: Zum Erzherzog Johann, zugleich Post (100 Zimmer zu 80 Kr. bis 2 Fl.,
Table d'hôte 1 Fl., Lesehalle, Kaffeehaus), Zum Grafen v. Meran; auch die Gasthöfe beim Rössl, b. Kreutz und b. Engel sind
zu empfehlen. Für einen längeren Aufenthalt miethet man sich
in den gut meublirten Privatwohnungen (Betten mit Springfeder-
matrazen) ein. Auch auf dem Lande stehen überall schöne Wohnungen offen, für Romantiker sogar in Ritterburgen; in der Stadt
bei Dr. Putz, Moeser, Kuhn, Franz Putz u. s. w.; in Obermais:
Schloss Winnel, Villa Pittel, Villa Matscher, Schloss Rubein,
Rollandin u. s. w. In Obermais ist auch die Kaltwasseranstalt des
Dr. Mazegger. — Neben den Privatwohnungen, deren Zimmer-
preise per Monat zwischen 12 und 25 Fl. schwanken, gibt es in
Meran, Obermais und Gratsch auch mehrere, sehr gute Pensionen
nach Schweizerart; dahin gehören in der Stadt: Pension von
Weinhart und Pension Hassforter (sehr gut); in *Obermais:* Pension Dr. Mazegger in Villa Matscher und Villa Pittel; in *Gratsch*
(½ St. von Meran): in Villa Maurer und Fallgatter; Pensions-
preise überall 2 Fl. 50 Kr. per Tag. Die Molke wird unter Leitung der Kurvorstehung, die aus der Gemeindevorstehung von
Meran und Obermais gebildet wird und einen Kurvorsteher an der
Spitze hat, bereitet und in der innerhalb der Schiessstätte befindlichen Molkenhalle verabreicht. Warme und kalte Bäder findet
man bei Gschliesser und Möser in Steinach, bei Dr. Putz und Dr.
Mazegger in Obermais. — Kurärzte sind: Dr. Tappeiner, Dr.
J. Pircher, Dr. Künz und Dr. Kleinhans.

Schon in früheren Zeiten war hier der Mittelpunkt des Landes; denn hier liegt auf luftiger Höhe die Burg *Tirol* auf rhätisch-

römischen Grundfesten, eine deutsche Ritterburg des Mittelalters, in ihren Bauzusammensetzungen die Geschichte des Landes, dem sie den Namen gab, versinnlichend. Die Mauern *Merans*, der alten Hauptstadt, sind die Vormauern der Burg, ihre schwächste Stelle deckend. Keine Gegend Deutschlands möchte auf kleinem Raume so viele Burgen und Schlösser zählen, als die hiesige. *Meran*, vom Volke Meraun ausgesprochen, liegt an der Einmündung der *Passer*, welche dem Oetzthaler Ferner entspringt, in die Etsch. Da, wo beide Thäler, ihrer Hauptrichtung nach fast einander entgegenlaufend, zusammenstossen, haben sie zwischen sich den *Küchelberg* aufgebaut, ein vorspringendes schmales Mittelgebirge, auf der einen Seite ins Passeierthal, auf der anderen ins Etschthal, mit seiner Spitze auf den Vereinigungspunkt beider Thäler abfallend. Gerade an dieser Ecke, gegen die stürmenden Wellen der *Passer* durch eine Mauer gedeckt, liegt die alte Hauptstadt Tirols. Als Ort erscheint sie urkundlich 857 und soll ihren Ursprung dem grossen **Naifer Bergsturze** verdanken, welcher die alte Römerstadt Maja, jetzt Mais, am Ende des 8. oder im Anfange des 9. Jahrh. begrub. Die erste urkundliche Benennung als **Stadt** ist vom J. 1317. Sie wurde Sitz der Gaugrafen, welche die Karolinger und nachher die deutschen Könige hierher setzten; diese wurden bald erbliche Herren als Grafen v. Andechs, von denen es an Albert, Grafen v. Tirol, kam und blühte unter seinem Schwiegersohne Meinhard I. und dessen Nachfolger, Meinhard II., empor (Th. II, S. 7 ff.). Sie hatten ihren Sitz auf den Burgen Tirol und Zenoberg. Nicht weniger sorgte für sie Meinhards II. Sohn, Heinrich, König v. Böhmen, und dessen einzige Tochter, die bekannte Margaretha Maultasche, die eine so grosse Rolle besonders im Munde des Volkes spielt. Auf dem 1341 in Meran gehaltenen Landtage wurde ihr Gemahl, Johann v. Mähren (aus dem luxemburgischen Hause), als eheunfähig erklärt und Ludwig der Brandenburger, der Sohn Ludwig des Baiern, als ihr Gatte bestimmt und dessen Ehe auch 1342 in der Burg Tirol vollzogen. Die Luxemburger, da sie die Burg nicht erobern konnten, zerstörten aus Rache Meran. Friedrich m. d. l. T. schloss hier sein geheimes Bündniss mit dem Papste Johann XXIII., welcher zu Konstanz abgesetzt war und wodurch Friedrich an den

Rand seines Verderbens kam, aus dem ihn sein treues Tirol rettete. Die Unterstützung, welche er besonders in Meran erhielt, vergalt er der Stadt durch viele Freiheiten. Oft kamen aber auch Tage des Schreckens über die Stadt. Besonders waren es die Fluten der *Passer*, welche nach dem Naifer Bergsturze an jene Gebirgsecke geworfen wurden, an der sie jetzt hinstürmen, die die Stadt nicht nur bedrohten, sondern sie mehrmals theilweise zerstörten, besonders 1419, 1503 und 1512, Folgen von Seeausbrüchen im oberen Passeierthal. Auch die Reformation fand, wie in allen Gebirgsländern, grossen Anklang; es folgte der grosse Bauernkrieg, der aus misverstandenen Lehren, hauptsächlich aber aus dem Drucke der Adelsherrschaft und der Klöster, die sich grosse Reichthümer oft auf Kosten des Bauernstandes erwarben, hervorging, und daher auch gegen die Burgen und Klöster gerichtet war. Darauf folgte die Pest, durch die Spanier eingeschleppt.

Zwei Hauptstrassen durchschneiden die Stadt. Die fast 400 Schritte lange Laubengasse, so genannt von den Lauben oder gewölbten Gängen, welche auf beiden Seiten unter den Häusern hinlaufen und regelmässig mit Sitzen versehen sind zur abendlichen Zusammenkunft und an Markttagen zum Feilbieten der Waaren dienen. Am oberen Ende dieser Strasse ist der kleine Platz. Die zweite Strasse ist der Rennweg, eine Art Vorstadt, eine heitere und breite Strasse. Vier Thore, das Passeier, Vintschgauer, Maiser und Ultener Thor, führen nach den Richtungen hin, welche ihre Namen bezeichnen.

Merkwürdigkeiten der Stadt sind: die *Pfarrkirche*, im Anfange des 14. Jahrh. erbaut, im gothischen Stile, von Heinrich v. Böhmen und der Bürgerin Batlina Hemelin. Der Thurm gilt als der höchste in Tirol und ruht auf einem schönen Bogen. Sehr schönes Geläute und herrliche Rundsicht. In der Kirche Gemälde von M. Knoller, Chr. Helfenrieder, M. Pussjäger (Bürgermeister von Meran 1731), Psenner aus Bozen, Bildsäulen von Pendl; an der äusseren Mauer ein Crucifix von demselben und ein Freskobild von Pussjäger. Daneben die Barbarakapelle mit Gemälden von Pussjäger. Viele Grabdenkmäler. — Die *Spitalkirche* jenseits der Passer, mit schönem Eingangsthor im gothischen Stile, eben so herrlichen Glasgemälden, alter Orgel, mit Flügelthüren, welche altdeutsche Gemälde schmücken. Dabei das schön eingerichtete Spital. Am Vintschgauer Thore das Kapuzinerkloster, dessen Kirche Gemälde von Pussjäger enthält. Das Gymnasium, Collegium der Professoren, Knabenseminar, *Stift der Englischen Fräulein;* diese besorgen den Unterricht der weiblichen Jugend unentgeltlich; hiermit ist eine Kostschule für Fremde verbunden. Das *Kelleramt* in der Laubengasse, einst die Residenz der Landesfürsten bei ihrem Aufenthalte in Tirol. Unter Baiern erhielten es die Fürsten von Thurn und Taxis, nebst 30,000 Fl. jährlichen Einkommens, als Entschädigung für das ihnen abgenommene Postwesen. In der alten, hinten anstossenden, Kapelle wurde Ludwig mit Margaretha der Maultasche getraut; in der Sakristei interessante Wandgemälde aus jener Zeit; der Maler soll Christophorus aus Meran sein. Ueber der Kapelle sind die beiden Kaiserzimmer mit Wappenschildern und alten verwischten Fresken. Noch verdient das *Mammingsche Haus,* wenn auch in neuerem Stile erbaut, Beachtung, eine Niederlassung reicher Kaufleute aus Memmingen, welche später Grafen v. Mamming wurden, und als solche zu dem ältesten Adel Tirols gezählt wurden, gegenwärtig eine gräfl. Desfoursche Stiftung. Der Ertrag der Vermiethung an Kurgäste dient zur Unterstützung von Offizierswaisen aus Prag. Gemäldesammlungen bei Joh. v. Wohlgemuth, Dr. Joh. Hellrigl und dem Bürgermeister Joh. Val. Haller, welcher letztere unter anderem 6 schöne Dürer besitzt. Unter den vielen Gärten sind die des Dr. med. Putz und im Schloss *Rottenstein* bei Obermais hervorzuheben.

Geolog. Meran liegt an der Westgrenze des Ifinger Granitzugs, der hier gneissartig wird und blau labradorisirenden Feldspath führt; Schloss Tirol liegt auf Thonglimmerschiefer; im Naiferthal: rother Porphyr mit Hornstein, bedeckt von Porphyrconglomerat und Sandstein mit schwachen Kohlenschmitzen.

Flora. Im Thale und an den unteren Thalrändern manche südliche Form. an Wegen, in den Weingärten und an den trockenen Hügeln: Chenopodium botrys, Eryngium amethystinum, Campanula spinata, bononiensis, Colutea arborescens, Sedum dasyphyllum, Althaea hirsuta, Xanthium strumarium; in Gräben: Cyperus Monti; auf Wiesen: Narcissus poëticus, Galega officinalis; am Wege nach Schloss Tirol: Lychnis Coronaria, Coronilla Emerus, Melissa officin., Cyperus longus; am Zenoberg: Lychnis Coronaria, Erysimum rhaeticum, Ruta graveolens, Euphorbia Gerardiana, Allium sphaerocephalum; am Eingang nach Passeier: Dianthus monspessulanus, Campanula spicata, Plantago maritima; an der Fragsburg: Campanula bononiensis; am Richtberg: Dianthus atrorubens; Hafling: Cytisus hirsutus; bei

Burgstall: Eryngium amethystinum, Crepis pulchra, Plantago arenaria, Tamus communis, Carex Michelii; Schloss Brandis bei Lana: Orobus variegatus; Schloss Neuberg: Punica Granatum; auf den Maiser u. a. Alpen: Campanula spicata, Primula glutinosa, Gentiana punctata, excisa, Statice alpina; Zilalpe: Ranunc. parnassifolius, pyrenaeus, Arabis caerulea, Hedysarum obscurum, Sibbaldia procumbens, Alchemilla pubescens, Saxifraga aspera, Clusii, muscoides, bryoides, Meum Mutellina, Gaya simplex, Gnaphalium carpaticum, Pedicularis recutita, rostrata, tuberosa, Primula villosa, glutinosa, Soldanella pusilla, montana, minima, Lloydia serotina, Salix retusa, arbuscula, herbacea, Betula viridis, Pinus Cembra, Mughus, Nigritella angustifolia, Chamaeorchis alpina, Juncus Jacquinii, Hostii, alpinus, triglumus, Luzula lutea, Carex curvula, atrata, fuliginosa, frigida, Leontodon Taraxaci, pyrenaicus, Hieracium villosum, alpinum, Senecio Doronicum, Chrysanthemum alpinum, Phyteuma hemisphaericum, Sieberi, Azalea procumbens, Linaria alpina: am Ifinger: Trifolium alpinum, Geum reptans, Senecio incanus, carniolicus, Hieracium albidum, Phyteuma pauciflorum, Veronica bellidioides, Luzula spadicea und mannigfache sonstige Ausbeute.

Die Umgegend von Meran.

Die Burg *Tirol* (2011'). Der *Küchelberg* streckt sich als Bergzunge vom *Muthgebirge*, das steil auf dieses Mittelgebirge herabzieht, zwischen Etsch und Passeier hinaus, im Innern aus Gneiss und Thonschiefer bestehend, mit Schuttgebirge der beiden Flüsse überkleidet. Da, wo dieses vorspringende Gebirge sich an das *Muthgebirge* anschliesst, liegt die Burg *Tirol*, auf der schmalen Hochebene des Berges das Dorf *Tirol*, und am Fusse, dem Etschthal mehr zugewendet, die Stadt *Meran*. Es führen zum Schlosse 2 Wege, ein breiter, aber schlechter Fahrweg über *St. Peter* und Schloss *Durnstein*, sich durch Weingärten ziehend, gute 1½ St. von Meran; der andere Weg ist ein Saumpfad (1 St.) und führt bei der Pfarrkirche zum Thore hinaus bergan, nach 10 Min. bei einem Crucifix links (rechts geht's ins Passeier), immer auf Dorf *Tirol* lossteuernd. Von *Meran* nach *St. Peter* führt in 1 St. auch ein bequemer, mit Ruhesitzen versehener Weg durch Weidenpflanzungen, weiter durch schattiges Rebengelände an 14 Stationen vorbei. Der Maler findet die herrlichsten Vorgründe einer romantischen südl. Landschaft: Felsblöcke, alte Mauern, ehrwürdige, weitschattige Nuss- und Kastanienbäume, und alles umsponnen und umrankt von Epheu und Wein. Man überblickt Gegenden, die sich oben dem Auge entziehen. Die Pfarrkirche, oder vielmehr ihr Kirchhof, ist der Auslaufepunkt beider Wege. Rechts durch eine Gasse hinansteigend geht es auf einem alten gepflaster-

ten Burgwege allmählich aufwärts, der harte Fels wechselt mit
Porphyrgeschieben, welche, aufgehäuft, dem Reisenden andeu-
ten, dass er in anderes Gebirge gekommen ist, in ein Gebirge,
welches jene südl. gestalteten, sanfteren Formen schuf, die den
Charakter der Umgegend von Meran bilden. Sowie man aus den
letzten Häusern hinaustritt, fällt der Blick in ein bis jetzt noch
ungesehenes, aber berühmtes, klassisches Thal Tirols, das Passeierthal. Auch hier noch kann man links abbiegen und ziemlich
steil zum *Zenoberg*, auf dem die *Zenoburg* steht, hinansteigen.
Der *Zenoberg* bildet die vorderste südl. Spitze des *Küchelbergs*.
Die Burg war ursprünglich ein römisches Castell zur Beschützung
Maja's. Später erbaute der Glaubensprediger Corbinian hier eine
Kapelle zu Ehren des heil. Zeno (Bischofs von Verona), woher
die Burg ihren späteren Namen erhielt. Die Burg war ein Lieblingssitz der Grafen v. Tirol, und wenn sie auch Kaiser Karl IV.,
der Bruder des von Margaretha verstossenen Johann, aus Rache
1347 zerstörte, so erwuchs sie doch bald wieder aus ihren Trümmern zu neuem Glanze und blieb bis 1782 landesfürstliches Eigenthum, wo sie ein Herr v. Breitenberg kaufte. Alles ist, bis auf
einen Thurm, in Trümmern zerfallen. Merkwürdig und schon
viel besprochen ist das Portal, ähnlich den Portalen der Burgkapelle im Schlosse Tirol mit ihren mystischen Bildnissen. Auf der
Höhe des Küchelbergs wurde hartnäckig gekämpft, bis die Franzosen von den Tirolern hinabgeworfen wurden. Oben kommt
man auf einem Seitenwege nach *Khuens*, auf den *Segenbühel*, den
höchsten Punkt des *Küchelbergs*, so genannt, weil sonst bei Land-
plagen auf diesem, die ganze Umgegend beherrschenden Aussichtspunkte eine Prozession gehalten und die ganze Umgegend
gesegnet wurde, und dann zum Dorfe *Tirol* (1878'), 169 H.;
1061 E., 1 St. von Meran; sehr gutes Wirthshaus, ein schönes
neues Kranken- und Armenhaus, von dem Fürstbischofe von
Trient, Johann v. Tschiderer, als Pfarrer von Tirol gestiftet. Zu
der Seelsorge von Dorf *Tirol* gehörte früher auch Meran. 9 Pfarrer wurden Bischöfe; manche Pfarrer sahen Tirol gar nicht und
liessen ihr Amt durch Vikare verwalten, während sie in Hofdien-
sten anderwärts beschäftigt waren. Der Wein wird gesucht. Hinter dem Dorfe liegt die *Brunnenburg*, welche einst mit der Haupt-

burg Tirol durch bedeckte Gänge in Verbindung stand. Die *Brunnenburg*, jetzt fast Ruine und nur von einer Bauernfamilie bewohnt, diente wahrscheinlich einst den Verwaltungsbehörden zur Wohnung, daher auch beim Volke die *Alte Kanzlei* genannt. Ludwig der Brandenburger verpfändete sie dem Heinrich v. Bopfingen, Pfarrer zu Tirol, der auch schon das Schloss Valör im Nonsberg als Pfand besass. Von ihm kam die Burg an Ulrich v. Matsch, dann an die Herren v. Kripp zu Hall. Die ältere Burg wurde wahrscheinlich 1347 von Karl IV. zerstört. Zwischen ihren Trümmern fand man römische Münzen aus der Zeit Justinians. Da, wo sich der *Küchelberg* an das höhere Gebirge anschliesst, geht man links an seinem obersten Abhange hin in ein enges Thälchen, das sich aus der Tiefe heraufzieht und jenseits dessen die Burg Tirol auf hohem, schroffem, aber sehr morschem Felsen, einer Art Nagelflue, steht. Um der Burg im Rücken beizukommen, der allein zugänglichen Seite, muss jenes Thälchen in seinem obersten Anfange umgangen werden. Eine Felsenwand, steil in die Tiefe absetzend, tritt in den Weg; allein sie ist mit einem Stollen durchbrochen, dem *Knappenloche*, auf Befehl Leopolds I., daher auch über dem Eingange sein in Stein gehauenes Bildniss mit der Umschrift: Leopoldus I., imperator gloriosus, viae istius autor. Nach 100 Schritten tritt man aus dem dumpfigen Gewölbe wieder hinaus unter das Laubgewölbe riesiger Nuss- und Kastanienbäume und kommt in den hintersten Theil der Schlucht, welche zum Theil aus lockerem Schuttgebirge besteht, daher die Flutungen des Regens hier rechter Hand oben auch Erdpyramiden geschaffen haben, wie bei Lengmoos unweit Bozen; ja selbst der älteste Theil der Burg *Tirol* ruht auf solchen Pyramiden, die nur durch die Burg *Tirol*, welche das morsche Gebirge deckt, erhalten werden, und schon ist ein Theil davon abgestürzt. Die *Burg* (2011') besteht aus 3 Theilen: der älteste umfasste die Fürstenzimmer, der eigentliche ehemalige Mittelpunkt des Landes mit einem Hofraume, wo Ritterspiele aller Art, körperliche und geistige Turniere (Minnegesänge) gehalten wurden, besonders durch Heinrich, König v. Böhmen; östl. schloss sich sonst ein weitläufiges Burggebäude an, in dessen Ueberresten jetzt, ausser dem Burgkaplan der Schlosshauptmann und der Thorsteher, beide Vetera-

nen der Landesvertheidiger, wohnen. Der neueste Theil der Burg,
aus dem 14. Jahrh. stammend, wird vom Burgvogte bewohnt.
Kaum hat einen der Thorsteher von seinem Adlerneste erspäht,
so erscheint er auch am Eingange der ehrwürdigen, leider alles
Schmuckes beraubten, Burg. Er führt den Fremden sogleich durch
einen geräumigen öden Saal in die alte Burgkapelle; die bogen-
förmige Eingangspforte in die Kapelle, wie die Ausgangspforte
des Vorsaales auf der Innenseite, tragen jene oben bei Zenoburg
angegebenen, halberhabenen, in Stein gehauenen Figuren, welche nach Sulpiz Boisserée die Weihkraft der katholischen Kirche
gegen dämonische Einflüsse darstellen (der Löwe, Sinnbild der dä-
monischen Macht, der Jüngling mit dem Becken trägt das Weih-
wasser, Christus am Kreuze ist der Grund der kirchlichen Bann-
kraft, die erhobene Hand deutet auf den kirchlichen Segen).
Diese Portale und vielleicht auch noch die alte Kapelle sind die
einzigen Merkwürdigkeiten der Burg selbst. Man wird nun in
die Zimmer des Burgvogts oder Schlosshauptmanns geführt; denn
hier öffnet sich eine herrliche, mehrseitige Aussicht, die einem
der biedere Schlosshauptmann genau erklärt; ein guter, echter
Tiroler Wein erquickt für den Aufstieg. Die Burg *Tirol* liegt gerade in dem Winkel des Etschthals und schaut daher mit seiner
südl. Hauptseite das Etschthal hinab, östl. das Vintschgau hinauf.
Oeffnen wir die grossen Fenster gegen Süden, so zeigt sich links
der ganze weinumrankte Küchelberg mit dem Dorfe Tirol; darunter die Burgruine der Brunnenburg. Ueber dem Küchelberg
erhebt sich das schöngeformte, stufenweis aufsteigende Porphyrgebirge, welches sich von Meran nach Bozen auf der linken Thalseite hinzieht; roth stossen seine Wände aus dem Garten, der
ihre untere Stufe bedeckt, und aus dem Walde der oberen Stufe
hervor. Auch die höchsten Höhen sind abgeplattet und zeigen
ihre Bevölkerung noch an durch die in luftiger Höhe aufragende
Kirche von *St. Catharina in der Scharte.* Auf den Abhängen dieses Gebirgszuges liegen die Burgen Goien, Greifenberg, Katzenstein, Fragsburg u. s. w. Am Fusse des Küchelbergs tritt Meran
mit seinem hohen Thurme zum Theil hervor, darüber die Häusergruppen von Mais. Dann öffnet sich der weite Thalboden der
Etsch, durchschlängelt von diesem Strome und quer durchschnit-

ten von dem weissen Kiesbette der Passer. 7 St. weit hinab, bis
gegen Bozen, zeigt sich der Silberfaden der Etsch, wo er links
verschwindet, von der niedrigen Hochebene im Süden von Bozen
nordwärts gedrängt in die Bucht der Eisackmündung. Deutlich
schimmert von 'dorther St. Paul. Kühn und trotzig steigt rechts
die hohe Mendel empor, mit senkrechtem Absturze, ähnlich dem
Schafberge bei St. Wolfgang. Die Durchsicht des Thales zeigt
die fernern linken Thalwände der Etsch bis hinab nach Salurn
und darüber die Bergkette, welche das Fassathal im Südosten begleitet. Der höchste Berg, der sich dort in warmem Süddaft über
alle erhebt, ist die Cima d'Asta. Rechts neben der dolomitischen
Mendel steigt das Gebirge empor zum Eck, unter welchem das
Ultenthal hereinzieht. Gerundeter erscheinen nun die näheren
Glimmerschieferberge, oben bemattet, tiefer bewaldet, in der
Tiefe angebaut; Löwenberg, Marling, St. Felix schimmern als
Hauptglanzpunkte herüber. In der Tiefe erscheint der Thalboden
als grosser Obstgarten. Treten wir an die westlichen Fenster, so
liegt ein Theil des unteren Vintschgaues vor uns und die üppige
Thalstufe der Töll, von welcher die Etsch, in milchweissen
Schaum aufgelöst, gegen 600' herabwallt. In der Tiefe zeigt
sich das gastliche *Algund*, *Thurnstein* oder *Durnstein*, eine Burg,
Eigenthum der Familie v. Egen, bekannt wegen seines trefflichen
weissen Weines. Näher heran liegt *St. Peter*, 170 E., die älteste Pfarre der Umgegend. Das Pfarrwidum gleicht einer Burg.
Ueber der Töll zeigt sich rechts der Schuttberg von Partschins
mit seiner Gemeinde, darüber der *Galtnerspitz*. Links glänzt
über der Töll Josephsberg aus dunkelem Walde, gerade darüber
schwebt fast feenartig die Eiszinne des Hasenohres von Laatsch
her und über den ferneren Bergen schimmert die Orteler- und Königsspitze herüber. Ein schöner südlicher Abend, der die Fernsicht in Rosenduft hüllt, aus dem die Schlösser, Burgen, Klöster und Kirchen hervorschimmern, geben dem herrlichen Land-
schaftsgemälde einen Reiz, der jedem Reisenden unvergesslich
bleiben wird. Die Burg war ursprünglich Römerfeste, Teriolis,
und vertheidigte oder beherrschte mit den anstossenden Burgen
den Doppelweg westl. ins Vintschgau und nördl. durch das Passeierthal und über den Jaufen (Mons Jovis) nach Vipitenum (Ster-

zing); denn dieser Jochübergang war einst viel besuchter, als der Weg durch die Engen des Eisackthales. Nach einigen soll Teriolis schon früher rhätische Burg gewesen sein. Seine spätere Geschichte fällt mit der von Meran zusammen. Unter der baierischen Regierung 1808 wurde die ehrwürdige Burg versteigert; doch 1814 löste Meran dieses Kleinod des Landes wieder ein und übergab es dem Kaiser.

Von *Tirol* aus kann man noch über die *Muthhöfe* in 3 St. zur *Muthspitze* (7236') ohne Gefahr hinansteigen, welche, wie sich leicht erachten lässt, bei ihrer Lage eine weite, herrliche Rundsicht gestattet: nordöstl. über die Hochebenen des Porphyrgebirges ins Pusterthal, auf dessen nördl. Schneegebirge und südl. Dolomitzacken; südl. das weite Etschthal bis tief hinab; westl. das Vintschgau hinan, über dessen südl. Bergwänden sich stolz die Eishäupter des Ortelers und seiner Nachbarn erheben; nördl. über den oberen seenreichen Alpenkessel des Spronzer Thales und die Vorberge des Zielthales zur Fernerwelt des Oetzthales. Man kann auf dem Rückwege zu den Seen 'des Spronzer Thales und durch dieses hinab nach dem Dorfe Tirol steigen (s. Spronzer Thal). Noch höher (8310') erhebt sich hinter diesem Gipfel die *Röthelspitze*, und als Oberhaupt der ganzen Umgegend hinter dieser die *Tschigotspitze* (9474'). Führer in Dorf Tirol zu 3—5 Fl. täglich. Die Steinabbrüche machen die Ersteigung der letzteren nicht nur beschwerlich, sondern auch an einigen Stellen gefährlich. Unendlich erhaben aber ist das Panorama, sowohl durch seinen Umfang, als seine Grossartigkeit, indem der Berg inmitten der höchsten Gebirgsgruppen unserer Alpen, der Oetzthaler und Orteler Alpen, steht, und eine Höhe hat, die ihre Grösse würdigen lehrt.

Wen sein Weg nicht schon durch die Töll geführt hat oder führen wird, der nehme seinen Rückweg von der Burg nach *Meran* über *St. Peter*, *Durnstein*, *Gratsch* nach *Algund;* denn dieser Winkel, wie überhaupt die ganze, von ihm aus bis *Meran* hinziehende, Wand des *Küchelberges*, ist ein einziger Garten, wo nicht nur mit die besten Weine der Gegend wachsen, sondern auch die Opuntien ganze Strecken wild überwuchern, wo neben der Feige die sperrige Kastanie ihre schattenden Aeste ausbreitet und die Pinie ihr hohes, schwankendes Schirmdach trägt neben der stolz aufstrebenden Cypresse. Daher nennt der Mund des Volkes diese Gegend den *Rosengarten des Königs Laurin*, bei dessen Anblick der Wanderer alles Leid- und Herzweh vergisst; seine Krystallburg zieht sich hinein in das Innere des Berges, welchen die Burg *Tirol* krönt. Der geradeste Weg führt von der Burg *Tirol* durch das Dorf zurück, über den Rücken des *Küchelbergs* und steil hinab zwischen den Mauern der Weinberge auf geplattetem Treppenwege, der bei der Pfarrkirche wieder in die Stadt zurückbringt.

Ueberschreiten wir die *Passer*, so kommen wir sogleich in das Gebiet von *Ober-* und *Untermais*. *Obermais* (1087'), 151 H., 966 E., liegt auf dem Abhange des durch den alten *Naifer Bergsturz* entstandenen Schuttberges (881'). Wie der Schuttberg die Ecke des Gebirgs umlagert, das den linken Thorpfeiler des Passeierthales hinaus ins Etschthal macht, so liegen auch die zerstreuten Häuser von *Obermais* theils in das *Passeier-*, theils in das Etschthal hinein, schauen aber fast alle nach dem gegenüberliegenden *Meran*. *Untermais* (967'), 166 H., 1009 E., liegt auf der Ebene des Etschthales und wird durch die nach Bozen führende Strasse getheilt. Die römische Pflanzstadt *Maja*, unter Kaiser Augustus am damaligen rechten Ufer der Passer gegründet, wurde im 9. Jahrh. von einem Bergbruche im Naifer Thale begraben und die Passer durch den Schuttberg weiter rechts gedrängt. Bei zufälligen Eingrabungen aufgefundene Römermünzen von 9 v. Chr. G. bis 526 n. Chr. G., Mauerwerke, Gebeine, unterirdische Räume bestätigen das Dasein einer begrabenen Stadt. Daher könnte die Gegend noch eine reiche Fundgrube von Alterthümern werden, wenn die wohlangebaute, fruchtbare Gegend mit ihren Schlössern den Nachgrabungen nicht hinderlich wäre. 2 Kirchen, davon die Hauptkirche sehr alt; Altarblatt von Stölzl; viele Grabdenkmäler der umwohnenden Geschlechter. In der anderen Kirche Gemälde von Grasmayr. *Mais* ist der Mittelpunkt einer der schlösser- und burgenreichsten Gegenden, die es geben kann. Die Burgen drängen sich auf dem Raume einer halben St. zusammen und sind gewöhnlich die letzte Zufluchtsstätte der sich aus dem Getreibe der Welt zurückziehenden Familien einer weiten Umgegend (s. Lewalds Tirol). Zunächst an der Strasse liegt *Thierburg*, darüber *Maur*, mit einem schönen altdeutschen Bilde in der Burgkapelle, dem Grafen Mamming gehörig, zur Aufnahme von Fremden eingerichtet. In der nahen St. *Georgenkirche* ein schönes Alterthum, Gemälde von Stölzl, Bild der Frau v. Rosenberg, Mutter des Eckart v. Rosenberg, der auch hier begraben ist. Er war der natürliche Sohn und Liebling des Deutschmeisters Erzherz. Maximilian und Erbauer des nahen Schlosses *Winkel;* das schön eingerichtete Gebäude wird auch an Sommerfrischgäste vermiethet. Der Besitzer heisst Pitsch. Etwas höher liegt *Knillenberg,* früher Besitz der Familie Flugi mit glänzendem Hofstaat; schöne Gemäldesammlung (jetzt: Verdros). Tiefer gegen die *Passer* hinab liegen die wohnlichen Ansitze *Erlach, Rosenstein* (von Sölder) und *Rolandin* (Kirchlechner), alle für Fremde eingerichtet. Diesem gegenüber *Rundeck,* früher im Besitze der von Paravizini, merkwürdig durch ihr hohes Alter. Der vorletzte Herr dieses * Hauses hinterliess bei seinem Tode im 104. Jahre eine 80jährige Tochter aus der ersten Ehe, 3 minderjährige Söhne und eben so viele Töchter aus der vierten Ehe, und eine Tochter kam einen Monat nach seinem Tode auf die Welt (jetzt: Kostner). Oestl. steht die Feste *Reichenbach* (Dr. Tappeiner) und nördl. das *Priamischloss* oder *Rottenstein* (Gräfin v. Meran, vielleicht bald Erzherz. Karl Ludwig). Mehr thaleinwärts nach Passeier liegt das schöne Schloss *Planta* oder *Greifen,* denn die Namen der Burgen wechselten öfters nach den verschiedenen Besitzern; jetzt ist das dicht von Epheu umrankte Schloss ein Bauernhof. Unweit des *Naifer Baches* liegt, von Cypressen umschattet, das Schloss *Rubein,* einst dem gleichnamigen, unter Margaretha mächtigen Geschlechte, jetzt den Freiherren v. Schneeburg gehörig; es enthält eine schöne Kapelle und Miethräume für Fremde. Darüber prangt das Schloss *Rametz,* von Ludwig dem Brandenburger an Johann v. Rametz verliehen; es gehörte dem Professor Flarer in Pavia, der aus Burg Tirol stammt; dieser schuf es in eine italienische Villa um und benutzte sie als Sommerfrische (jetzt: Boscarelli aus Innsbruck). Unweit *Rametz* liegt die Burg *Labers* und die Wallfahrtskirche St. *Valentin.* Valentin, Bischof v. Passau, zog sich zuletzt hierher zurück und verkündigte während der Völkerwanderung das Evangelium; hier starb er auch und aus fernen

Gegenden wallfahrtete man hierher zu den Gebeinen des Heiligen. Diese wurden später von den Lombarden nach Trient versetzt, von wo sie Tassilo nach Passau brachte. Tiefer liegt die malerische Feste *Neuberg*, ein herrliches Schloss, mitten zwischen Weinbergen, Oliven, Granaten und anderen Südgewächsen ruhend, sehenswerthe Kunstschätze bergend. Unter Heinrich v. Böhmen wohnten hier die Herren v. Angerheim. Nach seinen jetzigen Besitzern wird es auch *Trautmannsdorf* genannt. Auf der unteren Bergstufe jenseits des *Naifer Baches*, etwas thaleinwärts, liegt zunächst die Burg *Goien* oder *Gaien*, noch auf einem abgesonderten Hügel des *Naifer Thales*. Es gehörte einst den Rittern Milser zu Schlossberg, welche es 1384 den Starkenbergern verkauften; 1422 eroberte es Friedrich m. d. l. T. Jetzt ist es Eigenthum eines Bauern und beliebtes Ziel der Ausflüge aus Meran zu Milch- und Kaffeegenuss u. s. w.

Das *Naifer Thal*, bekannt durch den oft erwähnten Bergbruch, zieht ziemlich auf der Grenze des südl. anstossenden Porphyr- und des nördl. höher aufsteigenden Gneiss-Glimmerschiefergebirges hinan. Stolz erhebt sich nördl. das Granithaupt des *Ifingers* über die südlicheren Hochebenen des Porphyrs. Der Bergbruch hat die Gebirgsarten aufgedeckt, daher die Wanderung durch dieses wüste Thal besonders für den Geognosten von Interesse sein wird. Während in trockenen Zeiten der Bach fast versiegt, wälzt er nach starken Regengüssen seine vom Porphyr rothgefärbten, schlammigen Fluten donnernd daher, dass von der Wucht der schweren Flut die Fenster in halbstündiger Entfernung klirren. Unweit einer einsamen Kirche am Eingang des Thales zeigt sich auf einem Felsblocke ein Eindruck, einer Hand ähnlich. Hier wurde einer vom Teufel geholt; sein Anklammern hinterliess diese Spur. — Nur wenige Bauernhöfe schweben an den Bergwänden. Ueber sie hinan kommt man zur hochgelegenen Kirche St. *Oswald* am *Ifingerspitz* (8071'). Den Berg theilt in seiner Höhe eine tiefe Kluft in den *Vorderen*, welcher höher ist, und in den *Hinteren Ifinger*, der *Bifinger* heisst, denn er ist abermals in 2 Spitzen gespalten. Beide Spitzen werden von Meran aus in 6 St. erstiegen; doch thut man am besten, mit Führer aus Meran am Nachmittage bis zur *Ifingeralpe* und mit dem frühen Morgen auf

9 *

dem beschwerlichen Wege zur Spitze zu steigen. Der Hintergrund des Thales ist schauerlich wild und durch jähe Wände geschlossen. Höchst malerisch liegt im Vordergrunde des Thales eine Einsiedelei.

Von *Goien* etwas thaleinwärts liegt *Schönna*, 284 H., 1741 E., von dem Schlosse (1902') hat ein grosses Gebiet den Namen, welches der vom *Ifinger* herabstürmende *Schnuggenbach* in zwei Theile trennt. Die Kirche steht unter dem Schlosse. Letzteres stand einst an der Stelle der Kirche St. Georg und war die Stammburg der mächtigen Herren von Schönna, welche 1356 ausstarben; ihnen folgten im Besitz die Starkenberger, deren Macht Friedrich brach. In der Mitte des 16. Jahrh. kam es als Pfand an die Familie Lichtenstein, welche das jetzige Schloss erbaute, mit allen Einrichtungen für ein bequemes und glänzendes Leben. Nach dem Aussterben dieser Familie kam es in Privatbesitz und zuletzt an den Grafen v. Meran († 1859), dessen Witwe es zeitweilig bewohnt. Die Burg ist im Stile des Mittelalters gehalten, hat jedoch viele Einrichtungen eines üppigeren, späteren Hoflebens. Im Gesellschaftszimmer befindet sich eine sehenswerthe Schnitzarbeit des Schlossaufsehers Thomas Pichler, den Erzherzog Johann mit seinem Sohne darstellend, umgeben von Bildern aus dem Land- und Jägerleben. — Das Mausoleum des Erzherzogs ganz aus Granit und Marmor. Im Dorfe ist ein Wirthshaus.

Zum Zauberkreis der alten Hauptstadt Tirols gehört auch der südwestl. Kranz von Gärten und Burgen, welcher den Fuss des Gebirges zwischen der Töll und dem Ultenthal umgürtet, und vom Hochgebirge überragt und gekrönt wird. Halbmondförmig schmiegt sich diese untere Bergstufe um den Fuss des granitischen Hochgebirgs; sich von der Töll gegen Nordost abdachend, stellt es sich weiter hinab dem Südosten entgegen, und man theilt den *Marlinger Berg*, wie diese ganze paradiesische Bergstufe nach der Hauptgemeinde genannt wird, in die *Nörder-* (Nordseite) und *Sonnseite*. Der Wein gilt als vorzüglich, ebenso das Obst, nebeu welchem auch der Granatapfel reift; wahrhafte Riesen von Kastanien beschatten die Nordseite; die Seidenzucht ist sehr beträchtlich. — *Marling* (1027'), mit Forst und Tscherms 295 H., 1840 E., hat 2 grössere, viele kleinere Kirchen und Kapellen.

Beide Gemeinden liegen sehr zerstreut umher, recht deutsch alpenhaft, im Gegensatz der eng zusammengedrängten rhätischen
und italienischen Gemeinden des obersten und untersten Etschthales. Fast in der Mitte des *Marlinger Berges* erhebt sich das
schöne Schloss *Lebenberg* (1800'), gewöhnlich *Löwenberg* genannt.
Sowie die Burg Tirol das Vintschgau und Etschthal abwärts beherrscht, so blickt *Lebenberg* nordöstl. ins Passeierthal und südl.
im Etschthal hinab bis Bozen. Das Schloss ist grösstentheils neu,
nur der dicke, viereckige Thurm und die Kapelle sind alt. Es
gehörte einst den Herren v. Lebenberg, von denen es durch Heirath auf die Grafen v. Fuchs überging, die es 370 Jahre behielten; der letzte der Fuchs starb 1827, seine Gemahlin, Maria v.
Mohr, 1832, wodurch es an die Grafen v. Mohr fiel. Die erledig-
ten Lehen aber zu Eppan, Tramin und Andrian wurden zum Theil
dem tapferen Schützenmajor Teimer (1809), theils dem Sohne des
Erzherzogs Johann, dem *Grafen v. Meran*, verliehen. Das Schloss
selbst verkauften die Grafen v. Mohr (1845) mit den dazu gehörigen Gütern an den jetzigen Besitzer, *Kirchlechner*. Den Grafen
v. Fuchs verdankt es seine gegenwärtige Gestalt. Ein durch seine
herrlichen Fruchtbäume und Gewächse ausgezeichneter schöner
Garten versetzt in den Süden; denn die Citrone prangt hier neben der Pomeranze und Granate, baumartig strebt die Aloë empor, und dunkeln Schatten geben die Riesenkastanien im Rücken
des Schlosses. Der ganze Garten erhebt sich von mehreren Seiten stufenweis, und auf vielen Treppen muss man ihn durchstei-
gen. Von den Zinnen des alten Thurmes hat man eine herrliche
Aussicht; denn man erkennt noch tief im Hintergrunde des Passeierthales die Jaufenburg am Fusse des Jaufen, welche ebenfalls
den Grafen v. Fuchs gehörte. Bei Familienfesten gab man sich
von beiden Burgen Zeichen, um die Gesundheit der Herren auf
beiden Burgen zu gleicher Zeit auszubringen. Das Schloss enthält 80 Zimmer, die Wände sind mit heiteren Bildern, z. Th. aus
der Geschichte der Burg, und mit allerhand Sprüchen geziert. —
Man kann hier auch speisen und den vortrefflichen weissen Le-
benberger Wein an der Quelle trinken. — *Lebenberg* fast gerade
gegenüber, auf der untersten Stufe der linken Thalwand, liegt die
Burg *Katzenstein* (1464'), einst dem gleichnamigen Geschlechte,

jetzt einem Bauer gehörig. Eine Bergstufe höher zeigt sich, 1½ St.
v. Meran, die weit ausschauende, wohl erhaltene *Fragsburg* (2301'),
zur Gemeinde Mais gehörig. Otto v. Auer, ein Günstling der Margaretha, war der erste und mächtigste Besitzer; nach manchem
Wechsel kam sie an den Opernsänger Cornet in Braunschweig,
einen Tiroler, dem die Romantik doch bald zu einsam war, so
dass er die Burg einem Bauer überliess; jetzt gehört sie dem Grafen Trautmannsdorf. Unter dem Schlosse beim Hallbauer gute
Einkehr.

Im *Haflinger Thal* gelangt man hinter *Obermais* an die *Hendl-
mühle*, in welcher sich Friedrich m. d. l. T. lange Zeit verborgen
hielt und zuletzt, nachdem sein Aufenthalt verrathen war, von
dem Müller sicher fortgebracht wurde (dieser wurde belohnt, und
von ihm sollen die Grafen v. Hendl abstammen, die wirklich ein
Mühlrad im Wappen führen); weiter zur weit sichtbaren, einsamen Kirche *St. Katharina in der Scharte* (3937'), von wo ein direkter Weg über das Kreuzjoch nach Sarntheim im Sarnthale führt,
der zu empfehlen ist. Der Sage nach stand hier ein heidnischer
Tempel, in welchem der Sonne geopfert wurde. 1251 weihte
Bischof Egno v. Trient die Stätte zu einem christlichen Heilig-
thume. Herrlich und überraschend ist der Blick, wenn man aus
dem Sarnthale kommt, die Hochebene überschritten hat und hier
am Abhang plötzlich das Paradies Merans in grosser Tiefe unter
sich, wie auf einer Karte, liegen sieht, durchschlängelt von dem
silbernen Bande der Etsch. Auf einem Bauernhofe dabei erhält
man Erfrischungen. Hier haust der abgeschiedene Geist eines
Mädchens, das von diesem Hofe stammte. Sie wurde von ihrem
Liebhaber aus Standesrücksichten treulos verlassen und starb vor
Gram. Wenn der Abend dämmert, sitzt sie oben am Felsen, weh-
müthig hinabschauend in das Land, zu der Burg, in der ihr Ver-
räther wohnte; sie schwebt dann leicht wie eine Wolke über die
Höhen; lässt sie sich auf dem Ifingerspitz nieder, so gibt es Gewitter. — Das Dorf *Hafling* (4069'), 82 H., 436 E., gute Unterkunft beim Kuenten, scheint rhätischen Ursprangs zu sein. Hauptgeschäft ist Lieferung des Holzes zum Weinbau in das Etschthal
und Viehzucht; Getreide kaum zum eigenen Bedürfniss. In geognostischer Hinsicht merkwürdig ist das Steinkohlenlager von hier

bis zum Ifingerspitz. Der schöne Wasserfall ist von prächtigen Feuerlilien umwuchert. Ueber das *Kreuzjoch* (6421'), 4½ St.
nach Sarntheim.

Das *Spronzer Thal*, obwohl in das Passeier mündend, wird
am besten vom Dorfe *Tirol* aus besucht, weil fast der ganze untere Theil zwischen unzugängliche, wildaufragende Wände ein-
geklemmt ist. Vom Schloss *Tirol* kommt man zunächst zur noch
erhaltenen Burg *Auer*, Kuens gegenüber. Die Besitzer waren ursprünglich die unter Margaretha mächtigen Herren v. Auer. Unter Baiern starben die letzten Besitzer, die Stachelburger, aus und
der König schenkte es der Witwe. Gegenwärtig ist in Besitz der
Baron Schneeburg. In der Kapelle wird Messe gelesen. Am wild-
rauschenden Bache hinan kommt man zum letzten Bauernhofe,
wo noch Getreide wächst. Nur kurze Zeit durchwandert man den
Schatten des Waldgürtels und betritt darauf das hohe umgrünte
Alpenthal. An dem kleinen See vorüber geht es steil hinan zu
einem höheren Alpenboden, in dessen Ebene mehrere Hochseen
umherliegen: der *Kesselsee*, rings von Granitfelsen ummauert,
nährt in seinen hellen, grünen Fluten köstliche Saiblinge; grösser ist der *Langsee*, welcher ebenfalls zuletzt zwischen Felsen eingeengt wird. Ausserdem gibt es noch einen *Schwarzen See*, *Kai-
ser-* und *Milchsee*. An den Wänden des *Kesselsees* hinan führt der
Steig zum nahen Joch, neben dem *Dreng-* und dem *Ehrenspitz*
vorüber, wo die Eisspitzen des Oetzthales herüber leuchten. Jenseits des Joches geht es am *Lazinser Bach* hinab in das Thal *Pfelders*, den letzten Seitenzweig des Passeierthales (s. S. 144). *Plan*,
der letzte Ort in Pfelders, gehörte sonst kirchlich nach St. Peter
bei Algund, und deshalb mussten die Leichen diesen Jochsteig
nehmen.

Das Passeierthal

zieht sich von *Meran* in nordöstl. Richtung in das Urgebirge hinein; die mittlere Erhebung von *Meran* bis *Schönau* beträgt 3092';
bei *St. Leonhard* wendet es sich rechtwinkelig fast westl., theilt
sich dann bei Platt in 2 Aeste, einen nördl. und einen südwestl.,
nach Plan, welch letzterer fast wieder parallel mit dem unteren
Thale läuft und dessen oberstes Ende nach 9 St. doch nur wieder
durch ein Joch von Meran getrennt wird. Von *Meran* gehen wir

zum Passeierthal hinaus und erreichen in ¼ St. den tiefen Einschnitt des *Finelebaches*, das *Fineleloch* genannt; der Bach kommt hoch vom *Spronzer Thal* herab, begrenzt hier die Rückseite des *Küchelbergs* und bildet den letzten westl. Nebenbach der *Passer*. Kurz vorher kommt man am *Melaunhofe* vorüber, einem alterthümlichen Gebäude, einst einer Gerichtsstätte; über der Hausthür ein Pfeil in Stein gehauen, ehemalige Kerkerräume. In der Tiefe der Schlucht umschatten ehrwürdige Kastanien, von kahlen und sonderbar gestalteten Erd- und Felsenwänden überragt, wenige Hütten und eine Kapelle. Jenseits hinaussteigend kommt man nach *Kuens* oder *Khuens*, dessen Gemeinde von dem heil. Corbinian, Bischof von Freisingen, gestiftet wurde. Auch sein Leichnam war eine Zeitlang in St. Valentin beigesetzt. Von dem hochliegenden Pfarrhause hat man eine herrliche Aussicht hinaus in das weite, üppig grünende Etschthal. Wer nicht ins *Passeierthal* weiter vordringen will, wähle diesen sehr lohnenden Umweg zur Burg *Tirol*. Der Pfarrer von Kuens, Joseph Thaler, ist als Dichter und Alterthumsforscher bekannt.

¼ St. weiter thaleinwärts liegt, ebenfalls auf der unteren Stufe der rechten Thalwand, das Dorf *Riffian*, 150 H., 706 E., mit einer Wallfahrtskirche *St. Maria* (1710'); höher *Vernur* (3487'). Dann geht es hinab nach *Saltaus*, unweit der Mündung des *Saltauser Baches*, der von der rechten Thalwand aus einem Hochthale, dem *Valtmaunthale*, herabkommt und dem sehr hochgelegenen *Fabeser See* entrauscht. *Saltaus* (1560'), gutes Wirthshaus, war einst ein Schildhof (s. S. 146). Sein gegenwärtiger Besitzer ist der bereits genannte ehemalige Meraner Bürgermeister Haller, dessen Kunstsinn und Patriotismus man hier bewundern lernt. Bedeutende Summen hat derselbe bereits auf den inneren und äusseren Ausschmuck dieses altehrwürdigen Gebäudes verwendet, und dadurch diesem Thale, dessen Eigenthümlichkeiten ohnehin von hier an erst beginnen, eine seiner neueren Geschichte würdige Eingangspforte errichtet. Der grosse Saal mit reichem Schnitz- und Täfelwerk, altdeutschen Möbeln, mächtigen Humpen, herrlichen Fresken, zahlreichen Emblemen und Denksprüchen ist eine Schatzkammer der Landes-, Kunst- und Kulturgeschichte. Wie man vermuthet, steht *Saltaus* auf der Stelle einer römischen An-

siedelung; gewiss ist, dass es als uralte Behausung schon im
11. Jahrh. bekannt war und dann im wechselnden Besitze adeli-
ger Herren sich befand, urkundlich um das J. 1500 der Kolben,
dann der v. Lingen, der v. Schneeburg, welche den Ansitz umbauten und zu einer Sommerfrischwohnung herrichteten. Später
wurde es an die von Sterzing nach Passeier eingewanderten Haller verkauft. Hoch oben am Gebirge liegen die letzten Höfe,
Vernuer genannt; ihre einsame, öde Lage hat sie zum Sitze mancher Sagen gemacht. Hier herum ist die Heimat der Nörglen
(Berggeister), die bald als neckende, bald als wohlthätige Geister
auftreten; in der Nähe die *Nörglhöhle;* die grosse Felsplatte vor
derselben, mit Kreuzen bezeichnet, war einst der Deckel eines
grossen Schatzes, dessen mit Gold gefüllte Gefässe in einer Nacht
versanken. Der Wein von Riffian wird in Meran als Tischwein
geschätzt. Hier ist eine düstere Enge des Thales und zugleich
eine Stufe desselben. Nach dieser Enge beginnt das *Passeierthal*
im engeren Sinne; hier hört der Weinbau auf, bis hierher dringt
die Nachtigall thaleinwärts vor, hier endlich vereinigen sich die
3, von Meran hinaufführenden, Wege zu einem. Der zweite Weg
führt nämlich unten in der Tiefe des Thales fort, ist aber nur bei
gutem Wetter gangbar, weil die untersten Absätze der Thalwände
durch die früheren Seeausbrüche so untergraben wurden, dass sie
abschurrten und bei nassem Wetter nicht nur durch Abrollen von
Steinen, sondern auch da, wo Bäche herabkommen, durch Muren höchst unsicher werden. Auch überflutet oft, zumal Ende
August, wo die Wasser von allen Seiten abrinnen, die *Passer* den
ganzen Boden, der daher auch nur zu Wiesen benutzt werden
kann. Der dritte Weg, eigentlich der schönste, obgleich auch
nicht fahrbar, führt bei *Meran* über die feste Passerbrücke auf deren linkes Ufer und dann hinan nach dem uns schon bekannten
Schönna, von wo sich der Weg auf der unteren Bergstufe über
Steinbach und *Verdins* in getreidereicher, sehr fruchtbarer Flur,
in der das kräftige *Eisenbad* liegt, fortzieht. Zu einem Seiten-
ausfluge lockt hier der *Ivrennerspitz* (9321'), der höchste Punkt
der östlichen Thalwand, mit umfassender Rundsicht (Führer in
Schönna, noch besser in Schweinsteg). Am verheerenden *Ma-
salbach* steigt auch dieser Weg hinab nach *Saltaus.* Von *Sal-*

taus führt er bald auf der einen, bald auf der anderen Seite des
Baches thalaufwärts; die ganze Bevölkerung hat sich auf die
fruchtbaren Bergabhänge hinaufgezogen, die Verheerungen der
Passer meidend. Bald darauf kommt das *Grafeisthal* herab, welches öde und von seinem Bache verheert ist. Ihm gegenüber öffnet sich das schönere *Kalmthal,* neben dem sich zu beiden Seiten
fruchtbare Hügel erheben, auf welchen rechts der Schildhof des
Kallbauers, links der Hof des Passeirers liegen; letzterer ist
wohl der älteste Ansitz im ganzen Thale, und hier befinden sich
auch noch bedeutende Ueberbleibsel alter Thürme, die dereinst
einer ausgedehnten Burg angehört haben müssen. Unweit des
Einganges bildet der *Kalmbach* einen schönen Wasserfall, umschattet von Laubholz und überragt von schroffen Gebirgen. Die
berüchtigste Thalstelle, die *Kellerlahn* auf der Ostseite, sendet
bei nassem Wetter ihre Schlammströme oder nassen Muren herab,
durchschnittlich $\frac{1}{4}$ St. breit. Der Berg scheint oben abgerissen.
sich herabgesetzt und dabei aufgelöst zu haben; der oberste
Theil ist ein Tobel, eine Art Krater, in welchem sich der
Schlamm sammelt, bis er die Höhe des Einschnittes im Westrande erreicht und nun, gleich der Lava, überfliesst. Ein un-
vorsichtiger, 1678 hier oben im Brantacher Walde vorgenomme-
ner, Holzschlag, welchem 1680 eine den Boden aufreissende Lawine folgte, war die erste Veranlassung. Bei nassem Wetter wird
die Masse flüssig und senkt sich zur Tiefe in die Passer; dann ist
es gefährlich, über diesen Schlammgletscher oder diese Schlamm-
lava hinzugehen; man sinkt tief ein und schon mancher hat sein
Grab darin gefunden. Die reissende Wuth der *Passer* führt aber
fortwährend, was die *Kellerlahn* in sie hinabdrängt, schnell hinaus ins Etschthal; und da diese Schlammerde sehr fruchtbar ist,
so sind solche Schlammüberschwemmungen der Passer bei Meran
segenbringend, wie die Nilüberschwemmungen. — Der nächste
Ort, den wir wieder im Thale antreffen, ist *St. Martin* (1902').
277 H., 1625 E., mit einer Kirche; darüber das Schloss *Steinhaus,*
einst ein S c h i l d h o f, dann den Herren v. Steinhaus, Niederthor,
Khuen und Grafen v. Mohr, Zinnenberg und dem Stift Marienberg, jetzt zur Verlassenschaft des Seb. Prünster gehörig. Auf
der Bergwand gerade gegenüber, die *Hohe Mart* genannt, liegt

der *Pfandlerhof*, in dem sich Hofer vom Novbr. 1809 bis 20. Jan. 1810 versteckt hielt, und $\frac{3}{4}$ St. höher die Alphütte (jetzt *Hoferhütte*), in welcher er am 28. Jan. 1810 um 4 Uhr Morgens gefangen wurde. Auf dem Wege hierher blieben rechts hoch oben am Gebirge die Orte *Schweinsteg* und darüber *Prenn*, wegen seines trefflichen Trinkwassers ein Sommerfrischort von Meran.

Der Weg geht von hier auf dem rechten Ufer des Baches noch $\frac{1}{4}$ St. fort bis zum *Sand*, von einer Kiesanhäufung der *Passer* so genannt; ein Steg führt hier über den Bach zu dem jenseits liegenden berühmten *Sandwirthshaus*, der Wohnung Andreas Hofers. Jetzt lebt nur noch ein Enkel von ihm, Andrä Hofer, der sich wenig um den Sandhof bekümmern soll, aber nicht in der Heimat, sondern zu Amstetten in Unterösterreich; er ist fideicommissarischer Besitzer des an Joh. Hasler verpachteten Hofes. Man findet hier noch einige Andenken an den Märtyrer und im alten Fremdenbuche manches Anziehende. Ursprünglich hiess das Haus der *Sandhof* und gehörte den Herren v. Passeier, dann den Herren v. Fuchs; 1607 wurde er ein Lehen des Christian Pirpamer. Von diesem ging er an die Hafner, die einzige noch adelige Familie in Passeier, über. 1664 trat in Besitz die Familie Hofer, von Platt (s. S. 144) stammend, mit Kaspar Hofer, welcher 1698 die nahe *Sandkapelle* gestiftet hat. Dieser war der Urgrossvater unseres Helden, der am 22. Novbr. 1767 geboren wurde. Sein Vater hiess Joseph H., seine Mutter Maria Aigentler. Er hatte noch 3 ältere Schwestern. Seine Mutter verlor er bald und seine Stiefmutter wirthschaftete schlecht. 1789 übernahm er das Gut und heirathete die Anna Ladurner aus Algund. Sein Geschäft, Wein-, Branntwein- und Viehhandel, wie das Saumgeschäft über den Jaufen, war lebhaft, er selbst nicht haushälterisch, aber freigebig und edelmüthig, nie unmässig; seine Gestalt war stattlich und er selbst als Robler gefürchtet. Er war fromm, doch ohne Frömmelei. Berühmt war sein schöner, weit herabreichender Bart, den er wie ein Muselmann schätzte. Er hinterliess einen Sohn, Johann, und 3 Töchter, Maria, Rosina und Gertrud. — Das *Haus am Sand* wird jetzt von einem Pächter, Joh. Illmer, bewirthschaftet, gut, freundlich und billig. Hofers Kleidung wird dort noch aufbewahrt und gezeigt, sowie die

letzten, 4 St. vor seinem Tode geschriebenen, Worte: „Ade, mein
schnöde Welt, so leicht schwebt mir das Sterben for, dass mir nit
die Augen nass werden."

Hinter dem *Sand* zeigt sich *St. Leonhard* (2125'), mit Schweinsteg, Prenn und Walten 324 H., 2109 E., der Hauptort des Thales, daher, wie oft in den Alpen, auch *Passeier* genannt. Die
Pfarrkirche ist 1177 gestiftet, 1235 von K. Friedrich II. den
deutschen Ordensrittern überlassen, auf welche auch ein altes
Schlachtgemälde im Stroblwirthshaus hinweist. Hier ist der Sitz
des Gerichtes, 4 St. von Meran. 3 gute Gasthäuser: Witwe M. Rie-
der, Strobel (Einhorn), Jos. Holzknecht (der Brühwirth). Der
Förster, Herr L. Schnitzer, gibt Reisenden mit grosser Gefällig-
keit Aufschlüsse und Rath. Der etwas höher liegende Gottesacker war im Kampfe gegen die Franzosen ein fester Anhaltpunkt
der Franzosen, wurde aber von den Passeirern am 22. Novbr.
1809 genommen — die letzte glückliche Waffenthat der Tiroler.
Nicht weit vom Orte liegt das Bad *Zögg* oder *Fallenbach*. Ueber
dem Orte erhebt sich auf einem Hügel die alte *Jaufenburg* (2343');
einst der Sitz der Herren v. Passeier, kam sie später durch Heirath an die Herren v. Fuchs; jetzt ist ein Bauer Eigenthümer der
grösstentheils verfallenen Burg, welche eine herrliche Aussicht
gewährt, deren Reiz erhöht wird von dem Durchblick durch das
ganze untere Thal und hinaus in die sonnigen, lachenden Gefilde
des Etschthales, von wo Lebenberg herüberglänzt. Gerade wie
die Burg Tirol in dem Winkel des Etschthales liegt, so die *Jau-*
fenburg in dem hier sich rechtwinkelig nach Westen umbiegenden *Passeierthale*, daher eine doppelte Durchsicht nach Süden
und Westen. Von Osten mündet das *Waltenthal* gerade in diesen
Winkel, mit dem kleinen Orte *Walten*, wo man auch übernachten
kann. Durch dieses, oder eigentlich auf dem nördl. Abhang desselben, führt der schon aus den frühesten Zeiten bekannte Saum-
schlag über den *Jaufen* (6643') gegen 2 St. fort und steigt dann
steil, das Thal rechts unter sich lassend, hinauf zum Joche. Auf
der zweiten Bergstufe aus dem Thale liegt das diesseitige *Jaufen-*
haus, ein Tauernhaus; das jenseitige *Jaufenhaus* ist ein behagliches Wirthshaus mit reizenden Umgebungen, ⅓ St. unter dem
Joche. Die ganze Strecke von St. Leonhard bis Sterzing ist 7 St.

weit. Der Name dieses, den Römern bekannten Alpenpasses wird
von (Mons) Jovis abgeleitet. Diesseits ist der *Jaufen* viel steiler,
als jenseits (Leonhard 2125' am Südfusse, Sterzing am Nordfusse
2995'), wo kurz nach dem ersten Absturz sich der Steig theilt,
links nach *Radschinges* an den Abhängen dieses Thales hinab nach
Sterzing, rechts dagegen noch einen kleinen Rücken übersetzt und
dann durch das *Jaufenthal* ebenfalls nach *Sterzing* bringt. In geschichtlicher Hinsicht ist der *Jaufen* noch merkwürdig, weil ihn
Ludwig der Baier mit seinen 3 Söhnen überstieg, um seinen dritten Sohn, Ludwig den Brandenburger, mit Margaretha zu ver-
mählen; in seinem Gefolge befanden sich 2 Herzöge und 3 Bischöfe, von denen der Bischof von Freising auf dem Rückweg hier
den Hals brach. Jetzt, nachdem die Strasse durch das Eisackthal gebrochen, übersteigen ihn nur noch Obsthändler und andere,
welche den kürzesten Weg zum Norden suchen. Der oberste
Theil des *Waltenthales* heisst *Wans* und biegt sich wieder südostwärts. Durch dasselbe führt ein Jochsteig in 6½ St. nach *Pens* im
obersten Sarnthal. — *Jaufenspitz* (7848'). —

Von *St. Leonhard* wendet sich das *Passeierthal* westl.; diese
Strecke beträgt 2 St. Der Weg, *Grafeilweg* genannt, wurde 1730
auf Aktien gebaut, deren Verzinsung durch einen Zoll gedeckt
wird, der fast in der Mitte zwischen St. Leonhard und Moos beim
Zollhäuschen *Grafeil* von passirenden Menschen und Vieh erhoben wird. Die *Passer* rauscht links in der Tiefe. Noch immer
sind, besonders die nördl. Thalwände, auf ihren Stufen bevölkert
und angebaut; heiter lachen die zerstreuten Bauernhöfe der beiden Gemeinden *Glait* und *Stuls* von den luftigen, sonnigen Höhen
herab in die Schatten des tiefen Thales. Der Steig nach *Glait*
zieht 1 St. empor, an schwindelnden Stellen vorüber. Zum *Kreuzjoch* 3 St. *Kreuzspitz* (7843'). Am Ende dieser Strecke theilt
sich das Thal in 2 Arme; rechts geht es ins *Hinterpasseier* nach
Moos (3217'), mit Stuls 151 H., 787 E. Guter Gasthof bei Jos.
Hofer. Von *Moos* sagt das Sprichwort: zu Moosa zerschiepen
die Katzen und Geier. Denn seit 1658 sind 300 Menschen durch
Stürze vom Gebirge beim Grasmachen umgekommen. Zwischen
hier und *Rabenstein*, der letzten Gemeinde im *Passeierthal*, hatte
sich durch Bergstürze 1404 vom *Gspellerberg* ein grosser Damm

gebildet, welcher die Passer zum *Kummersee* schwellte, dessen
Ausbrüche 1419, 1503, 1512, 1572, 1721, 1772 — 74 für ganz
Passeier, besonders aber für Meran, so verderblich waren. Durch
den letzten Ausbruch hat sich der See völlig entladen und an seiner Stelle findet man einen grünen, üppig überwucherten Thalboden. Vom oberen Ende desselben, beim *Seewirthshaus* vorbei,
geht es steil und holprig aufwärts, z. Th. über eine am Felsen
hangende Wegbrücke nach *Rabenstein*. Bei den letzten Häusern,
Schönau (4862') genannt, wo man an den Söhnen des Wirthes
gute Führer findet, theilt sich der Weg dreifach: in der bisherigen Richtung geht es am *Moosbache* steil aufwärts in das Gebiet
der Alpen und dann links hinan auf das *Timmeljoch* (7848') und
jenseits am Timbler Bache hinab nach Zwieselstein im Oetzthale;
von Moos bis Zwieselstein 6 St. (s. Th. II, S. 108). Von diesem
Jochsteige führt rechts ein Seitenweg in ein hohes Alpenthal,
rings umlagert von majestätischen Eisgebirgen; hier oben unter
dem *Scheiblahnberg* und dem *Hohen Ferner* entspringt aus einem
kleinen See die *Passer*. Von diesem Eisgebirgsstock laufen die
Thäler strahlenförmig aus: südl. nach dem Passeier-, östl. zum
Eisackthal durch Ridnaun, nördl. zum Stubaythal. Bei *Schönau*
kommt von Südwesten herab das *Süberthal*, durch welches selten
begangene Jochsteige nach Gurgl nördl. und südl. nach Pfelders
(s. S. 144) führen.

Einer der belohnendsten Ausflüge, der, obgleich weiter, zugleich als Reise von St. Leonhard nach Sterzing der Uebersteig-
ung des Jaufen vorzuziehen, führt über den *Schneeberg* (8259').
Man versteht darunter im bergmännischen und auch jetzt im gewöhnlichen Leben nicht sowohl eine Bergspitze, als ein ganzes
bergmännisches Gebiet, wo sonst ein starker Bergbau getrieben
wurde, ohngefähr das ganze obere und höchste Berggebiet im
Osten des Rabensteiner- oder Hinter-Passeierthales, und im Westen des obersten Ridnauner Thales. Im engeren Sinne versteht
man eine ohngefähr 7800' hohe Hochebene darunter, welche mit
Ausnahme südl. nach Passeier von einem hohen Felsengrat umgürtet ist, aus welchem der *Schwarzenseespitz* als höchster Berg
mit Schnee bedeckt aufragt. Südl. setzt ausserhalb dieses hohen
Felsenringes der Rücken fort, ein Joch bildend, über welches ein

Steig führt, von Rabenstein nach Ridnaun; südl. desselben erhebt sich der hohe *Schneeberg* (8612') im engsten Sinne als drei-
kantiger Felsenberg, der jedoch seinen Namen davon zu haben
scheint, dass er keinen Schnee trägt. Die Hauptmasse des ganzen *Schneebergs* besteht aus Glimmerschiefer, auf den am Schwarzenseespitz krystallinischer Kalk und am Schneeberge Hornblendeschiefer aufgesetzt ist. Die sonst sehr ergiebigen Gruben lieferten Silber-, Blei- und Kupfererz, und Sterzing war der Hauptsitz der Bergbeamten; jetzt hat der Reichthum so abgenommen,
dass nur noch 50—60 Knappen in den alten Halden auf eigene
Kosten gegen eine geringe Abgabe herumwühlen. Auf dieser
Hochfläche liegt *St. Martin* (5596'), darüber die hübsche *Frauenkirche*, wo am 5. August, am Feste Mariä Schnee, sich Pilger von
allen Seiten hier einfinden, aus Passeier, Ridnaun, Radschinges
und Sterzing, um hier die höchste Kirchweih im Lande zu feiern.
Das 200jährige Fremdenbuch im nahen Gasthaus bietet manchen
Stoff zur Unterhaltung. Von *Schönau* steigt man steil empor zur
ersten Alpe, welche eine schöne Aussicht hinab ins hintere Passeierthal gewährt, dann geht es auf der Höhe hin, rechts in
der Tiefe das *Schönalpenthal* lassend, bis zur nächsten Alpe, von
wo der Steig schnell und steil emporklimmt zur Schneebergflä-
che, während rechts ein Jochübergang unmittelbar nach Ridnaun
bringt. Herrlich und grossartig ist die Aussicht hinab gegen Passeier und auf die hinter einander aufgethürmten Eisgebirge des
Oetzthales. Bequemer ist der Abstieg nach *Sterzing* durch das
Thal Ridnaun, wohin anfangs ein Doppelweg führt, welcher sich
dann vereinigt. Der eine setzt östl. über die Bergkante als Jochsteig und belohnt auf seinem Rücken durch die Doppelaussicht,
westl. auf das Oetzthaler Eisgebirge und östl. auf die Pusterthaler
Bergwelt. Der andere Weg ist 1 St. kürzer und führt durch einen
grossen und hohen Knappenstollen, welcher den höchsten Kamm
durchsetzt und selbst für Saumrosse gangbar ist. Beim östl. Austritte wird man dann durch die anders gestaltete Bergwelt des Pusterthales überrascht. Lohnender, bequemer und überraschender
ist es immer, diesen Weg von *Sterzing* herauf zu machen.

Wir kehren durch *Hinter-Passeier* zurück nach *Moos*, um
auch den letzten Thalzweig vom *Passeier* zu besuchen, nämlich

Pfelders. Schon von *Moos* aus blickt man südwestl. ip den zweiten obersten Thalast von *Passeier*, in das Thal *Pfelders*, und gerade an der Ecke des Thales, wo es sich südwestl. umschlägt, leuchtet die Kirche von *Platt* herab. Die Thalsohle dieses Thales liegt bedeutend höher, so dass der Bach, so tief er sich auch an seinem Ausgange eingewühlt hat, doch zuletzt nur durch einen grossen Sturz, den schönen *Platter Fall*, in die Tiefe des Passeierthales gelangen kann. Nach Besichtigung dieses schönen Wasserfalles steigt man hinan nach *Platt* (3619'), mit Pfelders 117 H., 568 E. Da das Wirthshaus nicht genügt, kehrt der Fremde bei dem gastfreundlichen, gebildeten und mit seiner Gegend vertrauten Pfarrer ein. In der Kirche schöne Altarbilder. 2 St. weiter hinan, in einer Erweiterung des Thales, liegt der Hauptort *Pfelders*, aus 3 Häusergruppen, *Plan*, *Stein* und *Zeppüchel*, bestehend. Da in *Plan* (5130') die Kirche ist, so heisst es als Hauptort auch *Pfelders*. Trotzdem, dass die Bewohner nichts übrig haben, gibt es keine Bettler. Da es früher nur ein Jagdbezirk der Grafen v. Tirol und von Jägern bewohnt war, so gehörte es in kirchlicher Hinsicht zu St. Peter bei der Burg Tirol.

Aus dem Thale gehen 4 — 5 Wege über verschiedene Joche, wozu man Führer in Moos findet: 1) ins Oetzthal nach der Theilung des Thalwegs vor dem innern (nicht dem innersten) See ganz rechts, *Hochwild-* und *Falschungspitz* bleiben links, über das beeiste *Langthaler Joch*, 1¼ St. theils auf, theils neben dem Gletscher zum *Gurgler Eissee* und von da in 1½ St. nach *Gurgl* (von Plan bis Gurgl 6½ — 7 St.); 2) ins *Pfossenthal* über den *Hochwildgrat*; 3) nach Dorf *Tirol* s. S. 135; 4) nach *St. Martin* in *Passeier* von der *Planeralpe* über das *Grünjoch* oder von *Plan* durchs *Falschmarthal* über den *Steinwandgrat* und durchs *Kalbenthal*.

Die schmale Thalsohle des *Passeierthales* kann wegen der häufigen Ueberschwemmungen nur zu Wiesen benutzt werden; aller Anbau ist daher auf die Bergwände hinangerückt, und wegen der Fruchtbarkeit des Bodens und der Wärme des Klimas nicht unbeträchtlich für ein solches Alpenthal. Bis zur ersten Thalenge hinein, bei *Saltaus* und *Prenn*, wird ein guter und selbst im Etschthal gesuchter Wein gebaut. Der Getreidebau ist in nicht zu trockenen Sommern sehr ergiebig. Roggen ist das meiste

Getreide, wird aber auch gewöhnlich für andere Bedürfnisse ausgeführt, indem das nach der Roggenernte gesäete und noch eingeerntete Haidekorn die Hauptnahrung der Thalbewohner ist. Die Viehzucht und Viehmast ist beträchtlich. Das Vieh wird in grossem Umkreis, selbst im Auslande, eingekauft, gemästet, Martini, Katharina und Thomas nach Meran getrieben und hier geschlachtet. Ganz Meran gleicht dann einem Schlachthause, im widerlichen Gegensatz zu seiner reizenden Gegend. Aus der ganzen Umgegend strömt alles nach Meran, um Fleischeinkäufe zu machen. Auch das Holz macht einen Erwerbs- und Handelszweig für das Thal aus, und zwar Holz für den Ofen, wie für den Weinbau. Leinwandbleichen in St. Martin; Leinwand- und Flachsverkauf, Kalkbrennereien aus den Geschieben der Passer; der Kalk wird sehr gesucht; Obsthandel zwischen Meran und Baiern über den Jaufen.

Geognost. und Mineral. Im Eingang Granit, dann Thonglimmerschiefer, und bei Schönna weisser Glimmerschiefer mit Granat. Den Glimmerschiefer unterbricht der Granit bei St. Martin, auch am Fusse des Jaufen. In Pfelders, oberhalb Moos, Züge von Marmor und Hornblendschiefer. — Mannigfache Mineralien, z. Th. von unbekannten Fundorten, so von Quarzgängen in Hornblendschiefer. Zoisit verwachsen mit braunem Epidot, begleitet von Albit, Calcit, Talk, seltenem Titanit und noch seltenem Zirkon, Karinthin mit Granat, gestreiftem Rutil, Fuchsit im Dolomit; Cyanit mit Hornblende, Glimmer, Feldspath, Granat und Titanit: am *Schneeberg* interessante Lagerstätten von Bleiglanz, Blende, Kupfer- und Magnetkies mit Kupferlasur und Kieselkupfer, begleitet von Granat, Anthophyllit, Grammatit, Quarz und gemeinem Asbest, Amianth und Bergholz, worin die Erze z. Th. eingebettet liegen. Im Glimmerschiefer selbst Staurolith und Granat.

Flora. Aus dem Etschthale dringt noch Fraxinus Ornus ein. Zwischen St. Leonhard und Moos: Siler trilobatum: auf Mauern: Sedum annuum; zwischen Moos und Rabenstein: Phyteuma Scheuchzeri, Koeleria hirsuta; im Gletschergries oberhalb Moos: Draba stellata, Phaca australis, Oxytropis montana, campestris, Astragalus alpinus; am Wege zum Timblerjoche: Phaca frigida, Oxytropis uralensis, Androsace glacialis, Salix myrtilloides, Jacquinii, Lapponum neben einander. Am *Schneeberg:* Cardamine alpina, Ranunculus glacialis, Tozzia alpina, Primula villosa. Am Joch vom Oberstickl im Sarnthal nach Passeier: Ranunculus pyrenaeus, Alchemilla alpina, Luzula spadicea. Am *Jaufen:* Epilobium alpinum, Saxifraga Clusii, Kobresia caricina. Auf dem Hochgebirge: Edelweiss und Edelraute.

Die Passeirer gelten für den schönsten und kräftigsten Menschenschlag Tirols, besonders die Männer, ähnlich den Zillerthalern. Ihre Jacke ist braun, die Aufschläge roth vorgestossen,

der breitkrämpige Hut schwarz, mit Schnüren und Federn geschmückt; die schwarzen Lederhosen reichen, wie bei den meisten Hochländern, nur bis ans Knie; der meist lederne Hosenträger ist breit, sehr breit der lederne gestickte Gürtel. Das weibliche Geschlecht wird im Feststaat auch hier durch die grosse
blaue, weisse oder schwarze Zottelhaube verunstaltet. Gutmü-
thige Redlichkeit, Frömmigkeit und Vaterlandsliebe sind Haupt-
zierden des Passeirers. Die Passeirer waren von jeher der Kern
der kriegerischen Unternehmungen im Lande; sie bildeten die
Garde, um welche sich das andere kühne Schützenvolk schaarte.
Die Passeirer hatten schon aus uralter Zeit eine feste, freie Gemeindeordnung mit öffentlichen Gerichten, nach dem Ausspruche
der Eidgeschworenen, welche frei aus ihrer Mitte gewählt wurden.
Ihr Richter musste ein Thalmann sein. Die besseren Bauernhöfe
des Thales bis zum Jaufen waren S c h i l d - oder S c h i l t h ö f e,
durch Eckthürme ausgezeichnet und mit Vorrechten (Steuerfreiheit, Waffenfähigkeit, Jagd- und Fischereigerechtsamen und Un-
pflichtigkeit zu Gemeindeämtern). Sie mussten den Hofdienst im
Schlosse Tirol versehen. Im Kriege führten sie die Küche und
Kammer des Landesfürsten und waren geborene Kämmerer der
Grafschaft. Als am 20. Aug. 1838 Kaiser Franz den Enkel Hofers mit dem Sandhof belehnte, thaten die Schildhofbesitzer zum
letzten Mal Dienst auf Schloss Tirol. Noch zählt man 11 solcher
Höfe. Aus diesen Gründen zog sich auch bald der'Tiroler Adel
in dieses Thal, aber Vorrechte und Adel sind jetzt nicht mehr
von Bedeutung.

Auch der Menschenschlag der Umgegend von Meran ist schön
und kräftig, hier aber mehr das weibliche Geschlecht. Die Tracht
ist der Passeirer ähnlich. Auch hier ist bei den Bauern ein grosser Gesindestand, der, da man hier im Gegensatz von Welschtirol
viel und verhältnissmässig gut isst, einen Theil des Einkommens
verzehrt. 5 Mahlzeiten werden gehalten, und die 4 letzteren mit
Wein, da man trotz der Güte des Wassers nicht viel auf dasselbe
hält; dazu kommen die vielen Feiertage, so dass man jedes dritte
Jahr als ein Feierjahr berechnet hat. Merkwürdig ist, dass, während im übrigen Deutschland der südliche Weinländer viel heiterer und aufgeweckter ist, als der Nordländer, das hiesige, sehr

weinreiche Volk still und ruhig, selbst bei Volksfesten wenig aufgeweckt ist, der Bewohner der nördl. Alpen dagegen bei dem geringsten Anlass lustig aufjauchzt und, trotz der grösseren Kärg-
lichkeit des Bodens, bei fetten Mehlspeisen, frischem Wasser,
Schnaps oder Bier alles Sang und Klang ist, von den tiefgelege-
nen Hütten der Thäler bis hinauf zu den Gletschern, wo die Sennerin herabjodelt. Man denke nur an die armen Bewohner des Salz-
kammergutes und ihre von Jauchzen durchtönten rauhen Kalk-
wüsten, oder an das Zillerthaler Volksleben. Doch an Sagen,
Märchen und anderer Volkspoesie fehlt es auch hier nicht.

Hauptgewerbe der Umgegend Merans ist der Weinbau an den
Höhen. Im Allgemeinen nimmt man an, dass hier und bei Bozen
von 50 Quadratklaftern Bodenraum 2—2¼ Eimer gewonnen werden. Der Weinbau ist kostspielig, weil er in Gestalt weithin lau-
fender Laubengewölbe getrieben wird, unter deren schattendem
Dache man hingeht. Solche Lauben heissen hier P o n t a u n e n
(ital. pontone), bei Bozen B e r g e l n (pergola); sie sind 6 Fuss
über den Boden erhaben und ruhen auf S ä u l e n, welche durch
S t a n g e n, T r a g e r und S t a l l e i n e verbunden sind. Man
rechnet die Kosten für die ganze Anlage eines Jochs Weingrun-
des, und zwar bloss jenes Tragwerkes, zu 530 Fl. Die Wein-
preise sind, wie auch anderwärts, nach Lage und Jahr verschieden; früher waren sie sehr niedrig, sind aber seit dem Einbruch
der Traubenkrankheit in diese Gegenden sehr gestiegen, von 3—
10 Fl. für die Yhre (Ohm) auf 20—30 Fl. Dieser Miswachs des
Weins hat dem Lande grosse Verluste zugezogen, und jetzt fehlt
es an Absatz. Das weinbauende südl. Tirol verkauft zwar einen
Theil seines Weines nach Nordtirol und in die höheren Thäler,
muss aber dagegen, da in weinreichen Gegenden der Getreidebau
gering ist, dieses aus jenen Gegenden beziehen. — Der Obstbau
könnte bei dem trefflichen Klima viel mehr abwerfen, wenn er
mit grösserem Fleisse betrieben würde. Die früher mit Sorgfalt
angelegten Obstpflanzungen sind verwildert, liefern aber dennoch
auch in diesem Zustande noch die edelsten Obstarten, die weithin,
sogar bis Petersburg, verführt werden, und beweisen, was gelei-
stet werden könnte. Dieses gilt besonders von den Aepfeln, unter denen die Maschanzger, Muskateller, Rost- und vor allen die

10 *

herrlichen Rosmarinäpfel, rothe und weisse, oben an stehen. Ein
Obstgartenbesitzer nimmt von seinen Aepfeln, welche, wie die
Weine von den Weinhändlern, schon im Frühjahr noch am Baume
von Obsthändlern gekauft werden, jährlich 200—300 Fl. ein. Die
Pfirschen werden Mitte August reif; es gibt Nager, deren Fleisch
vom Kern abgenagt werden muss, Muskateller-, Blut- und Quit-
tenpfirschen. Da sie schnell verderben, werden sie als Pfir-
schenschnitzen gedörrt und kommen so in den Handel. Der Getreidebau ist hier in die höheren Gegenden und Seitenthäler verbannt; diese Gegenden stehen sich daher besonders bei ungünsti-
gen Weinjahren besser. — Die Viehzucht ist beträchtlich und gehört zu den zuverlässigsten Einkünften der Bauern um Meran.
Hierzu tragen besonders die herrlichen Wiesen des Etschthaler
Bodens viel bei, die durch die Passer gedüngt werden; sie sind
drei- und vierschürig (Heu, Grummet, Pofel und Nachpofel);
doch auch, wo der Nachpofel gemäht wird, wächst noch gutes
Gras zur Weide. Auf den Wiesenbau verwendet man viel Fleiss.
Der Milchnutzen wird nur zum eigenen Bedarf gewonnen und
hauptsächlich auf Galtvieh (Zucht- und Mastvieh) gehalten. Jeder
Bauer hat im Durchschnitt 24—40 Stück Grossvieh.

Noch muss hier zum Schlusse der Flurwächter, S a l t n e r
genannt, erwähnt werden wegen ihrer sonderbaren Tracht; ihr
hoher Hut ist mit Federn und Fuchsschwänzen abenteuerlich aus-
geputzt; mit geschlitzten Hosen und Jacken, in der Hand eine
Hellebarde, an der Seite den Hirschfänger, im Gürtel ausser dem
Rebmesser oft eine Pistole. Sie bewachen ihr Gebiet Tag und
Nacht und werden von ihren Herren öfters auf die Probe gestellt.
Ihre Wohnung gleicht einer kleinen Pyramide, unter deren oberste Strohbedachung sie auf Sprossen hinansteigen, um ihren „Rigl"
zu überschauen und sich bei ungünstigem Wetter zu schützen.

Das Etschthal (Fortsetzung).

Von hier zieht es südl. mit einiger Neigung nach Osten, hat
einen stundenbreiten ebenen Boden, auf beiden Seiten von steil
aufragenden Wänden begrenzt; die Schuttberge, welche die Etsch
im Vintschgau bald an die linke, bald an die rechte Thalwand
warfen, und die Strasse mitten im Thale zu einem fortwährenden
Auf- und Abwärtssteigen nöthigten, sind verschwunden, weil an-

dere geognostische Verhältnisse eingetreten sind: links begleitet
uns fortwährend bis Bozen der Porphyr mit seinen bebuschten
Höhenabsätzen, rechts zieht ebenfalls eine niedere Porphyrstufe
hin, überragt von einer zweiten höheren, schroff aufragenden
Wand, welche aus Dolomit besteht.   Diese Dolomitwand, das
Mendelgebirge, umwallt das westl. hinter ihm mit dem Etschthal
gleichlaufende *Val di Non* (*Nonsberg*).   Die Thalsohle sumpft aber
an vielen Stellen, ist daher fast gar nicht bewohnt und zeigt viel
Spuren verheerender Ueberschwemmungen der Etsch, deren breites Kiesbett zwischen Erlenauen den grössten Theil der Thalsohle
einnimmt.   Doch ist in neuester Zeit mit Erfolg an der Trockenlegung gearbeitet, theils durch hölzerne Streichwände, noch mehr
durch Uferschutzwände aus Steinen und Faschinen, in Verbindung
mit Kanälen und Abzugsgräben.   Die Orte reihen sich am Fusse
der beiderseitigen Gebirgszüge hin, sowie auch die Bergstufen
mit Ortschaften bis hoch hinan bedeckt sind.   Während sich die
Ortsnamen des Vintschgaues meistens auf **tsch** und **atsch** endig-
ten, tritt hier das **an** als Endung auf bis hinab nach Bozen (Meran, Passlan, Lana [Lanan], Riffian, Vöran, Prissian, Vilpian,
Terlan, Andrian, Missian, Girlan, Eppan, Grisian, Sirmian).

Von *Meran* folgen wir der Strasse nach Bozen über *Mais*,
überschreiten ¼ St. von da den wild in einer Schlucht herabstürzenden *Haflinger Bach*, der 1860 60 Joch des schönsten Wiesen-
grundes und die Landstrasse auf eine Strecke von ¼ St. verwüstet
hat, und umgehen den links vorspringenden *Sinnichkopf*.   In
1¼ St. von Meran liegt *Burgstall* (1009'), mit Gargazon 78 H.,
499 E., mit einer alten Burgruine, welche einst unter Margaretha
Volkmar v. Burgstall bewohnte, der erste Burggraf von Tirol und
Ahnherr der Grafen v. Spaur, jetzt Eigenthum der Gemeinde.
Starker Weinbau an der Sonnenseite.   Ein Steig führt links zum
hochgelegenen *Vöran* (3799'), 113 H., 664 E., mit schöner go-
thischer Kirche aus dem 14. Jahrh., die 1859 zeitgemäss restaurirt ist, und mehreren Sommerfrischwohnungen.   Von hier geht
ein Steig über das *Möllner Joch* ins Sarnthal, ein anderer auf dessen südl. Höhen, nach Campidell und Flaas.   Der jenseits *Vöran*
herabstürzende *Aschler Bach*, welcher sich unterhalb Burgstall in
die Etsch ergiesst, bildete unter Napoleons Herrschaft die Grenze

zwischen Baiern und Italien. Rechts führt uns ein fahrbarer Weg
über die Etsch nach *Lana*, 289 H., 2777 E., getheilt in *Ober-L.*,
80 H., 816 E., *Mittel-L.*, 113 H., 1128 E., *Unter-L.*, 67 H.,
647 E., und *Pawigl*, 29 H., 186 E.; Sitz eines Gerichtes. Die
wichtigsten Erwerbsquellen sind Weinbau und Seidenzucht. Die
bei *Oberlana* (1003', gutes Wirthshaus) aus dem *Ultenthale* hervorbrechende *Valschauer* hat mit der Passer das gemein, dass
ihre, wenn auch oft augenblicklich verderblichen, Ueberschwemmungen immer fruchtbare Erde mit sich führen. Aus dem *Ultenthale* führt eine Wasserleitung heraus zur Bewässerung der trock-
neren Abhänge. Ausserdem wird dieses Wasser noch zum Baden
gebraucht und in ein Badehaus geleitet. *Mittellana* muss der
Freund von Volksfesten am 8. Septbr. besuchen, wo hier in der
Mariahilfkirche eine der besuchtesten Wallfahrten stattfindet, dann
kann man alle umliegenden Thalstämme, die Ultener, Vintschgauer, Passeirer, in ihren eigenthümlichen Trachten und Sitten
beobachten. Bei *Unterlana* (843') stürzt der *Völlaner Bach* in
die Ebene. Die Pfarrkirche enthält einen sehenswürdigen altdeutschen Altar und 2 Seitenaltäre vom Tiroler Künstler Knobl
in München. Hier mündet

das Ultenthal.

Es ist das letzte Seitenthal der Etsch von der rechten Seite,
welches aus dem Urgebirgsstock der Orteler Alpen zwischen zwei
Urgebirgsketten heraustritt, das letzte Seitenthal der Etsch auf
dieser Seite, in welchem echt deutscher Volksstamm wohnt. Das
9 St. lange Thal wird in 12 Werche (Werke, bei uns Vorwerke,
Ansiedelungen, Höfe) eingetheilt. Das ganze Thal bildet nur eine
Hauptgemeinde, 595 H., 3845 E. Davon kommen auf *St. Pankratz* 245 H., 1513 E., *St. Wallburg* 173 H., 1052 E., *St. Nicolaus* 102 H., 589 E., *St. Gertraud* 75 H., 404 E. Der Thalbach
heisst die *Valschauer*. Gleich am Eingange der düsteren Eingangsschlucht thront auf den überragenden Granitwänden die Feste *Brauns-* oder *Fraunsberg*, gegenwärtig fast Ruine. Nach dem
Aussterben der Herren v. Braunsberg, 1400, kam sie nach manchem Wechsel zuletzt an die Grafen v. Trapp.

Ein Braunsberger zog im 12. Jahrh. ins heilige Land und
vertraute seine Gattin Jutta seinem Burgvogte. Doch dieser wollte

das Vertrauen seines Herrn durch Verführung schänden, wurde
aber von der treuen Jutta standhaft zurückgewiesen; durch List
wusste er sich ihres Brautringes zu bemächtigen, zog dem zurückkehrenden Ritter entgegen und verleumdete seine treue Gattin so,
dass er ihr ewigen Kerker schwur. Jutta, hiervon benachrichtigt,
stürzte sich von der Burg in den Schlund der Valschauer, im Angesicht ihres zurückkehrenden Gatten, blieb aber unversehrt am
Gesträuche des Wildbachs hängen. Der Burgvogt, dieses als ein
Gottesgericht ansehend, stürzte sich ebenfalls in die Tiefe, seinen
Tod in ihr findend. Jutta und ihr Gemahl begaben sich, erschüttert durch die Gerichte Gottes, in das Kloster Weingarten in
Baiern, wo sie starben. Dort, wo der Burgvogt in der Tiefe zer-
schellte, schwebt des Nachts eine blaue Flamme im düsteren
Schlunde. Ein Gemälde in der Burg versinnlicht diese Sage. Die
Wände, auf denen die Burg steht, lehnen sich an die Berge an.
Der Weg führt daher an ihr vorüber, wenn man von Tschorms
herkommt, da der Ausgangsschlund des Thales selbst unwegsam
ist. Diese Höhe, welche man ersteigen muss, um in das Thal zu
kommen, heisst der *Eichberg* und ist berühmt wegen seines trefflichen weissen Weines, der hier und thaleinwärts wächst. Der
Weg geht nun eben in das Thal hinein, bald zwischen üppigen
Rebengeländen, bald unter dem Schatten herrlicher Nussbäume
und Kastanien; links in der Tiefe hört man die *Valschauer* brau-
sen. Nach 1 St. erhebt sich aus der dunkeln Tiefe ein Felsenhügel, sich an die linke Thalwand, auf welcher wir uns befinden,
anlehnend, und auf ihm steigt aus dunklen Fichten die Burg
Eschenloh, halb zerfallen, empor, im Hintergrunde von himmelragenden Bergen, welche zum Theil Schnee tragen, überglänzt.
Hierher in diese düstere Wildniss zog sich einer der letzten stolzen Sprösslinge Eppans, nach dem Sturze seines mächtigen Geschlechtes, zurück. 1492 kam es an die jetzigen Besitzer, die
Grafen v. Trapp. An einem Fenster des verfallenen Schlosses
sieht man des Nachts ein blaues Licht schimmern, den Geist eines
Schlossfräuleins, das zu diesem Fenster keine ehrbaren Lieder
hinaussang und die ganze Umgegend dadurch ärgerte. — Wer in
dieser Gegend die Zukunft errathen will, ersteigt die Wipfel der
hochanstrebenden Fichten in sternheller Nacht. Hier erblickt er

am Himmel eine wunderbare, die Zukunft enthüllende Schrift und
hört eben so wunderbare Stimmen. — Auf den Höhen links, über
welche Jochsteige nach Völlan und Tisens im Etschthale führen,
herrschen gleichfalls wunderliche Sagen. Oben am *Mannereck*
klafft ein Felsstück von der Wand mit so tiefer Spalte, dass man
einen hinabgeworfenen Stein nicht auffallen hört. Dieser Abgrund entstand 1777 bei einem greulichen Wetter, welchem eben
solche Ueberflutungen, Schlipfe und Absitzungen folgten. Damals sah man ein kleines, wildes Männlein von den Bergen her-
abschreiten, seinen Stock schwingend und drohend, dass ganz
Ulten hinausgeschwemmt werden solle; und die Hexen vom Mannereck schoben so gewaltig, dass die Felsberge zu weichen anfin-
gen und das Thal zu begraben drohten. Da ertönten die Wetter-
glocken der Umgegend und die Hexen mussten abziehen. „Die
Gaisschellen von St. Moritzing, die Stierglocke von St. Pankratz
und die Mooskuh von Lana haben uns besiegt," riefen sie höh-
nend beim Abzuge. — Eine andere Kluft zeigt sich auf den Na-
turnser Alpen im Westen des Thales. Ein Bauer von Naturns,
im Streite mit einem Ultener über das Eigenthum des Bodens,
streute Erde aus seinem Eigenthum in seine Schuhe und schwor,
dass der Boden, auf dem er stehe, sein Eigenthum sei; da barst
der Boden unter ihm und verschlang ihn. — Am *Kratzberg* (Pankratz) und von da zu der Laugenspitze besteht eine berühmte He-
xenauffahrt. Nur durch Hexenkräuter auf das Bett des Messners
zu St. Pankratz gestreut, ist es möglich, ihn so lange im Schlaf
zu erhalten, bis die Hexen einen Hagelschauer auf die Umgegend
bereitet und ergossen haben. Gelingt das Werk nicht, dann seufzt
eine Wetterhexe: „Ach! hinter mir die heilige Maria von Sennal,
vor mir der Ritter Hippolytus auf Naraun, zur Seite der Blut-
zeuge Pankrazius, was lässt sich in solcher Nachbarschaft aus-
richten ?"

Man tritt nun aus dem Gebiet des eigentlichen Granits heraus; die linke Thalwand uns zur Rechten besteht aus Thonschiefer, die rechte jenseits des Baches aus Porphyr. Ueber eine kleine
Höhe, welche sich rechts herabzieht, steigend, kommt man nach
St. Pankratz (2298'), dem Hauptorte des Thales; *Inner-* und *Aus-
serwirthshaus*, beide gut. Der Ort hat eine malerische Lage auf

der Ecke, welche durch die Einmündung des rechts herabkommenden *Valgamai* entsteht. Hoch oben auf dem *Mariolberg* zeigt
sich im Sonnenglanz *St. Helena* (4842'), 230 E., eine Berggemeinde
mit einer kleinen Kirche. Jenseits des Baches ragt über die nächsten grünen Höhen der dolomitische *Kreuz-* oder *Kratzberg (Pan-*
kratzberg) mit seinen grauen Felsenmassen empor, Grenze zwischen Porphyr und Granit. Das Thal ist nun ebener, der Bach
wüthet nicht mehr in unzugänglicher Wildniss. Doch bei der
Säge treten die Wände wieder zusammen, um eine Thalstufe und
Enge zu bilden. Kurz zuvor öffnet sich jenseits des Thalbachs
ein Thal, vom *Wieser-* oder *Kalkbache* durchströmt. Am *Sonn-*
berge liegt hier das *Laderbad*, in äusserst lieblicher und stiller
Gegend. Gleich darauf verengt sich das Thal zum *Marauner* oder
Merauner Loche. In diesem liegt ⅔ St. thaleinwärts, 1½ von St.
Pankratz und 5 St. von Meran, eines der besuchtesten Bäder Südtirols, das *Mitterbad* (3459'). Bergbrüche und Lawinen verhee-
ren das Thal; der Weg geht stark bergan. Die starke Quelle
entspringt ¼ St. vom Bade und ist dahin geleitet. Die früher ver-
wahrloste Anstalt ist verbessert und sehr in Aufnahme gekommen; 1863 waren 1025 Badegäste da. Getrunken wird das Sauer-
wasser vom jenseitigen Bade *Rabbi*, welches täglich herüberge-
schafft wird. Speisen, Getränke und Bedienung gut. *Mitterbad*
gilt als das lustigste, was in Nordtirol, besonders im Zillerthal,
viel sagen würde, hier aber weniger. Da es auf der Grenzscheide mehrerer Hauptgebirgsarten liegt und inmitten eines üppigen Pflanzenwuchses, so bietet die Umgegend besonders dem
Geognosten und Botaniker grosse Unterhaltung. Einer der lohnendsten Ausflüge in jeder Hinsicht vom Bade aus führt auf den
Laugenspitz (7686'); s. Gfrill, S. 166. Ein Steig führt durchs
Meraunerthal über das Joch zwischen dem *Spitznerberg* (7770')
und *Kurniglspitz* nach Proveis im Val di Non (Nonsberg); ein
zweiter vom Joche südöstl. durchs *Hafmarthal* nach Castelfondo.

Im Hauptthale aufwärts windet sich der Weg mühsam neben
der tosenden *Valschauer* im Tannendunkel hinan. Doch bald öffnet sich der Thalboden wieder; jedoch nur der Erle ist es bis jetzt
gelungen, dem stürmenden Bache ein Gebiet abzutrotzen; die Ansiedelungen der Menschen liegen an den Höhen. Am Thalwege

kommt man an das, in alterthümlicher Hinsicht merkwürdige,
Wirthshaus *An der Ecke*, einst die Stätte der Volksversammlun-
gen, um die Gemeinde- und Gerichtshändel zu schlichten. Viermal im Jahr wurde hier L a n d r e c h t gehalten. Jedes W e r c h
musste einen Ausschussmann stellen. Der Wirth, ein Welscher,
musste als Junggeselle sterben, weil keine Ultnerin, keine Deutsche, ihn mochte, als Welschen. Rechts schimmern von den sonnigen Bergwänden die zerstreuten Häuser der Gemeinde *Wallburg*,
wo der beste Führer für das Ultenthal, der Waldaufseher *Nikol.
Pichler*, zu Hause ist. Unweit davon der Ansitz *Breitenberg*,
Stammsitz der Herren *v. Breitenberg*. Mehr thaleinwärts steht der
Marsonhof; Max I. erneuerte 1515 den Adelsbrief der Marsoner;
jetziger Besitzer ist Andreas Marsoner. Links gegenüber, auf
schönem Hügel mitten im Thale, liegt das *Lotter-* oder *Innerbad*,
dessen Quellen ziemlich dieselben Bestandtheile, nur in geringe-
rem Maasse, als das vorige, haben. Weiter thaleinwärts behauptet das Thal seine Breite, mit Ausnahme einer einzigen Stelle,
grösstentheils, und der Boden ist schöner Wiesengrund, zu dem
die Orte herabsteigen. Dort, wo rechts das *Kuppelwieserthal* von
der Eisgruppe des *Hasenohrs* herabsteigt, liegt *St. Moritz* (5154′)
mit der ältesten Kirche des Thales, eigener Form der Glocken,
nach dem Glauben des Volkes die beste Wetterglocke des Thales.
An der Kirchenmauer fand man unter vorspringenden Steinen der
Kirche ungeheure Leichname begraben, ohne alle Nachricht in
dem Kirchenbuche. Das Wirthshaus *Kuppelwiese*, an der schönsten Stelle des ganzen Thales, war ehemals ein glänzender Jagd-
sitz der Herren des Thales. Die linke Thalwand bis zum *Hasenohr* trennt *Ulten* noch vom oberen Etschthale, Vintschgau, von
der Töll aufwärts bis Laatsch; daher führt ein Jochsteig von
St. Moritz über die *Lackalpe* nach Tartsch im Etschthale; weiter
hinan tritt an die Stelle des jenseitigen Etschthales das Martellthal, daher weiter thalaufwärts rechts die Jochsteige ins Martell
führen. Südl. gelangt man, die *Seefeldcralpe* rechts lassend, über
das *Hochwartjoch* nach Proveis (s. S. 153). Im Thale selbst folgt
1 St. weiter *St. Nikolaus* (3859′), wo rechts vom *Flatschspitz* der
Mesenbach verheerend herabstürmt. Durch das südl. aufsteigende
Neiner Thal geht ein Steig über das *Ilmenjoch* ins Val di Sole.

Herrliche Wiesen breiten sich ¼ St. im Boden des Hauptthales
aus bis zum *Falzauer* oder *Valschauer Hof*, von wo links ein Pfad
durchs *Klopfberger Thal* hinüber ins Bresinothal (Val di Sole)
führt. Das Hauptthal verengt sich wieder. Dieser Enge folgt
der letzte Thalboden, an dessen oberem Ende sich das Thal in
2 Aeste spaltet; gerade in der Mitte des Hintergrundes zeigt sich
auf einem Vorsprunge des in der Mitte zwischen beiden Aesten
aufsteigenden *Nagelspitzes* die Kirche der letzten Thalgemeinde,
St. Gertrud (4747'), welsch: *Santa Maria*. — In dem Grunde
nordwestl. von *St. Gertrud* liegen die *Flatscher Höfe*, und vom
Flatscherspitz, welcher zur *Hasenohrgruppe* gehört, stürmt der
Flatscher Bach herab. Ueber die *Bilsalpe* führt ein Steig zum
Soyjoch und jenseits durch eine furchtbare Steinwüste in das Martellthal. Im Hintergrunde des Hauptthales führt der Weg auf die
schöne *Weissenbrunner Alpe*, unter dem *Eggenspitz*, umlagert von
den Eismassen des *Zufridferners*, der jenseits ins Martellthal hinabsteigt. Die hier zusammenfliessenden Eisbäche bilden gleich
darauf einen herrlichen Wasserfall. Von dieser Alpe führt rechts
ein Pfad durch das Felsenchaos der *Neuen Welt*, eines öden Stein-
kahres, durch einen Bergsturz entstanden, auf ein Eisjoch und
jenseits über den *Soyputzferner* hinab ins Martellthal. Der vorhin
angegebene Weg über das Soyjoch vereinigt sich mit diesem zuletzt auf der Marteller Alpe. Der andere Jochsteig von der *Weissenbrunner Alpe* zieht sich links über grüne Matten, den hohen
Gleck links lassend, in das oberste Rabbithal (Val di Sole). Der
zweite Thalast wendet sich von *St. Gertrud* südwestl. und heisst
das *Kirchberger Thal;* es ist noch stark bewaldet. Nach 2 St. tritt
man hinaus in die freie Alpenregion; oben am Joch liegt der interessante *Corvosee* in einem Felsenkessel, eigentlich noch im diesseitigen Gebiete, indem sich der Jochgrat vom *Gleckberg* hinter
ihm herum zieht zum *Sassforaspitz;* allein sein Abfluss benutzt
eine südl. hinausgehende Jochscharte unter dem *Sassforaspitz* und
stürzt sich in das jenseitige Rabbithal. Der Jochsteig benutzt
dieselbe Scharte zum Durchgang und folgt dem Bache hinab zum
berühmten Bad *Rabbi*, 5 St. von St. Gertrud. Auf diesem Wege
über *St. Gertrud* und *Wallburg* wird auch das Rabbiwasser zum
Verkauf nach Mitterbad gebracht.

Für einen rüstigen Fusswanderer ist folgender Weg von *Meran ins Ultenthal* zu empfehlen: zuerst zur *Töll,* von da südl. zu
dem höchsten Bauernhofe *Egger;* hier hat man schon eine herrliche Aussicht auf die ganze Umgegend von Meran; weiter durch
den Wald empor auf das *Vigiljoch,* den vortretenden Bergrücken,
welchen das Etschthal fast spitzwinkelig umbiegt. In der Nähe
ein See in einem Kessel, noch von Nadelholz umschattet; seine
unergründlichen Gewässer donnern dumpf bei herannahenden Gewittern und bisweilen steigt ein hundeähnliches Geschöpf aus der
Tiefe, taucht aber bei Annäherung eines Menschen schnell unter.
Ein liederlicher Junker in Lebenberg liess einst einen ihm lästigen Gewissensprediger hier heraufschleppen und in dem See er-
säufen; daher diese Erscheinung. Am Ende der hochgelegenen
Fläche liegt eine uralte Kirche, der Sage nach, wie das jenseitige
St. Catharina, einst ein Sonnentempel, jetzt Versammlungsplatz
der Hirten. Darunter hängt über dem Eingange ins *Ultenthal* das
Dorf *Pawigl* (3684'). Hier eröffnet sich eine weite, bei dem Blick
in die gesegnete Umgegend Merans höchst reizende Aussicht nach
fast allen Richtungen. Noch ausgedehnter wird der Gesichtskreis,
wenn man an den Rand des Gebirges gegen Ulten hinaustritt und
hier fast das ganze Ultenthal unter sich erblickt. Von der Höhe
steigt man nach *St. Pankratz* herab.

Ulten baut alle Getreidearten, und in irgend guten Jahren
zur Ausfuhr. Sehr einträglich ist die Viehzucht wegen der herrlichen Alpen und des leichten Absatzes nach dem nahen Italien.
Der Milchnutzen wird im Thale selbst verzehrt; das junge Zuchtvieh, welches Italiener im Thale aufkaufen, ist der Hauptgewinn
dieses Gewerbes. Nächstdem wird viel Holz in die Etsch geflösst
und weiter nach Welschtirol befördert. Junge Burschen (2—300)
wandern im Winter, wo jene Geschäfte ruhen, nach Italien und
verdienen sich durch verschiedene Lohnarbeiten etwas, das sie
sparsam mit in die Heimat bringen (20 Fl. der Mann, wodurch
jährlich 6000 Fl. ins Thal kommen). *Ulten* ist daher eins der wohl-
habendsten Thäler Südtirols. Der Volksstamm ist rein deutsch
und zwar der Sprache nach schon aus den ältesten Zeiten. Obgleich in fortwährendem Verkehr mit Welschen hat sich ihre
Sprache rein erhalten, wenn sie gleich meistens geläufig die an-

grenzenden Dialekte des Italienischen sprechen. Für den Sprachforscher ist das Ultener Deutsch besonders wichtig, weil er hier
die besten Belege zur Begründung des mittelhochdeutschen Sprach-
gebäudes und einen unermesslichen Reichthum von Wortformen
findet, die im Neuhochdeutschen ausgestorben sind, welche die
Lücken des etymologischen Gebietes ergänzen. Die Ultener sind
die lebhaftesten und lustigsten Südtiroler. Das Schnoaderhüpfeln
ist hier, wie in Nordtirol und Baiern, zu Hause. Ein besonderes
Völkchen waren die Nachtraupen, jugendliche Nachtschwär-
mer, die, wie einst auch die lose Schuljugend im übrigen Deutschland, drollige Schwänke des Nachts ausführten. Im ersten Frühling wird das Korn aufgeweckt durch angezündete Reissig-
und Strohbündel, welche man über die Aecker herabrollen lässt.
— Der Anzug nähert sich eher dem elenden italienischen Bauern-
anzuge. Das weibliche Geschlecht zeichnet sich durch feine Züge
und blühende Gesichtsfarbe, wie durch Lebhaftigkeit des Geistes
aus. Die Alpen, früher von Sennerinnen bewirthschaftet, werden
jetzt von Sennern versehen. Die Sennhütte heisst, wie in Baiern,
Kaser auf den Kühalpen, die Stieralpe aber Leger. Im Allgemeinen ist Lernbegierde und schnelles Auffassen ein Hauptzug im
Charakter dieses Völkchens. Die Kinder der hoch oben zerstreut
am Gebirge liegenden Höfe, welche oft 2 St. entfernt sind, fahren
auch im tiefsten Winter auf ihren kleinen Schlitten die hohen
Berge herab in ihre Schule. Sie erhalten durch milde Beiträge
der Gemeinde ein gemeinschaftliches Mittagsmahl. Nach dem
nachmittäglichen Unterrichte zieht die kleine Gesellschaft, bewaffnet mit grossen Bergstöcken, die Schlitten auf dem Rücken,
unter lautem Jubel wieder die hohen Schneeberge steil hinan.

Geolog. und Mineral. Am Ausgang des Thales Granit, dann grenzen an
der Ostseite das Porphyrmassiv des Laugenspitzes mit seinen Conglomeraten und
Taffen und der Thonglimmerschiefer bis zum Madraunerthal an einander, südl.
folgt die Grenze beider dem letzten Bache. Von Wallburg an herrscht der Glimmerschiefer mit sehr untergeordnetem Gneissgestein und nördl. mit Einlagerungen von Marmor, und westl. Hornblendschiefer vor. Im Schiefer von St. Pankratz Erzlager von Blei und Zink, Spatheisenstein und Kupferkies, im Marauner-
loch Schwerspath; auf der Seefelderalp im Glimmerschiefer Graphit, aber nicht bau-
würdig. Hier, nur in Geschieben, Bronzit mit Anthophyllit, auch mit kleinkörni-
gem Olivin, der kleine Granatkörner und einzeln schwarzen und grünen Augit
einschliesst.

Flora. An Wegen schon: Bonjeania hirsuta; bei Hinter-Ulten: Alsine laricifolia; am Kirchbergerjoch: Ranunc. pyrenaeus, Saxifraga sedoides, Statice alpina; Falmernierjoch: Cerastium alpinum, Azalea procumbens, Veronica bellidioides, Pedicularis asplenifolia, Primula villosa, Lloydia, Crocus; Maraunerioch: Salix grandifolia, Cineraria alpestris; Alpe Colern zwischen Ulten und Sulzberg: Saxifraga Seguierii, nicht selten Epilobium Fleischeri; auf der Ulteneralp: Papaver
pyrenaicum, Saxifraga aspera, Gnaphalium Leontopodium, Primula villosa, Salix
arbuscula.

Das Etschthal (Fortsetzung).

1) **Linkes Ufer.** ½ St. hinter *Burgstall* bei *Gargazon* (835')
steht auf einer Höhe ein alter Thurm, der *Kreiden-* oder *Kröll-
thurm.* In der Nähe ist ein Bierkeller an der Strasse, wo der durstige Wanderer einen frischen, hier seltenen, Labetrunk erhält.
Ungefähr ¾ St. von *Gargazon* durchzieht die Strasse *Vilpian*, an
dem links von der Höhe herabstürzenden *Möltener Bach* mit schönem Wasserfall; dort hinan steigt ein steiler Weg nach *Mölten*
(4794'), mit der Rotte Flaas 241 H., 1418 E. Merkwürdig ist
der Unterschied in der Bevölkerung, welchen der *Aschler Bach*
auf dieser Höhe bezeichnet. In Hafling die dunkle Färbung und
scharfen Züge des rhätischen Stammes, düstere Kleidung, das Gemüth ernst und fern von lautem Gebirgsjubel; hier in *Mölten* blühende Gesichtsfarbe, laute Bergeslust, kurz derselbe Volksstamm,
wie in Ulten, nur dass die Tracht noch bunter erscheint. Die
Statuten dieses Völkchens aus dem 13. Jahrh. befinden sich auf
der Innsbrucker Bibliothek. Der Bach wurde durch den Vertrag
zu Verdun deutsche Grenze; ebenso unter Napoleon, wo hier
Baiern und Itälien an einander stiessen. Holz, Getreide, Wein
und Viehzucht nähren die Gemeinde. Von *Mölten* führt ein Pfad
über luftige Höhen über Jenesien nach Bozen.

Von *Vilpian* biegt die Strasse um eine Ecke und man erblickt
Terlan (775'), mit Vilpian 206 H., 1378 E., dessen Thurm eben
einzustürzen scheint, so schief hängt er über dem Ort. An der
Strasse, unweit des sehr guten Wirthshauses beim Niederlager,
steht die schöne, im gothischen Stile erbaute Kirche mit einem
herrlichen Portale, seit kurzem stilgemäss restaurirt und mit
Glasmalereien geziert. Davon gesondert, wie die Glockenthürme
Italiens, steht der Thurm schief geneigt. Auch der schiefe Thurm
in Pisa ist von einem Tiroler Baumeister erbaut. *Terlan* ist be-

rühmt durch seinen Wein. Die Stellwagen zwischen Meran und Bozen halten hier an.

Das *Terlaner Moos* (die *Artlung*) verpestet die Umgegend; es war den Passeirern zur Weide für ihre Pferde verliehen, ist aber jetzt, trotz ihres Widerspruchs, theilweise trocken gelegt und urbar gemacht. Ueber der Strasse erheben sich auf der Höhe die Ruinen der Burg *Maultasche*, ein Lieblingssitz der Margaretha Maultasche, wodurch nach einigen die Burg ihren Namen erhielt, während andere der Margaretha ihren Beinamen von dieser Burg herleiten. Auf der Burg sass ein Junker, durch seine Verführungskünste berüchtigt. Einst zog ein Fräulein den Steig hinau zur Burg. Ein unbekannter Jäger trat ihr warnend in den Weg, sie hörte ihn nicht. Als sie nach 8 Monaten, verstossen, in anderen Umständen, wieder herabzog, begegnete ihr derselbe Jäger und gab ihr eine derbe Maulschelle, hier Maultasche genannt, daher der Name der Burg. Eine Menge Sagen von dem nicht sehr sittlichen Leben dieser Fürstin sind im Munde des Volkes verbreitet. Die eigentliche Burg stand tief unten, als eine Art Klause die Strasse sperrend. Noch sieht man an der Strasse ein Loch im Felsen, in welchem ein grosser Schatz begraben liegt, von dem Teufel selbst bewacht. Ueber diesen wenigen Resten ragt die Burg *Neuhaus* mit einem schönen alten Thurm; sie gab dem Gerichte den Namen. Als erste Besitzer nennt man die Herren *v. Villanders*, dann die *Annenberger, Oswald Milser zu Schlossberg, v. Niederthor, Wolkensteiner*, gegenwärtig landesherrlich aber den Grafen *v. Tannenberg*, jetzt Eugenberg verpfändet. In den Niederungen der Etsch haben sich Welsch-Tiroler angesiedelt; die Bauart der Häuser, die Maulbeerpflanzungen und die ganze Vegetation kündigen Welschland an.

Auf der Strasse gelangt man zunächst nach dem kleinen Dorfe *Siebeneich* (828') bekannt wegen seines trefflichen Weines, der weithin verführt wird. Während das Etschthal in seinem ferneren Verlaufe im Süden durch eine Art Wall gesperrt erscheint, öffnet sich plötzlich links eine bedeutende Fläche, in welcher sich die mächtige *Eisack* mit der Etsch vereinigt. Gerade über der Bergecke zeigen sich auf rothem Porphyrgestein in schwindelnder Höhe die weissen Mauern von Ruinen der Burg *Greifenstein*, nur auf einem steilen Felsenpfade zugänglich. Zu Oswald v. Wolkensteins I. Zeiten Raubenstein, später Sauschloss genannt, weil die in der Burg Belagerten den Belagerern einst ein Schwein von den Mauern herabwarfen, um dadurch zu täuschen, als ob man noch genug Lebensmittel habe. Der Bau reicht wahrscheinlich in die älteste rhätische Vorzeit zurück. Der erste bekannte Besitzer war Friedrich, Graf v. Bozen, welfischen Stammes. Ihm gehörte auch Eppan; seine Nachkommen theilten sich in die Eppaner und Greifensteiner. Nach dem Aussterben der Greifensteiner Linie, die sich im Gegensatze der Eppaner treu und biederherzig gezeigt hatte, fiel es als Lehen an das Hochstift Trient zurück. Dieses stiftete eine neue Linie durch Berthold v. Greifenstein. 1420 starb auch dieses Geschlecht aus und ihm folgten im Besitze die Starkenberger, die ein Raubnest daraus machten, bis es Friedrich m. d. l. T. gelang, die Burg zu erobern 1423. Während der Belagerung sandte Friedrich die Bürgermeister von Hall und von Bozen als Unterhändler hinein. Letzterer, N. Hochgeschoren, ward auf dem Rückwege meuchlings überfallen und über die Felsen hinabgestürzt. Jetzt sind die Grafen Wolkenstein-Trostburg im Besitze. Bei *Moritzing* erschliesst sich nach und nach der weite und prächtige Thalkessel von *Bozen*. Die Häuser, mit denen die weite Umgegend übersäet ist, drängen sich immer enger zusammen; als eine heitere Vorstadt erscheint das Dorf *Gries* mit seiner grossen Kirche. Doch erst, wenn man die Talferbrücke überschritten hat, kommt man am neuen Schlachthause vorüber in die eigentliche Stadt.

2) **Rechtes Ufer.** Von der Mündung des Ultenthales her zieht sich noch granitisches Gestein in der Vorstufe des Mittelgebirges, welches der Völlaner Bach abschneidet; nun erhebt sich ein nicht sehr hoher Bergrücken von Porphyr. welcher mit der westl. Thalwand der Etsch ziemlich gleichläuft, von Norden nach Süden. Gegen Osten fällt er steil in die Tiefen des Etschthales ab; westl. hat dagegen die zwischen ihm und dem dahinter steil, ja zum Theil senkrecht, aufragenden Etschthaler Scheiderücken gegen das Nonsthal, der dolomitischen Mendel, befindliche Tiefe ein rother Sandstein ausgefüllt. Diese Vorstufe, welche zwischen ½ und ganzen Stunde Breite wechselt, wird durch die westl. vom

Gebirge herabkommenden Bäche vielfach durchschnitten, meist
in wilden Schluchten, ehe sie in die Ebene des Etschthales münden. Diese Thäler, die von dem nahen Bergrücken der Mendel
herabkommen, sind steil und schütten eine grosse Menge schwer
verwitterbaren Dolomites auf die erwähnte Vorstufe, wie in das
Etschthal. Dieses *Mittelgebirge* von Unterlana bis Tramin besteht
fast ganz aus Porphyr, wird aber bei St. Paul durch eine über den
Kalterersee hinausreichende Diluvialeinlagerung unterbrochen und
erst bei Girlan tritt es im Mittelberg als porphyrischer Grenzwall
gegen die Etsch. — Die ganze hügelige Hochfläche von *Tisens*
bis *Missian*, gegenüber von Bozen, ist ein Labyrinth von Weinreben, Bauernhütten, dunkeln Kastanienforsten und Landhäusern,
Schlössern, Burgen und Kirchen. Hat man sich recht vertieft in
diese eigenthümliche Welt und tritt vielleicht unvermuthet einmal an den östl. Porphyrrand, so wird man überrascht durch den
Blick auf das grosse und bevölkerte Etschthal in der Tiefe, wo
man eine andere Welt erblickt, die man bisher ganz aus den
Augen verloren hatte. Wir ersteigen dieses *Mittelgebirge* von *Lana* aus, wandern auf ihm 5 St. lang hin südl. nach *Bozen*, indem
wir links in der Tiefe das Etschthal, rechts in der Höhe die Steil-
wände der *Mendel* haben und die von dieser Wand herabstürmen-
den Bäche in tiefen Schluchten übersetzen. — Der Volksstamm
ist fast durchaus rein deutsch.

Auf der ersten Felsenstirne des *Tisenser Berges* von *Lana* her
glänzt uns das Schloss *Helmsdorf* entgegen, die Wiege der Herren
v. Helmsdorf, deren letzter in Tirol, Gaudenz Georg, 1650 starb.
Ihnen folgten hier die Herren *v. Sagburg*; jetzt ist ein Bauer in
Besitz. Nach *Völlan* zu kommt man an der Burg *Thurn* vorüber,
Mayrschloss genannt, weil es einem Bauer, Mayr, gehört. Darüber liegen die Bauernhöfe *Weinreich* und *Lechner*, ein schönes
Bild etschländischer Bäuerlichkeit. Gleich darauf ragt die stolze
Feste *Maienburg* auf, wahrscheinlich römischen Ursprungs, einst
den Eppanern gehörig, dann den Bischöfen von Trient, 1276 den
Grafen v. Tirol, später den Hälen, die sich danach nannten und
deren einer, Heinrich, neben dem Herzog Leopold in der Schlacht
bei Sempach mit dem Hauptbanner fiel. Von den letzten Inha-
bern, den Grafen Brandis, kam die Burg an einen Bauer, der sie

verfallen lässt; ihre Mauern werden noch von Epheu umklammert und auf den verwitterten Kanten wuchern Zuckerfeigen. Auf einem kleinen Rasenplatz zeigt sich ein Sumpf, dessen Tiefe einen von schwarzen Hunden bewachten Schatz verwahrt. Der jetzige Besitzer hat unten, am Wege hinüber nach dem *Nonsberge*, ein Wirthshaus. Der *Völlaner Bach*, dessen Furche sich hier tief einschneidet, kommt aus einer wilden Schlucht heraus zwischen dem bisherigen Granit und dem nun beginnenden Porphyr, und bildet den schönen *Völlaner Wasserfall*, zu dem ein Steig hinanführt. Auf einem rechtseitigen Porphyrvorsprunge liegen die uralten Trümmer der Feste *Brandis* (1518'), des Stammhauses der gleichnamigen Grafen. Heinrich v. Brandis war schon Besitzer der nach *Tisens* zu liegenden *Leonburg*. Sie theilten sich später in die Ritter von Leonburg und Brandis. Nach dem Aussterben der ersteren kam Leonburg wieder an Leo v. Brandis. Sein Urenkel, Jakob Andrä v. Brandis, bekannt als Geschichtschreiber, war Landeshauptmann an der Etsch und Burggraf v. Tirol. Von seinen 3 Söhnen, Andrä Wilhelm, Veit Benno und Hildebrand, wurden die beiden ersten von Ferdinand III. in den Grafenstand erhoben. Andrä Wilhelm gründete die österreichische Linie, durch Veit Benno blühte die Tiroler Linie fort. Sein Sohn, Franz Adam, schrieb des Ehrenkränzl der Grafschaft Tirol. Noch blüht das Geschlecht: Graf Clemens ist der Biograph Friedrichs m. d. l. T. Die Burg begrub einst bei ihrem unvermutheten Einsturze 2 Personen. Hierauf wurde *Neu-Brandis*, jetzt Sitz des Pflegers, erbaut.

Hier und durch die weite Umgegend des *Mittelgebirges* breitet sich *Völlan* (4423'), 79 H., 450 E., aus. Reinlich und hell glänzen die vielen Häuser aus dem Schatten der südl. Pflanzenfülle hervor. Das *Mittelgebirge* von *Völlan* liefert besonders gute und viele Kastanien; mancher Bauer zieht in guten Jahren 3—400 Star oder halbe Wiener Metzen. — In das *Völlaner Thal* führt der nächste Verbindungsweg zwischen Meran und Nonsberg (von Meran bis Fondo 9 St.). Sehr schnell entsteigt man der üppigen Pflanzenfülle in die kahlen Wände der *Mendel*; nur karg sprosst der untermischte Wald an den beiderseitigen Höhen. Mitten im Thal versperrt ein Hügel den Pass; auf ihm liegt das *Völ-*

laner Bad, nothdürftig hergerichtet. Von hier geht es wieder steiler hinan; links die bewaldete *Gall* (5248'). Mühsam halten sich die Höfe, hier G r i t z e n genannt, an den Abhängen, im Sommer von Austrocknung, im Winter und Frühjahr von Lawinen bedroht. Erst nach einiger Zeit flacht sich das Thal etwas aus, um der Gemeinde *Platzers* Raum zu gewähren, mit einer Kirche in ihrer Mitte, gegründet durch fromme Stiftung. Einst war hier eine Sommerfrische, beliebt durch die Bergjagd. ,,Aber deutsches Blut,'' sagt Beda Weber, ,,in ungebrochener Kraft auf allen Hügeln, so nahe an der Grenze des welschen Wortes, deutsche Sitte überall, deutsche Tracht, deutsche Sagen und Märlein, desto deutscher, je näher an Italien. Der Menschentypus ist, wie in Ulten und in den deutschen Dörfern,des Nonsthales, scharf gezeichnet gegen die italienische Physiognomie. Trotz der schweren Arbeit sind diese Berghöfler schlanke, behende Gestalten, sowohl Mann als Weib, mit einer Wärme des Kolorits, die ihnen etwas Inniges, Eindringliches gibt in jeder Geberde.'' Von *Platzers* zieht sich der Steig ebener hinan auf die Höhe des *Gampen* (5241'), des Uebergangsjoches nach dem Nonsthale. Links geht ein Weg hinüber auf den Sattel, welcher das *Völlaner* vom *Prissianer Thal* scheidet; hier liegt *Ofrill*, ¼ St. von Platzers (s. S. 165).

Aus der Schlucht des *Völlaner Baches* steigen wir nun sogleich südl. wieder bei einer äusserst einsam und düster gelegenen Mühle hinan auf das *Tisenser Mittelgebirge*. Auf dem Wege zur Höhe tritt ein felsiger Hügel frei hinaus in das Etschthal, gekrönt mit der noch bewohnten Feste *Leonburg* (s. S. 162). Schöne Aussicht. Von der ersten grünen Porphyrkuppe herab leuchtet *St. Hippolytus* (2388'), wie alle Hippolytkirchen uralt, ihre Glocken ertönen nur bei schweren Gewittern und bei Todesfällen. Desselben Heiligen ist die Kirche bei *Glaiten* über St. Leonhard im Passeier, die man von hier sieht, 8 St. entfernt. Ueberhaupt zählt hier das Auge von St. Leonhard in Passeier, und von der Töll bis weit hinab unter Bozen 20 Ortschaften und 40 Schlösser. Die Gegend westl., zuerst etwas tiefer, dann wieder ansteigend zur *Mendel*, heisst, wie auch die Gemeinde, *Naraun;* ein sumpfender Bergsee, der *Narauner See*, von einer Baumwildniss umdüstert, ist das Bild der Melancholie, die hier auch schon man-

11 *

ches Opfer gefordert hat. 2 Messners Frauen hinter einander
wurden hier wahnsinnig; des Messners Haus selbst hat die ödeste
Lage. Heiterer lacht, in schöner Fülle prangend und etwas höher liegend, die Gemeinde *Naraun* selbst. Etwas absteigend betreten wir nun das Gebiet des Dorfes *Tisens* (1981'), mit Gfrill,
Prissian, Naraun, Platzers 236 H., 1520 E., welches sich rechts
zur *Gall*, einem mit Wald bedeckten Bergkopfe im Westen, hin-
anlagert. In der alten, aber leider modernisirten, Kirche Gemälde von Trafoier, Glantschnig, Henrici, und schöne Glasgemälde von 1400—1450. In der älteren Michaelskapelle sehenswerthe Wandgemälde (Fall und Erlösung des Menschengeschlechtes). Einen schönen Aussichtspunkt bezeichnet die *St. Christoph-
kapelle*, auf dem Hochrande über dem Etschthale. Die Gegend
ist sehr getreidereich. Die Bevölkerung ist ein auffallend deutscher Menschenschlag, ohne alle welsche Beimischung; hohe,
breitschulterige Gestalten mit breitkrämpigen, grünen Hüten. —
½ St. weiter erreicht man den *Prissianer Bach*, der rechts herab
von der *Mendel*, parallel mit dem Völlaner Bach, tost; doch indem er an den festeren Porphyrwall stösst, wird er südl. gewiesen, ehe er die Niederungen der Etsch erreicht. *Prissian* (1950'),
auf der Absenkung gegen den Bach, umragen 3 malerische Burgen: *Fahlburg*, noch wohnlich erhalten, wie es Benno v. Brandis zur Sommerfrische erbaut hat; Archiv der Grafen v. Brandis;
Kapelle mit gutem Altarblatt. Höher *Katzenzungen*, ursprünglich den Herren gleiches Namens gehörig, ist verschiedentlich
vererbt oder verkauft und jetzt von 4 armen Familien bewohnt.
Die *Martinskapelle* auf einer Höhe dabei gibt die schönste Uebersicht der Gegend von Tisens. Die *Wehrburg* liegt auf einem noch
höheren Kalkhügel und ist die ansehnlichste der Umgegend. Im
14. Jahrh. Eigenthum der Herren v. Wehrburg. Der letzte Sprössling, Adelheit, war vermählt mit Ekard v. Andrian. Ihre Nachkommen besassen es bis 1798, wo mit Joseph Bernard v. Andrian
die tirolische Linie erlosch. Die Burg ist zerfallen, die Aussicht
aber herrlich, da sich der Bergkessel von Bozen zu erschliessen
beginnt mit dem darüber im Hintergrunde aufragenden Dolomitgebirge des Rosengartens. In der Burg die Wallfahrtskapelle des
heil. Erasmus.

Bei *Prissian* vereinigen sich, rechts herabkommend, mehrere Bäche, um die vorliegende Porphyrwand, nachdem sie den Sand durchtobelt haben, zu zersprengen und nach *Nals* hinaus zu brechen. Wir steigen durch die Schlucht hinab nach *Nals* (1039'), mit Andrian 149 H., 857 E. Hierher führt auch ein Weg von Lana in der Ebene des Etschthales und am Fusse des Gebirgs. Die Porphyrwände, welche das eben durchwanderte Mittelgebirge von Völlan und Tisens tragen, steigen trotzig und senkrecht aus den Moosgründen der Etsch empor. Sehr schön ist das Echo längs dieser Wände, welches auch das kleinste Geräusch, den Gesang der Vögel und das Geläute der Heerden, oft in Accorden, wiedergibt. Das weinreiche Dorf *Nals* liegt auf einem Schuttberge des *Prissianer Baches.* Die Flur von *Nals* bringt jährlich über 11,000 Eimer rothen Wein hervor, der sehr gesucht wird. Ein besonderer Erwerbszweig der hiesigen Gegend ist der Fang der Blutegel, welche nach Frankreich und Norddeutschland ausgeführt werden. Die Bevölkerung gleicht der von Tisens. Der Nalser hat einen schönen hohen Wuchs und eben so schöne Tracht, wodurch er sich vor vielen Etschländern auszeichnet; der grüne Hut ist die Hauptzierde. Am oberen Ende des Dorfes liegt die alte *Schwanburg*, einst den Herren v. Boimont und Payrsburg, jetzt dem Herrn Thaler gehörig, dem grössten Besitzer der Umgegend. Sie enthält 2 römische Denksteine. Höher liegt die *Nals-* oder *Helfenburg*, oder auch *Kasatsch*, der Familie Stachelburg gehörig, aber ganz zerfallen.

Steigen wir von *Prissian* statt abwärts, aufwärts am Bache, welcher hier den oben erwähnten Sandgürtel zwischen Dolomit und Porphyr durchschneidet, so erblicken wir nach kurzem Wege schon wieder eine Burg und zwar die malerische Ruine *Zwingenberg.* Einst den Eppanern, dann dem deutschen Orden gehörig, ging es zuletzt an die jetzigen Besitzer, die Herren v. Stachelburg über. 1 St. höher liegt die kleine Berggemeinde *Gfrill* (3330') am Fusse der *Gall*, eines vom Hauptstocke der Mendel durch ein Sandsteinlager abgesonderten Dolomitkopfes. Hier wächst noch Weizen, Roggen und Haidekorn. Ein Hauptgeschäft ist Kalkbrennerei. Auch hier, wie anderwärts in Südtirol, hausen die italienischen Holzhändler in den Wäldern, wie der Borken-

käfer. Ein unheimliches Gefühl beschleicht den Wanderer, wenn
er die kostspieligen Wehre in der Eisack, am Avisio und die zahllosen wandernden Sägemühlenkolonien, welche F r e m d e anleg-
ten, erblickt; Fremde, denen es gleichgültig ist, ob die Umwohner später Holz haben, ob ihr Boden von Giessbächen durchwühlt und von Lawinen verheert wird, und dann wieder wasser-
los im heissen Sonnenstrahl vertrocknet; leicht werden die Thalbewohner, besonders das Geschlecht der Gegenwart, von dem
augenblicklichen Gewinne bestochen und verblendet, gegen die
Verwünschungen ihrer Nachkommen. Entholzungen sind in unseren Zeiten überall nachtheilig, aber doppelt schädlich in den
Alpen, wo die Gebirgsabhänge so sehr durch den Gegensatz von
Ueberflutungen und Dürre leiden, und wo alle Forstkünstler später keinen Rath schaffen werden. Die Waldungen sind grösstentheils im Privatbesitz und es fehlt sowohl an Gesetzen zum Wald-
schutz als an der strengen Handhabung der etwa bestehenden.
So lange nicht die strengste Forstverwaltung herrscht, sind die
Aktiengesellschaften der Italiener ein unheilbarer Krebsschaden
für Tirol. Im Hintergrunde des Thales erhebt sich steil und
schroff der *Laugenspitz* (7686'), ein in mehrfacher Hinsicht merkwürdiger Gipfel, in 4 St. von Gfrill aus zu erreichen. Dieser Dolomitkopf erhebt sich aus dem Porphyrgebiet, welches der Dolomit der Mendel von den Schiefern des Ultenthals trennt, im Norden und Süden von buntem Sandstein umsäumt. Südl. streift der
Blick durch das ganze Nonsthal (Val di Sole, Nonsberg u. s. w.)
bis beinahe zu dessen Mündung bei Trient; östl. übersieht man
einen grossen Theil des Etschthales und die dahinter aufragenden
Gebirge; nordöstl. dringt er durch das ganze Passeierthal bis zu
den Stubayer Fernern; nördl. über die nächsten Höhen ragen die
Oetzthaler Berge empor; nordwestl. blickt man hinab in das dunkele Marauner Loch, wo das Mitterbad von Ulten liegt, den grössten Theil dieses Thales selbst, und darüber entfaltet sich die majestätische Eispracht der Orteler Ferner. Von dem Fuss des Gipfels
führt ein ziemlich steiler Weg zum Dolomitrücken des *Kampen*
(ital. *Pallade*, 5241') in 1½ St. und jenseits in den *Nonsberg* hinab,
nachdem er sich schon bei Gfrill mit dem Steige durch das Völla-
nerthal über Platzers vereinigt hat.

Aus der Tiefe des *Prissianer Baches* steigt man wieder schnell
und steil nach *Grissian* auf den Rand der Thalschlucht des *Grissianer Baches*, der, auch von der *Mendel* herabkommend, diese
Bergstufe durchreisst. Bei der Kirche steht der Pestaltar, ein
gemauertes Viereck, überbaut mit einem Dache, welches von
4 Pfeilern getragen wird. Dieser Altar wurde zur Zeit der hier
im 16. Jahrh. wüthenden Pest erbaut, damit der Geistliche von
der Gemeinde, welche in weithin zerstreuten Gruppen umher
stand, bei Verrichtung seines Amtes allseitig gesehen werden
konnte. Sandsteinbrüche. Die Schlucht des *Grissianer Baches*.
Jakobsthal genannt, durchsteigend, erreicht man das jenseits liegende *Sirmian*, mit der Kirche der heil. *Apollonia*. In der Nähe
die *Hölle*, eine Sandsteinschlucht, erschütternd durch ihre Einsamkeit. Aus ihr empor steigt man wieder in das üppige Leben
der südl. Baumwelt, in deren Mittelpunkt die *St. Oswaldskirche*
steht, als Sammelplatz der Gemeinde *Gaid*. Sehr schöner Anblick
der *Mendel* und ihrer Dolomitwände. Darunter zeigt sich gegen
Mals hinab am *Payrsberger Bache* die Burg *Payrsberg*, einst Sitz
des mächtigen Geschlechtes der Boimonts (Boiermont), aus welchem später die Payrsberge hervorgingen; jetzt Besitzthum einer
ungarischen Gräfin.

Ueber die Höhen südl. fortwandernd kommt man bald wieder zu einem Bachriss, an welchem die Burgruinen von *Wolf-
thurn* und *Sichelburg* liegen; der Bach fällt bei *Andrian* (882')
in die Ebene. Der Ort hat eine neue Kirche im byzantinischen
Stile, ist wegen der Etschsümpfe ungesund. Rechts oder westl.
führt ein Steig über die *Scharte* (3010') des Mendelgebirges in den
Nonsberg; von Andrian bis Fondo 5½ St. Auf der Höhe fortwandernd gelangt man am Ende einer Wiese, welche sich in eine
Schlucht senkt, an die Burg *Festenstein*, einst den Eppanern,
jetzt einem Bauer gehörig. Südl., etwas höher, liegt das Dörfchen *Perdonig* unter dem *Gantkogl* (5911'), einem der vorragend-
sten Köpfe der *Mendel*. Ungefähr 10 Min. von *Perdonig* auf einer
Kuppe des Mittelgebirges das zerfallene Kirchlein des heil. Vigilius, unweit davon der *Hangende Stein* mit Aussicht auf Bozen
und Meran.

Bozen

(ital. Bolzano, 828'), 514 H., 8103 E., liegt im Brennpunkte
Tirols, an der Vereinigung des *oberen* und *unteren Etschthales*,
welche sich beide in das östl. hereinkommende *Eisackthal* zu
drängen scheinen, und des *Sarnthales*, aus dessen enger Ausgangspforte die *Talfer* heraustost. Von hier aus gehen Strassen
nach allen Richtungen, südl. die *Eisenbahn* über Verona nach Venedig, nördl. wird sie in einigen Jahren über Brixen und den
Brenner bis Innsbruck fertig sein, die kürzeste Verbindung zwischen Deutschland und Italien. Die eigentliche Stadt liegt in dem
Winkel zwischen der *Eisack* und *Talfer*. Die ganze weite Thalebene, welche von der *Eisack*, *Talfer*, *Etsch* und deren Be- und
Entwässerungskanälen durchströmt wird und einem einzigen unermesslichen Weingarten gleicht, heisst der *Bozener Boden*. Im
Norden und Süden erheben sich steil, aber allenthalben angebaut,
rothe Porphyrberge; das Eisackthal aufwärts zeigen sich die weissen, fremdartigen Zacken und Thürme des Dolomits, von Schneefeldern umlagert; westwärts steigt der Blick über die Stufen des
Porphyrs empor, ebenfalls zu den Schroffen des Dolomits, der
hier aber gerade Linien bildet und röthlich erscheint, wie Porphyr. Am reizendsten erscheint *Bozen* dem vom Brenner durch
die schauerlichen Engen des *Eisackthales* Herabkommenden. Er
wird durch das Fremdartige so überrascht, dass er schon glaubt
in dem Lande zu sein, wo er vielleicht hinziehen will; der südl.
Himmel, die südl. Gewächse und schon dann und wann die italienische Sprache trägt noch mehr dazu bei, wie die Unbekanntschaft mit Italien selbst. Nicht mit Unrecht sagt man, der von
Norden Herkommende hält *Bozen* für die erste italienische Stadt,
und der aus dem Süden Kommende für die erste deutsche Stadt,
wie sie denn wirklich eine Zeitlang unter den Bojoariern und
nachher deutsche Grenzstadt war, und später unter der corsi-
schen Herrschaft auf kurze Zeit die erste italienische Stadt gegen
Deutschland wurde. Bei genauerer Betrachtung ist *Bozen* echt
deutsch; es finden sich eine Menge Anklänge in dem Leben der
hiesigen Bürger aus dem gemüthlichen Nürnberg. Das fremd-
artig Südliche, z. B. im Baustile, ist nicht bloss italienisch, es ist
eine Verschmelzung des Deutschen mit dem Morgenländischen;

denn sehr viele Einrichtungen, welche wir italienisch nennen, stammen aus dem ferneren Südosten her, und wir finden sie wieder auf dem ganzen ehemaligen Handelswege von Aegypten über Venedig, Tirol bis Nürnberg.

Gasthöfe: 1) die *Kaiserkrone*, 2) der *Mondschein*, 3) *Hirsch*, 4) die *Sonne*, 5) *Zwei Schlüssel*. Kaffeehäuser: Sgraffer, Kussoth mit Lesekabinet. — Mehrmals täglich Stellwagen nach Meran und nach Kaltern. — Gepäckträger und Dienstmänner an mehreren Plätzen.

Geschichtliches[1]). Nachdem die Römer unter Drusus die Rhätier in dieser Gegend besiegt hatten, behaupteten sie ihre Herrschaft bis zur Völkerwanderung; viele Ueberreste römischer Bauwerke bezeugen dieses. Es folgte nun die Herrschaft der Ostgothen, und jetzt erhob sich die Stadt. Den Gothen folgten die Longobarden kurze Zeit; denn bald wurde ihre Herrschaft hier wieder durch deutsche Volksstämme, namentlich durch die Bojaren, gestürzt, welche die Longobarden bis zu ihrer jetzigen Grenze an der Mündung des Nosbaches, oberhalb Trient, zurückdrängten. Bozen wurde damals die letzte bojoarische Stadt gegen Süden, und erscheint 680 als Sitz baierischer Grenzgrafen aus welfischem Stamme, den wahrscheinlichen Begründern des eppanischen Geschlechtes. Bald wurden sie erbliche Markgrafen und Besitzer der Stadt Bozen. Die Bischöfe von Trient wussten durch den Einfluss kaiserlicher Günstlinge die Grafen aus ihrem Besitzthum zu verdrängen (1130), und legten dadurch den Grund zu der für das ganze Land verderblichen Zwietracht zwischen den Bischöfen und den Tiroler Grafen, welche sich auf ihre Adlerburgen über Bozen, Hohen-Eppan und Greifenstein, zurückzogen. In diesem Streit erwuchs die steigende Macht der Grafen v. Tirol; sie rissen die Stadt an sich, zuletzt durch gütlichen Vergleich 1466. Durch die günstige Lage bei dem damaligen Haupthandelswege blühte sie schnell zu einem berühmten Handelsplatze auf. Es entstanden die noch jetzt bestehenden 4 Messen: Mitfasten-, April-, Frohnleichnams- und Andreasmarkt, Hauptmessen zwischen Deutschland und Italien. Wegen der unsicheren Zeiten

---

1) Eine auf Urkunden gestützte Geschichte der Stadt ist die von *Math. Koch*. Innsbruck, Wagner 1848.

musste sich die Stadt gegen Räuberangriffe sichern, und wurde
eine förmliche Handelsfestung mit Mauern und Thürmen. Zwar
trafen sie auch grosse Unglücksfälle: Heuschreckenschwärme 1338
und 1340; Feuersbrünste 1224, wobei 1500 Menschen umkamen,
1291, 1443 und 1531; Erdbeben 1331 und 1348; die Pest 1566;
Ueberschwemmungen der Talfer und Eisack 1222, 1277, 1719 und
1759, die den Boden vielfach verändert und durch den mitgeführ-
ten Schutt und Sand durchschnittlich um 8' erhöht haben. Weniger schadeten die Kriege. Aber nichts konnte den Wohlstand der
Stadt erschüttern, nicht einmal die veränderten Handelswege, ein
Beweis für die Wichtigkeit der Lage.

Das Klima von *Bozen* ist warm (der mittlere Thermometer-
stand $+ 10,4^{\circ}$, höchster Thermometerstand $+ 30^{\circ}$ R.), indem die
nächsten Umgebungen gegen den Zug des Nordwindes geschützt
sind, daher man hier auch in der Bauart der Häuser auf Schutz-
mittel bedacht gewesen ist. Sie schliessen in ihrem Innern einen
Hofraum ein, um welchen in jedem Stockwerke Gänge laufen,
und die Thüren der meisten Zimmer führen auf dieselben; ein besonders merkwürdiger Theil der hiesigen Häuser ist die D a c h -
h a u b e, ein ungeheures, oft den grössten Theil des Daches ein-
nehmendes gewölbtes Bodenloch, durch welches Licht und Kühlung in den genannten Hofraum des Hauses geleitet und der Regen abgewehrt wird; deshalb ist diese Haube meistens gegen
Osten gekehrt. Es ist dasselbe, was Schubert in seiner Reise in
das Morgenland in Kairo als etwas Eigenthümliches der dortigen
Wohnungen unter dem Namen Molkof beschreibt. Sie gleichen
oft sogen. Meisenkasten, wo sie nicht gewölbt sind. Die Häuser
haben ausserdem meistens hohe Giebeldächer, sind massiv und
vierstöckig. Die Strassen sind eng und erscheinen noch enger
durch das rege Treiben, besonders in den Hauptstrassen, welches
an Italien erinnert; eine lobenswerthe Einrichtung sind die durch
die Stadt gezogenen Gräben mit fliessendem Wasser, wodurch
die Reinlichkeit der Strassen befördert wird und woran auch ge-
schwätzige Wäscherinnen ihr Gewerbe treiben. Die Hauptstrasse
der Stadt hat, wie die meisten süddeutschen Städte, ihre L a u -
b e n, unter den Häusern fortlaufende Hallen, wo die Krämer feil
halten, eine Art Bazar. Zur Zeit der Messe ist hier der Mittel-

punkt des deutschen und italienischen Handels; auf der einen Seite haben die Deutschen, auf der anderen die Italiener ihre Gewölbe. Mehrere Plätze dienen dem öffentlichen Leben dazu, sich ungezwungener auszudehnen. Am *Dreifaltigkeitsplatze* werden die Frachtwagen beladen. Die anderen Plätze sind: der in neuester Zeit bedeutend erweiterte *Johannis- (Pfarr-) Platz*, *Musterplatz*, wo die Kaiserkrone steht, der *Korn-* und der *Dominikanerplatz*. Der lebhafte Verkehr mit dem Welschlande bringt es mit sich, dass man in dieser deutschen Stadt schon viel italienisch sprechen hört; auch tauschen, wie in der Schweiz, Deutsche und Welsche auf Zeit mit den Kindern, um diesen beide Sprachen geläufig zu machen.

Die Sommerfrischlust ist ein eigenthümlicher Reiz des ganzen tirolischen Volkslebens, vom ersten Beamten bis zum letzten Bauer, der sich in höhere, frischere Regionen als Knecht verdingt, um nur nicht zurückzubleiben. In *Bozen* hat sich dieses Sommerfrischleben veredelt, und es bedarf nur irgend einer Empfehlung oder kurzen Bekanntschaft an der Wirthstafel, um der gastfreundlichsten Aufnahme gewiss zu sein. Gastfreiheit ist eine Hauptbedingung der Sommerfrische, ohne welche dieselbe oft langweilig sein würde. Ausserdem gibt es in den Hauptsommerfrischorten gewöhnlich gute, reinliche Gasthäuser. Hervorgegangen ist die Sommerfrische, wie schon der Name sagt, aus den heissen, feuchten Tiefen des Etschthales, aus denen man sich hinaufsehnt auf die alpenfrischen Höhen und zu deren herrlichen Quellen.

Hauptmerkwürdigkeiten der Stadt sind: die herrliche *Dom- (Pfarr-) kirche*, im gothischen Stile mit schönem durchbrochenem Thurme und bunten Dachziegeln; sie gilt mit Recht für die schönste Kirche in Tirol, hat auch in P. J. Ladurner einen Monographen gefunden (Bozen, Eberle 1851). Vor dem Haupteingange stehen 2 aus Porphyr gehauene Thierfiguren, wie vor dem Dome zu Bamberg und öfter in der Lombardei, welche nach einer alten Rechnung Löwenparte genannt werden. Den Thurm erbaute Hans Lutz, Steinmetz aus Schussenried, 1501. Die Kirche selbst wurde 1400 erbaut, an der Stelle einer früheren kleineren Kirche. Die Kirche und der Thurm erscheinen bei den ho-

hen, sie umgebenden Gebirgen viel kleiner, als sie wirklich sind;
denn schon bis zur Glockenstube steigt man 276 Stufen und hat
einen Ueberblick über das Weinlaubmeer, das die ganze weite
Ebene bedeckt. Die 3 Schiffe werden von 2 Säulenreihen geschieden; 6 Altäre; hinter der offenen Hochaltarwand steht in einiger
Ferne das schöne und grosse Altarblatt, die Himmelfahrt Mariä,
von dem Venezianer Lazzaro Lazzarini; neben dem Altare die
beiden schön gearbeiteten Bildsäulen der Apostel Petrus und Paulus; die aus einem Steine gehauene Kanzel. An die Ostseite der
Kirche wurde in früherer Zeit, aller Architektur zum Trotz, eine
Marienkapelle, mit dem Eingange hinter dem Hochaltare, angebaut, deren unterirdisches Gewölbe bis zu den Zeiten des Kaisers
Joseph II. als Begräbnissstätte der Pröbste von Bozen benutzt
wurde. Nach dem in Bozen erfolgten Tode des Erzherz. Rainer,
ehemaligen Vicekönigs des lomb.-venet. Königreichs († 16. Jan.
1852), liess seine Witwe, Erzherzogin Elisabeth, geb. Prinzessin
Savoyen-Carignan, dieses Gewölbe zur Gruft für sich und ihren
Gemahl herrichten. Ein doppelter Eingang an der Rückseite des
Hochaltars, zwischen welchem auf einer Marmortafel die von dem
Erzherzoge selbst angeordnete einfach-fromme Grabschrift befind-
lich ist, führt in das Innere, welches mit weissem und schwarzem
Marmor bekleidet, in zwei Nischen zu beiden Seiten des einfachen Altares in kupfernen Särgen die Ueberreste der hohen Verstorbenen birgt, deren Herablassung und Wohlthätigkeit bei den
Bewohnern Bozens noch im lebhaftesten Andenken steht. — Unweit des Domes steht die frühere Hauptpfarrkirche zu *St. Nikolaus*. Sehr schön ist der hier anstossende *Gottesacker*, ein grosses
Viereck, 544 Schritte im Umfange und mit einer Säulenhalle umgeben, in welcher die Erbbegräbnisse sich befinden; das vorzüglichste ist das Giovanellische Grabmal in gothischem Stile mit
einer Madonna, nach Schnorrs Zeichnung. Die vorzüglichsten
Bildwerke sind von dem wackeren Reinalter. Schön und passend
ist die Aufschrift über dem Eingange des Gottesackers: Resurre-
cturis; weniger schön erscheinen die grauen, die Gräber decken-
den Erdhügel, fast ohne allen Blumenschmuck. Westl. von dem
Dome liegt das gut eingerichtete *Spital* und die *Spitalkirche*. Das
Kapuzinerkloster mit der *Klosterkirche*, darin schöne Gemälde.

Das *Franziskanerkloster*, eins der ältesten in Tirol, soll vorher ein Tempelherrenhaus gewesen sein; die Kirche wurde 1340 eingeweiht; schöne Altarblätter von Glantschnig, Arnold und Psenner, in der Kapelle neben der Sakristei ein schön geschnitzter Flügelaltar; in dem Klostergarten ein riesiger Lorbeerbaum. Das *Merkantilamtshaus* mit guten Portraits von Gliedern des Kaiserhauses. — Gemäldesammlungen: des *Erzherzogs Heinrich*, *Ignaz v. Giovanelli* (von dem berühmten Tiroler Landschafter Koch, von Appiani u. a.), *Jos. Kinsele* (ebenfalls Landschaften von Koch), *Joseph v. Giovanelli* (Mater dolorosa von Ludwig Schnorr u. a.), *Fr. Tschurtschenthaler* (aus der Wiener Schule: Gauermann, Hersch, Amerling, Zimmermann u. s. w.); Sculpturen aus der altdeutschen Schule beim Hauptm. *v. Schöpfer.* 2 Buchhandlungen. In dem Gasthause zur Kaiserkrone ein Theater. Am südöstl. Ende der Stadt befindet sich der hübsche neue Bahnhof der Südtiroler Staatseisenbahn, mit der Stadt durch einen schön angelegten Weg mit Parkanlagen verbunden. Obgleich Bozen keine öffentlichen Gärten (mit Ausnahme des Hofgartens) besitzt, so ist es doch reich an den üppigsten, bestkultivirtesten Privatgärten, so der des Erzherzogs *Rainer* bei seinem Palais in der Stadt und im Dorf (berühmt wegen seiner Ananashäuser, seltene Farrengewächse, Nadelholzpflanzen und Palmen); daran reiht sich der Garten des Ritters *Hugo v. Goldegg* mit der reichhaltigsten Cacteensammlung. Nicht weniger interessant ist der Garten des Hrn. *D. Streiters* (prachtvoller Rosenflor); sehenswerth sind ausserdem die Gärten des Grfn. *Sarnthein*, der *Eberlinsche* und *Mosersche;* bei letzterem wird eine vom Besitzer verfertigte, sehr sehenswerthe sogen. Krippe, eine Sammlung von Modellen merkwürdiger Gebäude, besonders von Kirchen und Moscheen des verschiedensten Baustils, überraschen. — Gewerbe sind: Gerberei, Schönfärberei, Wachsbleiche, Kotzen- und Wolldeckenfabriken.

Die beste Uebersicht der Umgegend hat man auf dem Thurme des Domes. Der auffallendste Theil der Aussicht bleibt der das Eisackthal hinan. Dieses Thal nämlich biegt bald links um die Porphyrberge herum, während die Berge rechts durch ihre grössere Ferne und nicht bedeutende Höhe dem dahinter aufzackenden Dolomitgebirge gestatten, sich in seiner ganzen eigenthümli-

chen Bildung zu zeigen; besonders fallen die von Schnee umla-
gerten weissgrauen Felsenzacken des Rosengartens in die Augen,
wenn sie im Rosenschimmer der Abendbeleuchtung schwimmen;
die auffallendsten Nadeln links sind die *Rosszähne.* Diese ganze
Gruppe gehört zum Schlerngebirge, der *Schlern* im engeren Sinne
wölbt seinen grünen Rücken sanft empor, seine Wände aber sind
steile Dolomitmassen und links an seinem Absturze steigen 2 von
ihm losgetrennte Dolomitpfeiler empor.   Vom Mendelgebirge auf
der jenseitigen Thalwand hat man bei Meran nur die Seitenan-
sicht als eines kühn vorspringenden Felsencaps; hier stellt es,
so weit das Auge reicht, einen langgestreckten, geradlinigen Rücken dar.

<h3 style="text-align:center">Umgebungen von Bozen.</h3>

Die *Talfer* ist bisweilen ein wüthender, alles zerstörender
Gebirgsbach; man hat seiner Wuth Schranken zu setzen gesucht
durch breite und starke Dämme (sogen. Wassermauern). Diese
mit ihren Baumpflanzungen und Bänken dienen zugleich als Spa-
zierwege. Jenseits der *Talfer* liegt das *Badl* (2910'), ein Vergnügungsort, dessen Wirthschaft die Witwe des im Tirolerkriege bekannten Major Eisenstecken vorsteht, kaum ½ St. weiter an der
Meraner Strasse *Gries*, mit Sigmundskron 252 H., 1841 E. Das
Dorf hat ansehnliche Gebäude und gleicht einer Vorstadt, wird in
den Sommermonaten von Brustleidenden besucht. Das Stiftsge-
bäude ist römischen Ursprungs, wahrscheinlich das Praesidium
Tiberii, woraus später die Burg *Pradein* wurde, wo sich Meinhard II. und Heinrich v. Böhmen öfters aufhielten.   Nach der
Verwüstung des Chorherrenstiftes *In der Au*, an der Mündung der
Talfer in die *Eisack*, wurde dasselbe hierher versetzt.   Noch immer erkennt man den römischen Bau aus einzelnen Theilen.   Die
Stiftskirche ist zwar im Stile des vorigen Jahrhunderts erbaut, aber
merkwürdig durch die zahlreichen und besten Gemälde M. Knol-
lers, und zwar durch 3 sehr grosse Fresken und 8 ebenfalls grosse
(meistens 16 Schuh hohe) Altargemälde; in der Sakristei sein eigenes Bildniss.   Das Augustinerchorherrenstift ist den, 1841 aus
dem Kloster Muri im Aargau vertriebenen, Benediktinern zur Ver-
fügung gestellt.   Auf der Höhe darüber die alte, zweckmässig re-
staurirte Pfarrkirche.   Von hier führt ein Stationensteig in 50 Min.

✦

nach *Glanig*, und von da weiter an die Rückseite der Ruine *Greifenstein* (s. S. 160). Wendet man sich von *Gries* aber in das *Tal-
ferthal* hinein, so gelangt man nach *Troien-* oder *Drudenstein*,
eine Häusergruppe, darüber der *Gescheibte Thurm*, römisches Bau-
werk, wahrscheinlich turris Drusi, Schutzwehr des alten Druso-
magus. Es ist wahrscheinlich ein Rest jenes Kastells, das unter
dem Namen „Fagitanum" Paul Diakon III, 30 aufführt; noch
heisst die Umgebung *In Fagen* und der am Fusse vorbeifliessende
Bach der *Faggenbach*. — Ein Fahrweg führt vom *Gescheibten
Thurm* ebenfalls nach *Glanig*, von *Siebeneich* an dem verlassenen
Kirchlein *St. Cosmus* und *Damian* vorüber, ein steiler Stieg gerade nach *Greifenstein*. *Troienstein* ist vom jetzigen Besitzer restaurirt. Darüber liegt auch noch die kleine Kirche *Mariä Küm-
merniss*. — Links oben auf der Höhe liegt das Dorf *Jenesien*
(3439'), berühmt in der Umgegend wegen seiner schönen Mädchen, wozu auch unstreitig die schöne Tracht viel beiträgt, mit
hübscher neuer Kirche in romanischem Stile. Ein Hauptsommerfrischort der Bozener, 2 St. von der Stadt. Von hier über das
Naltnerjoch (4632') geht es rechts nach Flaas, links nach Mölten.
    Einer der belohnendsten Ausflüge führt nach der alten Feste
Runglstein (1410'). Am linken Talferufer führt der Steig allmählich rechts hinan; an einer Theilung desselben folgt man zuerst
dem Wege links, welcher wieder zur Tiefe und um die Höhe, auf
welcher sich die Burg schon zeigt, herumzieht; man überschreitet die *Talfer* und blickt nun zurück und hinan zur Burg. Der
vorhin grün umbuschte Burgberg hat sich plötzlich in einen ungeheuren scharfkantigen Felsblock verwandelt, an welchem nur
hie und da ein Strauch haftet, und oben von schwindelnder, senkrechter Höhe herab droht die alte Burg; der Schatten des Eng-
thales, die rothbraune Porphyrmasse, die wildrauschende *Talfer*
und ein einsames Häuschen jenseits der *Talfer* machen im Gegensatz des lärmenden Stadtlebens, der weiten üppigen Fluren, in
denen man so eben noch lebte, einen überraschenden, tiefen Eindruck. Wir kehren nun wieder zu dem Scheideweg zurück und
folgen rechts dem steilen aber kurzen Steig zur Burg hinan. Sie
ist halb zerfallen, zum Theil noch erhalten und bewohnt, hat eine
Rüstkammer. Merkwürdig wird sie durch alte Freskogemälde,

romantische Erinnerungen und die herrliche Aussicht, welche bald
in die düsteren, einsamen Abgründe des Sarnthales, von wo wir
vorhin heraufblickten, fällt, bald die Burgen der jenseitigen Thalwände streift, bald durch die alten Fensterbogen hinauseilt in
den sonnigen Schmelz des weiten Bozener Gartens und auf die
fernen duftigen Höhen des Etschlandes. Die Burg wurde 1237
von einem v. Wangen erbaut. Unter den folgenden Besitzern
zeichneten sich die v. Vintler im 14. Jahrh. aus. Konrad v. V.,
ein Zeitgenosse Oswalds v. Wolkenstein, des berühmten Minnesängers, erwarb sich einen ähnlichen Ruf, und Nikolaus v. V.,
ein Zeitgenosse Friedrichs m. d. l. T., ist der wahrscheinliche Stifter der Fresken, welche leider sehr gelitten haben. Leopolds des
Stolzen, des bei Sempach gefallenen, Sohn Wilhelm heirathete
die neapolitanische Prinzessin Johanna. Auf seiner Rückkehr
durch Tirol bewirthete ihn Nikolaus v. V. im Namen des tirolischen Adels auf seiner Burg Runglstein, und den Festlichkeiten
dieses Empfanges verdanken die Gemälde ihre Entstehung. Wilhelm und seine Gemahlin sind unter die Helden der Geschichte
der Minne und Poesie versetzt; daher erblickt man die Könige
von Israel, die römischen Kaiser, die Ritter der Tafelrunde, die
Helden der Nibelungen, Hagen v. Tronegg, Dietrich v. Bern und
Dietlieb v. Steier; ferner 3 männliche und 3 weibliche Ungeheuer
aus dem Heldenbuche, mit heidnischem Zauber gegen das Christenthum ankämpfend. Durch eine Thür tritt man von hier in
den Saal des Tristan und der Isolde, nach Gottfrieds v. Strass-
burg Dichtung. Der dritte Saal, welcher am besten erhalten, ist
dem Könige Arthur und den Rittern von der Tafelrunde geweiht[1]).
In der öden Kapelle ist die Darstellung des Todes sehenswerth;
sehr schön ist ein Christuskopf. Nach dem Aussterben der Vintler kam die Burg an die Landesfürsten; Maximilians I. Sinn für
das Schöne und Grosse liess die Burg und diese Schildereien wieder herstellen. Jetzt gehört die Burg mit ihrem Besitzthum zu
den Tischgefällen des Bischofs von Trient, von ihm verpachtet an
Ritter Franz v. Kafler, den bekannten Freund und eifrigen Erhal-

---

[1]) Diese Fresken sind nach Zeichnungen von Ign. Serlos, mit Text von
Dr. Ign. Zingerle in Innsbruck veröffentlicht.

ter vaterländischer Alterthümer, der auch Schloss Prösls bei Völs
gekauft und stilgemäss restaurirt hat [1]).

Jenseits der *Talfer* liegt *Rafenstein* (2143'), eine schöne
Felsenburg: einst den Herren v. Wangen, dann v. Weinegg und
v. Goldegg gehörig, ging sie an die Grafen v. Wolkenstein-Trostburg über; die jetzigen Ruinen gehören den Grafen v. Sarnthein
in Bozen. Von dieser Burg hat man eine herrliche Aussicht das
Etschthal hinab. Darunter liegt, mit dem neuen Wege ins Sarnthal durch eine Drahtbrücke verbunden, das Schlösschen *Ried*,
jetzt Herrn Seeberger gehörig. Nicht weit davon stehen die Ruinen der Burg *Langegg*.

Der Alterthumsfreund, welcher noch nicht auf dem Herwege
das Schloss *Maretsch* besuchte, kann es auf dem Rückwege nach
Bozen. Einst war es das Stammschloss der Herren v. *Maretsch*,
welche 1520 ausstarben; ihnen folgten im Besitz die Reifer, Römer und Hendl; jetzt gehört es dem Grafen v. Sarnthein. Die
Fundamente der Burg liegen 30' unter dem heutigen Niveau der
Talfer und doch geht die Sage, es habe einst auf einem Hügel gestanden. An einer Mauer des Schlosses der Strassenstein, welchen ein Edler v. Römer von der Töll hierher brachte. — Auf
dem Rückwege von *Runglstein* wende man sich links und durch-
streife den südl. Abhang des Oberbozener Berges bis gegen das
Dorf *Rentsch* hin an der Eisackstrasse; hier liegen die schönsten
Landsitze und hier ist, wenn auch nicht die üppig alles über-
schattende Pflanzenfülle, doch die dem Fremden neue Pflanzenwelt am meisten entwickelt. Hier gedeiht der feurige Bozener
L e i t e n w e i n , denn der ganze Abhang heisst die *Bozener Leite*
oder *Leitach*: dort schweben die Schirmdächer der Pinie, hier
schattet die feurige Granate neben der mattgrünen Olive; wild-
wuchernde Opunzien und Agaven überziehen ganze Strecken;
hier erfreut die niedliche, bescheidene Myrthe, dort strebt stolz
die Cypresse empor. Die hier wachsenden Citronen und Goldfrüchte müssen zwar im Winter überbaut werden, bedürfen jedoch
der Heizung nicht. Daher sind aber auch diese Besitzungen die
theuersten. Dieser Theil der *Leitach*, von der *Talfer* bis zum

1) Eine Monographie über Runglstein von r. *Zingerle* hat das Ferdinan-
deum herausgegeben.

Katzenbach, der von Oberbozen herabkommt, wird gewöhnlich mit dem Namen *Dorf* bezeichnet, Ruralgemeinde *Zwölf Malgreien.* Hier liegen die Edelsitze *Gerstburg*, die Frühlingswohnung der Grafen v. Sarnthein, mit Fresken von Knoller, *Campill*, *Lindenburg*, *Prakenstein*, *Payrsberg* und *Hörtenberg.*

Links über den Eisenbahndamm, jenseits der *Eisack* kommt man am *Schluf*, einem Wirthshause und Vergnügungsorte der Bozener, vorbei links die Höhe hinan, an den Stationen mit lebensgrossen, bemalten Statuen vorüber zum *Heiligen Grabe*, Kapelle mit einer guten Kreuzabnahme von Stadler. Aussicht hinauf in das obere Etschthal, hinüber nach Eppan und hinab nach Bozen. Von hier steigt man weiter hinan zu den Ruinen der grossen Burg *Weinegg* auf dem *Vigilienkofel*. Die Herren v. Weinegg gehörten zu den mächtigsten Gegnern der Grafen v. Tirol; allein der kräftige Graf Meinhard II. brach ihre Macht und Burg 1295. Die Burgruinen nehmen in ihrem Umfange 3 Hügel ein und lassen auf ein hohes Alter schliessen. Das am Fusse der Burg stehende Messnerhäuschen ist aus der Burgkapelle entstanden, der unterirdische Gang von da in die Burg noch erkennbar; auch gute, alte Wandgemälde. Auf der anderen Seite des *Heiligen Grabes* liegt auf einer Höhe, dem Etschthale zugekehrt, die alte *Haselburg* (Schloss *Küebach*), wohin man bequem von *Haslach* hinansteigen kann; sie ist fast ganz verfallen. Sie gehörte den Eppanern, dann folgten Trient, die Grafen v. Tirol, die Haselburger, Greifensteiner, Starkenberger, Lichtensteiner und Küebacher; jetzt gehört sie d. Gr. v. Sarnthein. Von *Küebach* führt ein in den Felsen gehauener Fahrweg an der Wegkapelle mit schöner Aussicht vorbei nach *Seit*, 1¼ St. von Bozen, bis zur Kirche von Seit. — Von hier gelangt man nach dem Sommerfrischorte *Kollern*, wohin auch ein Weg auf dem linken Eisackufer, die 1180 vom Bischof Salomo geweihte Kirche *Campill* unter sich lassend, über *Kampen* führt, und dem Bade *St. Isidor*, gewöhnlich nur das *Badl* genannt, 2½ St. von Bozen.

Geognost. und Mineral. Bozen liegt ganz im Gebiet des quarzführenden Porphyrs, unter dessen Decke man erst am nördl. Ende des Kunterswegs den Thonglimmerschiefer hervortretend trifft. Am Calvarienberg steht der Bozener Porphyr mit seinen Breccien an, mit kleinen Gängen, die Flussspathkrystalle, Schwer- und Kalkspath führen. Die prachtvolle Säulenbildung bei Sigmundskron gehört nach v. Richthofen seinen Breccien an. Am Kuntersweg aufwärts trifft man noch mehrere von v. Richthofens Porphyren, so den von *Blumau* mit seinen Breccien bis Steg. Bei *Törkele* bricht der Castelruther Porphyr durch die älteren ausgedehnten Porphyrtuffe.

Flora. Bozen ist ein vorzüglicher Standort für den Botaniker, von dem aus er in kurzer Zeit aus den tieferen Regionen, reich an südlichen Formen, bis in die Hochalpenregion gelangen kann, am Rittnerhorn und der Villanderalp mit den Pflanzen des Kieselbodens, am Schlern und an der Mendel mit der noch reicheren Kalk- und Dolomitflora. Kein Gebiet ist dazu so abgesucht: durch Zuccarini, Eismann, Hausmann, Heufler, Facchini, Leybold, deren Resultate in v. Hausmanns Flora Tirols, Facchini's elenchus plantarum Tirol. cisalp, Zeitschr. des Ferdinand. c. 15. Heft. 1853 und in der Regensb. bot. Zeit. 1854 u. 55 niedergelegt sind. Alle interessanten Pflanzen dieser Flora aufzuführen, würde uns zu weit führen, nur vom Schlern wird ein vollständigeres Verzeichniss folgen als Prototyp der Flora der Südtiroler Kalkalpen. Excursionen nach Schloss Runkelstein, Hertenberg, die Höhen hinter heil. Grab, hinter Gries und Moritzing, nach Sigmundskron und Siebeneich liefern den Reichthum der südlichen Formen des Mittel- und Buschwaldes, der warmen sonnigen Gehänge, der Weinbergmauern. Hier neben der Stieleiche Quercus pubescens, Ostrya carpinifolia, Pistacia Terebinthus, Rhus Cotinus, Celtis australis, Cornus mas, Prunus Mahaleb, Colutea, manche Cytisi, darunter hirsutus, bei Andrian purpureus, Ruscus aculeatus, Ephedra distachya bei Sigmundskron, ein ganzes Buchsbaumgebüsch bei Schloss Warth, Capparis spinosa in Weinbergmauern bei St. Antoni-Schlösschen, dazu manchen Flüchtling, wie verwilderten Granatapfel, Pfirsich, Opuntien. Dazu Tamus communis am Calvarienberg u. a. O. Dazu Anemone trifolia, Arabis turrita, Viola suavis', Lychnis Coronaria, Dianthus monspessulanus, Seguierii, atrorubens, sylvestris, Dorycnium herbaceum, Vicia Gerardi, lutea, Lathyrus sphaericus, Orobus variegatus, Potentilla collina, Althaea pallida, Helianthemum Fumana, Ruta graveolens, Saponaria ocymoides, Sedum dasyphyllum, Eryngium amethystinum, Bupleurum aristatum, Seseli venetum, coloratum, Galium purpureum, lucidum, rubrum, aristatum, Centranthus ruber, Bidens bipartita, Crepis setosa, Carpesium cernuum, Achillea tomentosa, Centaurea maculosa, Campanula bononiensis, spicata, Scabiosa gramuntia, Onosma stellatum, Thymus pannonicus, Euphrasia lutea, Orobanche cruenta, Linaria Italica, Allium sphaerocephalum, Luzula nivea, Forsteri, Carex nitida, Michelii, Hierochloa australis, Molinia serotina, Tragus racemosus, Maranta Ceterach, Asplenium Adiantum nigrum, Notochlaena Marantae; bei St. Oswald im Hertenberg Heteropogon Allionii. An Mauern beide Parietarien. An Wegen häufig: Ononis Natrix, Farsetia incana, Cerintho minor, Chenopodium botrys, Plantago arenaria, Poa rigida (Weg nach Ceslar), Eragrostis megastachya, poaeoides, pilosa mit manchen der vorigen; gegen Siebeneichen auch Trifolium scabrum, strictum, Malva fastigiata, beide Diplotaxie, Plantago arenaria, serpentina (ob Schloss Rafenstein); auf Grasplätzen und Wiesen: Chlora serotina (Siebeneichen), Euphorbia Gerardiana (Rodlerau), Plantago altissima, Centaurea nigrescens: auf Aeckern und in Gärten: Portulaca oleracea, Crepis setosa, Bidens bipartita; auf den Wiesen und Grasgehängen am Ceslar verschiedene Narcissen (Pseudo-Narcissus, incomparabilis, biflorus), auch Crocus;

12 *

bei St. Jakob Carex polyrrhiza. In den Gräben und Sümpfen der Thalniederung, so um Sigmundskron: Hemerocallis fulva, zahlreiche Cyperaceen, so Cyperus Monti, glomeratus, longus, Scirpus Holoschoenus, Carex Michelli u. s. Reich sind auch die Griese, insbesondere der des Talfer, wo Epilobium Dodonaei, Erysimum rhaeticum, Senecio nebrodensis u. a.; an der Eisack: Tommasinia verticillaris. Nicht wenige unserer Küchenkräuter und Gartenpflanzen überhaupt kommen verwildert, manche auch wild vor: Petersilie, Fenchel u. a., Feige, Maulbeerbaum, Pfirsiche, Lavendel, Rosmarin, echter Jasmin, Phytolacca, selbst die Opuntien und Agaven verwildert. Cypressen sind häufig in Gärten, nur einzeln die Pinien, der Oelbaum (Runglstein, St. Antonischlösschen).

Auch die Fauna erinnert uns an den Süden mit der grünen Eidechse (Lacerta viridis), die Sandviper (Vipera ammodytes, „Holzwurm"), Cicada Orni, das Weinhähnchen, Mantis religiosa, der europäische Skorpion.

Der Weg über den *Ritten*, an dem hoch hinauf die Pflanzen der wärmeren Tiefe ziehen, wo an der Waidach und bei Kematen sich schon eine reiche subalpine Flora einstellt (Aquilegia atrata, Cardamine resedifolia, Sedum annuum, Bartsia, Rhinanthus alpinus, Phyteuma Halleri. Pyrola media, Cirsium heterophyllum, Juncus alpinus, Carex dioeca, Avena lucida, Rhododendron ferrugineum), über den Pemmern (Soldanella minima u. v. a.) zur Höhe des *Rittner Horns* führt bis zur Hochalpenregion hinauf mit Ranunculus pyrenaeus, Sibbaldia procumbens, Alchemilla pubescens, Achillea moschata, Saussurea alpina, Hieracium albidum, Leontodon pyrenaicus, Phyteuma hemisphaericum, Michelii, Primula glutinosa, Juncus trifidus, Luzula lutea, spadicea, spicata, Agrostis alpina, Sesleria disticha, Festuca Halleri, Avena laxa u. v. a. Die benachbarte *Villandereralp*, auf Thonglimmerschiefer, ist ebenfalls reich, hier noch Arabis pumila, Hieracium glanduliferum, Avena subepicata.

Das Sarnthal

mit seiner Gebirgsumwallung ist der eigentliche Mittelpunkt, der Kern von Tirol; die *Sarnthaler Gruppe*, obgleich nicht sehr hoch im Vergleich mit ihren nachbarlichen Gebirgen, ohne alle Eisgebirge, scheint dennoch die Gebirgsordnung Südtirols aus den Fugen gerissen zu haben. Das obere Etschthal, Vintschgau und das Pusterthal bilden eine grosse Längenthalfurche im Süden der Alpen, wie das Inn-, Salzachthal u. s. w. im Norden der Alpen; aber da tritt hier im Süden, wie ein vom Himmel herabgefallener kleiner Planet, die *Sarnthaler Gruppe* mitten in den Weg und gibt allen auf sie treffenden Thälern eine andere Richtung. Am auffallendsten werden das Etsch- und Pusterthal, rechtwinkelig, abgestossen (wir sehen hier das untere Eisackthal als Fortsetzung des Pusterthales an); sie beide werden von ihrer westöstlichen Richtung zu einer südlichen gezwungen. Die Eisack, vom Bren-

ner herunterstürzend von Norden nach Süden, wird, indem sie
auf diese Gruppe stösst, südöstl. gewiesen; das Passeierthal stösst
auf sie bei St. Leonhard in östl. Richtung, muss sich aber schnell
fast südwestl. wenden. So liegt das *Sarnthal* wohlgeborgen, stark
umwallt und fast inselartig allseitig umflossen von einem tiefen
Wallgraben, in der Mitte des Landes; nur der Rücken des Jaufen verbindet es mit der übrigen Gebirgswelt. Jedoch ist geognostisch die Gruppe keine abgeschlossene Masse, sondern die
Gebirgsarten gehen quer durch die Gruppe und setzen im Osten
jenseits der Eisack fort. Die südlichste Masse ist Porphyr bis
Sarntheim; nördl. folgt Thonglimmerschiefer, diesem Glimmerschiefer mit kleinen Gneisszügen, der Pensermasse angehörig. Da,
wo sich der Porphyr an den Glimmerschiefer legt, würde die grosse Längenthalfurche des oberen Etsch- und Pusterthales, wenn sie
nicht durch den Porphyr unterbrochen würde, hindurchziehen. Sowie das ganze Thalgebiet einer abgeschlossenen Insel, einer alten,
mit Mauer und Gräben umgebenen, Burg gleicht, ebenso abgeson-
dert erscheint der Menschenstamm, eigentlich das Merkwürdigste
dieser Thalgegend. Sie sind echt deutschen Stammes und rühmen
sich auch, von Norden her hier eingewandert zu sein. Ihre Sprache ähnelt der Passeirischen. Von den deutschen Etschländern
sind sie scharf geschieden. Fröhlichkeit, Offenherzigkeit, grosse
Ehrlichkeit, ein leichter Sinn, Sparsamkeit, Nüchternheit, Fried-
fertigkeit sind Haupttugenden dieses Volksstammes. Sie haben,
Männer und Weiber, einen starken und kräftigen Körperbau, der
bei letzteren noch durch viele dicke, kurze und faltenreiche Röcke und Unterröcke unverhältnissmässig an Umfang gewinnt. Der
Rock ist blau und zwar, wie meistens in Tirol, die untere Hälfte
dunkler gefärbt, als die obere Hälfte, ebenso ist es mit den Schürzen; die weisse hässliche sogen. Stotzhaube sieht man wenig
mehr; das Mieder ist grün mit breitem, rothem Umschlag, im
Rücken mit einer dunkelrothen, einer Fächermuschel ähnlichen
Verzierung; unter der Halskrause ein schwarzseidenes Umschlage-
tuch; kurze Hemdärmel mit Spitzen; eine Art schwarzer, langer
Handschuhe und rothe Strümpfe. Die Tracht der Männer ist der
Passeirischen ähnlich; die ihnen früher eigenthümlichen bren-

nendrothen Jacken sind selten geworden. — Hauptgewerbe ist
die Viehzucht und zwar Handel mit dem gemästeten Vieh; jährlich werden Tausende von Schafen zum Verkauf gebracht, die
auf den hiesigen Alpen übersommert sind. Kühe werden nur zum
eigenen Bedarfe gehalten, daher man auf den Alpen wenig Milch
und alpine Erfrischungen findet. Auch die Holzlieferung ist nicht
unbedeutend; jährlich werden 6000 Klaftern nach Bozen getriftet.

　　Mineral. Die Quellen liegen im Glimmerschiefer, dem westlich von Pens
Kalk eingelagert ist; von Oberstichl bis Sarnthein Thonglimmerschiefer, die übrige
untere Hälfte des Thales Porphyr. Die Talfer treibt schöne Porphyrgeschiebe
nach Bozen hinaus, auch pechsteinartige. Im rothen Sandsteine, den Porphyr
bedeckt, findet sich Bologneserspath (Schwerspath).

　　Flora des Oberstichljochs s. S. 145. Am *Penserjoch:* Trifolium alpinum,
Sibbaldia procumbens, Saxifraga bryoides, Gaya simplex, Phyteuma hemisphaericum, Luzula glabrata, Carex frigidus.

　　Die Länge des ganzen Thales von Bozen bis nördl. auf das
Penser Joch beträgt 11 St. Bis Sarnthein ist 1854 auf Kosten
der Sarnthalgemeinden vom Bauunternehmer Visentheiner und In-
genieur Schwaighofer für 20,000 Fl. ein neuer Weg angelegt, zur
Noth fahrbar. Er führt unter dem Schlosse *Runglstein* vorüber,
anfangs am linken Ufer der *Talfer* an den *Vögelewänden* vorbei.
Ihnen gegenüber erheben sich über einem Wasserfalle die unzugänglichen Ruinen eines Schlosses, von dem nahen *Fingellerhofe*
das *Fingellerschloss* genannt, über dessen ehemalige Besitzer tiefes Dunkel herrscht. An der anderen Seite der *Talfer* liegt das
Schloss *Ried*, wo unter Kaiser Max I. der Zoll eingehoben wurde,
ein Beweis, dass damals der Saumweg nach Bozen durch das
Sarnthal ging. 1 St. von Bozen entfernt liegt das Zollhaus mit
einer Schenke, wo zur Erhaltung des Weges von Trieb- und Zugvieh, und selbst von Fussgängern das Weggeld eingehoben wird.
Hoch über dem Zollhause liegen die Ruinen des Schlosses *Lang-*
egg (s. S. 177) und jenseits auf einem sonnigen Vorberge der ehemalige Freihof des Mayer v. Goldegg, einer der 4 Freihöfe, welche, wie die Schilthöfe im Passeier, ihre Rechte um Friedrich m.
d. l. T. verdient hatten. Nach ¼ St. Weges erreicht man die *Magg-*
lerkessel, von dem darüber liegenden *Magglerhofe* so genannt, ein
Labyrinth von ungeheuren Felsentrümmern, durch welche sich

die *Talfer* schäumend und brausend drängt, und 10 Minuten später eine Thalenge, welche nur dem Flusse Raum lässt, so dass eine Brücke der Länge des Flusses nach in die Felsen eingekeilt ist; über sich erblickt man an der Spitze einer senkrechten Felsenwand das Kirchlein *St. Johann am Steinknorren.* Hier zweigt sich der Bergsteig nach *Wangen* ab (s. S. 184). Jenseits der Brücke erweitert sich die Schlucht, in 1 St. erreicht man die Grenze des Bezirks *Sarnthal*, von hier in 1¼ St. den Meiler *Dick;* bald darauf breitet sich das Thal zu einer weiten Mulde aus, man gewahrt am rechten Ufer das Bad *Schörgau*, über demselben das *Putzenkirchlein* und erreicht in ¾ St. den Ort *Sarnthein.*

Von *Dick* führt ein Bergsteig hoch über dem rechten Ufer des *Tanzbaches* in 1¼ St. nach *Windlahn*, einer Häusergruppe in einer schauerlichen Schlucht an den Wänden der vorderen *Sarnerscharte*, und windet sich dann an den Abhängen der *Rittneralpe* nach *Gismann*, einem anmuthigen Alpendörfchen, welches man von Windlahn in 1¼ St. erreicht. Ein freundlicher Fahrweg führt von hier über den *Rosswagen* (5800′) in 1 starken Stunde nach dem einsamen Wirthshause von *Pemmern*, von wo man in 1½ St. *Klobenstein* auf dem *Ritten* erreicht.

Im J. 1508 erscheint Cyprian Sarntheiner v. Nordheim, Hofkanzler des Kaisers Max I., als Pfleger von Sarnthein und Lehensträger von Reineck, Kellerburg und Kranzelstein. Nach dem Aussterben dieser Familie kamen ihre Besitzungen im J. 1635 durch Kauf an den reichen Bozener Handelsherrn David v. Wagner zu Rottenbuch, dessen Nachkommen bei ihrer Standeserhöhung den Namen der Grafen v. Sarnthein annahmen.

Der alte Weg, der nur noch von dessen Anwohnern gegangen wird, steigt von *Bozen* links hinan zum Sarntheinischen Schlosse *Rafenstein* und führt dann gleichmässig fort auf der Höhe der Bergstufe. Beide Wege sind besser zu gehen als zu fahren, obgleich viermal wöchentlich der Bozener Postbote nach Sarnthein fährt und Passagiere mitnimmt. — Links kommt vom *Möltner Joche* die Schlucht des *Dornbachs* herab mit den Orten *Flas* (4273′) und *Campidell* oder *Gumidell*, 1809 heiss bestritten. Durch sie steigt man hinüber nach Mölten, Vöran und Meran, und wird besonders auf dem *Möltner Joch* (6503′) durch eine äusserst grossartige Aussicht

in das Etschthal und die jenseitige Hochgebirgswelt überrascht;
allenthalben die schönsten Alpen und herrliches Gebirgswasser.
Im Hauptthal liegt auf der Gebirgsecke die Gemeinde *Afing*
(2695′), 62 H., 329 E. Dem *Dornbach* fast gegenüber stürzt der
Emmersbach in die *Talfer*, und auf der Höhe neben ihm liegt *Wan-*
gen (3308′), mit Oberinn 103 H., 664 E. Hier stand, wahrscheinlich an der Stelle der jetzigen Kirche (von Wangen), die Stammburg der Herren v. Wangen, eines alten mächtigen Geschlechtes,
welche Runglstein bauten und von denen die Wangergasse in Bozen ihren Namen hat, weil sie sonst unter der besonderen Gerichtsbarkeit dieses Geschlechtes stand.

  6 St. von Bozen erreicht man das von grünen Bergen umla-
gerte *Sarntheim* (3051′), den Hauptort der Gemeinde Sarnthal, mit
Pens, Reinswald und Dürnholz 605 H., 3961 E. Gasth. zum
Schweitzer. Rechts über dem Orte thronen die gräfl. Sarntheim-
schen Burgen *Reineck* und *Kränzenstein*, links die Kirche und das
Widum. In der Pfarrkirche eine sehr schöne Orgel. In der Tiefe
des Thales liegt der Sarntheinsche Ansitz *Kellerburg*. — Westl.
führen durch den *Ottenbacher Grund* 2 Steige nach Hafling und
Meran; der südlichere (7 St. bis Meran) ist vorzuziehen auch dem
über das Möltener Joch. Oestl. ragt die *Sarner Scharte* (7932′)
und der *Hornkopf* (7776′) auf, auf dem sich eine weite Aussicht
eröffnet und von wo man rechts nach Oberbozen, links nach
Clausen hinabsteigen kann.

  Von *Sarntheim* führt der Weg durch das wieder etwas enger
werdende Thal über *Nordheim* nach *Astfeld*, wo sich das Thal
ästet. Nordöstl. hinan zieht sich 2 St. lang bis *Dürnholz* ein üppig grünendes Alpenthal, dessen Alpen zu den schönsten Tirols
gerechnet werden. *Reinswald*, wo ein gutes Wirthshaus, bleibt
rechts liegen. Bei *Dürnholz* (5017′) liegt der tiefe, aber klare
Dürnholzsee, der nach der Sage des Volkes mit den Lagunen Venedigs zusammenhängt. Er ist sehr fischreich. Unterkunft nur
im Widum. Ein äusserst angenehmer Steig führt über die schönen Alpen und das *Schalderer Joch* nach Brixen oder über das
Latzfonser Joch nach Clausen. — Das Hauptthal zieht von *Ast-*
feld nördl. fort. In 3 St. erreicht man in einer bedeutenden Thalweitung *Weissenbach*, wo links das *Weissenbacher Thal* herein-

kommt, welches die Grenze gegen den Granit des Ifingers bildet, in dessen Gebiet wir hier troten. Durch dieses Thal führt ein bequemer Steig über herrliche Alpen nach Walten und St. Leonhard im Passeier. — Schon in 1 St. erreichen wir das letzte Pfarrdorf des Thales, *Pens* (4610'), und verlassen den Granit wieder. Das Thal ist hier sehr weit im Vergleich der früheren Gegenden. Ein bequemer Jochsteig führt nördl. über das Grenzjoch des Thales, das *Penser Joch*, 11 St. von Bozen, nach Stilfs und Sterzing an der Eisack. Unter dem Joche auf der Sterzinger Seite ein herrlicher Brunnen mit Ruhebänken. Für Fussgänger geht durch das *Sarnthal* der nächste Weg nach Sterzing und Innsbruck.

     •   **Das Eisackthal und sein Gebiet,**
zu dem, streng genommen, auch das *Sarnthal* gehört, da die *Talfer* in die *Eisack* kurz vor dem Einfluss in die Etsch mündet, ist, wie das Etschgebiet, das grösste in unseren Alpen und vielartigste, das grösste Seitengebiet der Etsch und überhaupt in den deutschen Alpen. Es ist das umfangreichste und vielartigste und wohl auch das merkwürdigste; denn fast in keinem Gebiete der ganzen Alpenwelt finden sich so verschiedene Gebilde, sowohl der leblosen, wie der belebten Natur. Als Hauptgrenzpfeiler bezeichnen wir nur die Möltener Porphyrberge, den granitischen Ifinger, den glimmerschieferigen und kalkigen Schneeberg, den begletscherten Gneissstock gegen Stubay, den Brenner, die Eiskette des Zillerthales mit ihrem Mineralreichthum, die Gneiss- und Granitberge des Krimler Tauerns und Dreiberrnspitzes, die Glimmerschiefermasse von Defereggen, den Sattelrücken von Toblach, die Dolomitwelt von Enneberg und Gröden, die Augitporphyrmasse der Seisser Alpe, den Dolomitstock des Schlern und Rosengartens, und dann wieder zum Schluss die Porphyrmassen im Süden von Bozen.

     Es grenzt westl. an die Thalgebiete der Etsch, vom Passeier, Stubay; nördl. an das Sill-, Ziller- und Salzachthal; östl. an Virgen, Defereggen, das Quellengebiet der Drau und Piave und den Avisio.

     Betrachtet man das ganze Gebiet mit seinen Verzweigungen, so erscheint es als ein prächtiger Baum aus den Urwäldern der Tropenwelt, üppig aufstrebend mit unzähligen Aesten und Zweigen, umsprosst, und umduftet von den verschiedenartigsten Ge-

wächsen. Schon aus der Wurzel sprosst das Sarnthal, während
der eigentliche Stamm nach Brixen aufstrebt, rechts umsponnen
von der Blüthe der Dolomitwelt; ehe er noch in die Krone geht,
ästet das provençalisch-romanische Gröden ab. Oberhalb Brixen
geht der eine Ast als Eisackthal nordwestl. hinauf nach Sterzing,
seine äussersten Spitzen verbergend unter den Eiskrystallen der
Thäler Ridnaun, Radschinges, Pflersch und Pfitsch; über den
Sattel des Brenners verzweigt es sich mit Ranken des Innthales.
Der östl. Ast, von der Rienz durchflutet, dringt durch die Pusterthaler Klause und führt den Namen Pusterthal; auch er treibt
kräftige Zweige; nördl. das von den hohen Eisbergen des Zillerthales und Pinzgaues umstarrte Ahrnthal, das durch den Krimler
Tauern dem Salzachthale Salzburgs die Hand bietet, während das
südliche, in die Hochwelt des Dolomits aufstrebende, ladinische
Enneberg südöstl. in das Gebiet der Piave, südl. in das Fassathal
und westl. nach Gröden rankt. Die östlichsten Zweige des Hauptthales berühren die Quellen der Drau. Etsch, Inn, Drau und
Piave umlagern das Gebiet. Die von Bozen entferntesten Grenz-
marken sind: der Krimler Tauern 32 St., die Rienzquelle 30 St.,
der Brenner 21 St., Quellen des Ridnauner Baches oder Hochfreuele 24 St., die Staller Alpe in Antholz 26 St., die obersten
Anfänge von Enneberg 25 St. Zieht man aber gerade Linien, so
ergibt sich gleiche Länge und Breite; die eine Linie von Bozen
bis auf den Krimler Tauern hat eine Länge von 25 St., ebenso
die gerade Linie von Hochfreuele bis zum Paternkogl im hintersten südöstlichsten Rienzgebiet.

Wegen der tiefen Lage des untersten Eisackthales, sowie
auch wegen der Enge des Thales, hat sich der grösste Theil der
Bevölkerung auf die Bergstufen des Porphyrgebirges gelagert und
hier ein Klima gefunden, das noch den herrlichsten Floren gedeih-
lich ist. Die Orte Castelruth, Völs u. a., zu denen man stunden-
lang aus dem Eisackthal steil hinan steigen muss, liegen noch
nicht höher, als Sterzing. Die mittlere Meereshöhe des Eisackthals von Bozen bis Brixen ist 1389', von da bis zum Brenner
2935'. — Um die Gegend von Bozen bis gegen Brixen kennen
zu lernen, gehen wir 1) im Thalboden hinauf, 2) auf das nord-
westliche Mittelgebirge, 3) auf das südöstliche.

1) Von *Bozen* führt die Strasse östlich auf dem rechten *Eisackufer* ins Thal hinein; links hat man die hesperischen Gärten Bozens mit ihrem südlichen Pflanzenleben. Bald erscheint *Rentsch*, 89 H., 650 E. Es bildet in der Abendbeleuchtung ein herrliches, aber eigenthümliches Bild: der graue stark erleuchtete Kirchthurm und die weissen Häuser und Gartenmauern im Vorgrunde, dahinter die dunkele Porphyrkluft des Thales in tiefen Schatten gehüllt, darüber wieder die weissen Dolomitzacken und schneegefurchten Wände des Rosengartens. Am Ende des Dorfes überschreitet man den von Oberbozen herabrauschenden *Rifidaunbach (Katzerbach!)*.

Jenseits der *Eisack*, über die eine bedeckte Brücke führt, liegt *Karneid (Kardaun)*, 83 H., 515 E. Gegen Süden öffnet sich hier das *Welschnofner Thal*, vom *Karneider Bache* durchströmt, mit der neuen Strasse. Ueber dem Dorfe, am Eingange ins Thal, thront das Schloss *Karneid*, jetzt im Besitze des Ritters v. Goldegg. — Ob die geringen Kohlenflötze der untern Trias dieser Gegend fossile Pflanzen führen, ist noch nicht ermittelt. — **Flora**: Geranium bohemicum.

Im *Eisackthale*, das hier nur eine enge, tiefe Spalte im Porphyrgebirge ist, beginnen die schauerlichen Engen des *Kunterweges*. Der Grund dieser Kluft ist mit den schäumenden Wogen des Flusses erfüllt, und war lange Zeit unwegsam; die Römer hatten sich rechts auf den Höhen hin nach Castelruth eine Strasse gebrochen, welche im Mittelalter verfallen war. Der Weg auf dem Ritten war auch höchst beschwerlich, bergauf, bergab; daher ging die gewöhnliche Fahrstrasse nach dem Norden durch das Vintschgau. Da bat 1314 ein Bozener Bürger, *Heinrich Kunter*, den damaligen Landesfürsten, König Heinrich v. Böhmen, um die Erlaubniss, einen Fahrweg längs der Eisack bis gegen Kollmann herstellen und ein mässiges Weggeld erheben zu dürfen. Er erhielt sie und vollführte innerhalb einiger Jahre dieses nicht kleine Unternehmen. Mit Recht wurde die Strasse nach ihm genannt. Im J. 1602 liess sie Ambros Sauerwein verbessern. Hierdurch wandte sich der ganze Waarendurchzug von Meran in das Eisackthal. Die Strasse ist jetzt, einige starke Erhebungen und Senkungen bei Karneid abgerechnet, gut angelegt, und wenn auch

öfters Bergstürze vorkommen, so weiss man dennoch nur noch von
wenigen Unglücksfällen.   Freilich verschwinden die vom alten
Kunter überstandenen Schwierigkeiten gegen die, welche der im
Bau begriffenen Eisenbahn in diesem engen, mit losen Blöcken
bedeckten, vom wilden Flusse durchbrausten Schlunde entgegen-
stehen.   In Europa mag diese P o r p h y r k l u f t ihres Gleichen
suchen.   An einigen Stellen erscheint der Porphyr säulenförmig,
meistens rothbraun, oft auch grünlich; es ist ein Hornsteinpor-
phyr mit vielen Quarzkörnern, wenigem Feldspath.   Auch hier
kommen, wie in vielen Porphyrgebirgen, Porphyrkugeln mit
Achat und Amethyst gefüllt vor.   Nur dann und wann lichtet sich
die Enge, um ein Seitenthal herein zu lassen; jedes Plätzchen ist
aber benutzt, und Wasserräder, wie in der Regnitz bei Erlangen,
ähnlich der arabischen Noria, vom Flusse getrieben, schöpfen
sein Wasser aus zur Bewässerung der Wiesen.

Um eine scharfe Felsenecke biegend erblickt man rechts
hoch oben das Schloss *Steineck.* Am Fusse dieser Höhe liegt *Blumau*, 41 H., 262 E., 2 St. von Bozen, mit grosser Brauerei und
sehenswerthem Felsenkeller.   Von hier aus soll sich die Römerstrasse nach Völs und Castelruth erhoben haben.   Rechts kommt
der *Gannenbach* von *Tiers* herab, unter dem braunen Porphyrge-
rölle auch weisse Dolomitgeschiebe mit sich führend.   Hier setzt
die Strasse links hinüber auf das rechte Ufer des Flusses und
bleibt auf demselben bis oberhalb der *Franzensfeste;* links oben
klebt das Felsenschloss *Stein,* dessen Trümmer so mit den Klippen verwachsen sind, dass sie nur der aufmerksame Beobachter
bemerkt.   Täglich steigt hier aus den unterirdischen Burgräumen
um 3 Uhr Nachmittags ein schönes Fräulein und benetzt die Burgtrümmer mit ihren Thränen.   Die Burg gehörte einst dem reichen
Engelmar v. Villanders; in dem Kampfe gegen die Brandenburger wurde sie von Konrad v. Teck erobert, welcher Engelmar
und seinen Bruder hinrichten liess.   Alle Güter wurden nun eingezogen.   Die Burg kam an den reichen und mächtigen Nikolaus
v. Vintler, dem sie jedoch wegen seines Trotzes gegen den Landesfürsten von Friedrich m. d. l. T. abgenommen wurde.   Wegen
der unbequemen Lage blieb sie bald verödet.   Den Untergang der
beiden berühmten, mächtigen und reichen Geschlechter mit Engel-

mar und Nikolaus Vintler beweint nun das Burgfräulein. Gleich
darauf erreicht man das Wirthshaus *Steg*, wo ein Steg hinüber
und am *Schlernbach* ein Weg hinan nach *Völs* führt. Durch diesen Grund hinaufschauend erblickt man die Burg *Prösels*. In diesen Tiefen und Engen hinwandernd ahnet man nicht das lustige
Leben, die schönen, reichen Fluren, welche sich oben im Strahle
der Sonne erwärmen, während in der dämmernden Tiefe oft eine
kellerartige Kühle herrscht; fallen aber die Strahlen der Mittagssonne herein, dann ist ihre Wirkung um so verdichteter, und nur
dem aufwärts ziehenden Wanderer fächelt bisweilen die schäu-
mende *Eisack* einige Kühlung zu.

Kurz vor dem einzelnen Wirthshause *Deutschen* kommt der
Rösslerbach herab von *Klobenstein* und *Lengmoos*, den glänzend-
sten Sommerfrischorten Bozens. Der nächste Ort an der Strasse
ist *Azwang* (1400'), 35 H., 189 E., Poststation mit gutem Wirthshaus. In der Kirche ein schönes Gemälde von Glantschnig. Ueber
die Vorstufe des *Mittelgebirgs* ragt der graue *Schlern* auf. Rechts
führt von hier ein Steig nach *Völs* hinan. Links kommt der *Finsterbach* herab, in dessen oberem Anfange die berühmten E r d -
p y r a m i d e n stehen. Bei dem Wirthshause zum *Törkele*, wo ein
Steg über die *Eisack*, führt der gewöhnliche Weg von Bozen in
2½ St. nach *Castelruth*. Wir verlassen hier die Engen des Porphyrs und die Thonschieferberge erheben sich beiderseits weniger
steil; Rebenpflanzungen fassen die Strasse wieder ein und Mauern,
über welche die grünen Ranken herüberwinken. Freundlich lacht
uns das gastliche *Kollmann* (1655'), 348 E., mit einem guten
Wirthshause entgegen, während rechts die bethürmte *Trostburg*
von dem Felsen herabschaut, wie ein Adlerhorst. Nach Einigen
befand sich hier die römische Feste Sublabione. Auch römische
Münzen, Strassenreste und dergleichen finden sich noch, sowie
auch die Grödener die Nachkommen einer römischen Kolonie zu
sein scheinen. Jenseits der *Eisack* liegt, an der Mündung des
Grödener Thales, auf den Ruinen des römischen Sublabione, die
Gemeinde *Waidbruck*, 32 H., 171 E., gewöhnlich nur *Bruck* genannt. Von hier zieht ein steiler, gepflasterter Weg hinan zur
ehrwürdigen *Trostburg*, eine der am besten erhaltenen Burgen
Tirols. In einer der Hofmauern ist ein Römerstein eingemauert.

Man findet ausserdem mehrere Bildsäulen im Rittersaale, z. B.
den Dichter Oswald v. Wolkenstein, in der Tracht eines proven-
çalischen Minnesängers, der hier 1365 oder 1367 geboren ist.
Ueber der Burg steht auf einer Höhe noch eine Warte. Unter
Meinhard I. erscheint ein Zweig der Herren v. Villanders auf
Trostburg, als Erbauer dieser Burg. Ekarts v. Villanders Erbin
war Katharina, welche ihr Vetter Friedrich v. Villanders heirathete, dessen Söhne Michael, Oswald und Leonhard waren. Michael erhielt Trostburg, Oswald, der Minnesänger, Hauenstein
und Leonhard Aichach. Von dem ersteren stammen die noch jetzt
blühenden Grafen v. Wolkenstein ab. Der jetzige Besitzer, Graf
Leopold, pflegt jährlich 14 Tage hier zu wohnen.

2) Wir kehren nun nach *Bozen* zurück und zwar über den
Ritten, auf der westlichen Bergstufe. In der dunkelen
Tiefe des *Eisackthales* hat man, wie schon erwähnt, keine Ahnung
von dem lustigen Leben, das sich hoch oben über den Porphyrwänden entfaltet; da reiht sich eine Gemeinde an die andere, die
üppigsten Getreidefluren wechseln noch mit Rebengeländen und
hell und lieblich glänzen die heiteren Sommerfrischhäuser aus
dem bunten Gemische hervor. Schaut der Fremde hinüber auf
das jenseitige Mittelgebirge, das ein gleiches freudiges Leben in
Volk und Natur zeigt, so denkt er nicht an die düstere Kluft, die
ihn von jenseits trennt, er glaubt hinüber schreiten zu können.

Von *Kollmann*, wo auch stets Saumpferde zu haben sind,
steigt man sogleich hinan auf die Höhe der rechten Thalwand und
zieht gemüthlich im buntesten Wechsel der An- und Aussicht auf
dieser Höhe dem Süden wieder zu, an der *St. Verenakirche* vorüber nach *Lengstein* (3077'), 49 H., 314 E. Darüber liegt der
Hexenboden, einer der Blocksberge Tirols. Gleich darauf erreicht
man *Mittelberg* (3574'), 52 H., 262 E., und steht am Rande der
Kluft, welche der *Finsterbach* gewühlt hat. Man blickt hinab in
den Wald der berühmten **Erdpyramiden**, eine Erscheinung,
die sich öfters in der Natur wiederholt, hier in einer diluvialen
Schuttmasse, dort auf den Gletschern bei ihren Abstürzen oder
als Gletschertische, oder im fernen Nordosten in den Adersbacher
Sandsteinfelsen, wie in den Sandsteinfelsen der Bastei bei Rathen,
und in der Nähe bei der Burg Tirol, sowie auch im Oetzthale

beim Eingange in das Maurach über Umhausen; einen eigenen
Abstecher hierher verdienen die s. g. Pyramiden nicht. Sie sind
eine Schuttmasse, in welche sich der *Finsterbach* sein Bett in unzähligen Armen durchgearbeitet hat; Bäume, Blöcke und Stein-
platten schützten gegen die Flutregen von oben, welche sich nur
in den unbedeckten Stellen zuerst ein Bett schufen, dann später
von oben herab immer tiefer spülten, bis zuletzt die tiefen Erd-
risse fertig waren, welche die jetzigen Pyramiden trennen. Verliert eine Pyramide ihre Kopfbedeckung, so stürzt sie donnernd
zusammen, wie die Eispyramiden der Gletscher.

Ritten und Oberbozen.

In grossen Bogen umkreist man die Pyramidenschlucht und
gelangt schon in ¼ St. nach *Lengmoos* (3641′), 171 H., 402 E.,
gutes Wirthshaus. Der Ort breitet sich am Abhange eines Wie-
sengrundes aus und sein ansehnlichstes Gebäude ist ausser der
massiven Pfarrkirche das Deutschordenshaus, gestiftet im J. 1227
von Bernhard v. Lengmoos, damals Komthur an der Etsch. Schon
hier stehen allenthalben Sommerfrischhäuser der reichen Kaufleute von Bozen, freilich an Zahl und Form denen Klobensteins
nachstehend. 1½ St. von hier befindet sich eine kleine Kapelle
mit einem in die Wand eingemauerten Steine, in welchem nach
einer alten Volkssage jeder, der daran glaubt, seine Zukunft erblickt. Von *Lengmoos* führt der Weg zwischen 2 bewaldeten Hügeln in 10 Minuten nach *Klobenstein* (3683′), 56 H., 310 E., 3 St.
von Kollmann, dem eigentlichen Glanzpunkt des Sommerfrischlebens, vorzugsweise „Auf dem Ritten" genannt. Hier der sehr
gute Gasthof „Zum Staffler". Die lustigen Landhäuser bilden
hier statt alter und neuer Schlösser eine Art Bergstadt, hinaus-
schauend in die reine, frische und blühende Natur. Allenthalben
Anlagen mit Ruhesitzen. Schönste Aussicht von der Villa Scherer.
Ein ländliches Wiesenplätzchen in Mitte *Klobensteins* ist Spiel-
und Versammlungsort der Rittener Sommerfrischler. An dem kleinen Hochsee bei *Kematen* (beste Aussicht auf den Schlern), einem
etwas über *Lengmoos* liegenden Bauernhofe, vereinigen sich die
ländlichen Gesellschaften ebenfalls sehr häufig.

Von *Klobenstein* oder *Lengmoos* in 3—4 St. Ausflug auf das

Rittnerhorn (7143') [1]). Man steigt einen bequemen, zum Theil gepflasterten Alpenweg mit der fortwährend wechselnden Ansicht der Hochebene unter dem *Schlerngebirge* zwischen Feldern, Wiesen und Waldgruppen hinan und erreicht nach ungefähr 1¼ St. das Wirthshaus von *Pemmern*, in ¼ St. steileren Anstieges die erste Bergebene, die *Sulzner Wiesen*, mit einem gemauerten Saltnerhause, überschreitet den *Emmersbach* und steigt, zur rechten Seite den *Schwarzseespitz* (6546'), hier „der Hund" genannt, lassend, die *Rittnerschön*, eine Alpenwiese mit Gebüschen von Krummholz, Pinus Mughus (hier Laatschen) und Alpenrosen, Rhod. ferrugineum, hinan und kommt in ¾ St. zum *Rittnerkreuz*, wo man zum ersten Mal die Oetzthaler Gruppe erblickt. Von hier biegt man um den nördl. Abhang des *Schwarzseespitzes*, links unter sich das freundliche Dörfchen *Gisman*, und erreicht nach 40 Minuten die erste Hütte der *Rittneralpe*, ¼ St. von der Spitze. Das *Rittnerhorn* (7143') ist kein wahres Horn, sondern das Ende eines von Norden nach Süden verlaufenden Rückens, der sich gegen Westen ziemlich sanft nach der *Rittneralpe* abdacht und nur gegen Osten steil gegen das *Villanderer-* und *Latzfonsermoos* abstürzt. Man hat hier eine vollständige Rundschau: über die Gruppen des Grossglockners, des Dreiherrenspitz, des Zillerthales, über die Ausläufer der Stubayer und Gschnizer Berge, die Langthaler Ferner-, die ganze Oetzthaler-, die Orteler-, die Ceval- und Martellferner-, die Adamello- und die Bocca di Brenta-Gruppe, den Monte Baldo, die Gebirge von Fleims und Valsugana, das ganze Dolomitgebirge des Südens mit dem Vordergrunde der Schlernkette und dem grossartigen Hintergrunde der Marmolata, die Gebirge von Enneberg u. s. w. — Die Alpen der Umgegend werden bloss als Bergmähder und als Weide für Ochsen und Pferde benutzt, da die Kühe gemeindeüblich das ganze Jahr bei Hause gehalten werden. Man entbehrt daher die Labung der frischen Milch der Sennerin, muss also Mundvorrath mitführen. Einen frischen Trunk findet man auf dem Alpenwege nach der *Sarnerscharte* an einer Quelle, dem *Hornwasserle*. Der Rückweg kann über die *Sarnerscharte* nach dem *Sarnthale*, über das trügliche *Latzfonser*

1) *Gustav Selos*, Panorama des Rittnerhorn (Verhandl. des österr. Alpen-Vereins 1. Heft, S. 83).

Moos nach dem *Latzfonser Kreuze*, 4—5 St., und von da nach
Klausen, oder über *Barbian* nach dem Bade *Dreikirchen*, und von
dort nach · *Kollmann* genommen werden.

1 St. von *Klobenstein* liegt der andere Hauptsommerfrischort
Bozens, *Oberbozen* (3516'), 58 H., 346 E. — die sogen. „drei
Bäume" bezeichnen dazwischen die Hälfte des Weges. — Von
der Gloriette des etwas weiter vorgeschobenen Menzischen Gartens sieht man in die Rebengelände und Maisgefilde des von der
Etsch durchzogenen Bozener Kessels und auf die aus dem Schosse
dieser hesperischen Gärten aufsteigenden Porphyrgebirge. *Oberbozen* besteht aus den 3 Gruppen: Maria Himmelfahrt, St. Magdalena und Maria Schnee. Die Kirche Maria Himmelfahrt (eigentliche Pfarrkirche) schmückt eines der besten Altarblätter des Tiroler Künstlers Christoph Unterberger, und die Koflersche Haus-
kapelle Maria Schnee hat eine schöne Madonna von Glantschnigg.
Fügen wir diesen noch die beiden Kapellen Maria Einsiedel (Sarntheinsche Privatkapelle) und St. Magdalena bei, so ergibt sich eine,
selbst Tiroler Ansprüche übersteigende, Anzahl von Kirchen und
Kapellen. Dies kommt daher, weil mehrere derselben Hauska-
pellen sind und der Gebrauch, täglich Morgens einer Messe und
Abends dem Rosenkranz beizuwohnen, selbst hier oben, wenigstens von der Frauenwelt, strenge eingehalten wird, wozu sich
die Familien Sarnthein und Kofler sogar Franziskaner von Bozen mit heraufnehmen. *Maria Schnee* erfreut sich unter diesen
3 Punkten der höchsten Lage (4031'), daher von hier die beste
Aussicht auf den Schlern, die Mendel und die Alpen des Ober-
etschthales bis zu den Oetzthälern.

Den Mittelpunkt des hiesigen Sommerfrischlebens bildet sowohl durch seine Lage in Mitte der übrigen, als auch wegen des
geselligen Sinnes seiner Bewohner das Haus des Grafen v. Sarnthein. Das Lieblingsvergnügen der Tiroler, das Scheibenschies-
sen, wird in einem sehr stattlichen und geräumigen Schiessstande
fleissig gehandhabt. Ein daselbst aufgelegtes Schützenbuch, welches mehrere Jahrhunderte zurückreicht, ist sehr interessant für
die Ortsgeschichte. Die prächtige Kegelbahn dient nicht nur den
Männern, sondern auch dem jüngeren Theil des schönen Geschlechts als angenehmer Zeitvertreib. — Ein Lesekabinet sorgt

für Zeitungen und Journale. Gemeinschaftliche Partien macht man natürlich häufig; die Frauen verabreden sich besonders gern zur Marrend [1]) (ital. merenda, Vesperzeit, Jause). Der Aufzug zur Sommerfrische geschieht um Johanni vermittelst der P e n d - l e n, pflugartiger Fuhrwerke, von Ochsen gezogen, vorn auf Rädern, hinten auf Schleifen ruhend. Grössere Ausflüge werden, wo es angeht, öfters zu Pferde gemacht, wobei sich die Damen, wie fast überall in Tirol, der Herrensättel bedienen. Wer es irgend möglich machen kann, bleibt bis Anfang September oben, und die Familienväter, welche durch ihren Beruf an die Stadt gebunden sind, kommen wenigstens am Samstag Abends herauf, um den Sonntag bei den Ihrigen zu verleben und frische Alpenlüfte zu geniessen, indem drunten im Bozener Thalkessel während der Sommermonate meistens eine wahrhaft erstickende Gluthitze herrscht. Im Hinaufgehen wünscht man sich „g u t e S o m m e r - f r i s c h" und die Frage: „o b d e r B e r g g u t a n s c h l a g e?" wird oft gehört. Aller drückende Zwang des gesellschaftlichen Lebens hört hier oben auf, gewinnende Gastfreundschaft öffnet dem Fremden gern die Thüren und besonders am 15. August (Maria Himmelfahrt), dem Hauptfesttage der Oberbozener, ist jedermann willkommen. An diesem Tage und dem darauf folgenden Sonntage (Nachkirchtage) finden im Schiesshause grossartige Bälle statt.

Die Häuser werden, wenn man die Sommerfrische verlässt, geschlossen und die Schlüssel nebst Aufsicht dem nächst wohnenden Bauer übergeben, wozu noch rühmlichst zu erwähnen ist, dass eine Beraubung dieser so lange leerstehenden, theilweise sehr schön eingerichteten Landhäuser bis jetzt noch gar nie vorgekommen ist.

Vom *Ritten* führen 2 Wege nach *Bozen* zurück: entweder man steigt von *Klobenstein* an dem freundlichen Sommerfrischorte *Wundereck* vorüber auf einer niedrigeren Stufe des Gebirges bis *Unterinn* (2857'), 67 H., 502 E., unter dem die Burg *Zwingenstein* schwebt, durch üppige Weinberge allmählich nach *Rentsch* und

1) In Gröden heisst, abweichend von der gewöhnlichen Bedeutung, la marenda Mittagsmahl; hingegen das Vesperbrod la pitla merenda. s. *Schöpf*, tirol. Idiotikon S. 423.

Bozen hinab, 3 St.; oder man zieht auf der Höhe hin nach *Ober-bozen* und von da hinab nach *Bozen.* Von *Bozen* aus zweigt der alte Weg nach *Oberbozen* schon „an der Zollstange", den letzten Häusern der Gemeinde *Zwölf Malgreien*, ab und führt zunächst nach dem Dörfchen *St. Magdalena.* Der neue, minder steile Weg führt durch „das Dorf" an dem schönen Ansitze *Brandis* oder *Campill* vorüber bis zum Ansitze *St. Antony* oder *Klebenstein*, neben welchem eine der Romantik der Gegend eben nicht entsprechende Baumwollspinnerei erbaut wurde; von hier wendet er sich rechts nach dem Dörfchen *St. Peter* und steigt an den Porphyrwänden empor, stets eine herrliche Ansicht des Thales, der Stadt u. s. w. bietend. Von Bozen zu den ersten Sommerfrischen 2 St.

3) Die südöstliche Seite des Eisackthals. Dem *Sarnthal* gegenüber mündet zur *Eisack* das *Karneider Thal*, durch einen Porphyrrücken vom unteren Etschthale bis gegen Neumarkt hin getrennt, wie das Sarnthal durch einen ähnlichen vom oberen Etschthale bis Meran hinauf. Wie alle Thäler auf dieser Seite bis Kollmann vom Dolomitrücken des Avisiothales herabsteigen, so auch dieses, welches im Hintergrunde 2 Aeste, den einen nord-östl. nach Welschenofen, den anderen südwestl. nach Deutschenofen hinaussendet. Auf der südwestl. Höhe, über *Kampen* und *Kollern*, erreichen wir in 4 St. von Bozen *Deutschenofen* (Colonia Teutonica nova, 4288'), 232 H., 1459 E., mit Eggenthal und Petersberg 404 H., 2462 E. Gasth.: beim Rösslwirth gut. Die bedeutende Gemeinde liegt auf einer der luftigsten und lustigsten Höhen Südtirols; wohlhabend, wegen ihrer fast überall thalab-wärts führenden Wege in bequemer Verbindung mit Bozen und den Märkten der Etsch, wie auch mit Fleims, wird es der Gemeinde leicht, ihren Ueberfluss an Getreide, Holz, Alpnutzen (Butter, Käse, Milch), Mast- und Zuchtvieh abzusetzen. Die Sprache ist in vielen Ausdrücken der früheren mittelalterlichen verwandt, namentlich dem Sprachgebrauche der Minnesänger, deren Eden ja hier war. Das Volk hat einen leichten Sinn und scheint schwäbischer Abkunft zu sein.

Südl. umrankt der südwestl. Thalzweig, vom *Schwaizenbache* durchströmt, die Höhe von *Deutschenofen;* dort erhebt sich, ge-

13 *

rade im Süden von diesem Orte, das *Schwarzhorn* (7710'), einer
der äussersten rechtseitigen Thaleckpfeiler zwischen Etsch- und
Avisiogebiet, und der letzte Porphyrgipfel auf dieser Seite des
Avisiothales, welches an dieser Seite aufwärts von Dolomit begrenzt wird. Aussicht auf die Gruppe der Cima d'Asta und das
Thal Cavalese u. s. w. Noch lohnender ist der Blick vom gegenüber liegenden Joch *Grimm*, dessen westlicher Absturz eine Art
Krater bildet, am besten vom Kloster *Weissenstein* (4805') aus zu
ersteigen, wo auch ein guter Gasthof.

    Bei *Karneid* (1628') beginnt die *neue Welschenofner Strasse;*
sie führt dem Laufe des *Karneiderbaches* entlang an senkrechten
Felsenwänden, mannigfaltigen kleinen Wasserfällen u. s. w. vorüber, an einer Stelle (¼ St. von Karneid) mittelst eines Tunnels
durch den Porphyrfelsen sanft aufwärts; allmählich erweitert sich
die am Eingange sehr enge Schlucht und nach 2½ St. von Karneid erreicht man den Weiler *Birchbruck* mit einem guten Wirthshause; hier theilt sich die Strasse: links gelangt man in 1 St. nach
Welschenofen, von wo der gewöhnliche Uebergang über den *Caressapass* nach Moena und Vigo in Fassa ist; rechts führt die
Strasse mit einer nochmaligen Theilung nach *Untereggen* und *Raut*
oder *Obereggen* am Fusse des *Lattemar* und *Zanggen.* Von der
Kirche von *Untereggen* gelangt man an den in einem herrlichen Tannenwalde (zum Theil noch Urwald) gelegenen *Karrer-
see*, 5000 Q.Klaftern gross, ohne sichtbare Quelle, in heissen
Sommern theilweis austrocknend. — *Welschenofen* (colonia Italica nova, 3730'), 45 H., 831 E., hat ein gutes neues Gasthaus
zur Krone; Führer: der Waldaufseher *Johann Plank*, einer der
besten Bergsteiger. Hauptnahrungszweig sind die Waldungen,
deren Reichthum nach Bozen hinabgetriftet wird. Schon der
Name verkündet welschen Ursprung, wie auch das Aeussere der
Bewohner, wenn sie auch jetzt Deutsche sind. Den Hintergrund
des Thales umschliesst malerisch die schon nähere Dolomitkette,
welche im Fassathal das Vajoletgebirge heisst, das sich bei Pozza
so majestätisch zeigt, hier aber die *Rothe Wand* und der *Rosengarten* genannt wird. — Aus dem Gebiete des *Karneider Thales*
gelangt man in 2 St. über das *Taltbüchel* (5558') in das

    Tierser Thal nach *Tiers* (3204'), 141 H., 719 E., gut ra-

` staurirte Kirche; beim Rosenwirth gute Unterkunft; ein sehr
tüchtiger Führer ist *Georg Villgrattner*. — Das Thal steigt von der
grossen Brauerei *Blumau* mit Felsenkellern (2 St. von Bozen) an
der *Eisack* herauf, ebenfalls in 2 St., und spaltet sich oberhalb
Tiers in 2 grössere Arme, welche sich an die Wurzeln des Dolomitgebirges, und zwar des Schlerns und Rosengartens, legen.
Der nördl. Ast, das *Tschaminthal*, zieht gerade in die rechtwinke-
lige Ecke hinein, welche der von Süden nach Norden ziehende
Rosengarten mit dem von Osten nach Westen gehenden Zuge der
Schlernkette macht; darüber die Zacken der *Rosszähne*. Hier
liegt nicht weit von *Tiers* das viel besuchte Bad *Weisslahn*. Der
andere Thalast, *Purgametsch*, erstreckt sich in die eigentlichen
Felsenriffe des Rosengartens des Königs Laurin. Dunkele Waldungen umschatten die weissaufragenden Thürme des Dolomits.
Holzhandel und Viehzucht sind Hauptgewerbe. Empfehlenswerth
ist auch der Weg von *Tiers* am Fusse der *Rothwand* und des *Kel-
blocks* entlang zur Wasserscheide von *Costa lunga*, von wo es noch
1 St. ins Fassathal hinunter ist nach Vigo oder Moena.

Von *Tiers* aus übersteigt man den Rücken, welcher von
Schlern westl. herabzieht gegen die *Eisack*, um in das Gebiet des
Schlernbachs und auf das *Mittelgebirge* von *Völs* zu kommen, auf
doppeltem Wege. Der kürzere führt über den höheren Theil des
Rückens, an der *Tschaufehöhe* (4635') vorüber, in 2 St. nach *Völs;*
auf dem interessanteren weiteren hält man sich rechts auf der Höhe des *Tierser Thales* und steigt zur alten, einsamen Kirche *St. Katharina* in die Höhe, dann wieder etwas abwärts nach *Aicha*, in
dessen Kirche neue Fresken von Psenner in Bozen. Dann erscheint
Prösls, am Abhange des *Schlernbachgrundes* und *Eisackthales*, von
oben herabgesehen wie auf einer Wiesenfläche liegend; Stammsitz der tirolischen Freiherren *v. Völs*, welche von den alten Römischen von Colonna (von denen auch die Grafen v. Henneberg
abgeleitet werden) abstammen und 1142 in Besitz dieser Herrschaft kamen. Einer der ausgezeichnetsten war Leonhard v. Völs,
welcher die Burg 1522 herstellen liess. Von den Grafen v. Sarnthein ist sie vor wenigen Jahren an Hrn. v. Kofler, Präsidenten
der Bozener Handelskammer, verkauft worden, der sie wieder in
wohnlichen Stand setzt. Nicht weit davon liegt die herrliche

Burgruine *Schenkenberg*, Stammhaus des gleichnamigen Geschlechtes, dessen Besitzungen an die Hérren v. Völs übergingen. Bald
darauf erreicht man das 1 St. von Prösls gelegene *Völs* (2760'),
318 H., 1666 E.; der Kern des Ortes drängt sich um die auf
einem Hügel liegende Kirche; aber im weiten Umkreise umher
liegen die übrigen Häuser, untermischt mit Schlössern und üppigen Fluren. Bei der Kirche das Wirthshaus zum weissen Kreuz,
gut. Führer auf den Schlern: Anton Masorer (vulgo: Dr. Berg-
ler) und Christian Rica (vulgo: Wenser Krust). Südl. davon liegt
Obervöls. *Völs* und Umgegend ist ebenfalls eine vielbesuchte Sommerfrische. Grossen Ruf hat in der Umgegend das Völser Brot.
Blühend ist die Viehzucht. Auf der weiteren Wanderung gegen
N.O. drohen rechts die Zacken und weissen, oben zum Theil roth
eingefassten, Wände des *Schlerns*. Gegen 2 St. weit tritt er aus
der Kette der Dolomitalpen heraus; unersteiglich erscheinen von
hier aus seine Zinnen. Im Schatten dieses Bergriesen ziehen wir
fast ebenen Weges fort, bald durch Waldgruppen, bald über
feuchte Wiesen, wo man in der Tiefe Reste römischen Strassen-
baues fand. Rechts gegen den *Schlern* zeigen sich die Ruinen von
Salegg.

Flora bei Völs: Viola pinnata, Avena argentea, Laserpitium Gaudinii.

In 1½ St. von *Völs* erreicht man *Seis* (3147') mit 2 guten
Wirthshäusern. Rechts am Bache hinauf wandernd nimmt uns
der Schatten des ehrwürdigen *Hauensteiner Waldes* auf; der *grüne
Tan* des alten Heldenliedes, und die kühn darüber aufragenden
Dolomithörner des *Schlern* sind im Munde des Volkes die Krystallburg des Königs Laurin. Hier erhebt sich ein Fels an der
Stelle des Zauberbrünnleins, wo sich die tief versteckte Krystallburg öffnete, wo Dietrich v. Bern einzog, den König Laurin gefangen nahm und ihn als Gaukler nach Verona führte. Diesen
Felsen krönt, gleichsam als schönen Schlussstein der Romantik,
die Burg *Hauenstein*, der Sitz des berühmten Ritters und Minnesängers *Oswald v. Wolkenstein*. Kaum mag eine Gegend deshalb
einem Dichter begeisternder entgegen kommen, als diese durch
die Natur, die Sage und Geschichte geweihte Stätte. Die Hauensteiner waren Feinde Friedrichs m. d. l. T. Nach dem Tode Friedrichs v. Hauenstein ging die Burg durch Kauf an die Wolkenstei-

ner über. Hier dichtete der einäugige Oswald v. Wolkenstein
seine schönen Minnelieder und hier starb er auch 1445 und wurde
zu Neustift bei Brixen begraben. Die Nachkommen dieses berühmten Wolkensteiners bewohnen jetzt die Burg Rodenegg, oberhalb Brixen, welche sie einst vom Kaiser Max wegen ihrer Dienste erhielten und nennen sich auch v. Wolkenstein-Rodenegg. Oswalds Feindschaft mit Friedrich m. d. l. T. ging nicht aus Selbst-
sucht, wie bei vielen anderen, sondern im Gegentheil aus Eifer
für Gesammt-Deutschlands Macht und Ansehen hervor, welchem
er das Aufkommen der Selbständigkeit der kleineren Fürsten für
nachtheilig hielt.

In der Tiefe des Grundes liegt, etwas abgeschieden von dem
Treiben der Welt, in einer in geognostischer Hinsicht merkwürdigen Gegend, wo in schnellem Wechsel rother Porphyr, Sandstein, Kalk, Dolomit und schwarzer Augitporphyr auf einander
folgen, das Bad *Ratzes* (4023'), von Landleuten und Geistlichen
stark besucht, auch als Standquartier für Erforschung der Umgegend zu empfehlen, da man hier gute und billige Verpflegung findet. Es liegt 1½ St. von Castelrutt, 5 St. von Bozen und 7 St.
von Brixen. Das Bad- und Trinkwasser liefern 2 Quellen, eine
Eisenquelle, welche aus dem *Schlern* hervorbricht, und eine Schwefelquelle, an der *Seiser Alpe* in schauerlicher Wildniss entspringend[1]).

Von hier hat man durch den Wald (nicht ohne Führer) ¾ St.
bis zum letzten Hofe von *Seis* und weitere ¾ St. auf gepflastertem
Wege bis zur ersten Hütte der *Seiser Alpe*. Einen Ausflug verdient vorher *Castelrutt* (3454'), 551 H., 3212 E. in 12 Orten, romanisch Castelrotto, auf der Sandzone des Gebirges. Die Häuser
sind alle massiv, schön, zum Theil bunt gemalt nach Tiroler Art;
sie drängen sich kastellartig zusammen. Die neue schöne Kirche
im byzant. Stile steht seit 1850. Der ältere, freistehende, sehr
hohe Thurm hat ein herrliches, weithin schallendes Geläute. Recht
gute Gasthäuser: das Lamm und das goldene Rössl. Auf der Höhe
über dem Pfarrhofe stand einst wahrscheinlich ein Römerkastell;

----

1) Vergl. *Gilbert* und *Churchill*, dolomit mountains, übersetzt von Zwan-
ziger, S. 60 ff.

als erste Besitzer der Burg erscheinen 1018 die Herren v. Castelrutt, nach deren Aussterben sich Meinhard II. 1286 desselben bemächtigte, dann folgten die Herren v. Maulrappen, Herzog Konrad v. Teck, die Gufidauner, die Wolkenstein-Trostburger, die Herren v. Krausen, welche die letzten Reste der Burg vernichteten und einen Calvarienberg mit Anlagen daraus schufen. Auch von hier führt ein Weg auf die *Seiser Alpe.* Ueber Wiesen und Bauernhöfe erreicht man bei den *Petlockhöfen* den Fahrweg; rechts in der Tiefe das Dorf *Seis,* das Bad *Ratzes* und die aus dem Tänn aufragende Burg *Hauenstein,* darüber die senkrechten Wände des *Schlern* mit dem vereinzelt vor ihm aufstrebenden Felsenobelisk. Dort, wo die grauen Wände des Dolomites aus dem Hauensteiner Forst aufsteigen, durchsetzt sie quer eine rothe, eisenhaltige, schieferige (Campiler-) Schicht, aus welcher die Eisenquelle von Ratzes hervorbricht, und wo einst auf Eisen gebaut wurde.

Der Fahrweg zieht nun links hinan, rechts den Grund in der Tiefe lassend; schon hier entfaltet sich die Aussicht auf die Eisgebirge der Orteler Alpen, über den horizontalen Rücken der Mendel. Noch sind es Sandgebilde, über die der Weg geht; häufig findet man grosse Kugeln dieses Gesteines, aus gleichbogigen Schalen zusammengesetzt. In 2 St. von Castelrutt erreicht man den Rand der Alpe, über deren saftigen Schmelz die grauen Hörner und Massen des *Peitlerkofls* (9086') und näheren *Plattkofls* (9055') auftauchen.

Die Seiser Alpe und der Schlern.

Die *Seiser Alpe* bildet eine weite Hochebene von 12 St. im Umfang; ihre Abhänge sind bewaldet, nicht so ihre Höhe, welche die besten Alpenwiesen weit und breit trägt.

Geolog. und Mineral. Die im O. und S. durch Dolomitwände begrenzte und überragte Seiser Alpe fällt mit steilem, doch zum Theil bewaldetem Absturz gegen N. zum Grödener Thal, gegen W. auf die Porphyrhochebene von Castelrutt ab. Der tafelförmige Rücken, mit dem sie gegen N.W. vorspringt, führt den Namen Buffiatsch (Puffiatsch). An den Wänden längs des Abhanges von Seis bis Christina in Gröden ziehen fast ununterbrochene vorspringende Felsbänder hin, die sich von Gröden aus am schönsten zeigen. Der Buffelser Bach auf der Seiser Alpe, aus 2 Bächen entstehend, durchschneidet alle diese Schichten bis herab zum Grödener Thalbach. In dem anderthalbstündigen Aufstieg durch dieses Thal bis auf die Hochplatte erblickt man alle Flötzbildungen, welche in Enneberg von

Piccolein bis hinter St. Cassian in langgestreckter Linie (7 St.) vorkommen. Ein und recht instructives Profil bietet der Fahrweg von Seis über den Frombach auf die Alpe. Grosser Versteinerungsreichthum in den unteren Schichten der Schlucht mit dem kleinen Wasserfall südl. von St. Michael. Seiserschichten und die, durch ihre rothen, thonigen Bänke weithin leicht erkennbaren, Campiler-schichten bilden das untere sanftere Gehänge, die darüber folgenden oberen Muschelkalk - und unteren Cassianerschichten das felsenreiche Steilgehänge. Un-terer und oberer St. Cassian die Höhe der Alpe, wo Herr Beneficiat *Clara* zu St. Michael zuerst die Versteinerungen seines heimatlichen Enneberg aufgefun-den und gesammelt hat. Ueber diese verschiedenen Glieder s. das Nöthige in der orographisch - geognost. Uebersicht S. 20 ff., dort war auch schon von den interessanten Lagerungsverhältnissen des Augitporphyrs und seiner Tuffe zwi-schen den Halobien- (Wenger-) und oberen St. Cassianerschichten die Rede. Die von Cipit bis über St. Cristina hinaus, längs des ganzen West- und Nordran-des der Alpe hervortretenden Augitporphyre sehe ich auch jetzt noch für das Resultat submariner Eruptionen desselben in der Zeit der Ablagerung der Halo-bien- oder Wengerschichten an und glaube, die Thatsachen, welche v. Richtho-fen veranlassten, sie für das Angehende eines mächtigen Lagerganges anzuspre-chen, finden ihre Erklärung darin, dass die Masse nicht das Resultat eines ein-zigen, sondern einer Reihe auf einanderfolgender Ausbrüche war. Auch nach Bil-dung dieser Decke dauerte aber, wie uns die geschichteten Tuffe, wie der Durch-bruch der zahlreichen Augitporphyrgänge an der Schneid im Osten vom Mahl-knecht und nördl. von Durenthal, sowie die geringmächtigen Gänge desselben im Dolomit der Schlernklamm über Seis beweisen, die eruptive Thätigkeit noch lange fort. Als oberstes Glied sind dann die regenerirten Tuffmassen auf der Höhe der Seiseralpe, in welchem am linken Arm des obersten Frombachs auch Ver-steinerungen vorkommen, in denen v. Hauer solche der Raiblerschichten er-kannte, neben solchen der Cassianerschichten. Sie finden sich sicherlich beide nur auf secundärer Lagerstätte. Ihr Alter ist noch zu erforschen. Die Mandel-steine und Conglomerate des Augitporphyrs bilden die Lagerstätte der schönen Mineralien, denen die Seiseralpe in der mineralogischen Welt ihren grossen Ruf verdankt. Die Hauptfundorte sind die Schlucht des *Cipitbaches.* Hier finden wir im Mandelstein: Kalkspathmandeln, Apophyllit, Analcim, Mesotyp, auch in Afterkrystallen noch Analcim, Chabasit, sehr selten Datolith; in Klüften von Kalk-stein selten Analcim mit Cölestin; vom Schlern herabstammend Mesotypkugeln. Grünerdegängchen durchziehen Augitporphyrbreccie. Sehr reich ist die *From-bachslehne*, von der die grossen, schönen Analcimkrystalle mit Apophyllit, Me-sotyp, Kalkspath- und Aragonitkrystallen aus dem Conglomerat des Augitporphyrs stammen. In den Tuffen und Conglomeraten am *Molignon* oder *Mahlknecht* ist der Fundort der schönen rothen Stilbite (Heulandite), die dort mit Analcim, Kalkspath, Quarz auftreten. Im Mandelstein der Pufelserschlucht sind die ge-tropften, früher mit Prehnit verwechselten, Desmine (Puflerite) eingeschlossen, zugleich mit Analcim und Chabasit. Auch im Augitporphyr des Saltariabaches kommt getropfter Desmin mit Schwerspathkrystallchen vor.

Flora, wenn auch zurückstehend gegen die des Schlern, sehr reich. Tha-lictrum alpinum (zwischen Cipit und Frombach), Ranunculus hybridus, rutaefolius,

Anemone baldensis, Papaver pyrenaicum (Langkofel), Saponaria ocymoides, Dianthus barbatus, Facchinia lanceolata, Alsine aretioides, verna, Trifolium alpinum, pallescens, caespitosum, Phaca frigida, Oxytropis cyanea (?), Astragalus purpureus (gegen den Schlern), Potentilla nitida, Alchemilla pubescens, Saxifraga squarrosa, Clusii, Chaerophyllum Villarsii, Knautia longifolia, Erigeron glabratus, Artemisia lanata (Mahlknecht), Achillea Clavenae, moschata, Anthemis alpina, Cirsium spinosissimum, Saussurea alpina, Phyteuma Sieberi, Gentiana excisa, bavarica, aestiva, verna, imbricata, nivalis, Pulmonaria azurea, Scrophularia Hoppii, Pedicularis tuberosa, verticillata, Jacquini, rosea. Horminum pyrenaicum, Betonica Alopecuros, Bartsia alpina, Aretia Vitaliana, Primula longiflora, Statice alpina (Schlernhexe), Plantago serpentina, Crocus vernus, Paradisia Liliastrum (gegen Seiss herab), Chamaeorchis alpina, Juncus Jacquinii, Hostii, Luzula spicata, Eriophorum Scheuchzeri, Kobresia caricina, Carex capitata, aterrima, Sesleria microcephala, Avena versicolor, argentea, Poa minor, Festuca pumila, pilosa (über Ratzes), spectabilis, Scheuchzeri finden sich mit vielen anderen.

Der *Schlern* ist ein mächtiges Dolomitmassiv, auf seiner Plateauhöhe mit Fetzen von rothen und weissen dolomitischen Sandsteinen mit Versteinerungen von Raibl, über welchen sich noch einzelne Reste von Dachsteindolomit, so am Signal, erheben. In ersteren findet sich Bohnerz. Die Flora des Schlern ist eine der reichsten und am meisten abgesuchten in ganz Tirol. Ueber Dreiviertel der oben als Bürger der Seiseralpe genannten Pflanzen finden sich auch auf der Höhe und an den Gehängen des Schlern; dazu gesellen sich aber zahlreiche andere Formen, so Anemone baldensis, Ranunculus Seguieri, pyrenacus, Aquilegia pyrenaica, Papaver pyrenaicum, Arabis coerulea, pumila, *Draba nivea*, tomentosa, frigida, Wahlenbergii, Sauteri, Joannis, Thomasii, Thlaspi rotundifolium, Hutschinsia brevicaulis, Capsella pauciflora, Dianthus glacialis, speciosus, Silene quadrifida, Alsine austriaca, Facchinia lanceolata, Cherleria sedoides, Arenaria biflora, Cerastium latifolium, alpinum, Phaca alpina, Oxytropis uralensis, montana, Astragalus alpinus, purpureus, Potentilla grandiflora, Geum reptans, Rhodiola, Sedum atratum, Saxifraga *squarrosa*, oppositifolia, sedoides, *Facchinii*, adscendens, Bupleurum ranunculoides, Athamanta cretensis, Gaya simplex, Erigeron Villarsii, alpinus, Gnaphalium Hoppeanum, supinum, Leontopodium, carpathicum, Artemisia spicata, Aronicum Clusii, Cineraria longifolia, Senecio abrotanifolius, carniolicus, incanus, Cacaliaster, Saussurea discolor (gegen Fassa), Centaurea nervosa, Leontodon Taraxici, pyrenaicus, incanus, Scorzonera aristata, Crepis incarnata, Hieracium furcatum, villosum, Valeriana elongata, supina, Phyteuma comosum, Halleri, Campanula Scheuchzeri, Morettiana, spicata, Arctostaphylos alpina, Azalea, Rhododendron hirsutum, selten ferrugineum, Lomatogonium carinthiacum, von Gentianen noch brachyphylla, prostrata, tenella, Cerinthe alpina, Eritrichium nanum, Linaria alpina, Tozzia, Veronica fruticulosa, Paederota Bonarota, von Pedicularis noch asplenifolia, recutita, Bartschii, Androsace helvetica, glacialis, carnea, Hausmanni, mit *Aretia Vitaliana*, Primula villosa, minima, Soldanella alpina, minima, Statice alpina, Oxyria digyna, Daphne striatum, Salix hastata, Jacquiniana, myrsinites, reticulata und retusa, Gagea Liotardi, beide Nigritellen, Crocus, Lloydia, Juncus arcticus, Elyna spicata, zahlreiche Carices, darunter atrata, *ornithopodioides*, rupestris, *incurva*, *foetida*, Sesleria sphaerocephala, Koeleria hirsuta, Avena sempervirens, alpestris, distichophylla, subspicata, argentea (am Fuss bei Völs, wo auch Campanula Morettiana). Woodsia hyperborea. Dem Pflanzenfreund ist auf der Alpe vor allem der obere Cipitbach zu empfehlen; reiche Ausbeute bieten die Gehänge dem zum Schlern Aufsteigenden, auch die Wege von Völs, der Schäufelesteig von Ums herauf (Phyteuma comosum); die grössten Seltenheiten bergen aber die höchsten Höhen, das Schlernplateau, das Tierseralple und die Höhen gegen den Rosengarten, wo Saxifraga Facchinii, Androsace Hausmanni, Carex ornithopodioides zu Hause sind.

Die ganze Alpe ist überkleidet von dem kräftigsten Schmelz der Alpenpflanzenwelt; daher lagert sich auf ihrem Rücken eine weithin zerstreute Alpenstadt von 300 Sennhütten und 400 Stadeln. Kaum mag es irgendwo eine ähnliche Alpe geben. Wegen der Unebenheiten der Alpe selbst wechselt ihre Höhe sehr; die Mitte, welche etwas eingetieft ist, hat 4491', *Palaccia* 7394', *Fitzberg* 6661', *Puflatschberg* 6872'. Die eigentliche Hochplatte der Alpe trägt einschürige Wiesen, welche einzelnen Gutsbesitzern gehören; der abfallende Rand ist theils bewaldet, theils übermattet und zerfällt in die O c h s e n w ä l d e r und die G e m e i n d e n; auf den ersteren weiden ohngefähr 600 Ochsen, auf den anderen Kühe und das Zuchtvieh der S c h w a i g b a u e r n, wie diejenigen Wiesenbesitzer heissen, welche ein Hutrecht haben (Schwaige, Weideplatz; Schwaigerin, Schwoagerin = Sennerin). Aus dieser Alpe entspringt dem Castelrutter seine Hauptlebensquelle. Man kauft magere Ochsen, bestellt damit zuerst die Felder und treibt sie den Sommer auf die Seiser Alpe, welches schon wegen der trefflichen Weide als halbe Mastung gilt, und verkauft sie im Spätjahre nach Welschtirol. Dadurch erspart man die Ueberwinterung des Mastviehes und benutzt das eingebrachte Heu von der Alpe für das eigene Vieh. Die Heuernte[1]) ist hier das schönste, ja zugleich erhebendste Fest, nicht nur für die Bewohner, welche sich dazu sonntäglich, wie zum grössten Feste, putzen. Des Abends herrscht in allen Hütten, besonders in denjenigen, die eine Art Wirthshäuser sind, das bunteste, lustigste Volksleben. Der Verfasser kann sich keines feierlicheren Morgens in den Alpen erinnern, als den, welchen er noch unlängst hier erlebte. Die Alpe erglänzte im Morgenthau; das blaue Him-

---

1) schrieb A. Schaubach vor 20 Jahren.

melszelt war völlig klar und fleckenlos ausgespannt; im weiten
Umkreise umragten die grüne wellenförmige Fläche die fernen
Riesengestalten der Oetzthaler und Zillerthaler Eisfirnen bis hin
zum östlichen Glockner; näher umstanden als graue Wächter die
Alpe die Dolomitschroffen des Schlern, der Rosszähne, des Platt-,
des Lang- und Peitlerkofls. Im Festschmucke zogen von allen
Hütten Burschen und Mädchen zum *Grumser Bühel*(6835') hinan,
einem der bedeutendsten grünen Köpfe der Alpe. Wohl etliche
hundert Mäher und Mäherinnen mochten oben versammelt sein;
heiter schimmerten die weissen Hemdärmel und wie die Waffen
eines Kriegsheeres blitzten die blanken Sensen auf luftiger Höhe;
nachdem Ruhe in die bunte Bewegung gekommen, schwebte ein
harmonischer Gesang von jener Höhe, der feierlich ernst war und
doch die innere Herzensfreude verkündete, welche der aufgehen-
den Sonne zujauchzte; es war eine echte volksthümliche Tiroler
Hymne, in welche noch aus der Ferne die grosse Glocke von Castelrutt einstimmte. Doch nur, wer eine solche Feier der Natur
und einen solchen harmonischen Chor selbst erlebte, kann diese
Gefühle nachempfinden, Erinnerungen, die unvergesslich wieder-
hallen in uns, wie jener Gesang an den Wänden des Schlern.
Diese Alpenmusik kennt aber fast nur das deutsche Volk der Alpen; nur das im Bewusstsein seiner angestammten Kraft frohe Auf-
jauchzen vermag diese grosse Bergwelt zu durchdringen. Doch
gehört auch den Glocken Tirols ein Theil dieses Ruhmes; und
wenn man auch bei ihrem Schalle unwillkürlich an das Sturmläu-
ten des Aufruhrs denkt, so ist es eben ein Pinselstrich mehr zu
dem Gemälde Tirols, des felsenfesten. — Jetzt ist dieses Fest
(„die Alpensuppe"), wobei auch wacker gezecht und getanzt
wurde, in eine Geldspende für die Arbeiter verwandelt worden.

Der *Schlern* (8105'). Ueber das Gehügel der Alpe auf und
ab erreicht man in 1 St. vom Rande der *Seiser Alpe* die Hütte in
Tschippit, wo man ausser der gewöhnlichen Alpenkost noch Wein
und Branntwein erhält, und kann hier die Nacht vor der Besteigung zubringen, um mit frischen Kräften den Gipfel zu erreichen,
ehe Gewölk aufsteigt, zumal diese Alphütte ziemlich bequem ist.
Dem Reisenden wird gewöhnlich die Wahl gelassen zwischen
trockenem und frischem warmem Heu, das eine Zudecke entbehr-

lich macht, ein sogen. Heubad; letztores möchte nicht jedermann
zu rathen sein, weil es bei Ungewohnten leicht Uebelbefinden erzeugt. Unweit des obersten Anfangs des *Tschippitbaches*, welcher
unten *Seiserbach* heisst, durchschreitet man den flachen Grund.
Der Geognost findet in den Geschieben des Baches merkwürdige
Versteinerungen (s. S. 201). Dann geht es rechts hinan gegen
die Wände des *Schlern*, anfangs zwischen einzelnen Lärchen, Fichten und Krummholzgebüsch; immer mehr nimmt das Dolomitgerölle überhand. Dort, wo die Wände beginnen, fangen auch die
kurzen Windungen des Steiges an, bald zwischen Felsenpfeilern
sich durchzwängend, bald über lockeres Gerölle; schon sind die
Klüfte mit ewigem Lawinenschnee erfüllt. Nach zweistündigem
Aufstiege erreicht man die Ebene, und hat über die Hauptschwie-
rigkeiten des Wegs o h n e a l l e G e f a h r gesiegt. Erhaben entfaltet sich schon hier die Pracht des Rosengartens und Plattkofls.
Nach einiger Rast geht es südl. vorwärts und mit Verwunderung
erblickt man hier oben ein Kirchlein, *St. Cyprian*, für die Hirten
der Alpe, die sich hier ausbreitet. An einer Quelle rastet der
Durstige nochmals zwischen grossen Dolomittrümmern. Der Führer ruft, ihm zu folgen, wenn auch der Reisende der scheinbar
nahen Spitze zueilt über Geblöck; aber man folge dem Führer,
denn er führt zu einer Ueberraschungsscene, wie sie selten die
Alpenwelt aufzuweisen hat, eine Erscheinung, welche nur diese
Dolomitwelt darzustellen vermag. Wir stehen nämlich am Rande
eines halbkreisförmigen Kraters oder Abgrundes, welcher in
grauenvollen Wänden in die wirklich fast unabsehbare Tiefe
stürzt. Rechts weisse Dolomitwände mit den bekannten beiden
Obelisken des *Schlern*, links gleiche Schroffen; die Zinnen dieser
weissen Wände bildet aber ein dunkelrothes, sandiges Gebilde,
vollkommen horizontal geschichtet und einer künstlichen Mauer
von 50' Höhe aufs täuschendste ähnlich; den Uebergang vom
Dolomit zu diesem rothen Kalke bedeckt eine kurze Rasenabda-
chung. Die oberste Fläche ist wiederum völlig eben und schimmert im saftigsten Schmelz der Matten, die sich im grossen Bogen von dort heran bis zu uns ziehen, den Abgrund umspannend.
Von unserem Standpunkte aus stürzt sich ein ungeheures Dolo-
mitgetrümmer in die Tiefe des unnahbaren Abgrundes. Da, wo

die Wände dieses Kraters gegen Nordwesten sich öffnen, stehen
auf beiden Seiten noch scharfe Zähne, welche gegen die Oeffnung
niedriger werden. Im wahren Gegensatz zu dieser wilden Pracht
erscheint durch die Oeffnung der *Klamm*, wie dieser Absturz
heisst, der sonnige Garten von Völs, Seis und Castelrutt, welcher sich wie eine Landkarte in der Tiefe ausbreitet, übersäet
mit den weissen Häuschen dieser Orte; darüber hin sieht man die
Furche des Eisackthales und die ganze jenseitige Gegend des Ritten. Ehe der Reisende rechts hinan klettert zum Gipfel, wandert
er erst links auf der ganzen Ebene fort, welche immer schmaler
wird, bis an den westlichsten Absturz, wo er, ausser dem merkwürdigen Anblick der Klamm von dieser Seite, auch westl. hinabblickt auf das ganze Gebiet, das er von Deutschenofen an
durchwanderte und das ihm vom Gipfel zum Theil verdeckt wird.
Ueber rothen und weissen Sandstein der Raiblerschichten geht es
rechts hinan zum eigentlichen *Koß*, die Klamm immer links lassend. Der Geognost, welcher die Dolomitgebirge nur aus der
Tiefe erblickte, lernt sie nur halb kennen, daher es für ihn durchaus rathsam ist, einen Hochgipfel derselben zu ersteigen, und da
der *Schlern* so weit hinaustritt in die anders gebildete Gebirgswelt
dieser merkwürdigen Gegend, so mag er immer einer der interessantesten Berggipfel sein, die es gibt; überdies ist keine Gefahr vorhanden. Jedem, auch dem Nichtgeognosten, werden hier
im Dolomitgebirge auf den nach dem senkrechtesten Aufsteigen
erscheinenden Horizontalflächen grosse Steinhaufen auffallen; von
der grossen Tiefe aus wird man leicht versucht, sie für Haufen
von Steinen zu halten, welche die Alpenbesitzer zusammengelesen
haben, um die Weide zu säubern. Allein in der Nähe gesehen
sind es Felsenmassen, meistens von kreisrunder, kegelförmiger
Gestalt, oft mitten auf grünen Flächen, welche in unzählige kleinere und grössere Blöcke zerborsten sind, aber theils noch mit
dem festen Gestein zusammenhängen, sowie auch die Klüfte oft
in unheimliche Tiefen fortsetzen. Aus solchem Felsengebröckel
besteht auch der ganze Rücken des *Schlern*, auf welchem man hin-
aufklettert. Die Felsmassen erscheinen öfters wie durch unterirdische Kraft zersprengt, und die Klüfte, über welche man setzt,
zeigen hie und da keinen Grund; die äusserst scharfen Kanten

und Brüche zeigen keine Spur von Verwitterung. Das Gestein hat eine blendende Weisse.

Wir stehen endlich auf dem höchsten Block, dem *Petz* (8105'), oder lehnen uns an ihn, denn die scharfen Kanten lassen kaum einen Sitz finden, wo man zugleich vor Zug geschützt ist. Die Aussicht ist im höchsten Grade erhaben und schön. Man übersieht ganz Südtirol und steht mitten in einer der geognostisch-merkwürdigsten Gegenden der Erde. Nordöstl. hat man zunächst die weite grüne Bergplatte der Seiser Alpe, in mittäglicher Beleuchtung einfarbig, des Abends oder Morgens aber durch ihr Gehügel im bunten Wechsel von Licht und Schatten erscheinend. Jenseits der Thalfurchen von Gröden, Vilnös und Lüsen überragt die Seiser Alpe in weitem Halbkreise die tief beeiste Centralkette; besonders mächtig erhebt sich durch seinen Glanz das Eiskor des Zillerthales in seinem südöstl. Abfalle gegen Taufers, wie die Gruppe der Schneeberge bei Antholz, welche den Venediger, vielleicht auch den Glockner deckt[1]). Oestlicher wird die Aussicht beschränkt durch die sich erhebende Dolomitwelt in ihren eigenthümlichen Formen. In ihren Schichten und Lagen erscheinen die ersten Dolomitberge ähnlich den nördl. Kalkalpen; der Peitlerkofl und die Geisterspitzen scheinen Sturm zu laufen gegen die Hochwelt der Mittelkette, die sie, wie die Giganten vom Olymp, mit den Blitzen ihrer Eismassen zurückwirft; doch trotzig bieten die versteinerten Riesen noch die Stirne, nur auf ihren Rücken die Spuren des Sturzes, der Niederlage tragend. Eine wüste Hochebene zieht sich rechts fort, von steilen, kahlen Wänden getragen; die dunkele Schlucht, die sich in sie hineinzieht, ist das Thal Wolkenstein, bewacht von der gleichnamigen Burg, dem Stammhause der Wolkensteiner. Das Thal ist einer der obersten Thalzweige von Gröden. Weiter rechts, zunächst hinter der Seiser Alpe, beinahe in Osten, thürmt sich der *Plattkofl* (9355') gleich einem Riesenaltar auf, als höchst erscheinender Gebirgsstock der ganzen Rundsicht, mit furchtbar kahlen Steil- und Geröllwänden; von hier aus als eine geschlossene Masse sich dar-

---

1) A. Schaubach, mit der Umgegend des Glockners von allen Seiten sehr vertraut, konnte ihn auch mit Hilfe eines Plössl's nicht heraus finden, wenigstens nicht in seiner ganzen Masse.

stellend, während er, von Campidello im Fassa gesehen, eine
Reihe ungeheurer Zähne bildet, so dass man ihn kaum wieder erkennt. Links von ihm und rechts vom Wolkensteiner Gebirge
liegt das Grödener Joch, über welches man nach Colfuschk in
Enneberg geht; jenseits desselben zeigt sich der hohe Zacken-
rücken des *Kreuzkofls* (9201'), welcher sich im Osten von Enneberg erhebt. Rechts stürzt der Langkofl ebenso steil ab auf den
Mahlknecht, einen grünen Sattel, welcher den östl. Zug des Dolomitgebirges mit dem *Schlern* verbindet und über welchen der
Weg von der Seiser Alpe, sowie von Christina in Gröden, ins
Duronthal (oberster Seitenzweig von Fassa) und nach Campidello
führt. Jenseits dieses scheinbar niedrigen Joches baut sich abermals eine furchtbare, vielleicht die grösste, Dolomitmasse in
schrecklichen Wänden und Giebeln, selbst in der Gestalt von
grossen runden Thürmen zum Himmel auf, und trotz der Ferne
mit dem nahen Langkofl an Höhe wetteifernd; jener hohe, runde,
in Fernduft gehüllte, fast nur aus Horizontalschichten aufgebaute
Thurm ist der *Monte Pelmo* (9736') und links von ihm noch weiter
das hohe, aber beschneite Horn ist der *Monte Antellao* (10,297',
s. unten). Fast feenartig erscheinen diese Riesenmassen in dem
verschleiernden Dufte der Ferne; jede flachere Stelle trägt Schnee.
Die Felsenstirnen dieser Gruppe kehren sich aber im Gegensatz
des Peitlerkofls gegen Süden. Wir werden diesem Dolomitgebirge
noch näher kommen, indem es der oberste Eckpfeiler der merkwürdigen Thäler Gröden, Enneberg, Fassa und Buchenstein ist.
Auf allen Steigen und Jochübergängen, welche die obersten Gebiete dieser Thäler verbinden, wandert man unter den Zacken
und Thürmen dieses Riesenbaues hin. Gerade im Osten liegt die
grüne Ebene der *Schlernalpe* zunächst unter uns, mit einem grossen Dolomithaufen obiger Art; weiterhin erhebt sich die Alpe
und steigt schnell zu dem schmalen und scharfen Zackenkamm
(Augitporphyrtuffe) der röthlichgefärbten *Rosszähne* (westl. Spitze
8454', östl. Spitze 8844') empor, von denen sich links der Grund
des Tschippitbaches herunterzieht. Gerade über den Rosszähnen
bäumt sich eine höchst abenteuerliche Gestalt hoch empor, einer
Giraffe oder südl. geneigten Grenadiermütze nicht unähnlich; es

ist die tief in Gletscher gehüllte *Vedretta Marmolata* (11,055'),
die höchste Spitze der Gegend.

Nun beginnt die von den Rosszähnen südl. laufende Kette
des *Rosengartens* (9800'), das wunderbarste Gezack, Geklüft und
Getäfel, das sich die Einbildung nur zu schaffen vermag, alles
aus weissem Dolomit aufgezimmert und mit Schnee in den Tiefen
ausgepolstert. An den zauberischen Rosengarten schliesst sich in
ununterbrochenem Zusammenhang die *Rothe Wand*, kenntlich an
einer rothen Felsenbank aus Campilerschichten, über welche sich
die Dolomitwände und Zacken erheben. Die Bank hat gleiche
Höhe mit der *Schlernalpe*. Sie erscheint wie die Eisränder am
Ufer der Flüsse, wenn sich das Haupteis gesenkt hat und vom
Ufer losgebrochen ist. Von diesem langen rothen Streifen, welcher die senkrechten Abstürze der höheren Dolomite und die
schiefgeneigte bewachsene Abdachung von einander trennt, senken sich die Abhänge, mit Geröll noch oft überschüttet, hinab
in die Wälder des Tierser Thales. Ueber die Zacken des Rosengartens und der Rothen Wand schaut hie und da noch ein Dolo-
mithorn, unter anderem der Sasso di Loch, vom Monzonthale
herüber, sich nur durch den Fernduft abhebend. Die Rothe
Wand bricht schroff ab und setzt auf einen niedrigen Sattel, dem
bunten Sandstein angehörig, herab, über welchen der Weg von
Deutschenofen nach Moena im Fassathal führt. Schon fast im
Süden erhebt sich ein hoher Dolomitstock, der *Latemar* (8662')
(Dentaria trifolia, Valeriana elongata) und *Zangenberg*. Jenseits
des erwähnten Joches zeigen sich die Dolomite von Predazzo.
Von dem Zangenberge herab senkt sich das Gebirge wieder
schnell auf die weite und grosse Porphyrmasse, die eine wellenförmige Hochebene darstellt, häufig von rothen Felsenabsätzen
unterbrochen. Ueber diese Hochebene hin erreicht der Blick im
Süden den Monte Baldo, näher heran blitzt eine Schlangenwin-
dung der Etsch bei Lavis herauf, über welcher sich der Orto
d'Abram erhebt, wie ein vereinzelter Altar mitten im Bergge-
wimmel, obgleich in der Wirklichkeit einen langen Rücken zwischen Sarca und Etsch bildend; darüber schimmert die vereinzelte Schneemasse der Bocca di Brenta. Deutlich erkennt man
die breite Thalfurche der Etsch an den aufsteigenden Dünsten,

wenn auch der Blick ihren Thalboden nicht erreicht. Jenseits
derselben zieht die lange Kette des Mendelzugs mit röthlich ab-
gestuften Wänden zur Etsch; auch von hier aus hält man wohl
die rothen Quadern ihrer Mauer für Porphyr, wegen der überein-
stimmenden Bildung und Farbe mit dem Porphyrganzen der Umgegend. Jenseits dieses schönen Zuges sieht man deutlich die
Entwickelung des grossen Nonsthales. Den Glanzpunkt der Aussicht erreicht das Auge im Westen. Den nächsten Vorgrund bildet das kräftige Grün der *Schlernalpe*, welche diesseits über die
braunen Mauern der Klamm in den Abgrund stürzt, jenseits aber
dem Blick eine äusserst reizende und bunte Fernsicht gestattet;
man erblickt die sich hier erschliessenden Porphyrpforten des
Eisackthales mit einem Theile von Bozen und sein zerstreutes
Häusermeer; wie ein glänzendes Band entwindet sich die Eisack
ihrem Schosse, um sich bei Sigmundskron mit der von Terlan
herflutenden Etsch zu verbinden. Diese Vereinigung der beiden
Thalgebiete gleicht einem bunten Teppich, aus dessen duftigem
Grün, wie unzählige Sternchen, die Häuser, Burgen und Kirchen
von Eppan hervorblitzen. Darüber die rothen Stufen der Mendel,
jenseits deren die Rücken, welche das *Nonsthal* zu seinen Kreuz-
und Querzügen nöthigen, und endlich die kalten Eisriesen der
Orteler Alpen, welche Tirol vom Veltlin scheiden; links die hohe
tiefbeeiste-Gruppe des Adamello, rechts die 11—12,000' hohen
Grenzwächter Tirols, die *Tschernowand*, die *Ceval-* und die *Veneziaspitze;* nur die schroffsten Kanten durchschneiden den weiten Eismantel dieser Gebirge. Zwischen beiden Eisgruppen im
tiefsten Hintergrunde des Nonsthales ist der tiefe *Tonalepass.*
Rechts von Bozen erhebt sich die Porphyrhochebene von Jenesien
und Oberbozen, das Sarnthal bergend; das Ganze erscheint auch
hier als hügelige Hochebene; gerade über der äussersten Ecke
der *Schlernalpe* erscheint die Sommerfrische Oberbozen. Höher
stellt sich gegen Nordwest über den geradlinigen Formen der dolomitischen Mendel und des Sarnthaler Porphyrgebirges der Glimmerschieferrücken dar, welcher das Ultenthal im Norden begleitet und sich beim Cevalspitz von der Kette der Orteler Alpen
losmacht, dann bei Meran quer über das Etschthal zum Ifingerspitz herüberzieht; deutlich erkennt man die Pforte des Vintsch-

gaues bei der Töll, wenn auch die Tiefe selbst verdeckt ist.
Ueber diesen Ultener Rücken, hinter dem das Vintschgau hinzieht, ist die Ortelerspitze zu suchen (welche wegen der übrigen
Schneeberge, die sie überragt, nicht deutlich unterschieden werden konnte). Mit dem Ifingerspitz werden auch die bisher ruhigen Wogen des Gebirges vom Sarnthal aufgeregter und strecken
ihre Felsenspitzen scharf aus dem grünen Teppich hervor. Darunter zieht das üppig wilde Eisackthal seine Furche; Klobenstein,
Lengmoos, die Erdpyramiden und Kloster Seben bei Klausen, die
Gegend von Brixen, Mühlbach und die Vereinigung des Pusterthales mit dem Brennerthale, alles erschliesst sich hier dem for-
schenden Auge. Darüber aber schwebt die ganze weite Eiswelt
des Oetzthales, aufragend in ein unendliches Gezack von Eis- und
Felsenspitzen. Nur der sehr Bewanderte vermag da herauszufin-
den die Häupter der glänzenden Versammlung. Stubay, Dux und
Pfitsch reichen sich, von hier gesehen, die Hände über dem Sattel des Brenners, so dass man kaum eine Unterbrechung des grossen Eisgürtels gewahr wird.

Fast Dreiviertel unserer Rundsicht umschliesst ein Eiskranz,
welcher am Adamello, an der Grenze von Mailand und Tirol, beginnt, über die ganze Kette der Orteler Alpen, den Orteler selbst
hinzieht, ebenso über alle Häupter des Oetz-, Stubay-, Zillerthales, des Venedigers bis zum Glockner, an der Grenze Illyriens,
Salzburgs und Tirols; das vierte Viertel umschliesst der Tirol
eigenthümliche Dolomitzaun; dazwischen hineingebettet liegt die
Porphyrwelt, roth und schwarz, wie Oel schwimmend mitten im
bewegten Oceane. Der Geognost, wie der Geolog überschaut hier,
wie nirgends, die Bildungen der entgegengesetztesten Gebilde.
Der Maler wird in dieser Rundsicht eine seltene Sammlung der
verschiedensten Gestalten, Farben und Töne finden mit den buntesten Schattirungen.

Schneller, als herauf, kommen wir vom Kofl auf geradem
Weg über regelmässig abgeschwemmte Geschiebe zur Alpe und
an den Rand derselben, wo die Wände des *Schlern* beginnen. Es
ist hier einige Vorsicht nöthig, dass man nicht etwas zu weit links
kommt, weil dort die Abdachung oft in fürchterlichen Wänden
abbricht. In 2 St. von der Spitze haben wir unsere Sennhütte

14 *

wieder erreicht. Wir wandern nun über die Matten der *Seisser
Alpe* östl. fort, lassen den *Gruuser Bühel* rechts; fortwährend haben wir links und im Rücken in einem weiten Halbkreise die
Schneekette des Hauptzugs der Alpen von der Malser Haide an
bis zum Glockner. Wir biegen jetzt rechts in eine Art Grund
ein, dessen Wasser nördl. zum Grödenerthal abfliesst, wo wir
wieder ein Sennhüttenwirthshaus antreffen für die Mähder. Bald
darauf gelangt man an eine tiefe, wahrhaft höllische Schlucht,
durch welche der *Furschbach* rauscht; es ist eine klaffende Wunde
der *Seisser Alpe*, vom Bache tiefer ausgespült; sie ist keineswegs
sehr tief, aber recht charakteristisch und daher sehenswerth.
Eben noch wandelt man auf sonnigen Matten, aber einige Schritte
hinab in diese Schlucht, so umgibt uns eine blauschwarze Nacht
des Tuffgebirgs; so schwarz, als sich die Einbildung nur ein Gestein denken kann, sind die Wände ummauert oder in ebenso
schwarze, ins Bläuliche schimmernde Erde aufgelöst. Noch auffallender erscheint, aus der Tiefe der Schlucht gesehen, der vom
Sonnenlicht durchschimmerte grüne Rand auf dem schwarzblauen
Gestein. Der Steig führt durch die Schlucht, hat aber eine böse,
obgleich gerade nicht gefährliche Stelle. Hat man das Sonnenlicht wieder erreicht, so geht es nun über Matten allmählich empor zu einem Joche, dem *Mahlknecht* (Molignon, 6765'), die
Grenze bildend zwischen Castelrutt und Fassa, sowie die Wasserscheide zwischen Gröden und Fassa (Avisiothal). Noch einmal
blickt der Wanderer zurück auf die Eisgebirge des Zillerthales,
während vor ihm der oberste Anfang des *Duronthales* in der Tiefe
beginnt, zunächst von den nördl. Abstürzen der Rosszähne und
den senkrechten Dolomitpfeilern des Rosengartens umschlossen;
Schneefelder ziehen in den Tobeln bis fast herab zur Thalsohle;
östlicher schliesst sich an den Dolomit des Rosengartens wieder
das schwarze Porphyrgebirge von Antermoja. Neugierig lugt
der lange Hals der beeisten Vedretta Marmolata über alle Gebirge herein.

Flora. Potentilla nitida, Phaca alpina, Facchinia lanceolata, Horminum pyrenaicum, Betonica Alopecuros, Androsace helvetica, Phyteuma Sieberi, Seyera,
Poa caesia.

Schnell und kurz senkt sich der Steig in das *Duronthal* au

der linken Thalwand unter dem Schatten hochstämmiger Zirbeln
zur Tiefe, und in 3 St. hat man *Campidello* im *Fassathal* vom
Joche an erreicht; von der Hütte am Schlern in 6 St.; das Nähere hierüber unten beim Fassathal. Wir kehren auf die *Seisser
Alpe* zurück, um nach

Gröden [1]) zu wandern, welches die Alpe im Norden umrandet. Von *Tschippit* wenden wir uns dem Norden zu; ebenso können wir schon von dem schwarzen Schlunde des *Furschbaches* da-
hinwärts durch das *Saltariathal*, in dem Schwaig-Alpenkost und
Wein zu haben ist und das u. a. den *Furschbach* aufnimmt, nach
Gröden hinabsteigen. Von *Tschippit* kehren wir auf dem Wege
nach *Castelrutt* zurück, bis dieser die Hochfläche der Alpe verlässt, dann wendet sich unser Weg, ein Fahrweg, rechts, den
Puflatsch (6872'), den nordwestlichsten Grenzstock der *Seiser
Alpe*, links lassend; gleich darauf bricht der Rand der Alpe ab
und ziemlich steil stürzt ein Schlund, der *Puflergraben*, in die
Tiefe, von schwarzen Felsen bedroht. Der Weg senkt sich von
der Wasserscheide an den Fällen des Baches hinab über *Pufels* in
die hochgelegene Fläche des *Grödenerthales* in 2 St. bis *St. Ulrich*.
Die unterste Thalstufe des *Grödenerthales*, *Im Loch* genannt, steigt
als ein enger Schlund aus dem *Eisackthale* ziemlich stark bergan,
nur auf den höheren Bergstufen bevölkert, in neuerer Zeit jedoch
durch eine Fahrstrasse eröffnet, die von Waidbruck an der Eisack
bis hinauf nach Plan im Wolkensteiner Thale reicht; an der Mündung liegt Thonglimmerschiefer, dann folgen die Engen des rothen Porphyrs; hier bei Neuhaus durchzieht ein breiter Sandstein-
streifen das Thal, daher breitet es sich sogleich zu einem ziemlich
weiten Hochthale aus, welches der schönste und bevölkertste
Theil des Thales ist, weiter oben aus Seisser und Campiler Schichten gebildet; der schwarze Augitporphyr unterbricht bei St. Christina die Trias; oberhalb St. Christina steigt das Thal nochmals
durch eine Enge in das oberste Thalgebiet, das sich in mehrere
Aeste theilt und schon alpenhaft wird. St. Ulrich liegt noch im
Sandgebiet, das Joch nach Colfuschk zwischen hohen Dolomitbergen in geschichteten Tuffen.

---

1) Vergl. Gröden, der Grödner und seine Sprache. Brixen 1864.

Das ganze Thal ist 6 St. lang und wird vom *Grödener-, Plan-*
oder *Dirschingbache* durchflossen. Bei den Thalbewohnern selbst
heisst das Thal *Gardena.*

Aus der Schlucht von *Pufels* heraustretend wird man überrascht durch die reizendste Aussicht über das Thal. Alle Berge
bis zu den höchsten Hörnern, welche links als weisse Dolomit-
gipfel ihr Haupt erheben und ernst über die grünen Berge herein
lugen, sind bis weit hinauf angebaut und mit Häusern übersäet,
die, wie die Grödener Spielwaaren, bunt und zierlich angestri-
chen sind, die Häuser weiss, die Thüren grün oder gelb, die
Dächer roth und die Fenster blank und rein. Die Hauptorte des
Thales, welche auf dieser Mittelstufe ziemlich zusammengedrängt
liegen, sind *St. Ulrich* (grödnerisch Ortiseit vom latein. Urtice-
tum, 3913'), 92 H., 1129 E.; in der Kirche eine sehr schöne
Madonna von Canova; Gasthöfe: zum weissen Rössl und zum
Adler, beide gut; Niederlage von Holzschnitzarbeiten bei *Pur-
ger* neben der Kirche; *St. Jakob* und *St. Christina,* 165 H., 850 E.,
mit gutem Wirthshause; weiter hinan *Sa. Maria* oder *Wolkenstein*
(1946'), 187 H., 1011 E. Je weiter man im Thale hinaufzieht,
desto grösser wird die Natur, desto ernster entfaltet sich der Charakter der hochaufragenden Dolomitmassen, welche dadurch, dass
sie öfters durch grüne Sattelrücken von einander getrennt werden
und deshalb vereinzelt in ihren Riesengestalten auftreten, ein ganz
eigenthümliches Ansehen erhalten. Am Eingange in die dritte
Thalstufe liegt die Burg *Fischburg* auf einem Hügel, im 17. Jahrh.
von einem Grafen Engelhart Dietrich v. Wolkenstein-Trostburg
als Sommerfrische erbaut, jetzt Gemeindeeigenthum und von armen Schnitzern bewohnt; in der Kapelle schöne Glasgemälde.
1 St. weiter einwärts spaltet sich das Thal bei *Sa. Maria* dreifach.
Nordöstl. klafft das Dolomitgebirge und bildet das enge, unbewohnte *Wolkensteiner Thal,* das nur einer Felsengasse gleicht, in
welche wir vom Schlern aus gerade hinein sahen. Am Eingange
in dieses Thal liegt unter einer Felsenwand die Burgruine *Wolkenstein,* einst nur durch eine Felsentreppe zugänglich. Sie gehörte zuerst den Herren v. Maulrappen, später den Herren v. Villanders, welche davon den Zunamen von Wolkenstein erhielten.
Oswald v. Wolkenstein lebte längere Zeit hier in freiwilliger Zu-

rückgezogenheit nach dem Siege Friedrichs m. d. l. T. Nachher verfiel sie in Trümmern.

Der östl. Thalzweig führt über das *Grödner Jöchl* (Melaphyrsandstein) zwischen ungeheuern Dolomitgebirgen hinüber in 2½ St. nach *Colfuschk* oder Colfosco im obersten *Enneberg*. Für den Geognosten ist der Umweg über *Plan* und *Parisol* lohnender, denn dort tritt die untere Trias bis zu den Scisser Schichten noch einmal zu Tage. Der südl. Thalzweig endlich steigt zum *Sellajoch* zwischen dem hohen *Langkofl* und der *Sellagruppe* empor. Jenseits geht es hinab nach Gries und Campidello im Fassathal.

Flora. A. d. Crespinaalpe: Alsine biflora; Grödner Jöchl: Horminum pyrenaicum, Veronica fruticulosa, Juncus alpinus, Avena versicolor, alpestris, Saussurea discolor: bei St. Christina: Poa caesia; nach Enneberg zu auch Potamogeton alpinus.

Nichts ist unterhaltender als der Weg von einem Joch zum andern, besonders für den Reisenden aus Fassa nach Enneberg; hier hat man die kolossalsten Gestalten der Dolomitwelt in allen ihren eigensinnigen Formen vor Augen. Vom *Sellajoch* rückwärts blickend zeigt sich die ganze Eiswelt der Vedretta Marmolata und des Sasso Vernale; jene erscheint hier schon mehr von ihrer breiten nördlichen Rückseite, welche begletschert ist, sowie sich auch rechts von ihr in einem Hochthale grosse Gletschermassen am Sasso Vernale zeigen. Der Weg von diesem Joche hinab nach *Gröden* geht meist auf Rasen, wird aber oft durch ungeheure Dolomitblöcke unterbrochen, welche die links in furchtbaren Wänden aufstrebenden *Lang*- (10,020') und *Plattkofl* (9355') entsendet haben. An der tiefsten Stelle, welche der Steig vom *Sellajoch* zum *Colfuschker Joch* im Grödner Thalgebiet erreicht, labt eine frische Quelle, welche unter einem Felsen hervorbricht. Ueber einige grüne Rücken, mit einzelnen Zirben und Lärchen bestanden, geht es wieder rechts hinan, *Gröden* links lassend. Hier möchte man wohl rechts die merkwürdigsten und auffallendsten Dolomitgebilde haben, weiss fast wie der Schnee, aufstarrend in den wunderlichsten Formen, wie Orgelpfeifen, lauter abgesonderte Pfeiler, furchtbar zerrissen und weisse Kiesströme herabsendend, oft in schwindelnde Höhe aufstarrend, ähnlich den Sandfelsen der Bastei bei Rathen, nur in kolossalem Massstabe. Ebenso stellt sich der Langkofl uns im Rücken dar, wie der Lilienstein.

Hat man das Joch erreicht, so eröffnet sich östl. eine neue Aussicht: in der Tiefe Colfuschk und Corfara, der oberste Anfang von Enneberg, zunächst von niedrigen flacheren Höhen umlagert, jenseits aber umragt von den Dolomiten des Kreuzkofls, des Peitelsteiner Passes und Buchensteins, welche in den seltsamsten Formen aufsteigen. Noch mehr wird empfohlen der Weg aus *Fassa* von *Conazei* über *Morditsch* an den südl. Wänden des *Pordoigebirgs* vorüber in 2 St. auf das Joch, von hier ⅓ St. nach *Arraba* im *Livinolungothale*, von da in 2 St. über ein zweites Joch nach *Corrara*.

Von *St. Ulrich* am Fusse der zerklüfteten, daher unersteiglichen, *Gieslarspitze* vorüber durch den *Dunkelwald* 5 St. bis *St. Peter* im *Vilnösthale*.

Die Grödner, auf 3 Seiten von Deutschen umwohnt, und nur durch die genannten Jöcher mit romanischen Volksstämmen verknüpft, haben ihren römischen Ursprung bewahrt, und unterscheiden sich wesentlich durch ihre volle, runde Gestalt, auch durch ihre Sitten, von den scharfgezeichneten Rhätiern. Ihre Sprache ist verwandt mit dem Ennebergischen, Graubündtnerischen, Spanischen, Altfranzösischen und Altenglischen, und erscheint als eine verderbte Mundart des Latein. Die Grödner erlernen daher alle romanischen Sprachen leicht und wandern aus dieser Ursache lieber in romanische Länder, als nach Deutschland. — Oswald v. Wolkenstein, ein Deutscher, aber in Gröden erzogen, durchreiste in seiner Jugend Italien, die Provence, Catalonien, Portugal und England, und fand zu seinem Erstaunen, dass er die Sprachen dieser Länder verstand. Die Grödner haben eine grosse Vorliebe für ihre Sprache, wenn sie auch nicht geschrieben wird. Deutsch lernen sie schlecht. In den Schulen wird deutsch und italienisch gelehrt.

Da das Thal, wegen des im Ganzen rauhen Klima's, kaum die Hälfte seines Getreidebedarfs baut, so müssen die Bewohner zu anderen Gewerben ihre Zuflucht nehmen. Im J. 1703 fing Johann de Metz zu Schnaut bei St. Ulrich zuerst an, aus dem schönen, leicht zu bearbeitenden Zirbenholz, an dem die Wälder so reich waren, Bilderrahmen mit allerlei Verzierungen zu schnitzen. Der gute und schnelle Absatz dieser Waare brachte auch

andere dazu, diesen Erwerbszweig zu ergreifen, und bald wurde
es ein allgemein verbreitetes Geschäft; doch statt der Bilderrahmen wurden nun Heiligenbilder und andere Figuren, namentlich
Thiere, geschnitzt. In jedem Zimmer sitzen die Schnitzer und
Schnitzerinnen um einen Tisch herum, jedes wohl an 30 verschiedene Schneideeisen vor sich; gewöhnlich sehnitzt jedes nur
eine Art von Figuren. Der Preis für das Dutzend steigt von
12 Kr. bis zu 12 Fl. Geschickte schnelle Arbeiter erwerben sich
des Tages bis 2 Fl., mittelmässige 40—50 Kr., Kinder 6—12 Kr.
Wöchentlich (1838) gehen ungefähr 5 Kisten, die Kiste zu 150 Fl.
an Werth, aus dem Thale und bringen jährlich mit dem Gewinne
der Kaufleute 44,000 Fl. ins Thal. Früher kauften fremde Kaufleute die Holzwaaren im Thale auf, bald aber übernahmen die
Grödner selbst dieses Geschäft und gründeten bedeutende Handlungshäuser zu Madrid, Barcelona, Lissabon, Neapel, Palermo,
Rom, Triest, Nürnberg, Brüssel, Petersburg u. s. w. Um den
Geschmack zu verbessern und zum Kunstsinn zu veredeln, wurde
1824 eine Zeichnungsschule eröffnet. Trotz der Anlage zum Pla-
stischen haben sich, besonders im Vergleich des übrigen Tirols,
nur sehr wenige zu Künstlern erhoben. Die in der Fremde reich
gewordenen Kaufleute kehren gewöhnlich doch zuletzt wieder in
die Heimat zurück, bauen sich daselbst an und heirathen eine
Grödnerin. Ein grosser Nachtheil für dieses Gewerbe ist die frühere schonungslose Vernichtung der Zirbelwälder, ohne neue An-
pflanzungen zu gründen, um so nachtheiliger bei dem langsamen
Wuchse des edlen Baumes. Da aus dem ärarischen Schwarzwalde
keine Stämme mehr geschlagen werden dürfen, ist der Holzman-
gel so gross geworden, dass viele Schnitzer nach Villnös und
Fassa wandern müssen. — Ein anderes Geschäft, besonders der
weiblichen Bevölkerung, ist das Spitzenklöppeln; der Verkauf
dieser Waare bringt einen reinen Gewinn von 25,000 Fl. in das
Thal. Dieser Handel wird durch Grödnerinnen getrieben, welche
in Tirol hausiren. Das ganze Thal gehört zum Gericht Castelrutt.

Von *St. Ulrich* führt ausser dem neuen Wege nach *Waidbruck*
einer links unter der *Seisser Alpe* weg über *Rungatitsch* nach *Castelrutt* in 3 St.; ein zweiter nördl. über den *Raschötzberg* (7275',
s. u. Villnös) ins Thal *Villnös* und nach *Klausen;* ein dritter an

der rechten Thalwand im *Grödnerthale* fort über *St. Peter* mit sehr
alter Kirche und einem Bade. Ueber *Tanitz* erreicht man *Logen*,
mit Winterlogen und St. Peter 346 H., 2054 E., auf der Höhe
über dem *Eisackthal*, und hier erst bemerkt man, ob man gleich
vom Grödner Thalboden eher ab- als aufwärts stieg, wie hoch
Gröden liegt; denn aus grosser Tiefe blickt Kollmann herauf.
Die Kirche liegt höher und gewährt eine herrliche Aussicht. In
$1\frac{1}{2}$ St. steigt man steil über *Albions* hinab nach *Waidbruck*, der
römischen Mansion Sublabio, *Kollmann* gegenüber.

Das Eisackthal (Fortsetzung).

Von *Kollmann* reisen wir auf der Strasse im *Eisackthale* weiter hinan; an die Stelle des Porphyrs ist jetzt Thonschiefer mit
eingelagertem Diorit getreten. In $1\frac{1}{2}$ St. liegt in reizender Lage
das alte *Klausen* (1703′), 126 H., 775 E., vor uns, dessen Name
aus seiner Lage entstanden ist. Die Gans, zugleich Posthaus, ist
ein gutes Wirthshaus. Noch mehr überrascht den Reisenden dieses Städtchen mit seinen Umgebungen und der üppigen Fülle seiner Gärten und Felder, wenn er von Norden kommt. Das Thal
ist eng und die schmale Gasse ist der einzige Fahrweg, welcher
hindurch führt; der *Thinnerbach*, welcher von der westl. Thalwand herabstürmt, schneidet das Städtchen von seiner Vorstadt
ab. Merkwürdig ist das Kapuzinerkloster, gestiftet von Gabriel
Pontifeser aus Klausen, Beichtvater der Königin Maria Anna von
Spanien, der Gemahlin Karls II., 1699—1701. Die Kirche enthält schöne Gemälde aus der Schule Murillo's; in der Sakristei
sehenswerthe Schnitzwerke mit alten Gemälden; das Haus des
Stifters in der Nähe wurde auf Befehl der Königin in die jetzige
Lorettokapelle umgewandelt und mit dem reichsten Schatze ausgestattet; schöne Gemälde und besonders der Feldaltar Karls II.,
mit den schönsten Glasgemälden und Emailarbeiten, ein Christus
aus Bernstein und elfenbeinerne Kunstwerke. In der sehr alten
Pfarrkirche der Grabstein des Freiherrn v. Zingenberg, eines geborenen Türken, welcher, 1680 bei Ofen gefangen, zum Christenthum überging, in österreichische Dienste trat und es bis zum
Feldmarschall-Lieutenant brachte. Er starb hier 1735 auf der
Rückreise aus Italien. Ueber der Stadt thront auf hohem, von
der Bergwand getrennten Fels *Seeben* (2173′), das römische Sa-

bions. Einst eine rhätische Felsenburg, wurde es später von den
Römern als Kastell benutzt, an welches sich ein Tempel der Isis
schloss, nach einem Stein, welchen Aventin noch in Seeben gesehen hat, mit der Inschrift: Isidi. Myrionymae. Sacrum. Festi-
nus. T. Iuli. Saturnini. G. P. P. Serarli posuit. Fortunatus.
Ejusdem Servus LXXVI. F. C. Noch fortwährend werden römische Münzen aufgefunden. Auf die Römer folgten im Besitz der
grosse Theodorich, die Longobarden, Bojoaren und Karl d. Gr.
Auch hier griff die kirchliche Gewalt um sich und verdrängte die
weltliche von ihren Burgen, wenigstens um die letzte abhängig
zu machen, denn 974 beherrschte Bischof Albuin von dieser stolzen Feste herab die Strasse, bis er es für rathsamer hielt, seinen
Sitz nach Brixen zu verlegen. An seine Stelle traten wieder ritterliche Burggrafen, die Herren v. Seeben. Doch um unabhängiger zu werden und der lästigen bischöflichen Lehenschaft müde,
erbauten sie die jetzt in Trümmern liegende Burg *Branzoll* unter
Seeben. 1465 starb dieses Geschlecht aus und ihre Burgen kamen
wieder an Brixen, wurden aber ein Raub der Flammen. Später,
1685, trat ein Benediktiner-Nonnenkloster an die Stelle der stolzen Ritterfeste, ein eigenthümliches Gebäude. Durch verschiedene Gänge steigt man in 3 über einander liegende Kirchen. In
der kleinen angebauten Gnadenkapelle ein sehr schöner gothi-
scher Altar vom Bildhauer Knabl in München. Das Kloster steht
jetzt unter dem Bisthum Trient und ist von mehr als 40 Nonnen
strenger Regel bewohnt. Im Heldenkampfe 1809 drangen die
Feinde auch hier ein und eine Nonne, von ihnen verfolgt, konnte
ihre Unschuld nur retten durch einen kühnen Sprung in die Tiefe;
ihr zerschmettertes Gebein zeigte, dass sie ihres ritterlichen Si-
tzes würdig war, ein kolossales Kreuz erinnert an ihre That. Der
heldenmüthige Kapuziner Joach. Haspinger († 1858 in Salzburg)
gehörte auch einem Klausener Kloster an.

Seeben liegt auf einem kühnen Dioritschiefervorgebirge, welches westl. von dem *Latzfonser Thal,* östl. von dem der *Eisack*
scharf zugeschnitten wird; auch im Rücken, wo sich der Felsen
an sein Gebirge anlegt, ist er durch eine Kluft bis auf eine ge-
wisse Tiefe getrennt und nur durch eine Brücke, welche zugleich
Wasserleitung ist, verbunden. Das ganze Gebirge von dieser

Brücke aufwärts ist stark bevölkert. Zunächst an der Brücke
liegt die kleine Gemeinde *Pradell* mit den gleichnamigen Burgruinen. Hier wohnte ein Zweig der Herren v. Villanders, von
denen die Wolkensteiner abstammen; der jetzige Besitzer ist der
Graf Wolkenstein-Rosenegg. Höher hinan liegt *Verdings* und in
dem Seitenthale links einwärts *Latzfons* (3360'), mit der ältesten
Pfarre der Umgegend, alle 3 zusammen 195 H., 1126 E. Darüber die Feste *Gernstein*, einst Besitzung der Voitsberger, später
der Herren v. Villanders, jetzt eines Bauern, erbaut zum Schutze
der alten, noch jetzt zu empfehlenden Saumstrasse vom Ritten
über Villanders nach Latzfons. Einst war starker Bergbau hier
im *Latzfonser Thal*, welches vom *Thinnerbach* vielfach zerrissen
und durchwühlt ist. Auf dem Abhange desselben Gebirges, aber
gegen das *Eisackthal* zu, liegt *Velthurns* (2599'), mit Schram-
bach und Schnauders 233 H., 1181 E., eingehüllt in korn- und
weinreiche Fluren. In der Mitte des Ortes, bei der Pfarrkirche, die Ruinen eines alten Thurmes; hier wohnten die Herren v. Velthurns. Der Edelsitz Velthurns aber wurde 1580 vom
Fürstbischofe Johann Thomas Graf v. Spaur in den jetzigen Stand
gesetzt und zu einer Sommerfrische eingerichtet, jetzt dem Ritter
v. Goldegg gehörig. Die mit Holz ausgetäfelten Zimmer sind sehenswerth. Die Bewohner dieses ganzen Gebirges zeichneten sich
im Kriege gegen die Franzosen durch heldenmüthige Tapferkeit
aus; Weiber und Mädchen, in weisslodene Mäntel gekleidet, nahmen gleich thätigen Antheil an diesem Kampfe und schlugen 1797
alle Stürme und Angriffe des Generals Joubert zurück, so dass er
sich von Weibern geschlagen schnell durchs Pusterthal zurück-
ziehen musste.

Von *Latzfons* führen mehrere Jochsteige hinüber in das *Sarnthal*, von Klausen in 8 St. bis Sarnthein. Der eine nordostwärts
neben dem *Kofelreithberg* vorüber durch das *Reinswaldthal*, der
andere über *Villanders* und das *Jöchl*, den *Hammer* und *Rollwald*.
Oben am Joch steht das *Latzfonser Kreuz* (7262') mit einer kleinen Kirche zum *Heiligen Kreuz*, nebst einem Hüterhause. Der
3. Mai, dem Andenken des Kreuzes des Erlösers heilig, ist der
Hauptfeier- und Wallfahrtstag hier herauf von allen umliegenden
Gemeinden. Der Gottesdienst unter freiem Himmel, im Ange-

sicht der weiten und herrlichen Rundsicht, besonders hinüber zu
den weissen Dolomiten, die wie Himmelskerzen ihre weissen
Häupter ins Tiefblau der Luft emporstrecken; der Gesang, welcher aus der nahen Kirche tönt, macht einen tiefen, unvergess-
lichen Eindruck.

Noch angebauter, als der *Latzfonser Berg*, ist der ihm südl.
gegenüber liegende *Villanderser Sonnberg*, nur durch das *Latzfonser Thal* davon getrennt. Hier liegt *Villanders* (2787'), 269 H.,
1630 E., in äusserst fruchtbarer und an Getreide, Alpen, auch
an Erzen reichen Gegend. Die zur Zeit des reichen Bergsegens
von der Knappschaft gegründete Pfarrkirche hat sehenswerthe
Grabdenkmäler. Der Ansitz *Gravetsch* ist wahrscheinlich das
Stammhaus der Herren v. Villanders, nachheriger Grafen v. Wolkenstein, gegenwärtig im Besitze des Bauern Kuntatscher. An
der *Rothlahn* befinden sich die ehemals blühenden ältesten Silber-
gruben des Landes. Sie lieferten 1774 noch 300 Ctnr. Kupfer
und 350 Mark Silber. Jetzt werden die Kupfererze in der Sulser-
bruck an der Mündung des Thales Villnös geschmolzen, die sil-
berhaltigen Bleierze nach Brixlegg im Unterinnthale geschafft und
dort ausgeschieden. Ueber *Villanders* breiten sich die herrlichen
Matten der *Villanderser Alpen* aus, unter denen das *Rittnerhorn*
(7370') sich erhebt (s. S. 192). Von *Villanders* geht ein Steig
über die sonnigen Dörfer *Sanders* und *Barbian* nach *Langstein* auf
den *Ritten*. Hier liegt auch das Bad und die Sommerfrische *Dreikirchen*, von 3 alten, an einander gebauten Kirchen, *St. Gertrud*,
St. Magdalena und *St. Nikolaus*, so genannt. Das Bad besteht
erst seit 1811 und gehört dem Kreuzwirthe in Kollmann. Die
Aussicht ist sehr schön (43 Kirchthürme sichtbar) und die Lage
so gesund, dass selbst Fremde aus Italien hier die Sommerfrische
geniessen.

Geognost. Die Gegend von Kollmann ist interessant durch den im Thonglimmerschiefer auftretenden, Strahlstein führenden, Diorit. Kloster Seeben liegt
auf solchem, der alte Bergbau im Pfunderer Berge ebenfalls, vorzugsweise erz-
reich im Diorit oder sogen. Grünstein. Nach v. Cotta werden der Diorit und der
Thonglimmerschiefer, welche durch sogen. „Feldstein," eine Contactbildung aus
letzterem, von einander getrennt sind, von Kalkspath führenden Quarzgängen
durchsetzt, auch durchtrümmert, welche in beiden letztern Gesteinen Kupfer- und
Schwefelkies, im Diorit aber silberreichen Bleiglanz und Zinkblende führen. Merkwürdig sind die „Muzeln," Concretionen von concentrischen Schalen, abwechselnd

von Schwefelkies und von Bleiglanz mit Zinkblende oder Chlorit, welch letzterer sie auch oft umkleidet. Auch Asbest, Granat, Kupfergrün, Kupfervitriol, haarförmiges Silber kommen vor.

Flora der Villanderser Alpe: Ranunculus glacialis, Arabis pumila, Silene Pumilio, Aronicum Clusii, Primula villosa, glutinosa, Avena subspicata u. a.

Klausen gegenüber, etwas nördl., öffnet sich das Thal *Villnös* (vallis Nasica), 253 H., 1300 E., ein Parallelthal von Gröden, gegen 5 St. lang, früher Hirschpark der Erzherzoge von Tirol. Sein Vordergrund ist geschlossen durch einen Felsenriegel; links der erste Kopf aber, auf dem *Teis* (3050'), liegt, mit Gufidaun 147 H., 758 E., ist dunkeler Porphyr, während der Schoss des Thales im Thonschiefer, weiter oben im Sandstein ruht, rechts und links von Bergen rothen Porphyrs begleitet bis St. Magdalena, wo der mehr erwähnte Sandsteingürtel des Dolomits diese Gebirgsart verkündet, der sich auch bei letztgenanntem Ort im Norden zuerst im *Ruefenberg* und noch mächtiger im Hintergrunde im *Peitlerkofl* zeigt, der das Thal von Enneberg scheidet.

Geognost. Beide Berge bestehen nach v. Richthofen aus Dachsteindolomit und Kalkstein, die sich hier unmittelbar über den Virgloriakalk erheben; den Fuss bilden bunter Sandstein und die wohlentwickelten Schichten von Seiss und Campil, die vor allem sich am Ostfuss ausbreiten und hier auch zahlreiche Versteinerungen führen. — Mineral. Bei Teis: Im Augitporphyr Achatkugeln, Bergkrystall, Amethyst, Datolith, Doppelspath, Zeolithe: Chabasit, Prehnit, selten Apophyllit, Comptonit, Laumontit. — Die Gegend von Teis und Klausen überhaupt durch das Zusammenvorkommen von Diorit, quarzführendem Porphyr, zahlreichen Melaphyrgängen (v. Richthofen), welche die Tuffe des ersteren durchsetzen, und Augitporphyren sehr interessant.

Flora. Papaver pyrenaicum, Thlaspi rotundifolium, Trifolium alpinum, Potentilla nitida, Gnaphalium Leontopodium, Achillea moschata, Anthemis alpina, Doronicum austriacum, Phyteuma Sieberi, Gentiana imbricata, Pedicularis Jacquinii, Primula longiflora etc.

Die Sonnseite des Thales ist wohl angebaut, dunkele Forste umschatten die südl. Thalwand. Der Getreidebau ist beträchtlich und der Roggen und Weizen wird in Bozen sehr gesucht. Die Alpen sind von vorzüglicher Frische wegen des Wasserreichthums, eine Folge der grossen Forste, welche deshalb nur vor allzu grosser italienischer Aufklärung behütet werden mögen; denn die Italiener lieben das Lichten der Forste zu sehr. Die Bewohner des Thales sind Deutsche, freundlich, zutraulich und offen. Getreidebau und blühende Viehzucht machen sie wohlhabend. 2 Burgen, *Schöneben* und *Rossbrunn*, ragen als Ruinen auf

der Schattseite aus dem Walde auf. Wer bei *Klausen* die *Eisack*
überschreitet erblickt zunächst das stattliche Schloss *Anger*, einst
Besitzthum der Herren v. Teis, denen die Herren v. Gufidaun,
Neidegg und Koburg folgten, jetzt der Rösslwirthin in Klausen.
Darüber liegt der Ansitz *Neidegg*, nach einem aus Oesterreich eingewanderten Geschlechte benannt, das später wieder auswanderte;
jetzt ist es Besitzthum des Bauern Lorenz Linser. Abermals eine
Stufe höher ragt die *Feste Koburg*, einst den Herren v. Koburg,
dann denen v. Mayrhofen und jetzt einem Bauern gehörig. Zuletzt auf sommerfrischer Höhe liegt *Gufidaun* (2302') mit herrlichem Blick links nach Klausen, rechts nach Brixen. Das Schloss
Sommersberg war der Stammsitz der Herren v. Gufidaun, eines
mächtigen Tiroler Geschlechtes, das mit dem grössten Theile des
Tiroler Adels gegen Friedrich m. d. l. T. in die Schranken trat,
doch noch vor dem Siege dieses Fürsten einlenkte und sich dadurch behauptete. Das Schloss, früher eine gräfliche Sommerfrische, wird vom jetzigen bäuerlichen Besitzer dem Verfall überlassen. *Gufidaun* gegenüber, mehr östlich, liegt das Bad *Froi*,
zwar unvollkommen eingerichtet, aber wegen seiner Heilkraft
doch stark besucht. Von hier thaleinwärts geht es eben fort über
St. Valentin nach *St. Peter*, dem Hauptorte des Thales, mit sehr
gutem Wirthshaus. Bis hierher geht eine gute Fahrstrasse. Die
neue Kirche hat Schöpf ausgemalt und diese Gemälde gehören
mit zu den besten des Künstlers, dem nichts, als eine bessere
Zeit fehlte, um unter den berühmtesten Künstlern Deutschlands
und Italiens zu prangen. Auch schöne Gemälde von Pussjäger
und Kirchebner schmücken die Kirche. Nach allen umliegenden
Seitenthälern, Gröden, Enneberg, Afer und Lüsen, führen mei-
stentheils bequeme Jochsteige. — Der lohnendste Ausflug, der
von hier wie von Klausen und von Logen (Gröden) auch zu Pferde gemacht werden kann, geht auf das sogen. *Raschötzer Kapel-
lele*, und von dort zu Fuss auf die Spitze. Die Fernsicht besonders auf die Ortelergruppe und auf die Dolomitberge des Gröd-
nerthales ist grossartig und überraschend schön; vom *Rothhölzer-
berg* kommt man bereits 2 St. lang über einen fast ebenen Bergrücken bis zur *Proglesalm*, wo im Sommer der Reisende Wein
und Speisen erhält. Führer zu dieser, sowie den meisten anderen,

sind fast überall zu treffen; auch die in Villanders, Latzfons, Villnöss, Logen befindlichen Waldanfseher sind bereit, Fremde auf solchen Touren zu begleiten. — Aus dem Hauptthale zweigt sich das *Flitzthal* ab, das bis gegen *Röschütz* zieht.

Oberhalb *Klausen* verengt sich das *Eisackthal* noch mehr, so dass die Wände links gesprengt werden mussten, um der Strasse Raum zu verschaffen; diese Strecke heisst *In der Klamm.* Gleich darauf zeigt sich links der schöne *Schrambachfall*, worauf sich das Thal bedeutend erweitert. Aufs zierlichste und anmuthigste entwickeln sich jetzt die beiderseitigen Thalgelände mit ihren verschiedenen Ortschaften und zahlreichen Schlössern auf den verschiedenen Bergstufen, übergrünt von den Matten der höheren Alpen. Rechts am Abhange des Berges und der Mündung des engen *Aferer Thales* liegt *Albeins*, 62 H., 355 E., mit dem Ansitze *Pfeising.* Das *Aferer Thal* ist eine Kluft, auf der Schattseite dicht bewaldet; auf den höheren Stufen der Sonnseite liegt *Afers*, mit *St. Georgen* (4758'), St. Jakob und Reiten 81 H., 429 E., und wird hinlänglich Getreide für den Unterhalt gebaut; andere Erwerbsquellen geben Viehzucht, Holz und Kohlen. — Ein gut gangbarer und lohnender Jochsteig führt zwischen dem *Plasen-* und dem *Pfannspitz* ins *Kaserthal* nach *Lüsen* (2931') und nach Brixen.

Weiter am Westfusse des Gebirges gegen Brixen hin liegt *Sarns* (1898') wie in einem Garten, mit dem Schloss *Pallaus*, jetzt in Privathänden, und *Milland*, zus. 53 H., 284 E.; 3 Edelsitze ragen unter den übrigen Häusern hervor: *Platsch*, einst den gleichnamigen Herren gehörig, von denen es an die Vintler kam, jetzt Ruine; *Karlsburg*, 1634 erbaut und noch wohnlich, und *Vilseck.* Ueber diesen Orten erhebt sich östl. die grosse Bergmasse, deren Haupt der *Plosebügel* (7098') ist und aus Thonschiefer besteht. Dieser ganze Gebirgsstock wird östl., nördl. und zum Theil westl. von dem bogenförmigen Lüsenthal, südl. durch das Aferer Thal von dem übrigen Gebirge getrennt; er legt sich da, wo die Anfänge des Lüsen- und Aferer Thales sind, im Osten an den Dolomitkopf des Ruefen. Gegen das Eisackthal steigt er stufenweis hinab und auf diesen Stufen lagern sich viele Orte. *St. Andrä* (3041'), 189 H., 973 E., ist der Hauptort, die Pfarrkirche von 1540, das Altarblatt von Grasmayr. Die Umgegend ist sehr fruchtbar. Ein schöner Aussichtspunkt darüber ist der *Freie Bühel*, mit einer weithin schimmernden Kirche. Der Freund grosser Rundsichten steigt weiter hinan zur freien Alpenhöhe, geht dann rechts auf der Höhe über dem *Aferer Thal* hin bis zu einer Sennhütte, von wo er sich links nördl. zur Scheide wendet und auf ihr zum trigonometrischen Zeichen des *Plosebügels* kommt, einem der höchsten Punkte der Umgegend. Führer finden sich in St. Andrä und St. Leonhard. Im Norden der Zillerthaler Eisgürtel, im Nordosten die Schneegruppe von Antholz, im Südosten der Kranz der weissen Dolomitmassen aus dem Pusterthal sich erhebend und mit dem Schlern wieder niederstürzend südl. in das Eisackthal, im Westen die Bergmassen des Sarnthales; Einblicke in das Brennerthal von Brixen bis Sterzing, in das Weitenthal, Pusterthal, Tauferer Thal, Lüsenthal und das Eisackthal hinab.

Nördl. von *St. Andrä* liegt das *Bad von St. Leonhard* oder *Burgstall.* Die Lage ist schön und die Aussicht besonders reizend hinab auf das in der Tiefe liegende Brixen. Das Wasser ist ein gesundes, frisches Wasser, ohne besondere mineralische Bestandtheile. Von hier steigt man über den Edelsitz *Unterköstlan* in 1 St. nach *Brixen* hinab. Auch die westl. Thalwand ist angebaut und erzeugt bei der warmen Lage trotz der Höhe (wenigstens 2200') den besten Wein in der Umgegend. *Pfeffersberg*, *Tschötsch*, Geburtsort des berühmten Fallmerayer, *Tötschling*, *Tils* und 6 andere Orte zus. 69 H., 427 E. Die ganze Mittelebene bildet einen reichen Garten, eine Fortsetzung des Rittner Berges. Von hier aus wird auch das *Tartscheljoch* (7311') erstiegen.

Von dem letzten Orte kommen wir herab nach *Brixen* und zwar gerade auf den freien Platz, wo der treffliche *Gasthof zum Elephanten* steht, in dessen von Jalousien beschattete Räume wir mit Vergnügen treten, um uns zu erholen. Daneben zu empfehlen die *Sonne*, wo der Bozener Stellwagen anhält.

Brixen (1865'), 365 H., 3357 E., erlangt Wichtigkeit und Leben dadurch, dass es der Sitz eines Bischofs ist, welcher, nebst dem von Trient, Suffragan des Erzbischofs von Salzburg ist. Alle 3 Bischöfe haben auch nach der Säcularisation den Fürstentitel behalten. In *Brixen* sind die Kirchen das Wichtigste, deren es in dem kleinen Städtchen nicht weniger als 12 gibt.

Die Stadt erwuchs aus dem Meierhof Prichsna, welchen Kaiser Ludwig das Kind dem Bischofe Zacharias von Seeben 901 schenkte. Albuin zog von Seeben nach Brixen. Unter dem Bischofe Altwin, der dem Kaiser Heinrich IV. ergeben war, war hier eine Versammlung, welche Heinrichs Gegner, den Papst Gregor VII., absetzte und den Gegenpapst Clemens III. erwählte. Er wurde von Welf, Herzog v. Baiern, deshalb aus Brixen vertrieben und der geistliche Streit mit der weltlichen Macht wogte auch hier auf und ab. Durch Brand und manche Anfechtungen weltlicher Herren erlitt die Stadt noch viele Unfälle. Auch der spanische Erbfolgekrieg und der Freiheitskampf gegen Napoleon traf die Stadt mehrmals mit seinen Folgen. Wie in den meisten Städten Deutsch-Tirols hat auch hier die Hauptgasse Laubengänge. Der schönste Platz ist der Domplatz. Hier steht auch das erste Gebäude der Stadt, der *Dom*, im J. 1754 vollendet, dessen 2 hohe, mit Kupfer gedeckte Thürme die Stadt schon in der Ferne bezeichnen. Das Innere der Kirche ist 86' hoch; die Gewölbe werden von kleinen Säulen getragen. Die 9 Altäre sind meistens von ausländischen Marmorarten erbaut; Gemälde von Schöpf, Cignaroli, Christoph Unterberger, Lindenauer, Paul Troger, Franz Unterberger; die Fresken von Paul Troger. Daran stösst der alte sehenswürdige *Kreuzgang*, ein Viereck bildend, mit uralten Fresken, das merkwürdigste Alterthum der Stadt. In den Arkaden dieses ehemaligen Kirchhofs stehen die alten Grabsteine. Hier steht auch die *Johanneskirche*, in welcher Guibert ruht, Erzbischof von Ravenna, Gegenpapst Gregors VII. 1080. Aus demselben Kreuzgange gelangt man auch in die *Frauenkirche* mit einem Gemälde von Polak, welcher hier begraben liegt. Unweit davon steht die *Pfarrkirche*, 1038 erbaut, doch durch Umbauten sehr verwandelt, mit schönen Gemälden von Franz Frank, Polak und A. Unterberger; der Kirchthurm heisst der *Weisse Thurm*. Am alten Markte die Kirche der englischen Fräulein, 1765 erbaut, mit Gemälden von Unterberger und Grasmayr. Dabei der neue Gottesacker, rings mit Arkaden umgeben, und den Stationen von Kirchebner; ferner die *Mariahilfkirche* mit schönen

Gemälden von Schöpf. Jenseits der *Eisack* steht die *Schutzengel-
kirche*, 1711 erbaut, mit einem guten Gemälde von Grasmayr.
Ihr gegenüber, auf der Halbinsel zwischen *Rienz* und *Eisack*, er-
blickt man die Kirche des *Heiligen Kreuzes* mit dem Priesterseminar; Gemälde von Zeiler. Unweit dieser Kirche steht das Kapuzinerkloster mit der *St. Katharinenkirche*, ein schönes Gemälde
von einem unbekannten Meister enthaltend. An der Südseite der
Stadt befindet sich das Kloster der Schwestern der heiligen Clara,
in deren Kirche die schönen Stationen von F. Unterberger. Am
südwestl. Ende findet man die bischöfliche Residenz, das ansehnlichste Gebäude der Stadt, von schönen Gärten umgeben. Unweit derselben steht die kleine *Voitsberger Kirche*, wie die *Spitalkirche* 1336 erbaut. — Ausser diesen bestehen in *Brixen* ein
Gymnasium, eine theologische Lehranstalt, ein Seminar, Krimi-
nalgericht, Postamt.

Flora. Anemone trifolia, Helianthemum Fumana, Silene linicola, Ononis Natrix, Sempervivum arenarium, Galium rubrum, Achillea tomentosa, Chondrilla
juncea, Campanula bononiensis, Iris sambucina, Lilium bulbiferum, Allium sphaerocephalum, Ornithogalum chloranthum.

Bei *Brixen* vereinigen sich 2 in nördlicher Richtung herabkommende Thäler in einem spitzigen Winkel; links, westl. das
Eisackthal, östl. das Thal der *Rienz;* letzteres, ursprünglich eine
ostwestl. Richtung habend, wendet sich bei der Vereinigung mit
dem Thale Vals bei Mühlbach südl., und geht dann in dieser
Richtung hinab nach *Brixen*. Zwischen Eisack und Vals und
später Rienz zieht ein langer, schmaler Bergrücken herab, welcher über *Brixen* an der Vereinigung der Eisack und Rienz endigt.
Das Puster- oder Rienzthal würde in seiner fortgesetzten westl.
Richtung von Mühlbach aus diesen Rücken abschneiden, in der
Gegend von Schabs und schon früher mit der Eisack zusammen-
treffen. Anstatt dieses zu thun, wendet es sich aber südl. Dennoch ist diese Stelle, wo jener Durchschnitt stattfinden müsste,
mehrfach durch Natur und Kunst bezeichnet. Der nördl. herabziehende Bergrücken, der *Spingeser Berg*, fällt nämlich stark auf
einen niedrigen Sattel ab, erhebt sich nur sehr wenig wieder zu
einer kleinen Hochebene, welche südl. durch die Vereinigung der
Rienz mit der *Eisack* scharf zugeschnitten wird und aus Granit
besteht, der von der Franzensfeste bis Bruneck zieht. Endlich

15 *

zieht über jenen Sattel, welcher zugleich die Grenze des Weinbaues und der Kastanie macht, die Pusterthaler Strasse, und
theilt sich in einen südl. nach Brixen hinabsteigenden und einen
westl. zur Franzensfeste und Brennerstrasse hinanziehenden Arm.
Die *Schabser Hochebene* steigt bei *Brixen* von der Halbinsel zwischen *Eisack* und *Rienz* unter dem Namen *Kranabitten* in die
Höhe, fällt westl. gegen die *Eisack* weniger steil ab, stürzt sich
aber östl. in den schauerlichen Abgrund, welchen die *Rienz* durchwühlt. Sie stellt eine Bergplatte dar, die mit der bewohnten Bergstufe des *Eisackthales* unterhalb *Brixen* gleiche Höhe hat, und
auch nur durch den Riss des *Rienzthales* davon abgetrennt wurde.
Von *Brixen* aus überschreitet man die *Eisack* und befindet sich in
Stufels, einem Stadttheile von *Brixen*, von wo es die Höhe hinangeht. Die ganze Bergwand ist trockenes, gerade der Mittagssonne ausgesetztes Gelände, mit Wald, Gras und Gebüsch überwachsen, doch auch mit Weingärten besetzt. Fast oben am Rande
liegt das Dorf *Elvas*, dessen Kirche gerade von der höchsten südlichsten Felsenstirne herniederblickt und daher mit herrlicher
Aussicht auf Brixen und das ganze Eisackthal hinab. Nördlicher
liegt, am Rande des Schlundes der *Rienz*, die Gemeinde *Natz*, mit
Viums, Rans, Elvas und Kranebit 147 H., 913 E., in reichen
Fluren und Waldungen, gerade dem Ausgang des *Lüsenthales* gegenüber. An einigen kleinen Seen vorüber kommt man, nördl.
etwas abwärts steigend, über *Viums* nach *Schabs* (2426'), 119 H.,
620 E., auf der Grenze des Granits und Thonglimmerschiefers,
das römische Sebatum, woraus später Sebs und Schabs wurde.
Getreide- und Weinbau. Durch den Ort führt die Strasse von
Brixen ins Pusterthal. Links in das Brennerthal, rechts ins Pusterthal hineinschauend, ist es ein wichtiger Platz im Kriege, daher auch schon oft umkämpft. Den letzten grossen Schaden verursachte ein grosser Brand von 1809. An der Kirche ein altes
Freskogemälde von Egid Schor, leider sehr verwischt. — Anemone montana.

Der Reisende, welcher das nicht unbedeutende *Lüsenthal* von
Brixen aus besuchen will, geht bei dem Ansitze *Krakofel* über die
Rienz und erreicht in ¼ St. die Höhe über der Schlucht, aus wel-
cher der *Lasankabach*, der Thalbach von Lüsen, sich heranswühlt

in den Schlund der *Rienz.* Das 6 St. lange Thal zieht sich um
den Gebirgsstock des *Plosebügels* (s. S. 224) bogenförmig herum,
grösstentheils im Thonglimmerschiefer-Gebirge (St. Nikolaus und
Gampiolalpe) ruhend, nur im Hintergrunde steigt es über den
Sandsteingürtel neben dem *Cartazesberge* und über eine Vorstufe
von Muschelkalk zu den Dolomitmassen des *Peitlerkofls* und *Ruefen* empor. Die ganze südl. schattige Thalwand ist in dunkele
Waldnacht gehüllt, aus welcher nur der *Plosebügel* mit seinen
Alpen kahl und grün aufragt. Die nördl. Thalwand ist in der
Tiefe bewaldet; auf ihrer Mittelstufe sonnt sich die Bevölkerung
des Thales in weithin zerstreuten Häusergruppen; darüber dü-
stern sich die Berge wieder mit Forsten zu, und nur östlicher,
wo sich der, das Thal vom Puster- und Enneberger Thal schei-
dende, Gebirgswall höher erhebt, zeigen sich auf seinem Rücken
die grünen Matten der Alpen. Bis zum Hauptorte *Lüsen*, 150 H.,
1175 E., oder eigentlich bis zur Pfarrkirche und dem daneben
liegenden Wirthshause, hat das Thal keine Sohle, sondern bildet
einen tiefen, fast unzugänglichen Schlund von 3 St. Länge. Hier
erreicht aber das Bett des Baches die Höhe der bewohnten Mittelstufe und zeigt auch sogleich einen Thalboden, auf welchem die
Haupthäusermasse zerstreut um die Pfarrkirche umher liegt.
Letztere liegt gerade da, wo das Thal von Westen nach Süden
umschlägt, und es eröffnet sich daher hier der schönste Ueberblick desselben, sowohl abwärts durch die Engen bis hinaus auf
die jenseitigen Gebirge von Brixen, als aufwärts zum hohen Peitlerkofl, der grau und ernst in die grüne Welt des Thales herein-
schaut. Von hier führt auch ein sehr interessanter Steig an der
rechten Thalwand des *Lasankabaches* ins Rienzgebiet nach Schloss
Rodeneck, 2½ St. Die Kirche ist neu, mit Gemälde von Schelzky
aus Bozen; älter ist der Thurm, von 1472. Das Merkwürdigste
für den Freund der älteren Kunst ist die alte Kilianskapelle mit
einem altdeutschen, vergoldeten Flügelaltar. Höher im Thale
hinan, bei der Häusergruppe *Petschied*, liegt die alte Nikolaikir-
che. Von hier führen meist leichte Jochübergänge nach Enneberg und Bruneck. Die Einsamkeit ihres Thales hat den Charakter der Einwohner abgeschlossen, selbst abstossend gemacht.
Merkwürdig war die Tracht in früheren Zeiten: die männliche

der Zillerthaler sehr ähnlich, Pluderhosen, rother Brustfleck mit
Goldborden, spitzer Hut und grosser Bart; auffallender war die
weibliche durch die blauen, kleinen Kappen und darunter ein
rother Schleier, Riedel genannt. Die Häusergruppen sind in
Oblaten getheilt; die Häuser selbst meistens gemauert. Obgleich nur ein Theil der Sonnberge angebaut ist, so bringt dennoch der Getreidebau noch 9—10,000 Fl. jährlich ins Thal. Die
grossen Forste waren sonst reich an Wild; doch schon 1818
wurde der letzte Bär erlegt. — Der Spruch von Lüsen heisst:
„Das Lüsenthal reicht von der Traube bis zum Zirbelzapfen.“
Die sogen. alte Glocke wurde tief unter der Erde ohne Aufschrift
und Zahl gefunden, als Beweis der hier häufig vorkommenden
Bergbrüche.

Flora des Peitlerkofls: Papaver pyrenaicum, Thlaspi rotundifolium, Trifol.
alpinum, Potentilla nitida, Saxifraga bryoides, Clusii, Gnaphalium Leontopodium,
Anthemis alpina, Doronicum austriacum. Phyteuma Sieberi. Salix nigricans, Chamaeorchis.

Das Gebiet der Rienz s. S. 254.

Von *Brixen* an der *Eisack* aufwärts folgen wir der *Brennerstrasse*, die bald durch die Eisenbahn überboten sein wird. Sie
zieht sich eine Strecke noch parallel fort mit der auf der Schabser
Hochebene. Dem Kloster *Neustift* gegenüber, durch welches jene
Strasse geht, liegt links auf der Höhe die Burgruine *Pfeffersberg*,
jetzt gewöhnlich *Oedenthurm* genannt, einst der Stammsitz der
Herren v. Pfeffersberg, nachher wahrscheinlich der Voitsberger,
deren Burg etwas weiter hinan, über dem Orte *Vahrn*, 117 H.,
743 E., in Trümmern liegt. Hier öffnet sich das *Schalderer Thal*,
welches westl. hinansteigt zum Grenzstock gegen Sarnthal. Es
ist in seiner Sohle eine enge Schlucht, aber auf der sonnigen,
nördl. Thalstufe wohl angebaut und bevölkert. An einer engen,
finsteren Stelle liegt das *Schalderer Bad*, 1 St. von Vahrn, heil-
sam gegen Magenleiden und von Brixnern in heissen Sommer-
tagen wegen seiner kühlenden Frische stark besucht als Gesell-
schaftsort. Darüber liegt auf sonniger Bergstufe die Gemeinde
Schalders (3681'), 61 H., 386 E., 3½ St. von Brixen. Dahinter,
höher im Thale hinauf, *Steinwender*, die ehemalige Sommerfrische
der Chorherren von Neustift. Jochsteige führen westl. über das
Schalderer Joch ins Sarnthal, südl. über das *Tartscheljoch* (7311')

ins benachbarte Latzfons. Das Thal liegt im sogen. Thonglimmerschiefer.

Aus dem Thale wieder heraustretend erblickt man links auf
der Ecke über der Strasse die schöne Burgruine *Salern*, welche
die Bischöfe von Brixen nach der Zerstörung der Feste *Voitsberg*
erbauen liessen. Die Trümmer von *Voitsberg* liegen darüber.
Diese Burg wurde von den gleichnamigen Herren im 12. Jahrh.
erbaut. Sie waren Burggrafen von Brixen. Trotz ihrer sonstigen
Ergebenheit befehdeten sie ihren Lehnsherrn, den Bischof Bruno.
Sie unterlagen und ihre Burg wurde zerstört. Eine herrliche Aussicht lohnt reichlich die kleine Mühe der Ersteigung. Die Strasse
steigt nun bei den jetzt zum Theil in Bauernhöfe umgewandelten
Burgen *Riggburg* und *Friedberg* vorüber, in deren Nähe links, unweit des kleinen *Seeber Sees*, das *Seeber* oder *Valirner Bad* liegt,
fleissig von Brixnern besucht. Hier versperrt an einer vorspringenden Bergecke das alte Gemäuer der *Brixener Klause* die Strasse.

Durch ein sonderbares Gemisch von Birken und Kastanien,
von Weingärten, Wiesen und Steingeröllen, von Nord und Süd,
nähert man sich der östl. über die Schabser Höhe aus dem Pusterthale herüberkommenden und auch zum Brenner ziehenden Strasse.
Da, wo dieselbe über den tiefen Abgrund der *Eisack* auf der heiss-
umkämpften *Ladritscher Brücke* herüberkommt, bei *Unterau*, lagert sich, wie ein zugehauener Felskoloss, die untere *Franzensfeste* (2332'), den dreifachen Strassenknoten nach Norden, Osten
und Süden gleichsam überlagernd, auf dem rechten Eisackufer,
das gegen Nordost und Norden einen unübersteiglichen Wallgraben bildet. Schweigend und geräuschlos, echt österreichisch,
liegt die Steinmasse mitten im Thal; ohne die Schiessscharten
würde man das Ganze in einiger Ferne für ein Werk der Natur
halten. Seit 1859 wird an neuen Forts noch fortgebaut. Wie die
Lage an und für sich, so spricht auch der heisse Kampf, welcher
hier schon mehrmals gekämpft wurde, für die Wichtigkeit dieses
Punktes. Sowie rechts die *Ladritscher Brücke* und auf ihr die
Oststrasse unmittelbar unter den Kanonen der Festung die *Eisack*
übersetzt, so zieht die Nord- und Südstrasse durch die Aussen-
werke der Festung, wo auch die Abzweigung der Pusterthaler
Strasse stattfindet. Fast unheimlich erscheint dieser Feuerheerd

schon jetzt bei seiner Ruhe in der grossen Natur; wie mag er erst
denjenigen erscheinen, die sich feindlich nahen, wie mag die
Erde beben beim Ausbruch dieses Vulkanes, in dessen Granitpan-
zer keine Kugel einzudringen vermag! Und ist schon vorher hier
der Angriff auch des mächtigsten Feindes an dem Muthe der be-
geisterten Tiroler, einer lebendigen Mauer, gescheitert, so mag
wohl auch jeder fernere Angriff kaum gewagt werden, wenn er
von dem Volke unterstützt wird. Von hier an aufwärts beginnen
die Engpässe, welche den Brenner so berühmt gemacht haben;
hier ist jeder Fels umkämpft. Während der Kapuziner Haspinger die Sachsen, welche zuletzt auf das Wirthshaus der Unterau
beschränkt waren, gefangen nahm, lag Speckbacher im Hinterhalte im Gaisalpenthal, unweit Mittewald, wo ein Steg über die
Eisack zur Strasse führt, und brach aus demselben heraus dem
Feinde in die Seite und in den Rücken. — Bald hinter der *Franzensfeste* zieht die Strasse über die *Eisack* auf ihr linkes Ufer, die
Grenze der Gerichte Brixen und Sterzing überschreitend, zu dem
Wirthshause *Oberau*. Das Thal von hier an aufwärts ist zwar eng,
aber keineswegs so wild und schauerlich wie andere Engpässe;
die Wände grösstentheils stark bewaldet. Zur Linken öffnet sich
das *Flagger Thal*, in dessen Hintergrunde links der *Kaarspitz*
(7963′) über der *Flaggeralpe* (5096′), wo man Führer findet.
1797 wurde der österreichische General Kerpen hier von den
Franzosen geschlagen. Der nächste Ort, in etwas freierer Gegend, ist *Mittewald* (2518′), mit Mauls und Rizail 143 H., 796 E.;
dreifache Post zwischen Brixen, Vintl und Sterzing. Die Post,
ein gutes Wirthshaus, zeigt über der Thüre 2 eingemauerte Ge-
schützkugeln „zur Erinnerung an die Gefechte vom 2. April 1797
und 5. Aug. 1809". An letzterem Tage wurde Marschall Lefebre
von Joach. Haspinger überfallen und geschlagen, die vorgeschobenen Thüringer Contingente gefangen. Noch jetzt heisst die Gegend bei Oberau „die Sachsenklemme". Das Thal schliesst sich
gleich darauf wieder; das einsame Wirthshaus hier heisst *Im Sack*,
und links kommt, jenseits des vorhin erwähnten *Puntleitersteges*,
der *Gaisalpenbach* herab aus dem *Puntleitersee*, dessen Fluten
zum Holztriften benutzt werden. Nach und nach öffnet sich die
Schlucht, durch welche die Strasse stark ansteigt nach *Mauls*

(2955′), an der Mündung des rechts herabkommenden *Sengesthales.* Gutes Gasthaus beim Nagele. Der einst hier gefundene Römerstein, auf welchem sich eine Abbildung des Mithra befand, ist gegenwärtig im k. k. Antikenkabinet zu Wien, in der Innsbrucker Bibliothek ein Gypsabguss. Von *Mauls* führt in 5 St. ein Bergsteig über das *Valserjoch* (6093′) nach Vals und Mühlbach durch das *Sengesthal.* Auf diesem Wege hat man einen herrlichen Einblick nach Sterzing und auf die Stubayer Ferner. *Mauls* gegenüber öffnet sich das *Eggenthal,* von zerstreuten Berghöfen belebt; durch dasselbe gelangt man am *Stilfser Joch* (7621′) vorüber über das *Penserjoch* (7078′) nach Sarnthal. Wenn man *Mauls* verlassen hat, zeigen sich rechts auf einem Felsen die Trümmer der alten Burg *Welfenstein,* wahrscheinlich früher ein Römerkastell. Der Sage nach erbaute es ein Welfenfürst auf der Rückkehr von einem Römerzuge und es soll der Stammsitz der jetzigen Grafen v. Welsberg sein. Im 14. Jahrh. besassen es Hans und Friedrich v. Greifenstein, ihnen folgten die Ritter von Säben, nach deren Aussterben es Herzog Sigmund der Deutsch-Ordenscommende zu Sterzing schenkte, mit der es gleiches Schicksal hatte; jetzt gehört es Herrn Joh. Staffler.

Das Thal weitet sich immer mehr aus und bald hat man den ebenen Thalboden von Sterzing erreicht. Links zeigt sich das Dorf *Stilfes* (3030′), mit Reifenstein, Egg, Niederried, Pfulters, Scheitach, Thumburg und Elzenbaum 168 H., 860 E.; gutes Bauernwirthshaus. Der höchste Punkt des nach Sarnthal führenden (*Stilfeser*) Jochs ist ein vortretender Bergkopf (7655′). Die Pfarrwohnung gleicht einem schönen Kloster; es war einst die Feste der Herren v. Stilfs. Die Pfarrkirche ist sehr alt, im gothischen Stile erbaut, aber später durch neue Zubauten zum Theil entstellt. Von hier stammt der Bildhauer Joh. Perger; seine Werke in den Kirchen zu Brixen, Neustift (Stubay), Toblach und Ridnaun. Von der Franzensfeste bis Mauls durchzieht das Thal ein Granit; dann folgt Thonglimmerschiefer, in welchem an der östlichen Thalseite Kalk- und Serpentinlager auftreten. Die Kalklager werden zu Chausseen und zum Bauen gebrochen. Auch interessante Granitbrüche vor Mauls. Getreidebau und Pferdezucht auf dem hier beginnenden Moose sind nicht unbedeutend.

In der Nähe ist das bisher wenig besuchte, doch im Aufschwunge begriffene Schwefelbad *Meders*. Rechts über der Strasse winkt von luftiger Höhe die uralte *St. Valentinskirche*. Ebenso zeigt sich auch rechts oben der berühmte Wallfahrtsort *Trens*, 95 H., 512 E. Die Kirche ist alt, ursprünglich im gothischen Stile, aber entstellt durch Neubauten, mit einem Altarblatte von Schöpf. Dabei ist ein gutes Wirthshaus.

Wir betreten hier das merkwürdige Becken von *Sterzing*, welches sich durch eine weite Felsenpforte erschliesst, auf deren rechtem Pfeiler die Burg *Sprechenstein* ruht. Rechts an der Strasse steht unter der Wand eine kleine Kapelle an der Stelle, wo die Truppen des Generals Joubert 1797 zur Umkehr genöthigt wurden, mit einem schlechten Gemälde in Bezug darauf und der Inschrift: Bis daher, und nicht weiter, Kamen die feindlichen Reiter. Man erblickt nun hier bei dem mit Recht so genannten Weiler *Freienfeld* mit einem Gasthause den weiten Thalboden des Sterzinger Mooses und über ihn hin dringt der Blick in derselben Richtung in das weitgeöffnete Thal Ridnaun und auf seinen majestätischen Fernerkranz; rechts schmiegt sich in der Tiefe an den Bergen hin das Städtchen

Sterzing (2700'), 183 H., 1355 E., in jeder Weise zum Standquartier geeignet. Gasthäuser: die *Krone* oder *beim Nagele*, wo man auch Führer über den Jaufen bekommt, die *Post* und der *Schwarze Adler* (mit Lesekasino); bei der Post und dem Adler pflegen die Stellwagen zu halten. In *Sterzing* ist der Sitz des Bezirksamts (13,$\frac{49}{100}$ Q.M., 1867 H., 9721 E.). Die Hauptstrasse (Neustadt) hat ein eigenthümliches Aussehen, besonders wenn sich an Sonntagen die bunten Volkstrachten der umliegenden vielen Thäler durch die nicht breite Häuserreihe drängen. Die Häuser selbst mit ihren Mauerzinnen und vorspringenden Erkern gleichen alten Ritterburgen. Unten haben sie Lauben (Arkaden). Auch die inneren halbdunkeln Plätze, von den Gallerien der Stockwerke umgeben, zu oberst, wie in Bozen, von der Dachhaube überwölbt, haben fast etwas Maurisches. Auf diesen Plätzen, welche 1 Treppe hoch liegen, treibt sich im Sommer die zechende und lärmende Menge herum. Am nördl. Ende der Strasse steht der hohe, spitzige Thorthurm, der zugleich die Uhr trägt und mit seinem rothen Spitzdache dem Ganzen zur alterthümlichen Zierde gereicht. Dieser Thurm, der *Zwölferthurm*, wurde unter Sigmund 1468 erbaut, zur Zeit der Blüte der Bergwerke. Die Seitengässchen führen fast allenthalben entweder ins Freie oder in die hinteren Hofräume der Wirthschaftsgebäude. Die Stadt liegt 14 St. von Bruneck, 13⅔ St. von Innsbruck und 6 St. von Brixen; sie zerfällt 1) in die *Altstadt*, ausserhalb des Zwölferthurmes gegen den Brenner; hier ist die Krone; 2) in die *Neustadt*, die aber keineswegs neu aussieht; hier ist die Post und der Adler; sie ist der Haupttheil und die Hauptstrasse, in der Mitte der Stadt; 3) die *Vorstadt*, südl. am unteren Ende der Neustadt an der Poststrasse abwärts; 4) in die Vorstadt östl., das *Pfitscher Viertel*, nach dem Pfitscher Thale zu.

Das Rathhaus, der Post schräg gegenüber, ist ein altes Gebäude mit byzantinischen Verzierungen. Hier versammelten sich die Landstände früher öfters. Unweit des Zwölferthurms befindet sich in der Altstadt das Spital mit seiner kleinen Kirche. In der Stadt selbst mehrere Edelsitze, ehemaliger Gewerke, als *Jöchelsthurn* mit einer gothischen Kapelle, Eigenthum des Grafen v. Engenberg, worin Bezirks- und Steueramt ihren Sitz haben, *Wildenburg*, den Geschwistern Rampold gehörig, *Idlingsfeld*, *Senftenburg* und *Fuchsthurm*. — Die *Pfarrkirche* ist ein zum Theil ehrwürdiges Alterthum; das Gewölbe, 66′ hoch, ruht auf 12 Marmorsäulen. Das Presbyterium, im gothischen Stile, ist sehr alt, das Schiff wurde erst 1492—1524 in seiner jetzigen Gestalt angebaut. Neuere geschmacklose Zuthaten verunstalten diesen Bau. Jede der 12 Säulen hat eine der Bergwerkgemeinden gestiftet. — Die neueren Fresken sind von Adam Mölk aus Wien 1753. Mehr Werth haben die älteren Gemälde, Geschenke der alten reichen Gewerke. Der neue Gottesacker hat hübsche Arkaden, die Pfarrkirche wird auf Betrieb des sehr thätigen Pfarrers Huber erneuert. — Beim Apotheker findet man Mineralien verkäuflich. — Aus Sterzing ist gebürtig Joh. Bapt. Gänsbacher, Kapellmeister am Dom zu St. Stephan in Wien, ein Mitschüler Webers und Meyerbeers.

Hier wohnten einst die *Genaunen* und *Brenner*, welche Drusus im Jahre Roms 739 oder 13 vor Christi Geburt bezwang und

dadurch den Weg über den Brenner eröffnete. Sterzing wurde
nun eine römische Niederlassung unter dem Namen Vipitenum,
welche bald durch Ackerbau und Handel und später auch durch
den reichen Bergsegen aufblühte. Es wurde eine Münzstätte errichtet und durch die vielen, hier geprägten Sesterzen soll der
spätere Name Sterzing aufgekommen sein. Wie eine Lawine über-
schüttete die Völkerwanderung das begonnene Werk. Doch nach
ihren Stürmen, schon im 13. Jahrh., blühten die Bergwerke wieder auf, und wie in Gastein unter den Weitmosern, Strassern u. a.
ein goldenes Zeitalter anbrach im eigentlichen und uneigentlichen
Sinne, so erblühte hier unter den Jöcheln v. Jöchelthurm, Geizkoflern u. a. wenigstens ein silbernes Zeitalter. Was dort der gold-
reiche Radhausberg, das war hier der silberreiche Schneeberg und
die Gruben von Ridnaun, Pflersch und Gossensass. Sterzing wurde
eine wahre Knappenstadt, von reichen Gewerken beherrscht, aus
deren Zeiten auch noch jene burgähnlichen Häuser der Stadt und
die vorzüglichsten Stiftungen herrühren. Da die Stadt recht eigentlich im Innersten Tirols liegt, in seinem Mittelpunkte, von wo
Verbindungswege nach allen Theilen des Landes gehen, so war
sie in den meisten bedenklichen Fällen der Versammlungsort der
Landstände; und da jeder Krieg, welcher in Tirol geführt wurde,
wenigstens so lange die Tiroler Jäger nicht ausser Landes verwendet wurden, ein Volkskrieg war, bildete das Becken von Sterzing den Feuerheerd und Tummelplatz, von wo die Erschütte-
rungen ausgingen; für den Feind um so verderblicher, als nur
gefährliche Engpässe dahin führen; daher die Bemühungen der
Feinde, diese natürliche Festung zu gewinnen und zu behaupten,
und daher auch die fast immer mit Sieg gekrönten Gegenanstren-
gungen der Tiroler, mit welchen sie die Siege am Berg Isl und
an der Ladritscher Brücke erkämpften, begünstigt durch die von
allen Landestheilen hereinführenden Jochübergänge, welche grossen Heeresmassen mit Artillerie nicht zugänglich sind. Das Sterzinger Moos ist ein mehrfach mit Blut getränktes Feld. Hier
wurde Emanuel, Kurfürst v. Baiern, 1703 zum Rückzug genöthigt, ebenso Joubert 1797, wie jene Kapelle besagt. Doch der
blutigste Kampf erfolgte 1809, wo die Baiern über den Brenner
bis Sterzing vorgedrungen waren. Vom Jaufen drohte Hofer, im

Gaisalpenthal lauerte Speckbacher und bei Au stand Haspinger.
Die Baiern wurden durch Speckbacher zurückgetrieben, und als
sich der Feind in Sterzing behaupten wollte, von Hofer angegriffen. Um sich gegen die Artillerie zu schützen, wurden mit Heu
beladene Wagen von rüstigen Dirnen vorgeschoben, hinter welchen die Schützen wohlverschanzt den Feind zum Rückzug nöthigten. Während des Waffenstillstandes von Znaim drang Lefebre über den Brenner nach Sterzing vor, während Rusca aus
Kärnten ins Pusterthal eindrang, um so von beiden Seiten die
Engen von Mauls bis Brixen zu erzwingen und die Verbindung
mit Italien herzustellen. Die von den Franzosen von Sterzing
aus vorgeschobenen Baiern und Sachsen wurden zuerst von Haspinger in der Unterau theils zurückgeschlagen, theils gefangen,
dann von Speckbacher und Hofer am Sterzinger Moos empfangen
und zum schleunigen Rückzuge über den Brenner genöthigt. Lefebre empfing die deutschen Truppen, trotz dem, dass sie fast
alle aufgeopfert waren, mit einer herben Strafpredigt. Um ihnen
zu zeigen, wie man es machen müsste, um solche Bauern zu schlagen und zu vernichten, stellte er sich nun an die Spitze seiner
Franzosen, mit der Prahlerei, bis zum Abend fertig zu werden.
Lefebre kam auch richtig Abends zurück, allein gänzlich geschlagen; er war nicht weit über die Kapelle mit der ominösen Inschrift gekommen, nicht halb so weit wie die Baiern und Sachsen.
Ja seines Bleibens war nicht einmal in Sterzing; er eilte nach
Innsbruck, worauf der zweite grosse Sieg am Berg Isl erfolgte.

Wenn auch der alte Bergsegen erlosch, so ist der lebhafte
Strassenzug, wie auch der Handel mit Eisenwaaren, welche hier
und in der Umgegend verfertigt werden, noch bedeutend. Auch
der Viehhandel ist wichtig. Das Klima ist rauh, nicht so wohl
wegen der hohen Lage, als wegen der offenen Gegend. Brotfrucht
wächst nicht hinlänglich und deckt den Bedarf nur für $\frac{3}{4}$ Jahre;
Hafer wird ausgeführt.

Der Sterzinger Thalboden, dessen tiefste Stelle das Moos einnimmt, erstreckt sich in 3 Thäler: das *Eisackthal* bis gegen Stilfes, das *Gailbachthal* bis zur Vereinigung von Radschinges und
Ridnaun, und das *Pfitschthal* bis Wiesen. Er bildet das Becken
eines ehemaligen Sees, und wird das *Obere Wippthal* genannt, eine

3000' hohe Hochebene mitten im Gebirge, von welcher strahlen-
förmig die Thäler aufwärts steigen, mit Ausnahme des unteren
Eisackthales, wie die Thäler von dem Eiskranze der Oetzthaler
Gruppe nach allen Seiten abwärts ziehen, mit Ausnahme des Oetz-
thales. Nördl. steigt das *Brennerthal* hinan mit dem Abzweige
Pflersch, nordöstl. *Pfitsch*, nordwestl. *Ridnaun*, westl. *Radschin-
ges*, südwestl. *Jaufenthal*, südl. *Seilerthal* und südöstl. das untere
Eisackthal.

Durch diese Thäler führen die Verbindungswege mit allen
Theilen des Landes: nördl. über den *Brenner* in das mittlere Innthal, durch *Pfitsch* ins Ziller- und Unterinnthal, durch *Ridnaun*
nach Stubay, durchs *Jaufenthal* ins Passeier-, Oetz- und Oberinnthal, sowie nach Meran und Vintschgau, durchs *Seilerthal* über
das Penser Joch ins Sarnthal nach Bozen und durch das *Untere
Eisackthal* zum Doppelweg nach Brixen und ins Pusterthal.

Um die Gegend von *Sterzing* zu übersehen, wählt man am
besten die Höhe, zu welcher der Weg nach *Thuins* (3383'), 56 H.,
287 E., führt. Sowohl von der Post, wie von der Krone biegt
man in das nächste westl. Nebengässchen ein. Hier kommt man
an den Mauern des Kapuzinerklosters vorüber, des ersten und
vorzüglichsten Klosters dieses Ordens in Tirol, dem Fremden vorzüglich merkwürdig wegen des ehrwürdigen Zirbenhaines, dessen
Rauschen ein eigenes melancholisches Gefühl erregt. Die Zirben
haben hier ihre Pyramidalform verloren, es sind dickbuschige,
stämmige Bäume. In einer kleinen Viertelstunde ist die Höhe erreicht, von der man die Uebersicht der ganzen Umgegend hat;
das Einzige, was fehlt, ist der Anblick der Ridnauner Ferner,
welche rechts durch die Vorböhen verdeckt werden. Richten wir
unseren Blick das Thal hinab, so haben wir links das enge Brennerthal, aus welchem die Eisack sich herabzieht, von der grauen
Feste Strassberg überragt; rechts davon in der Tiefe unter uns
erblicken wir die Häuserreihe von Sterzing, in vereinzelten Gruppen sich an Wegen noch in die grüne Fläche nach verschiedenen Richtungen hinausziehend. Gegen Osten öffnet sich Pfitsch,
an dessen Eingange die Kirche von *Flains* auf einem vorspringenden Hügel sich zeigt. Zwischen Pfitsch und Brennerthal liegt
eine grosse, meist grüne Bergmasse, in der Tiefe umlagert von

den Fluren der Stadt; als höchste Spitze ragt ein weisser Kogl
auf, daher mit Recht die *Weissspitze* genannt. Gerade vor uns
gegen Südosten breitet sich der weite, schöne und grüne Thalboden von Sterzing bis gegen Stilfes aus, welches sich rechts am
Fusse der Berge zeigt, dort wo die Thalsohle, sich tiefer ein-
schneidend, verschwindet. Mitten durch die grüne Ebene schlän-
gelt sich das silberne Band der Eisack, während der weisse Faden der Strasse sich links an die Berge schmiegt. Am auffallendsten stellt sich eine Reihe von Felsenhügeln dar, welche vereinzelt aus der söhligen Thalfläche auftauchen, als ehemalige Inseln
des Sees. Auf einem derselben liegt die mit Hängebrücke und
Thurm noch ziemlich gut erhaltene Feste *Reifenstein* mit der noch
ziemlich erhaltenen Erasmuskapelle, einst den Rittern von Seeben,
dann dem deutschen Orden in Sterzing, jetzt, wie das deutsche
Haus in Sterzing, dem Grafen v. Taxis gehörig; auf einem zweiten die uralte Kirche *St. Zeno*, dahinter der Ansitz *Thumburg*, ein
ehemaliges Küchengut der Bischöfe von Brixen, früher denen
v. Klebelsberg, jetzt den Geschwistern Klammer gehörig. Links
der Eisack, auf einem grossen Felshügel, thront die schöne Burg
Sprechenstein, einst ein Eigenthum der Herren v. Trautson, nach
deren Aussterben es durch Heirath an die Fürsten v. Auersperg
kam, welche noch im Besitze sind. Einst besass ein Ritter, tapfer
und edel, so erzählt die Sage, die Burg; sein grösstes Glück fand
er in einer schönen und treuen Gattin. Aber sein Nachbar, der
Reifensteiner, beneidete ihn um dieses Gut und suchte durch alle
Künste die Treue der edlen Hausfrau schwankend zu machen;
doch umsonst. Rache und Eifersucht kochte in ihm und er lauerte
dem Sprechensteiner auf von der Zinne seiner Burg. Er erschoss
auch seinen Gegner, als dieser einst arglos neben seiner Gattin
unter dem Reifenstein lustwandelte. Nun noch weniger erhört,
verschwand der Reifensteiner, ohne dass je wieder eine Kunde
von ihm gehört wurde. Aus den Fenstern der verwahrlosten Burg
hat man einen schönen Ueberblick der Gegend und besonders eine
schöne Einsicht nach Ridnaun und auf dessen Ferner. Näher heran liegt in der grünen Ebene ganz vereinzelt die Pfarrkirche von
Sterzing. Die Ursache ihrer von der Stadt abgesonderten Lage
ist darin zu suchen, dass sie in der zweiten Hälfte des 15. Jahrh.

durch Beiträge aus der Umgegend, besonders der wohlhabenden
Bergleute, entstand. Ein hier aufgefundener Römerstein hat die
Inschrift: V. F. Postumia Victorina Sibi et Ti. Claudio Reti-
ciano Genero Piissimo. In der Nähe der Kirche erblickt man das
Deutschordenshaus, 1263 von Graf Hugo v. Taufers und seiner
Gemahlin Adelheit, Gräfin v. Kirchberg, gestiftet. Das *Sterzin-
ger Moos* (3053'), welches man hier in seiner ganzen Ausdehnung,
$\frac{1}{17}$ Q.M., übersieht, ist in ganz Tirol berühmt, und ist spottweis
der Sammelplatz der sogen. alten Jungfern; daher man von einem
Mädchen, das in die Jahre gekommen ist, sagt, sie gehört aufs
Sterzinger Moos. Sie müssen in den kalten Moorpfützen ihr trauriges Dasein verseufzen, während die Hagestolzen auf den nahen
Rosskopf verbannt sind, wo sie im Angesicht der Schönen in
der Tiefe zum Wolkenschieben verdammt sind. Daher vernimmt
der Wanderer hier in der Mitternachtsstunde markdurchdringende
Klagetöne aus den Tiefen des Mooses und kreischende Stimmen
aus der Höhe, ähnlich einem Katzenconcert. Ausserdem ist es
ein vortrefflicher Weideplatz für Pferde, Schweine und Gänse.
Ueber Stilfes erblickt man einen gewölbten Berg, den *Kampele*,
hinter dem sich links das Maulser Thal hinzieht, an seiner linken
Wand lagern sich die Fluren der Gemeinde Ritzeil.

Mineral. Sterzing liegt an der Grenze des krystallinischen Schiefergebirgs
und der über den Brenner herüberziehenden kalk- und dolomitlagerreichen halbkrystallinischen Schiefer (s. Brenner Th. 11). Bei Gossensass einst reicher Bergbau auf silberhaltiges Fahlerz, Bleiglanz und Bleischweif mit Zinkerzen im Kalkstein. Unfern die mineralienreichen Fundorte von Ridnaun, Valtigeis und Radschings im Westen und von Pötsch, Pfunders im Osten der Eisack. Zu *Tulfes*
Chromglimmer mit Chromocker und Bitterspath. Bis Sprechenstein reicht Scabiosa gramuntia, Achillea tomentosa.

Im Westen von *Sterzing* zieht sich die breite Thalsohle des
Gailbachs hinein, die Gewässer von 3 Thalgebieten herausführend
in die *Eisack*, nämlich des südlich herabkommenden *Jaufenthales*,
des südwestlichen *Radschinges* und des westlichen *Ridnaun*.

1) Das *Jaufenthal.* Von *Sterzing* wandern wir die Höhe hinan, hinter welcher der Thurm von *Thuins* hervorspiesst, überragt vom *Jaufengebirge*, und steigen bei diesem kleinen Dorfe hinab zum *Gailbache*, jenseits dessen, an der Mündung des *Jaufenthales*, *Gasteig* (3063') liegt, mit Dörfl und Kalchach 131 H.,

646 E. Gegenüber, ¼ St. von Gasteig, liegt eine verlassene Einsiedelei. Der letzte Klausner wurde 1802 von Räubern ermordet. Oberhalb *Gasteig* an der Kapelle theilt sich der Weg: links führt er in 2¼ St. durchs *Jaufenthal* auf den *Jaufen*, rechts über *Kalchach* in 1 St. zum *Jaufenhaus*. Gleich hinter dem Eingange ins *Jaufenthal* kommen links mehrere Seitenthäler herein, durch deren zweites, das *Seilerthal*, ein Jochsteig nach Sarnthal führt. Der Hauptort des Thales ist *Jaufenthal* oder *Dörfl*, eigentlich nur eine einsame Kirche und 5 H., kein Wirthshaus. Von hier geht ein steiler Jochsteig neben der *Seilerspitze* (7685') vorüber zur Penseralpe im Sarnthal. Der Jaufenweg hält sich rechts am *Kalchberg* hin. Im kleinen Dörfchen *Kalchach* hatte Hofer während des Sterzinger Kampfes sein Hauptquartier. Hier in einem Bauernhause labt uns Wein und verlangt schon die Rundsicht einen kleinen Halt. Bis hierher hat uns wenigstens von einer Seite stets das luftige Dach frischen Laub- und Nadelholzes gedeckt, und alsbald befinden wir uns wieder unter dem schützenden Schatten desselben. An den dichtesten und heimlichsten Stellen befinden sich trauliche Plätzchen, versehen mit allem Comfort, wie ihn eben ein Kraxenträger beansprucht. Eine hohe Bank erlaubt ihm das Absetzen der schweren Last, das nie fehlende Gnadenbild erleichtert seine Seelenbürde, und die klaren Wasser des eiskalten Brünnleins, welche sich daneben in einem langen Troge sammeln, fliessen gerade so gut für ihn wie für das liebe Vieh, dessen Weideplätze hier herum zerstreut sind. Endlich erreichen wir die Grenze des Baumwuchses und betreten eine weite, grüne Matte, von welcher das *Jaufenhaus* herabwinkt. Hier versäume man nicht, nur etwa 5 Minuten nach links vom Wege abzugehen und hinabzublicken in das stille, liebliche *Jaufenthal*, welches in schwindelnder Tiefe jetzt erst und nur von hier aus erschaut werden kann (vergl. S. 140). ½ St. unter dem *Jaufenjoch*, 4¼ St. von Sterzing, steht noch ein gutes Wirthshaus, das *Jaufenhaus* (6311'), neben einer Kapelle. Der Besitzer erhält 14 Fl. aus dem Staatsschatze für nothleidende Wanderer, hat dafür auch den Weg bei Schneewetter offen zu erhalten, erhält aber die Tagesschichten vom Staate vergütet. Auf dem *Jaufenjoche* (6650') erblickt man schon die Jaufenburg bei St. Leonhard in Passeier.

Von Gasteig bis St. Leonhard 6 St., und von da nach Meran 4 St. — Glimmerschiefer mit Granaten. Flora s. Passeier.

2) Das Thal *Radschings* zieht 2¼ St. ins Gebirge hinein und wird durch ein Joch von Hinterpasseier getrennt. Der Eingang ist eine wilde, enge, unzugängliche Schlucht, welche umgangen werden muss, um in das Thal zu gelangen. Links über der Schlucht liegt die Burgruine *Reifenegg*, einst den Trautsonen, dann den Geizköflern und jetzt den Herren v. Sternbach gehörig. In der weitesten Stelle des engen Thales liegt die Gemeinde *Rad-schings* (4083'), 62 H., 333 E.; in der Nähe bricht ein sehr gesuchter, bis Wien verführter, grobkörniger, weisser Marmor. Herrliche Prehnitkrystalle. Den Hintergrund verschliesst die Spitze des *Schneebergs* (s. S. 142), das *Kreuzjoch* und der *Glöckberg* (7560'). Ueber diesen geht ein Steig nach Riednaun, über den Schneeberg nach Passeier — Führer in Radschings.

Mineral. In, dem Glimmerschiefer eingelagerten, Hornblendschiefern Turmalin, auf Drusen und Adern schöne Prehnite, auf Klüften mit Quarz Zoisitkrystalle. In einem granitischen Gestein Bergkrystalle und früher Spodumen. Mineralien und Flora des Schneebergs s. Passeier.

3) Das Thal *Riednaun*, aus welchem der *Gailbach* herabströmt, dessen Ferner uns schon mehrmals entgegen leuchteten. Rechts am Abhange lagert nächst *Thuins* das freundliche *Telfes* (3944'), 61 H., 274 E., Unterkunft nur beim Geistlichen. Viehzucht, Feld- und Bergbau auf dem *Schneeberge*. Leider wurde die schöne, im gothischen Stile erbaute, Kirche modernisirt. Welter thaleinwärts liegt das Pfarrdorf *Mareit* (3400') auf beiden Seiten des Baches. Bis hierher Fahrweg. Die Pfarrkirche ist von Altmutter ausgemalt. Das Hochaltarblatt von Martin Stadler. Darüber prangt das schöne Schloss *Wolfsthurn*, auch das *Mareiter Schloss* genannt. Von den Herren v. Mareit ging es im 12. Jahrh. durch Heirath an die Greifensteiner über, dann an den Grafen Berthold v. Tirol, die Masmünster, Firmian und Gröbmer, und gehört jetzt seit 1700 den Freiherren v. Sternbach. Franz André Frh. v. Sternbach erbaute an die Stelle der alten Burgruine das jetzige Schloss 1739 im Stile jener Zeit. Von *Mareit* steigt man zur Thalstufe *Ausser-Riednaun* hinan, mit der uralten, vom Baron Leop. Sternbach stilgemäss hergestellten, *Magdalenenkirche* (4473') mit schönem Flügelaltar, welche burgartig auf einem vom Eis-

bache tief umkreisten Hügel steht und mit dem Blicke auf die Ferner ein schönes Bild gibt. Leider ist dieser Theil des Thales furchtbaren Verwüstungen der Giessbäche ausgesetzt. Durch eine kleine Enge geschieden kommt man nach *Inner-Riednaun* (4352'), mit Mareit 77 H., 408 E., gutes Wirthshaus; auch die hiesige *St. Josephskirche* mit schönen Bildsäulen (Johannes d. T., Johannes d. E., Zacharias und Elisabeth) von Perger aus Stilfes, gleicht einer Burg und gewährt eine herrliche Aussicht. Der Hafer, welcher hier im Grossen gebaut wird, ist gesuchte Handelswaare. Den Hintergrund des Thales bildet das eisige Amphitheater der *Stubayer Ferner* mit ihren blinkenden, schon vor Sterzing sichtbaren, Eiszinken. Der Absturz der Gletscher, besonders gegen Süden, ist nicht steil, doch der Zugang wegen der häufigen und grossen Zerklüftung des Eises sehr erschwert. Die vorzüglichsten Spitzen im *Riednauner Thale* sind der Reihe nach, von Osten nach Westen, folgende: *Schleierberg* (8989'), *Aglsspitz*, *Hochgrindlberg* (schwer zu besteigen, aber lohnend), *Hochfräuelespitz* (einer der höchsten und bisher noch nicht bestiegen), *Winterstubenspitz*, *Schwarzseespitz* (8672', nicht gefährlich, ausgezeichnete Rundsicht). Von *Riednaun* aus führen verschiedene Joch- und Gletschersteige: über den *Farnerbeil* (8995') nach Pflersch (nicht beschwerlich — 6 St.), über den *Hochgrindl* ins Längenthal nach Neustift (3¾ St. über Eis; sehr selten begangen und nur bewährten Bergsteigern anzurathen); über den *Schwarzenseespitz* nach St. Martin am Schneeberg (von Riednaun aus 8¼ St.); durch das *Lazzacherthal* in 5 St. auf den Schneeberg; und endlich durch das *Valmizonthal* über den *Glöckberg* (7560') nach Radschings. Für diese Jochübergänge, sowie für die Besteigung der genannten Spitzen findet man Führer in Riednaun, und zwar vor allen Joh. Klotz und der ältere Sohn des Joh. Mader.

Mineral. (Riednaun). Im Glimmerschiefer gegen das Jaufenthal Kyanit, Staurolith und Granat; im Hornblendschiefer interessante Turmalinkrystalle; im Chloritschiefer Sphen, Diopsid, Periklin, Apatit, Statuenmarmor von Mareit. Im Norden gegen Pflersch auf älteren Schiefern aufgelagert Triaskalk. Im Valtigthal, im Süden von Riednaun, ebenfalls im Hornblendschiefer Apatit mit krystall. Glimmer, Turmalin, Granat, Hornblende, Zoisit, Rutil.

4) Das *Pfitscher Thal* (mittlere Erhebung 4686'). Von *Sterzing* aus überschreitet man die *Eisack*, an der Kirche zum heili-

16 *

gen Grabe vorüberkommend, übersteigt den Büchel von *Flains*
und kommt nach der stillen Gebirgsbucht des ehemaligen Sterzinger Sees, *Wiesen* (2987'), mit Afens, Tulfer und Bichel 119 H.,
684 E. Links über dem Orte thront das Schloss *Moos*, einst den
Herren v. Rottenburg, dann den Tänzeln, Firmians, Geizkoflern,
Stephan Wenzl zu Bruneck und jetzt den Freiherren v. Sternbach
gehörig. Es ist ein alter wohlerhaltener Bau, mit Mauern umgeben. Am nämlichen Abhange liegt noch der alte Ansitz *Wiesen-
heim*, bis 1750 Eigenthum der Herren v. Elzenbaum, jetzt eines
Bauern. Bald darauf treten die Bergwände näher zusammen und
der ebene, nach Sterzing hinausziehende, Thalboden verschwindet. Der Weg setzt über den Bach und steigt links an der Wand
im dunkelen Schatten bemooster Fichten stark an. Immer stärker wird rechts in der Tiefe das Rauschen und wilde Tosen des
Baches. Ein Steg führt jetzt über die wild herabstäubenden Wogen. Man möchte über den schwindelnden, aber sicheren Steg
hinübereilen, um nicht von den Fluten verschlungen zu werden,
und doch wird man unwillkürlich inmitten dieser Wasser- und Felsenwüste von Erstaunen gefesselt, trotz aller stäubenden Wind-
stösse, welche diese Wasserlawine vor sich her wirft. Die *Wehr*
heisst sehr passend diese grossartige wilde, ja zu gewissen Zeiten
grässliche Thalstufe, welche ganz anderer Art ist, als alle anderen derartigen Erscheinungen. Man glaubt hier nicht das Werk
von Jahrhunderten, sondern das eines Augenblicks vor sich zu
sehen. Eben erst scheint der See des oberen Thales sich hier eine
Bahn gebrochen zu haben; man glaubt, die Riesenblöcke, welche kreuz und quer in und an den wild herabstürzenden Fluten
liegen, sich fortwälzen zu sehen; eine Schneidemühle, welche
mitten in den ungeheuern Blöcken eingekeilt ist, erscheint als das
Wrack eines Hauses, und die wildzerrissenen, ausgenagten, überhangenden Felswände zu beiden Seiten wollen so eben einstür-
zen. Kurz alles ist noch in Bewegung, besonders der von dem
Donner der Stürze erschütterte Steg. Die braunen, vom Wasser
zernagten und bis an die Höhe ausgefressenen, Felsen sind Glimmerschiefer, mit Chloritschiefer und etwas Kalk abwechselnd, und
aus beiden hat sich nach ihrer Zertrümmerung ein Conglomerat
gebildet. Hier ist die Grenze der Gemeinden *Wiesen* und *Pfitsch*.

Beklommenen Herzens eilt man rechts unter den überhangenden Wänden hinan und wie durch einen Zauberschlag liegt plötzlich ein neues Bild vor uns: wir stehen wieder auf festem Boden; friedlich liegt der weite, völlig ebene Thalboden von *Oberpfitsch* vor uns im schönsten Grün, von den Schlangenwindungen des über seinen Sand still dahin eilenden Baches durchzogen. Da sich das Thal im Hintergrunde rechts herumschwenkt, so hat man keine weite Durchsicht. Links in der Ecke des Thales glänzt am sonnigen Abhange *Kematen*, darüber waldige Höhen, über welche der hohe Gebirgsrücken hinzieht, der die jenseitigen Brennerthäler, das Venner- und Falserthal von Pfitsch scheidet und dessen Fortsetzung der Duxerrücken ist. Gerade in der Mitte erhebt sich mit grossen Schneefeldern die *Hohe Wand, Grobwand* (10,882'), und rechts von ihr, der nackte, hohe, schöngeformte Felsriese, ist die *Sogewand*, unter der man den Stampferlferner erblickt, welcher dem Zamserbach den Ursprung gibt; unter ihm hin zieht von der *Grobwand* der niedrige Rücken, welcher 2¼ St. von da das Pfitscher Joch bildet. Von der *Grobwand* südöstl. zieht der langgedehnte Scheiderücken des Pfitscher und Valser Thals. Der *Narnspitz* (8588'), an dessen nördl. Abdachung die *Sill* entspringt, und der *Hühnerspielberg* (8588') bieten herrliche Aussichten auf den Zillerthaler Eisstock. Führer Peter Fuchs in Kematen, der auch mit Mineralien handelt. In ¼ St. kommen wir auf ebenem Wege nach *Kematen* (4621'), dem Hauptort von *Ausser-Pfitsch*, in schöner, sonniger Bucht des Thales. Beide Pfitsch und Kematen 131 H., 808 E., von Sterzing 3¾ St. Das leidliche Wirthshaus hat einen schönen Ausblick thalauf- und -abwärts. Die Wohnung des Geistlichen, der auch bereitwillig Herberge gewährt, ist ein stattliches Gebäude. In der Nähe stand einst ein schlossartiger Thurm, den Herren v. Trautson gehörig (Trautson v. Reifenegg und Pfitsch, welche Linie mit Peter II. ausstarb). Auf dem Rest des Thurmes hat sich jetzt ein Bauernhaus niedergelassen. Einer Sage nach war einst der Pfitscher Boden mit einem See bedeckt, wie die Geologie schon lehrt, doch auch andere Umstände bestätigen. Die Gottesackerkapelle war dem seeliebenden Wolfgang geheiligt. An der Stelle von *Kematen* stand der Sage nach einst ein Fischhaus. Auch in Franken befindet sich ein St. Wolfgang, eine Halbinsel eines ehemaligen Sees, den noch alte Leute gesehen haben, und geschichtlich hat hier der heil. Wolfgang, wie am Abersee in Oberösterreich, eine Zeitlang gelebt. Auch hier befindet sich in der Nähe des ehemaligen, noch jetzt so genannten, Fischhauses ein Kematen. Als 1820 das jetzige Widum neu erbaut wurde, fand man einen 24′ langen und 12′ breiten Fischbehälter. — Bei Franz Sorg sind kleine Mineraliensammlungen zu kaufen. — Von *Kematen* über das *Schlüsseljoch* 3 St. bis zum Brennerbade an der Strasse, ein empfehlenswerther Weg.

Von *Kematen* aufwärts beginnt *Inner-Pfitsch*. Hier wird die Natur ernster; man nähert sich den Urschroffen des oberen Zillerthales. Den Hintergrund bildet ein hohes, zackiges Felsgebirge, nur auf den höchsten Gipfeln mit Eis belastet, dessen blaue Abbrüche seine Dicke beweisen; nur ein Ferner wagt es, kühn auf der schroffen Felsenleiter herabzusteigen, der *Weisszintferner*. Je weiter man gegen *St. Jakob*, den Hauptort von Inner-Pfitsch, vorrückt, desto mehr entfaltet sich rechts das äusserst scharfkantige, schneidige Gebirge, welches *Pfitsch* von dem südl. Pfunders scheidet; mit Recht heisst ein Theil dieser scharfen Zacken die *Säge;* auf jeder nur möglichen Stelle zeigen sich Ferneransiedelungen. *St. Jakob* (4570′), 388 E. Die Kirche ist 1835 bis auf den Thurm durch eine Lawine zerstört, seitdem auf derselben Stelle eine hübsche neue aber kleine errichtet. Beim Geistlichen findet man ein gutes Unterkommen. Ein reiches Lager von Mineralien hat Joh. Grans. Durch Fichtenauen, durch welche die Eishäupter majestätisch hereinblitzen, kommt man zur letzten Häusergruppe *Stein*, 7 H., 6¼ St. von Sterzing, 1½ von St. Jakob. Vor manchen Häusern bemerkt man einen naiven Mechanismus. Das den Ort munter durchspringende rasche Gebirgsbächlein treibt niedliche Wasserrädchen und diese geben den damit verbundenen, durch ein Fenster in das Zimmer laufenden, Latten und Stricken eine regelmässige, hin- und herziehende Bewegung. Schaut man hinein, so sieht man die Stube leer, denn alle sind draussen bei der Arbeit, aber dort in der Ecke steht die Wiege und ruhig schlummert in derselben das bausbäckige Kind der Alpen, sanft geschaukelt durch die Kraft des, wilden Gletschern eben erst entströmten, Wassers.

Vom letzten Hause steigt der Pfad zum *Pfitscher Joch* hinan, und zwar auf einem äusserst schmalen Bergrücken. Bald lichtet sich der dünne Wald und man steht auf den pflanzenreichen Alpen. Wild und erhaben ist der Blick gegen den *Weisszintferner* und den *Feilspitz*, dessen dicke Eishaube das Muster zu den weissen Trutzhauben des weiblichen Geschlechts in Südtirol gegeben zu haben scheint. Der Weg selbst, über einen grünen Buckel nach dem anderen, ist sehr angenehm und leicht. In $1\frac{1}{4}$ St. erreicht man den südl. Rand des *Pfitscher Joches* und erblickt links das blaugrüne Gewürfel des *Stampferlferners*. Die Jochhöhe selbst (7086') gleicht einem ausgebrannten Krater, in dessen Tiefe 3 kleine, durch Trümmerhaufen geschiedene, Seen liegen. Man muss ihn durchklettern, um den nördl. Rand des Joches zu erreichen. Hier blickt man wohl 6 St. weit den öden, wilden, zertrümmerten Zamsergrund hinab, so weit er in Bezug auf Alpenbenutzung noch zu *Pfitsch* gehört und daher auch im Zillerthal Pfitschgründl genannt wird. Links ganz in der Nähe der *Stampferlferner;* der Wasserfall, der sich in der Ferne, in der Tiefe des *Zamsergrundes* zeigt, ist der *Friesenberger Fall.* Von *Stein* führt ein schlechter Jochsteig hinüber nach Vals und Schmirn im Sillgebiet (s. Th. II, S. 196). Führer von St. Jakob nach Breitlähner im Zemgrund (Th. II, S. 254 ff.) kosten etwa 4 Fl. ; auch ins Pfunderthal (Rienzgebiet) führt ein Jochsteig (8387'). Von *Pfitsch* aus, wo man gute Führer findet, wird auch bequemer als vom südl. Vals aus der *Kreuzspitz* (8676') erstiegen. Die Aussicht ist weit umfassend: nördl. dringt der Blick durch den Einschnitt des Brenners gerade nach Schönberg und erhebt sich jenseits des Innthales zum Solstein; westl. zeigt sich in der Tiefe der Boden von Sterzing und steigt gerade dahinter in den Thälern Radschings und Riednaun zu den Fernern von Stubay und Oetzthal hinan; südl. glänzt die heitere, angebaute Gegend von Brixen, gerade darüber die Seiser Alpe mit dem Kranz der weissen Dolomitschroffen; östl. thürmt sich die ganze Bergwelt des Pusterthales auf bis zu dem Eisgürtel des Zillerthales.

In *Breitlähner* ist eine Hütte als Alpenwirthshaus nothdürftig eingerichtet und man findet hier sogar mehrere, freilich nicht die feinsten, Betten, dem echten, bereits Heulager gewohnten, Berg-

steiger ohnedies sehr entbehrlicher Hausrath, wogegen das ein-
fach-treuherzige Entgegenkommen der Wirthsleute anheimelt und
die dargebotene gute, reichliche und billige Atzung höchlich be-
friedigt. — „Mit einem eben von Schwarzenstein herabgekomme-
nen preussischen Kapitain und einem Berliner Maler hielt ich ein
für diesen Ort treffliches Soupé, bestehend aus frischem, safti-
gem Bocksbraten, fettem Mehlschmarren und würzigen Himbee-
ren, und wir tranken hierzu eine ganz erkleckliche Anzahl Schop-
pen Etschländer Rebenblutes. Dieser Ort ist also hierdurch und
ferner durch seine Lage als Standquartier zu Ausflügen in die Fernerwelt des hintersten Zillerthales ganz vorzüglich geeigenschaf-
tet. Von hier hat man bis Ginsling noch $2\frac{1}{2}$ St., und von da bis
Mayrhofen 3 St. zu wandern.

　　Zusammenstellung der Entfernungen: Mayrho-
fen bis Ginsling 3 St. 10 Min., Ginsling bis Breitlähner 2 St. 30 M.,
Breitlähner bis Jochhöhe (Pfitsch) 6 St., Jochhöhe bis St. Jakob
2 St., St. Jakob bis Sterzing 4 St." (G. 1864.)

　　Der fast fortwährend sich bewegende *Stampferlferner* mit seinen schönen und regelmässigen Guferlinien, der botanische Reichthum des *Pfitscher Joches*, wie der Reichthum an seltenen Mineralien, möchte ein Reiz mehr sein, von *Sterzing* aus einen Ausflug
wenigstens bis hierher zu machen, denselben auch vielleicht bis
zu den *Zamserhütten* auszudehnen, um von denselben das grössere Fernermeer im *Horpang* ganz bequem zu besuchen, wozu
2 Tage, hin und zurück, nöthig wären und wobei keine gefährt-
liche Stelle zu überschreiten ist.

Pfitsch ist ebenso interessant für den Geognosten wie für den Mineralogen. An seiner Nordwestseite verläuft der centrale Gneissgranit, begleitet
nach Pichler von schieferigem Gneiss, Hornblende-, quarzitischen und Kalkschiefern; an seiner Südostseite das Glimmerschiefergebirge mit seinen Chloritschiefereinlagerungen. Der Reichthum an Mineralien ist gross. Im Chloritschiefer: Strahlstein, Magneteisen, Schwefelkies, Turmalin; auf Klüften, Gängen und Drusen im
Chloritschiefer: Adular, Periklin, Chlorit in Krystallen, Diopsid, Granat, Epidot,
Rutil, Titanit, Bitterspath, Kalkspath, Apatit; im derben Chlorit: Paragonit, Di-
drymit, Margarodit u. a.; ausserdem Talk mit Strahlstein, Disthen, Serpentin mit
Asbest. Auf Quarzgängen im Hornblendschiefer: Epidot, Zoisit, Albit, gelber Titanit, Calcit, Talk. — Auch in Quarz eingewachsen: Hornblende, Glimmer, Feldspath, Kyanit, Granat; im Glimmerschiefer eingewachsen: Mejonit; im Gneissgranit Beryll. — Im Chloritschiefer der *Lovitzeralp* Turmalin und Margarodit; im

Talk- und Chloritschiefer daselbst Apatit und Magneteisenstein. — Ein sehr reicher Fundort ist das *Wildkreuzjoch.* Im Chloritschiefer Strahlstein, Schwefelkies, derber und krystallisirter Allochroit (brauner und schwarzer Granat) mit Vesuvian, Periklin mit Adular, Diopsid, Chlorit, Sphen, Calcit, weisser Zirkon, Cancelsteingranat, Epidot u. a.; Rutil im Quarz des Glimmerschiefers und im Hornblendschiefer; Eisenglanz im Glimmerschiefer. Am *Rothenbachel* ebenso in Chlorit - und Hornblendschiefer Apatit, Periklin, Magneteisen, Magnesit, Turmalin, Rhätizit, Chlorit, Strahlstein, (Pfitsch) Asbest, Rauchtopas. Andere benachbarte Fundorte: Kaltensee, Fürtschlagel, im benachbarten Hörpingergrund des Zemthale, Lovitzeralp; einige davon gehören schon dem jenseitigen Gehänge zu.

Flora. Im Thal Sisymbrium strictissimum, Centaurea nigrescens, Salix rosmarinifolia und Avena argentea in Ausserpfitsch. Auf dem Pfitscherjoch: Cherleria sedoides, Oxytropis campestris, Hedysarum obscurum, Trifolium pallescens, Alchemilla fissa. Gnaphalium Leontopodium, Senecio incanus, Doronicum, Cirsium spinosissimum. Crepis grandiflora (Weg zum Brenner), Hieracium aurantiacum, albidum, villosum, Gentiana bavarica, tenella, Valeriana alpina, Statice alpina, Pedicularis tuberosa. Androsace obtusifolia, Primula longiflora, Oxyria, Salix reticulata, Juniperus Sabina.

5) Das *Oberste Eisackthal* und *Pflersch.* Von *Sterzing* folgen wir wieder der Brennerstrasse durch die Altstadt hinaus. Nicht weit oberhalb der Stadt steht das alte Zollhaus *Lurx* mit einer 1643 geweihten Kapelle. Nur kurze Zeit beleuchtet die Sonne die Strasse, düstere Schatten umfangen den Wanderer, links fast überhangende Wände, rechts der Eishauch der gegen den Strassendamm anstürmenden und über Blöcke schäumenden *Eisack.* Auf den Höhen links über den Wänden sonnt sich auf ihren Fluren *Tschöfs* (3263'), mit Flans, Ramings und Matzes 107 H., 661 E., mit seiner alten Peterskirche; beim Volke bekannt unter dem gemeinschaftlichen Namen *Bergln* und *Strassberg.* An der östl. Thalwand strebt eine steile Höhe aus dem Reiche des Schattens empor in das des Lichtes, und auf ihr ragt die Feste *Strassberg* mit ihrem hohen Thurme auf, schon seit 1600 Ruine. Dieses Schloss war mit seiner Gerichtsbarkeit ein tirolisches Passivlehen, welches die Landesfürsten von dem Hochstifte Brixen empfangen hatten. Im 14. Jahrh. war es im Besitz der Herren v. Villanders; ihnen folgten die Freundsberger. Diese verkauften es 1502 mit der Stadt und dem Landgerichte Sterzing dem Kaiser Max I. für 12,000 Fl. 1512 wurde sie dem Markgrafen v. Burgau verliehen; 1612 erhielten sie die Fugger, dann Freiherr v. Hocher und jetzt sind die Freiherren v. Sternbach Besitzer. Der Haupt-

ort, wo auch die Kirche steht, *Ried*, liegt jenseits der *Eisack*. Die Kirche ist im neuen Stile erbaut, in Kreuzform; der Thurm mit 3 Kuppeln gibt dem Ganzen in dieser Enge ein grosses Ansehen. In der Nähe ein kleines Bierhaus. — Die Strasse wie das Thal erheben sich nun steiler und man tritt in eine freiere Gegend hinaus. Diese Ausweitung veranlasst das hier aus W.N.W. hereinziehende Thal *Pflersch*. Oberhalb der Vereinigung des *Pflerscherbaches* mit der *Eisack* liegt auf beiden Seiten der letzteren und an den Höhen das Dorf *Gossensass* (3461′), 176 H., 906 E., 1⅜ St. von Sterzing. Wegen des früher lebhaften Bergbaues in Pflersch wohnten hier viele Knappen. In manchen Häusern findet man noch über der Thüre Erzstufen eingemauert, als Knappenschild. Der Grubenbau wird 1600 schon als ältester im Lande genannt. 1480 bestand hier ein Bergrichter; der Bau war besonders reich an Kupfer, Silber und vor allem an Blei. Die Gilde der Bergleute von Gossensass wurde von den Grafen v. Görz nach Lienz berufen, um daselbst eine neue Bergordnung herzustellen. Der Grubenbau gleicht jetzt einer alten Feste, deren Stätte und Geschichte man kennt, ohne noch eine Spur von ihr selbst zu sehen. Einzelne Saatkörner sind jedoch noch aufgegangen; dahin gehören die Metallarbeiten, als Sensen, Sicheln, Waffen u. s. w. Ausser diesen ernähren Viehzucht und Vorspann zum Brenner viele. Ein Brauhaus liefert ein gutes Bier, welches der durstige Reisende rechts an der Strasse in einem Wirthshause findet. Es ist ein echtes Gebirgsdorf mit schönen bunten Alpenhäusern, zwischen denen hier die Strasse emporzieht, dort die rauschende *Eisack* über Felstrümmer herabstürzt; neugierig blickt der Wanderer zwischen den Lücken der Häuser links hinaus, wo sich dann und wann ein Blick nach Pflersch und dessen Ferner auf kurze Zeit eröffnet. Daher sucht der Maler oder Freund schöner Aussichten bald ein Gasthaus, wo er seinen Tornister abwirft und nun hinaufeilt auf den Felsenhügel, auf welchem die Kirche ruht. 3 Treppen führen hinan. Sie wurde von dem bekannten Kirchenbaumeister Pfarrer Pens erbaut. Etwas höher steht die kleinere Barbarakirche, von den Bergknappen 1510 ihrer Schutzpatronin gebaut. Von *Gossensass* führt ein Jochsteig nördl. über die *Seealpe* oder über *Villfrad* und die *Rothspitze* (8239′) gerade zu den Obernberger Seen in 6 St. Malerischer ist jedoch der Standpunkt einer mässigen Höhe über dem linken Eisackufer. Den Vorgrund bilden dann die in einander geschobenen Alpenhäuser des Ortes mit seinen Hammer- und Mühlwerken, mit den Stürzen der Eisack und ihren Brücken, darüber die auf Felsen ruhende Kirche und der schöne Einblick nach Pflersch.

. Das Thal von *Pflersch*, 73 H., 341 E., zieht parallel mit Riednaun zum *Stubayer Eisgebirge* hinan. 2 St. weit geht der Weg auf ebenem Thalboden. Der *Fallming-* oder *Schreierbach*, der von einer südl. Höhe herabkommt, trennt *Inner-* und *Ausserpflersch.* Hier am *Schreierbach* lässt sich der Schreiergeist sehen, bald gross wie ein Riese, bald klein wie ein Zwerg. *Ausserpflersch* vertheilt sich in einzelnen zerstreuten Häusern auf dem Thalboden und an den Höhen von *Gossensass* an thaleinwärts. Das Gebiet gehört auch seelsorglich zu letzterem Dorfe, wo auch die Schule ist. Bei *Anichen*, wo *Innerpflersch* beginnt, verengt sich der Thalboden und die Häuser ziehen sich mehr auf die sonnseitigen Höhen. Die Landschaft gewinnt hier durch den grossartigen Hintergrund an Reiz; besonders ist es die braune Felsenpyramide des *Tribulaun* (9798'), das Oberhaupt der ganzen Gegend, welche mit den umlagernden Gletschern einen ernsterhabenen Eindruck macht. Durch die nur von einzelnen Höfen belebte *Roponau* gelangt man in 3 St. von Gossensass zum *Weiler Boden* unter dem *Tribulaun.* Hier steht die Kirche von *Innerpflersch* oder *Pflersch* zum *h. Antonius*, ein Denkmal der Knappen, auf einem Kalkfelsenblock erbaut, von der interessantesten Alpenflora geschmückt. In der Kirche alte Gemälde und andere Denkmäler aus der Knappenzeit. Daneben die Priesterwohnung, einzige hiesige Herberge, und Schule. Die Gegend umher heisst *Erl* und zählt noch 12 H., 50 E. Hier endet der Fahrweg. Führer findet man in diesem wenig besuchten Winkel nicht und dürfen daher nur geübte Bergsteiger den Weg über den *Siningferner* nach Stubay wagen.

Das Thal steigt nun steiler an über den Weiler *Stein*, 10 H. (½ St. von der Kirche), nach dem letzten Thalboden zu *Hinterstein*. Hier stürzt der Thalbach aus schwindelnder Höhe herab zwischen Felsen und bildet einen grossartigen und herrlichen Wasserfall, die *Hölle* genannt. Weit hin sind die Staubsäulen zu sehen, wel-

che aus seinem Felsenkessel aufdampfen. Die *Hölle* dient den
Umwohnern als Wetterverkündigerin; raucht die Hölle (steigen
die Staubwolken wie Rauch gerade in die Höhe), so gibt es schönes Wetter. 1 St. über *Hinterstein* beginnen die Alpen mit der
Alpe *Furth*, wo auch zugleich das Eis der Ferner anhebt.

Von *Pflersch* aus sind wegen ihrer Rundsichten zu besteigen:
der *Weissspitz* und der *Portmader* (6673') — beide nicht beschwerlich —; an Jochübergängen zu nennen: über den *Farnerbeil*
(8995') nach Riednaun, über den *Grubberg* (6770') nach Obern-
berg, von der innersten Alpe über das eisige Joch zwischen dem
Simingferner und *Weissspitz* in die Laporesalpe und nach Gschnitz,
über den *Grinsbergferner* ins Längenthal und nach Neustift im
Stubay (letzterer nur für tüchtige Bergsteiger).

Das Thal *Pflersch* gilt, trotz seiner hohen mittleren Lage von
4200', für das mildeste Gebiet des Bezirksgerichtes Sterzing. Die
grösste Wärme steigt zwar selten über 18 Grad; die Kälte erreicht jedoch nur selten 12 Grad. Schon um Weihnachten werden die Schafe und Ziegen auf die Weide getrieben und übernachten im Freien; die Bienen fliegen im Februar und schwärmen im
April, höchstens im Mai. Gebaut werden Roggen, Weizen, Gerste, Hafer, Erbsen, Mohn, Flachs, Kartoffeln und Rüben. Roggen wird noch bei Hinterstein gebaut. Es gibt zwar keine grossen Bauerngüter, aber auch keine Zehnten. Höchst nachtheilig
wirken die oft nur durch den Südwind anschwellenden Bäche
durch Murbrüche, wegen der Steilheit und Höhe der Thalwände.
Kühe und Ziegen machen den grössten Theil des Viehstandes aus
und die Kühe sind das gewöhnliche Zugvieh, weil es keine Pferde
und nur wenig Ochsen gibt. Die Ernte wird auf dem Rücken
heimgetragen, weil sich jede Flur unmittelbar um jedes Gehöfte
herumzieht. Die Häuser sind wegen des Reichthums an Kalk
meist gemauert. Die meisten und besten Wiesen liegen schon auf
Alpenhöhe. Das Heu dieser Alpenwiesen gilt für dreimal schwe-
rer, als das Heu des Thalbodens. Zur Zeit der Heuernte ist der
grösste Theil der Bevölkerung einige Wochen lang auf den Alpen
mit ihren Ziegen, deren Milch ihnen zur Hauptnahrung dient.
Das Lieblingsgericht ist dann Milchbrei und Mohn. Aus Disteln,
mit Salz und Mehl vermischt, wird ein gutes Mastfutter bereitet.

— Ausser Kirschen wird kein Obst gezogen; dagegen gibt es Haselnüsse in ausserordentlicher Menge. — Nach der Ernte wandern viele Pflerscher als Handelsleute mit zum Theil im Thale selbst verfertigten Erzeugnissen, als Sicheln, Sensen, Wetzsteinen und Oelen aus. Das wird hier Hereinverdienen genannt. — Die Alpen sind sehr gut. Die Sennhütten, in welchen nur Sennerinnen wirthschaften, sind ordentliche Häuser mit heizbaren Stuben, Glasfenstern und Küchen. Die Sennerinnen, wie überhaupt die Pflerscher, sind reinlich.

Am 11. Juli wird jede Kuh um 6 Uhr früh gemolken, desgleichen um 6 Uhr Abends. Die letzte Milch bestimmt den gesammten Alpenertrag, den man von einer Kuh zu 28 Pfd. Butter, 28 Pfd. Käse und 9½ Pfd. Zieger anschlägt.

Die reichhaltigen Gruben auf silberhaltige Bleierze sind eingegangen. In ihnen arbeiteten 300 Knappen. Von diesen wurde auch die Antonskirche gebaut vor 400 Jahren; daher der Heilige auf dem Altar in der einen Hand den Schlägel, in der anderen eine Erzstufe hält und das Altarblatt die heil. Barbara darstellt. — Marmor, unter anderem auch schwarzer, Eisen-, Blei-, Silber- und Golderze, Turmaline und Bergkrystalle. Hasen, Füchse, wenige Rehe und Gemsen, und unter den Vögeln Auer-, Spiel-, Schnee- und Haselhühner, sind das gewöhnliche Wild.

Oberhalb *Gossensass* erhebt sich die *Brennerstrasse* wieder stärker; links kommt ein kleiner Bach aus dem winzigen hochgelegenen *Bodensee;* rechts ragt ein Felsen auf mit den wenigen Ueberresten des Schlosses *Raspenstein*. Es wurde 1220 vom Grafen Albert v. Tirol erbaut. Dieser, obgleich Schirmvogt des Hochstiftes Brixen, befehdete mit anderen Stiftsvasallen von hier aus Brixen. In einem Frieden, 1221 durch König Heinrich vermittelt, versprach Albert, Raspenstein zu schleifen, zugleich mit Lambrechtsburg. Beim einzelnen Wirthshause, *Am Wolf* (4260'). hört endlich der Anstieg auf; man tritt aus dem Schatten der Engen, welche den Wanderer von Sterzing an, mit Ausnahme des Sonnenblickes bei Gossensass, umfingen; man steht auf dem sonnigen Boden des ebenen, stundenlangen, eigentlichen *Brennerthales* (4272'), welches nördl. zum Sillthal abbricht, nachdem es den Rücken der Centralkette mitten durchsetzt hat, und

mit dem Reschenscheideck auf der Malser Haide und dem Uebergang aus dem Palten- ins Liesingthal (s. Th. III, S. 397) die niedrigsten Pässe der Hauptkette bildet. Die *Eisack*, hier ihrem
Ursprunge nahe, hat einen so trägen Lauf, dass man kaum sehen
kann, wohinwärts sie fliesst. Rechts, unweit der Strasse, liegt
das *Brennerbad*, das einzige warme Bad in Tirol, schon seit den
ältesten Zeiten bekannt wegen seiner Heilkraft. Die Quelle bricht
aus einem Schuttgebirge von Glimmerschiefer und Kalk hervor,
hat $17\frac{1}{4}$° R. Temperatur, gleichmässig im Winter, wie im Sommer. Von hier führt ein Jochsteig über das *Schlüsseljoch* nach
Kematen in Pütsch, dessen Höhe eine schöne Aussicht nach
St. Jakob und dessen Umgegend gewährt. Im *Brennerthal* gedeiht
nur Hafer, und die Lawinen, wie Giessbäche von den beiderseitigen Abhängen, richten oft grossen Schaden an. Die Gebirgsart
des *Brenners* ist Thonschiefer, welcher besonders da, wo sich
der Quarz mehr aus ihm herausscheidet, als Dachschiefer benutzt
wird; mächtige Kalklager, in der Höhe auch Dolomit, begleiten
ihn. Auf der Wasserscheide, nahe am nördl. Ende des ebenen
Thales, steht das grosse Postwirthshaus, hinter welchem die *Eisack* herabstürzt in einem niedlichen Wasserfalle. Von Sterzing
bis hierher eine Post von $3\frac{1}{4}$ St. von Sterzing und $3\frac{1}{4}$ St. von Steinach. Die Gemeinde *Brenner* mit Giggberg reicht vom Brennersee
im Norden bis zum Wirthshause Am Wolf, hat 58 H., 294 E.,
3 Wirths- und Gasthäuser (s. II, S. 199).

Das Thal der Rienz und ihr Gebiet

ist zwar ein Seitengebiet der Eisack, aber grösser als das Hauptgebiet und hat von Schabs bis zum Toblacher Felde (unteres Pusterthal) eine mittlere Erhebung von 2908'.

1 St. von *Brixen* erreicht der Reisende auf der Pusterthaler-
strasse das Klosterdorf *Neustift*, mit Riol 71 H., 441 E. Das Kloster ist das ansehnlichste Chorherrenstift Tirols. Es wurde von
dem Bischofe Hartmann v. Brixen 1142 gegründet und nahm bald
durch Schenkungen an Reichthum und Ansehen zu. Die Stiftskirche ist im Stil des vorigen Jahrhunderts erbaut, aber glänzend
ausgestattet. Gemälde von Grasmayr, Christoph Unterberger,
Franz Unterberger und Jakob Unterberger, das Grab des ritterlichen Minnesängers Oswald v. Wolkenstein. Die Bibliothek ist

die erste unter den Klosterbibliotheken Tirols. — Schöne Gärten umgeben das Kloster, in welche man von der gleich darauf in einigen Windungen ansteigenden Strasse gerade hinabblickt. Von *Schabs* (s. S. 228) kommen wir gleich darauf an die Abzweigung der Strasse, welche aus dem Pusterthal, ohne nach Brixen hinabzuführen, gerade zu ins Brennerthal geht und sich unter den Kanonen der Franzensfeste mit der von Brixen zum Brenner ziehenden Strasse vereinigt. Jedem Reisenden, besonders dem aus dem rauheren Pusterthale kommenden, fallen die grossen Kastanien auf, die ihn mit ihren sperrigen Aesten und ausgespreizten Blättern schirmen gegen die Strahlen der südl. Sonne, welche ihn hier auf kurze Zeit bei seinem Uebergang aus dem kühlen Pusterthale in das ebenso kühle Brennerthal treffen. Nur wie ein Traum erscheint dem hier oben Vorüberreisenden der Süden; wie durch ein Fenster schaut er zwischen den Rebengeländen und dem Schatten der Kastanien hinab in den Süden. Die neue Strasse senkt sich sehr allmählich nach *Mühlbach* hinab, an dem Holzmagazine für die nahe Festung vorüber; rechts jenseits des Rienzschlundes zeigt sich die Feste *Rodeneck.*

Der Markt *Mühlbach* (2451'), 92 H., 579 E. (Gasth. zur Sonne), am *Valserbach*, welcher hier in die *Rienz* fällt, hat seinen Namen von den vielen an diesem Bache liegenden Mühlen; meist Handwerker, besonders Eisenarbeiter. Der Feldbau ist gering, doch gedeihen alle Getreidearten vortrefflich, so auch das Obst. Gegen Pusterthal hin wächst hier der letzte Wein, von welchem jährlich 150 Eimer gewonnen werden. Von den ehemaligen 2 Edelsitzen, *Freienthurm* und *Strasshof*, gehört jener jetzt den Tertiarschwestern in Brixen, die hier ein Filial haben, dieser einem Bauern. Der Boden ist Granit, welcher bei Schabs beginnt. In der schönen gothischen Hauptkirche Gemälde von Stadler und Arnold. Aelter ist die Floriankirche. Der sogen. Thurm zu Mühlbach war früher der Sitz des jetzt nach Brixen verlegten Bezirksgerichts. Oestl. von *Mühlbach*, durch die *Rienz* getrennt, liegt der *Rodenecker Berg*, eine getreidereiche, wohlangebaute Bergstufe, mit der Schabser Höhe gleich, von der er nur durch die Rienzschlucht getrennt ist. Während die Hochebene von Elvas und Schabs grösstentheils aus Diluvium besteht, ist der Ro-

denecker Berg Thonschiefer. Ausser dem Hauptorte *Rodeneck* gehören zur Gemeinde Vils, St. Pauls, Nanders, Gifen, Spisses,
Ahnerberg und Frellerberg, 154 H., 958 E., welche sämmtlich
einst zum Burgfrieden des Schlosses *Rodeneck* (2795$'$) gehörten.
Wegen der reichen Getreidefluren heisst der Berg auch der *Goldene Berg*. Das Getreide wird fast sämmtlich verkauft, während
die Bewohner sich mit der zweiten Ernte, der Nachfrucht, dem
trefflich gedeihenden Haidekorn oder Plente, begnügen. Unter
dem Obst haben die Kirschen Ruf und es wird viel Kirschwasser
bereitet. Bei der Sparsamkeit und dem Fleisse der Bewohner haben sie, ohne wohlhabend zu sein, ihr Auskommen und seit einem
ganzen Jahrhunderte ist keiner derselben auf die Gant (in Kon-
kurs) gekommen. Ausserdem sind sie auf ihrer Hochebene so abgeschlossen, wie die Lüsener, fast feindlich gesinnt gegen Fremde,
die sich bei ihnen niederlassen wollen. Die Kirche der Gemeinde
steht zu *Vils*, wo auch der Geistliche wohnt und die Schule mit
120 Kindern ist. Die Kirche ist neu und steht am Rande des Abgrundes gegen die Rienz; im Frühjahr 1688 stürzte ein Theil des
Kirchhofs bis an die Grundmauern der Kirche in die Tiefe. Auf
der äussersten Ecke des *Rodenecker Bergs*, auf 2 Seiten von den
Abgründen der *Rienz* umgeben und auch von dem Berge selbst
durch eine Kluft getrennt, liegt die weitläufige Feste *Rodeneck*.
Von *Vils* gelangt man über eine Zugbrücke, welche die Kluft
überspringt, in die Burg. Sie war der Stammsitz der Herren
v. Rodeneck oder Rodank, eines der ältesten Tiroler Geschlechter. Der Erbauer war Friedrich v. Rodank, ein Dienstmann der
Kirche von Brixen, von welchem Verhältniss sich aber Friedrich,
ein Nachfolger des vorigen, lossagte und seine Feste Meinhard II.
zu Lehn auftrug, an welchen sie auch nach dem Aussterben des
Hauses fiel. Friedrich hatte zuvor (1277) den Markt und das
Schloss Mühlbach gegründet, wenigstens aus dem schon vorhandenen Kirchdorfe einen Markt gemacht. Von Meinhard II. erhielten es die Herren v. Villanders, dann kam es an Konrad v. Teck,
die Herren v. Gufidaun und unter Max I. an Veit v. Wolkenstein,
den Gründer der jetzt noch blühenden Linie der Wolkensteiner.
Durch einen Brand am 17. Mai 1694, der, während der Schloss-

272 *Rienzgebiet: Ahrenthal: Taufers.* **Etsch-**

eines Bauern. Dabei steht die Kapelle Sa. Maria. 1 St. darüber
liegt das *Mühlbacher Bad*, ein Stahlwasser, vom Landvolke benutzt, besonders seit der Cholera.

Im Hauptthale hinan erreicht man in $\frac{1}{4}$ St. das Dorf *Uttenheim*, 68 H., 531 E., und den Edelsitz *Stock*, einst den Herren
v. Uttenheim, jetzt dem Freiherrn v. Sternbach gehörig. Die alte
Kirche wurde durch den Blitz 1772 zerstört und daher ist die
jetzige im neuen Stile. Links auf steilerem Felsen thront die
Burg *Uttenheim*, zu welcher ein Steig hinanführt, welcher mit
Recht die *Katzenleiter* heisst. *Uttenheim* kommt schon 998 vor;
1225 kam es an die Bischöfe von Brixen; das Geschlecht starb
1387 aus. In $1\frac{1}{2}$ St. erreichen wir die letzte und bedeutendste
Gemeinde der ersten Thalstrecke, welche sich hier schliesst, *Taufers* (2734'), mit Sand, Drittlsand und Morizen 82 H., 801 E.
Hier vereinigen sich die 3 Thalzinken *Ahren*, *Mühlwald* und *Rein*.
daher hier auch, wie angeschwemmt, die Ortschaften angehäuft
liegen, welche die Gemeinde *Taufers* fast alle umschliesst, $3\frac{3}{4}$ St.
von Bruneck, Sitz des Bezirksgerichts Sand von $11\frac{11}{16}$ Q.M.,
1279 H., 10,315 E., 4 Gasthäuser, 1 Bierbrauerei, 2 Jahrmärkte.
Edelsitze: *Schrottwinkel*, zuerst der Familie von Rost, dann seit
1798 dem Grafen v. Ferrari gehörig, jetzt im neuen Stil hergestellt; *Neumelans*, alle anderen Häuser überragend, mit Hauska-
pelle und Ringmauern, 1582 von den Fiegern erbaut (zum Unterschied von Melans bei Hall so genannt), seit 1683 Besitz der Herren v. Zeiler, jetzt seit 1814 der Herren v. Ottenthal; *Zeilheim*
gleichfalls bis 1815 den Hrrn. v. Ottenthal, dann Franz Kofler,
jetzt Dr. Jos. Daimer gehörig. Hier befindet sich auch die Schiessstätte des Bezirks. Südwestl. von *Sand* ist 1 St. entfernt ein mächtiges Lager von sehr schönem, feinkörnigem, reinem, weissem
Marmor, welcher gebrochen wird. Marmorsäge. Das zweite Dorf,
St. Moritz, ist durch eine Brücke mit *Sand* verbunden; sehr alt;
die Kirche im gothischen Stile erbaut. Die Kirchhofmauer 1728
mit Fresken verziert.

Flora. Salix cuspidata, Galanthus mirabilis. Hemerocallis fulva (Schlossberg).

Ueber dem engen, klammartigen Eingang aus dem *Tauferer
Thal* oder *Boden* in die zweite Strecke des Thales, das *Ahrenthal*.
thront auf der *Burgsteinwand* die malerische, halbzerfallene *Feste*

268

gebiet. *St. Georgen. Tesselberg.* **271**

wig zu Brixen die Schenkungsurkunde aus. Der Ort ist sehr alt
und war einst einer Stadt ähnlich, litt jedoch sehr durch Ueberschwemmungen.

Von *Steegen* am *Ahrenbache* aufwärts, ¼ St. von Bruneck,
liegt der Ort *St. Georgen* (2588') mit *Giessbach*, 53 H., 442 E.,
durch die *Ache* getrennt. Alte Kirche; die 2 Edelsitze: *Giessbach*
mit einer neuen Kapelle und schönem Rückblick auf Bruneck,
und *Gremsen*, einst den Grafen v. Troyer, jetzt der Witwe Sal-
chen gehörig. Das Dorf *Giessbach* ist den Murbrüchen des vom
Sambock herabkommenden Baches ausgesetzt. Folgen wir wieder
der Strasse von *Dietenheim* aus, so kommen wir in ¼ St. nach *Aufhofen*, 25 H., 164 E. Schönes Altarblatt von Hellweger aus Lorenzen. Edelsitze: *Aufhofen* (in seinem Besitze folgten die v. Aufhofen, v. Rost und Hebenstreit, jetzt Ad. v. Straub), *Steinberg*
(die v. Rumbl, v. Söll, jetzt Witwe Huber) und *Mohrenfeld* (die
v. Rost, Hebenstreit und v. Vogl; jetzt Wohnung des Geistlichen).
Auf der Höhe bei dem Hofe *Ameten* (1 St. von Bruneck) hat man
den schönsten Ueberblick der Umgegend.

Auf dem Wege thaleinwärts zeigt sich rechts die gut erhaltene Feste *Kehlburg*, 1091 erbaut, bischöfliches Lehngut von Brixen; seit 1545 sind die v. Rost in Besitz. Darüber liegen die
zerstreuten Häuser der Gemeinde *Tesselberg*, wie auch der Berg
selbst heisst. Der Name wird von Tassilo abgeleitet, doch ohne
weiteren geschichtlichen Grund. Auf dem Thalwege erreicht man
in 1¼ St. von Bruneck das sehr alte Pfarrdorf *Gais*, mit Neuhaus
und Lannebach 73 H., 599 E. Die tief im Schutt stehende Kirche ist ein Werk des 9. und 10. Jahrh., merkwürdig für den Alterthumsfreund. Man fand noch unter dem Kirchenpflaster an den
Grundmauern Gemälde. Die 12 Apostel auf Holz gemalt und ausgeschnitten. Vom *Tesselberg* herab zieht ein Schuttberg, welcher
die Thalsohle beengt. Gerade jenseits der *Ache* liegt *Birach*, oft
auch nur nach der darüber liegenden Burgruine *Neuhaus* benannt,
welche schon 1225 den Herren v. Taufers gehörte, aber schon
1248 nach einer Uebereinkunft mit den Bischöfen von Brixen wegen der Streitigkeiten mit den Grafen v. Görz gebrochen wurde;
sie kam dann an die Landesfürsten, die Mor v. Aufkirchen, v. Teu-
tenhofen, v. Söll v. Eichberg, Grafen v. Künigl; jetzt Eigenthum

dicht an, dass sich dieser Rücken nur in kurzen Steilzähnen abdacht. Die dritte Strecke des Hauptthales beginnt oberhalb *St. Peter* mit einer Thalstufe und heisst *Im Prettau* oder *das Prettau*, hat
eine mittlere Erhebung von 4789' und ist 4 St. lang. Das ganze
Thal wird bis St. Valentin von einem gut unterhaltenen Fahrweg
durchzogen. Wir folgen jetzt von *Bruneck* dem Thalwege aufwärts. In ⅓ St. erreichen wir *Dietenheim* (2619'), mit Aufhofen,
Luns und Tesselberg 89 H., 591 E. Im Norden von einer Höhe
gedeckt, hat es trotz seiner hohen Lage ein noch milderes Klima
als Bruneck, so dass es wegen seiner Fruchtbarkeit zu den lieblichsten Orten des Kreises gehört. Ausser den Getreidearten gedeihen edle Obstsorten, sowie Trauben. Auch der Rückblick nach
Bruneck und dessen Umgegend ist ausserordentlich schön. Die
Kirche mit ihrem hohen Thurme ist im Gothischen Stile erbaut,
aber durch neue Zuthaten entstellt. Das Schloss *Sonnegg*, einst
den Edlen v. Mohr, jetzt dem Grafen L. v. Künigl gehörig; *Mohr-
berg* selbst ist jetzt im Besitz eines Bauern. *Getreuenstein* war
einst auch Eigenthum der Edlen v. Mohr, dann der Herren v.
Wenzl, welche auch *Kirchegg* und *Hebenstreit* besassen, jetzt alles
Bauern; ebenso das grosse Gebäude *Heier am Hof*, mit 1700 neu
erbauter Kapelle und schönem Ziergarten, einst dem *Anton Wen-
zel Freiherrn v. Sternbach* gehörig. Unter Maria Theresia war Dietenheim von 1754—1786 Sitz des Kreisamtes Pusterthal, von wo
es von Joseph II. nach Lorenzen verlegt wurde. Im Gröbner-
schen Hause ein gutes Bildniss Max' I. von A. Dürer. Wie Dietenheim am östl. Ausgangspfeiler, so liegt am westl. da, wo *Tauferer Ache* und *Rienz* zusammenfliessen, ⅓ St. von Bruneck, *Steegen*, 28 H., 223 E. Die Kirche hat einen schönen Thurm im gothischen Stile. Das sogen. *Grafenhaus* gehörte einst den Grafen
v. Troyer. Nach allen 4 Weltgegenden führen gute Fahrwege:
nach St. Georgen, auf den Pfalzener Berg, nach Bruneck und
nach St. Lorenzen. Auf der Haide bei dem Dorfe wird am 27.
und 28. Oktober der bedeutendste Jahrmarkt im Pusterthale gehalten, der in der schönen weiten Gegend ein eigenthümliches
buntes und lebhaft gefärbtes Bild des hiesigen Volkslebens gewährt. Auf derselben Stätte lagerte 1027 Kaiser Konrad II. bei
seinem Rückzuge von Rom; hier fertigte er dem Bischofe Hart-

fen. Am 19. Hornung 1809 wurde das Kriegsgericht gehalten und Mayr zum Tode verurtheilt. Unerschrocken trat er am nächsten Morgen vor seine Feinde und empfing die Todeswunde.

Von *Bruneck* nördl. strebt ein grosser Thalast, das *Ahrenthal*, mitten in das Grundgebirge der Hauptalpenkette hinan, fast allseitig umgletschert von den Eiszinnen des Zillerthales und der Venediger-Antholzer Eisgruppe, bevölkert von einem deutsch-bojoarischen Volksstamme und durch Jochübergänge verbunden links mit dem Zillerthale Tirols, rechts mit dem Pinzgaue Salzburgs. Südl. dagegen dringt der Wanderer auf schmaler, an den Wänden anklebender Strasse durch die Schlünde des *Gaderbaches* in das *Enneberger Thal* durch die verschiedensten Schichten von Thonglimmerschiefer, buntem Sandstein und unteren Triäs empor zu den höheren, lichteren, ummatteten Gegenden des Hochlandes, aus dessen sanfteren Formen plötzlich in vereinzelten Gruppen die senkrechten, weissen Riesen des Dolomites aufstarren in den abenteuerlichsten Gestalten, umwohnt von einem altrömischen Volksstamme und durch Jochübergänge mit Gröden, Fassa, Buchenstein und Ampezzo verbunden.

Das Ahrenthal gleicht einer dreizinkigen Gabel, deren grösster Mittelzinken nordöstl. gebogen ist; das *Mühlwaldthal* ist der westliche, das *Reinthal* der östliche Zinken und das Thal von *Taufers* nach *Bruneck* hinaus der Stiel. Das Hauptthal ist 14 St. lang von *Bruneck* bis zum *Krimler Tauern* und zerfällt in 3 Strecken. Die unterste Strecke von *Bruneck* bis *Taufers* ist das *Tauferer Thal*, 4 St. lang und ½ breit; sein ebener Thalboden wird nur durch die aus den Seitenthälern herausgetriebenen Schuttberge an mehreren Stellen uneben, wie in anderen grossen Alpenthälern. Dieser Stamm des ganzen Thales steigt gerade von Süden nach Norden auf und hat gegen die gewöhnliche Regel der Seitenthäler eine weite Oeffnung. Von *Taufers* an beginnt die zweite Strecke, *Im Ahren*, mittlere Erhebung 2989', 7 St. lang, durch eine Thalenge von der vorigen getrennt und überhaupt viel enger, aber noch 1 St. fast dieselbe Richtung beibehaltend. Bei *Luttach* aber stösst es an die Zillerthaler Gruppe, deren steiler, hoher Eiskamm nordöstl. zieht und an diesen schmiegen sich die 2 oberen Strecken so

sowie das Ursulinerinnenkloster an dem neu angelegten Platze an der Strasse von der Post nach Brixen. Die alte Klainkirche mit altdeutscher Eingangsseite und schönem Thurme. Edelsitze *Ragen*, *Teissegg* und *Einsiedel*. Bei Frau v. Vintler findet der Reisende eine merkwürdige Chronik der Kaisergeschichte des deutschen Reiches in Reimen, wahrscheinlich aus der Bibliothek des Konrad Vintler auf Rungelstein, mehrere Gemälde, namentlich eine Madonna von A. Dürer, und 2 andere Gemälde aus seiner Schule. Der für den Reisenden interessanteste Punkt ist der Schlossthurm mit seiner Rundsicht. Manche Gegenden haben das Eigenthümliche, dass man sich bei einer blossen Durchreise von der Tiefe aus nicht recht in sie finden kann, namentlich, wenn sie grosse Gebiete umfassen, oder gleichsam eine Gegend in der anderen steckt, wie z. B. Salzburg. Dieses ist auch hier der Fall. Auf der Zinne des Burgthurmes aber steht man mitten in dem merkwürdigen Gebiet, kann sich darin leicht zurecht finden und es dem Gedächtniss einprägen. Jetzt ist die Burg Frohnfeste. In dieser Gegend, bei der Brücke von St. Lorenzen, brach 1809 der Aufstand der Tiroler los und ebenso fand er hier bei der Mühlbacher Klause und bei Bruneck sein trauriges Ende. Besonders ist eines der Anführer in diesen letzten Kämpfen zu gedenken, des Wirths Peter *Mayr* in der Mahr bei Brixen. Er wurde zu gleicher Zeit mit Hofer gefangen genommen. Seine Gattin, in gesegneten Umständen, eilte nach Bozen, wo ihr Mann im Kerker lag, um seine Freilassung zu bewirken. Das Kriegsgericht hatte ihn aber bereits zum Tode verurtheilt. Dennoch nahm sich die Gattin des Generals Baraguay d'Hilliers, eine Deutsche, des Verurtheilten an. Das Urtheil wurde wirklich cassirt und dem Verurtheilten ein Anwalt in der Person des Advokaten Dr. Knoll beigegeben. Dieser gab dem Verurtheilten zu verstehen, er möge beim nächsten Verhöre die Kenntniss des viceköniglichen Edikts vom 12. Novbr. 1809 (nach dessen Bekanntmachung jeder, der mit den Waffen in der Hand ergriffen wurde, dem Tode verfiel) verleugnen, wo er dann auf seine Freiheit rechnen könne. Seine Gattin bat ihn unter Thränen, diesem Rath zu folgen, um sich ihr und seinen Kindern zu erhalten. Allein seine ernste Antwort war: Ich will mein Leben durch keine Lüge erkau-

schnitten; auf der grössten Erhebung dieses Randes thront die Feste *Bruneck*, auf welche im weiten Kreise andere Burgen des Höhenkranzes herabschauen. Die Stadt selbst schmiegt sich auf der nördl. Seite des Schlosshügels halbmondförmig herum, umschlungen im Norden von der *Rienz*, welche theilweis zum Betriebe mehrfacher Gewerbe durch die Stadt geleitet ist. Die Gebirgsart der ganzen Umgegend ist Thonglimmerschiefer mit einem Lager von dolomitischem Kalke; erst im Norden folgen Granit und Gneiss. Trotz dem, dass *Bruneck* so hoch liegt, wie die höchsten Orte auf unseren deutschen Mittelgebirgen (Harz, Thüringerwald, Erzgebirge), so gedeihen dennoch nicht nur Roggen, Weizen und Hafer vortrefflich, so dass ausgeführt wird, sondern auch nach der Ernte noch Buchweizen als Nachfrucht. Durch Käurungsanstalten (s. Langau) wird den Nachfrösten entgegengearbeitet. Die Bauart der Häuser ist ähnlich der von Traunstein in Baiern, dessen von Kiefern umschattete Gegend auch etwas ähnliches mit der von Bruneck hat; die Dächer sind hinter hohen, zum Theil gezackten Mauerzinnen versteckt.

Die Geschichte der Stadt fällt ziemlich mit der allgemeinen Geschichte des Pusterthals zusammen. Kaiser Heinrich IV. schenkte 1091 eine Grafschaft im Pusterthal, wozu die Umgegend von Bruneck gehörte, dem Bischofe Altwin von Brixen. Die Bischöfe wählten zu ihrem zeitweiligen Aufenthalte das Schloss *Aufhofen*. Später, 1288, erbaute Bischof *Bruno* in bequemerer Lage Bruneck und die darüber aufragende Burg. Zur Zeit der Reformation, welche sich mit Blitzesschnelle durch die Alpen Tirols verbreitete, sah sich das Domkapitel von Brixen genöthigt, hierher zu ziehen, um einen neuen Bischof zu wählen, und Karl V., vom Kurfürsten Moritz v. Sachsen verfolgt, konnte hier die erste Ruhe wiederfinden. Im J. 1721 brannte die Stadt fast ganz ab. Die vor einigen Jahren durch Blitz zerstörte Pfarrkirche ist in roman. Stile würdevoll wieder aufgebaut, enthält Fresken von Mader und mehrere Altarblätter von Hellweger; die Spitalkirche, der Post gegenüber, Gemälde von Fr. Unterberger und Grasmayr; Relief aus Erz von Gras, 1620. Der mit Arkaden versehene Gottesacker und das Leichenhaus. Ein Kapuzinerkloster liegt unweit der vom oberen Pusterthal zur Post hereinziehenden Strasse,

266   *Rienzgebiet: Bruneck.*   **Etsch-**

Stephansdorf, St. Martin, Moos, Manern, Fassing, Saalen, Steegen, Lothen, Kniepass, Ruugen, Pflaurenz, Sonnenburg 308 H.,
1873 E. — Sehr gutes Wirthshaus. Die uralte Pfarrkirche; Wallfahrtskirche zum heiligen Kreuz. Von hier stammt der Maler
Franz Hellweger, geb. 1812. Durch Empfehlung kam er nach
München, wo er sich bald so auszeichnete, dass er an der Aus-
malung der Ludwigskirche Theil nahm, später im Kölner Dome
beschäftigt war. *St. Lorenzen* und *Sonnenburg* gegenüber strömt
die *Gader* aus einer scheinbar so unbedeutenden Enge hervor,
dass man wohl nicht die Grösse des Thales ahnt, dessen Wasser-
schatz sie hier in die *Rienz* führt; dort liegt das Dorf *Pflaurenz.*
Hier war auch das Litamum der Römer, deren Spuren man hier
häufig antrifft. Schon 1207 tritt der erste Pfarrer in St. Lorenzen
auf. Die Gegend weitet sich nun zu grosser Fläche aus; ein angenehmer Weg führt an der Wallfahrtskirche *Frohnwiese* vorüber
in ¼ St. in die Kreishauptstadt

    Bruneck (das Schloss 2748'), 182 H., 1633 E., gewöhnlich
Brauneck genannt. Die besten, zugleich billigen, Gasthäuser
sind: der goldene Stern, die Post vor dem Thore, die Sonne und
das weisse Rössl. — Die Gegend um diese Stadt, ohne durch
grosse und auffallende Gebirgsformen ausgezeichnet zu sein, gehört zu den eigenthümlichsten in den Alpen: eine grosse und
weite Thalfläche, theils söhlig mit der *Rienz*, theils südl. sich etwas über dieselbe erhebend, hier zunächst von niederen Höhen
umkränzt, auf welchen dunkele Kiefernforste mit ihrem Blaugrün
nachten; nördl. setzt der weite Thalkessel in das grosse, 4 St.
lange und sehr breite Thal Taufers fort, so eben, dass man eher
ab - als aufwärts zu sehen glaubt, und diese weite Thalspalte erlaubt dem Blick allein, in den rauhen Kern des Hochgebirges zu
dringen, dessen Schale ihn sonst nach allen Seiten als grüne Hülle
von sanften Formen verbirgt. Schön gehaltene Steige oder Strassen durchziehen die grünen Fluren der Fläche, hier eine Häusergruppe, dort eine rothbedachte Kirche; hier ein Kloster, dort
ein hohes rothes Kreuz oder einen malerischen Heiligen- oder
Bildstock mit in Fresko ausgemalten Nischen berührend. Da, wo
die *Rienz* schäumend aus dem oberen *Pusterthale* niederbraust in
den Thalkessel, hat sie die südl. sich erhebende Hochfläche abge-

schneidet, von wo man die grosse Thalweitung bei Bruneck überschaut. Es gehörte einst den Gaugrafen von Lurn und Pusterthal,
und ist wahrscheinlich die Wiege der Grafen v. Görz gewesen.
Otwin, Graf v. Lurn und Pusterthal, vertheilte am Ende des
10. Jahrh. sein Erbe unter seine 4 Söhne. Volvold, einer derselben, weihte Sonnenburg 1018 der heil. Jungfrau als Ordensstift
für Edelfrauen nach der Regel des heil. Benedictus. Es hatte
eigene Gerichtsbarkeit, die sich weit nach Enneberg erstreckte,
— daher der Name *Abteithal* — auch Sitz auf dem Landtage;
Joseph II. hob 1785 das Stift auf, welches, an Privatleute verkauft, nun zu Wohnungen für arme Familien dient. Nordöstl.
zeigen sich die Ruinen des *Antepasses*, eines ehemaligen, wahrscheinlich schon römischen, Passes. Nördl. über Sonnenburg nach
kurzem Anstieg erreicht man eine ziemlich weitgedehnte Bergstufe, auf welcher *Pfalzen* (3222') sich ausbreitet, mit *Platzen*
103 H., 551 E., in reichen Getreidefluren und schönem Ueberblick auf die weite Umgegend von Bruneck. Ein Seitenaltarblatt
in der schönen, in Kreuzesform erbauten, Kirche von Costhe Dusi
aus Venedig. ¼ St. davon das schöne alte *Valentinskirchlein;* das
Altarblatt von Unterberger. Der *Pfalzenerberg* ist theilweise mit
unzähligen Granitblöcken überlagert; von hier stammen grösstentheils die Granitquadern der Franzensfeste. Der Edelsitz *Si-*
chelberg ist eine Besitzung der Merl von Pfalzen aus uralter Zeit.
Der Name Pfalzen deutet auf die Burgsitze ehemaliger Grossen,
wahrscheinlich der bojoarischen Herzoge.

Von *Sonnenburg* führt die Strasse in ¼ St. nach *St. Lorenzen*
(2542'), einem echten Tiroler Markte. Eine nicht breite Gasse
verdüstert durch die weit vorspringenden Giebeldächer, dazu die
vielen Erker, die bunten Fresken an den Wänden, die vielen
Wirthshausschilder, und an Festtagen das Getreibe der fast papa-
geiartig geputzten Bevölkerung der Umgegend; die gelben breitkrämpigen Hüte mit grüner Einfassung, grünumfasste braunlo-
dene Jacken und breite Hosenträger, die dicken gelben Röcke
der Weiber mit schwarzem Querband über den Hintern, mit halb
dunkel-, halb hellblauen Schürzen, das bunte Mieder, die rothen
Strümpfe, blauen Stotzschauben u. s. w. geben ein recht buntes,
eigenthümliches Tiroler Bild. *St. Lorenzen*, 53 H., 380 E., mit

264 *Rienzgebiet: Pusterthal: Obervintl. St. Sigmund.* **Etsch-**

mor. Oestlich, *In der Riegel*, auf der ersten Bergstufe über *Pfunders*, ein bedeutendes Tuffsteinlager. Auf der Alpe *Eng*, gegen
Pfitsch, schöne Granaten, und an der *Schwarzwand*, ebenfalls
einer Grenzschneide gegen Pfitsch, schöne, ganz durchsichtige
Krystalle. Auch ein, jedoch bloss von den Thalbewohnern besuchtes, Bad hat diese Gegend, mit einer erdigen Eisenquelle.
Hauptgeschäft der Bewohner ist die Viehzucht.

Mineral. An der Eisbrucker Alpe im Chloritschiefer prachtvolle Sphenkry-
stalle mit Chlorit, Periklin u. s. w.; an der Porgumalpe gegen Pfitsch ähnlich
wie dort im Chloritschiefer Gänge von dichtem Granat mit krystallisirtem Granat,
Vesuvian, Diopsit, Chlorit, Calcit.

Im *Pusterthal* kommt man auf der Heerstrasse, ½ St. von Niedervintl, an einem kleinen Bierhause vorüber nach der ziemlich
einsam liegenden Kirche von *Obervintl* (2429'), 60 H., 302 E.
Der *Winebach* kommt links vom Gebirge herab, auf welchem *Te-
renten*, mit Margen, Pein, Hohenbichl und Talsen 187 H., 968 E.,
auf lieblicher Bergstufe, 1¼ St. von Obervintl, liegt; von *Teren-
ten* kann man den wegen schöner Aussicht berühmten *Eidechsberg*
oder *Hegedex* (8654') in 4¼ St. auf wenig beschwerlichem Wege
ersteigen. Der Bach bildet 2 St. hinter diesem Dorfe den sehenswerthen *Winebachfall*. Unweit *Obervintl* liegt links die Burgruine
Baumgarten, einst Besitzthum der Edlen Troger. Der nächste
Ort, *St. Sigmund* (2466'), 93 H., 496 E., liegt 1 St. weiter. Teppichweberei. Die Berge treten links dicht an die *Rienz* heran;
das stattliche Wirthshaus mit seiner Auffahrt ist das *Kalte Haus*,
und gleich dahinter *Kiens*, mit Ehrenburg, Kiensberg, Michaelsburg, Getzenberg 111 H., 587 E.; reiche Getreidefelder und Obst-
baumpflanzungen. Der *Schönecker Bach* kommt von der höher liegenden schönen Burgruine *Schöneck*, dem Stammsitze des gleichnamigen Geschlechts, eines Nebenzweiges der Rodenecker. Die
Strasse gewinnt nun wieder an Unterhaltung. Jenseits der *Rienz*
zeigt sich das stolze *Ehrenburg* (2598'), das Stammhaus der Grafen v. Künigl; das gegenwärtige Schloss ist noch nicht 150 Jahre
alt, doch stand an seiner Stelle schon die alte Stammburg, welche
jenes Geschlecht 600 Jahre bewohnte. Eine herrliche Aussicht
zeigt sich von dem Schlosse über die Umgegend von Bruneck.

Bald zeigen sich die Ruinen von *Sonnenburg* (2679') auf dem
nördl. Felsenkap des Felsenriegels, welchen hier die *Rienz* durch-

kleben die Bauernhöfe *Ober-* und *Unterkammerschein*, deren Bewohner sich fast zu jeder Arbeit mit Steigeisen bewaffnen müssen.
In 8 Jahren erfielen sich 5 Menschen. Eine Menge Steinhühner
nisten in dem Geklüft umher, selbst unter den Dächern. Der
Steig über das *Schartl* nach Meransen bietet einen herrlichen
Ueberblick über das Pfunderser Thal. 1 St. lang zieht sich noch
die Ebene von *Weitenthal* mit seinen Häusergruppen fort, dann
aber treten die Bergwände, namentlich die *Schalderer Wald*, zu
düsterer, bei schlechtem Wetter gefahrdrohender, Enge zusammen. In dieser Enge donnert der *Schmanserbachfall*, in weissen
Staubwolken aus seinem Felsenschlunde aufwirbelnd, nieder. In
$\frac{1}{2}$ St. treten plötzlich die Wände aus einander und man wird überrascht durch den Anblick des Bodens von

    Pfunders (3656'), 81 H., 709 E.. 3$\frac{1}{2}$ St. von Mühlbach. Die
Kirche krönt einen von Eschen umbuschten Hügel, den Bach um-
säumen Erlen; an den Höhen wechseln Häuser und Waldgruppen
mit Feldern. Ueber diese ganze recht eigenthümliche Alpenland-
schaft erhebt sich zum Schluss ein herrlich grüner, bis zur Spitze
bematteter Berg, der *Fasnacht* (8016'). Der Wildstand, besonders nach dem Zillerthaler Stocke zu, ist gut, es gibt da auch
Gemsen. — Das *Pfunderser Thal* hat nach Sonklar eine mittlere
Thalhöhe von etwa 4300'. J o c h s t e i g e mit dem Blick auf den
Zillerthaler Stock: 1$\frac{1}{2}$ St. von Pfunders auf der *Weitenberger Alpe*
westl. über das *Sandjöchl* in 5 St. nach Kematen, nordöstl. in
7$\frac{3}{4}$ St. nach St. Jakob in Pfitsch, östl. über die *Eisbrucker Alpe*
(6667') neben dem *Röthespitz* (9126') vorbei in 7$\frac{1}{4}$ St. nach Lappach im Mühlwalder Thale. Führer am besten in Weitenthal,
auch in Pfunders. — Der Erzbau ist öfters hier begonnen, doch
ohne Erfolg; einträglicher ist ein jetzt begonnener Bau auf Dachschiefer. Der Granit des unteren Thales hat von der Thalenge
an dem Thonglimmerschiefer Platz gemacht, welchem Glimmerschiefer mit Chloritschiefereinlagerungen folgt. Oestl. gegen das
Grenzjoch von Lappach, im Mühlwaldthal, findet sich jedoch
auch lichtgrauer Marmor mit fingersdick aufsitzendem Talke; er
wurde beim Dombau in Brixen und der Klosterkirche von Et-
tal verwendet. 1 St. oberhalb *Pfunders* liegt der Weiler *Dann*
(4660'), wo sich die obersten Thalbäche vereinigen; weisser Mar-

262 *Rienzgebiet: Pusterthal: Niedervintl.* **Etsch-**

Im Alterthum ging eine Römerstrasse von Aquileja her,durch das Gailtbal nach Lienz und durch das Pusterthal nach Schabs, wo sie sich mit der Bozener Strasse verband. Lienz (Loncium), Innichen (Aguntum) und Lorenzen (Litamum) waren die Hauptplätze. Nach der Völkerwanderung finden sich hier bojoarische Herzoge, welche die Alpen gegen die Raubzüge der Ungarn und Slaven vertheidigten. Ihr Hauptsitz scheint Pfalzen bei Bruneck gewesen zu sein, und unter ihnen wanderte das Christenthum ein.

Der Reisende betritt nun die ruhigeren Gefilde des *Pusterthales*, er verlässt die letzten Weinreben, den letzten Mais, an dessen Stelle der Roggen tritt, denn wir befinden uns nun in der Höhe der *Mittelgebirge* um Bozen, auf denen Völs, Oberbozen u. s. w. liegen. Bald darauf erreicht man *Niedervintl* (2412'), 87 H., 614 E. Die Post ist ein sehr gutes und billiges Gasthaus. Sehenswerth und echt tirolisch ist das Wirthschaftsgebände des Postmeisters Aloys Riepen, eingerichtet von dem Zimmermeister Jos. Prossberger; durch ein Wasserrad werden 2 Wellbäume bewegt, wovon der eine 32 Drischeln (Dreschflegel), der andere eine Mühle von 2 Gängen, eine Stampfmühle von 4 Stampfen, eine Getreidereinigungsmühle und eine Schneidemühle treibt. Die Kirche mit den ältesten Glocken Tirols wurde 1760 auf Kosten des Postmeisters Peintner erbaut, und ausgemalt von Jos. Zoller., In der alten daneben stehenden Kirche quoll sonst Oel aus einem Steine hervor, von Pilgern sehr besucht, daher auf einem Steine noch die Inschrift: Brunnen des Oels 1500. Schönes Altarblatt, wahrscheinlich von Paul Troger. — Die Dorfschule wird von 100 Kindern besucht. Die ersten Familien des Ortes waren einst die Mairhofer von Koburg und die Peintner, deren Gräber noch in der Kirche zu sehen sind.

Bei *Niedervintl* mündet das von Norden herabkommende, mit Vals gleichlaufende Thal *Pfunders*, in seinem untersten Theile auch *Weitenthal* genannt. Von *Vintl* gelangt man auf ebenem Wege in ¾ St. nach *Weitenthal*, 92 H., 609 E., mitten im Schosse eines geränmigen Bergkessels, östl. überragt von dem *Eidechsenberg* (8656', ortsübl. Hedexenspitz) mit einem noch ziemlich gemässigten Klima, so dass die meisten Getreidearten gedeihen.

An den äusserst abschüssigen Gehängen des *Eidechsenberges*

gesprengt, jedoch wegen der Festigkeit der Mauern nur theilweise. Selbst diese Mauern verursachten noch im Kriege 1813 einen heftigen Kampf zwischen den Oesterreichern und Franzosen.

Das *Pusterthal* (vallis pyrustica) bildet eine grosse Längenspalte auf der Südseite der Alpen und besteht, hydrographisch genommen, aus 2 Thälern, von denen das eine, das Thal der *Rienz*, westl., das andere, das Thal der *Drau*, östl. hinabzieht. Wie das obere und untere Wippthal dies- und jenseits des Brenners durch den Sattel dieses Gebirgs geschieden wird, ebenso trennt das *Toblacher Feld*, von gleicher Höhe, das *Obere* und *Untere Puster-* (*Rienz-* und *Drau-*) *thal*. Nur durch die bedeutenden Gebirge im Norden und Süden erscheint selbst das *Toblacher Feld*, obgleich die Brückenhöhe weit übersteigend, als ein Thal. Gewöhnlich hat man die Meinung, als ob im Süden der Alpen die Längenthäler die Kalkalpen und Urgebirge trennten, allein schon im Etschthal sahen wir das Irrige dieser Meinung, so auch hier. Denn von Mühlbach an haben wir zunächst im Süden statt des Kalkes Thonglimmerschiefer, hinter welchem sich nach und nach die Dolomite in den abenteuerlichsten Gestalten und blendendem Weiss hervorschieben, bis endlich auf dem Toblacher Felde ihre weissgrauen Felsenstirnen unmittelbar ins Vorderglied treten. Zwischen Innichen und Strassen unter Sillian erheben sich zu beiden Seiten Thonschiefergebirge, welche zwischen Gailthal und Sexten ostwärts fortsetzen und dort mit den zwischen Gailthalerschichten in unmittelbarer Verbindung stehen. Kalkstein tritt sehr untergeordnet in ihnen auf. Sie bilden die Hellbrucker Spitze. Erst unter Sillian verschwindet mit dem Einschnitt des Kartitschthales im Süden wieder das grüne Schiefergebirge und eine schroffe Dolomitkette, zwischen Gail- und Drauthal heranziehend, tritt mit ihren Felsenstirnen an die Drau heran, die untere Pusterthaler oder die Lienzer Klause bildend, um durch die darauf folgende herrliche Gegend von Lienz desto mehr zu überraschen. Demnach hat man auf der Wanderung durch das Pusterthal von Brixen bis Lienz zur Linken fortwährend Granit und Schiefergebirge, zur Rechten zuerst grüne Schieferberge, dann weisse Dolomitmassen, dann wieder Schiefer und zuletzt wieder schroffe Dolomite.

Alpe *Fanna*, ist die schönste Alpe, ein Sennhüttendorf, in dessen
Bezirk 3—400 Stück Rindvieh, 12—1400 Schafe und 200 Ziegen
weiden. Von da führen Jochsteige in die Thäler Pötsch, am
Wildsee vorüber bis Kematen 8½ St., und Pfunders, reich an den
schönsten Aussichten, wozu es an guten Führern in der Alpe
nicht fehlt. Das Thal war sonst reich an Wild, jetzt nur noch
an Federwild und Reben; die letzten Bären wurden 1853 erlegt.
Seit 1848 besteht im Thale, 1½ St. von Mühlbach, auch ein Bad.
Ins *Rienzthal* zurückgekehrt kommen wir zunächst an die Ruinen der *Pusterthaler, Mühlbacher* oder *Haalacher Klause* (2315').
Der Reisende, welcher im Eisch- und Eisackthal durch das Gewimmel von Städten, Burgen und Dörfern auf der Heerstrasse,
wie auf den beiderseitigen Berghöhen hinwanderte im Strahle der
warmen, südl. Sonne, und nicht genug Augen und Ohren hatte,
um sich jetzt dahin, jetzt dorthin zu wenden, gleich dem Fremden, der sich durch die Strassen einer grossen Stadt treibt und
bald rechts, bald links etwas neues erblickt, zuletzt aber abge-
spannt sich aus diesem Getöse und Getreibe zurückzieht, um aus-
zuruhen und sich nun im Schosse der Ruhe und Einsamkeit zu
erholen, erfreut sich auch hier beim Eintritt in das *Pusterthal*
jener Ruhe. Man rastet hier von dem Anschauen der Werke der
Natur und des Fleisses aus; grüne Wiesen, bewaldete und be-
mattete Berge ohne bedeutsame Formen machen hier einen wohl-
thätigen Gedankenstrich, um das Gemüth zur Anschauung neuer
grossartiger Scenen zu stärken. An seinem westl., wie an seinem
östl. Ende war das eigentliche *Pusterthal* durch eine Klause gesperrt, hier bei *Mühlbach* durch die *Mühlbacher*, dort im Osten,
20 St. von dieser, durch die Lienzer Klause; beide liegen in Trümmern. Die *Mühlbacher Klause* zeigt sich noch wie eine grosse
Burgruine, und wie bei allen Klausen führt die Strasse mitten
durch die Thore derselben. Sie gehörte einst dem erwähnten
Friedrich v. Rodank, welcher sie in seinem Streite mit Brixen
bei der Erhebung Mühlbachs zum Markte dem Grafen Meinhard
als Eigenthum überliess. Sie bildete dann später (seit 1271) die
Grenze zwischen den beiden Görzischen Linien und war gemeinschaftliches Eigenthum; 1500 ging sie mit ganz Tirol an Oesterreich über. Von den Franzosen wurden 1809 die Festungswerke

den ganzen Bedarf des Thales decken. Bei der Kirche geht ein bequemer Jochsteig oben durch das *Rützeilhal* nach Mauls im Eisackthal. Hinter den letzten Häusern und Feldern schliesst sich der Thalboden mit einer Felsenmaure, welche links vom *Pfil-terspitz* herabzieht, darauf eine Felsenenge eine Thalstufe bildet, durch welche man in den hinteren Thalboden, die Alpe *Franz*, hinaufsteigt. Hier breiten sich schöne Alpenmatten aus, in der Höhe umstarrt von steil aufragenden Hörnern, unter denen der begletscherte *Wilde Kreuzspitz* (9904'), *Kraurspitz* (9812'), die *Rothspitze* (9311'), das *Wurmmaul* (9535') und das *Sandjoch* (9349') die bedeutendsten sind. Oben, gerade unter der Hörner-gruppe des *Kreuzspitzes*, der eine Besteigung verdient, die aber bequemer vom Pfitscherthale aus erfolgt, liegt der von Felsen umschlossene, fast 1 St. in Umfang haltende *Widsee*, grünblau von Farbe (nach Anderen nur 408' breit, 777' lang und 144' tief), voll köstlicher Forellen. Aus ihm fliesst der *Valserbach* ab.

Die Bewohner des Thales sind ein schöner Menschenschlag: die Männer, gross gewachsen, tragen lange graublaue Hosen und kurze schwarzlodene Jacken. Ihre ausserordentliche Gutmüthig-keit und Treuherzigkeit, welche sie sich bei ihrem von der Welt abgeschlossenen Hirtenleben bewahrten, hat sie eigentlich nicht zum Vortheil ihrer durch den Strassenverkehr verschmitzter ge-wordenen Nachbaren bei diesen in den Ruf beschränkter Geistes-gaben gebracht. Das weibliche Geschlecht ist kleiner, aber lieb-lich und rund. Wegen der Silbe Tache, die sie ihren Redesätzen voraussetzen, sind die Valser oft schwer zu verstehen. Die Vieh-zucht ist sehr bedeutend, würde aber bei weniger Lasten, welche das Thal drücken, mehr Wohlstand verbreiten. Das Thal war ursprünglich nur eine Alpe der Wolkensteiner und sie liessen sich ihr Eigenthumsrecht theuer von den Bewohnern bezahlen; jeder Bauer musste, wie noch jetzt, jährlich 6 Ctnr. Frischkäse (aus frischer Milch gepresst) oder 90 Fl. als Grundzins zahlen. Daher können die Bauern keinen Schmalz gewinnen, so fett und gut die Alpen sind; ferner fällt der Ertrag für alles fremde Vieh auf den hiesigen Alpen der Kirche anheim. Der Alpenwirthschaft stehen nur Männer vor. Ein guter Bauer hat 36 Stück Vieh, 16 Kühe, 2 Rosse, 14 Kälber, 4 Jährlinge. Der hinterste Thalboden, die

17 *

sonders ein Mädchen durch ihren Heldenmuth auszeichnete. Die Einwohner von Spings verloren alles.

Sowie Spings auf dem rechtseitigen Thalrücken von Vals über Mühlbach liegt, so breitet sich südl. vom Markte auf dem Mittelgebirge des linken Thalflügels von Vals die Gemeinde *Meranen* (4479') aus, mit Spings, Aiche und Vals 163 H., 837 E.; der steile Felsenpfad zu der Gemeinde hinan heisst die *Katzenleiter*. Haupterträgniss für den Ort liefern die schönen Alpen, welche sich auf dem Rücken zwischen *Vals* und *Pfunders* in einem Hochthale hinanziehen, in dessen oberstem Schosse mehrere Hochseen liegen, davon der grösste einen Umfang von $\frac{1}{3}$ St. hat. Der Bach aus ihm eilt dem Thale *Vals* zu. Ein anderer Bach von den Alpen bildet am *Grossberg* einen schönen Wasserfall. Die Kirche ist neu erbaut, stammt aber aus älteren Zeiten. In ihr werden die wegen ihrer Namen merkwürdigen drei heiligen Jungfrauen Anbeth, Kubeth und Guerre verehrt, welche, dem Hunnenkönige entflohen, hier sichere Zuflucht fanden. Bei dem *Felderhofe* hat man eine herrliche Aussicht südl. das Eisackthal hinab bis gegen die Mendel, östl. ebenso das ganze Pusterthal hinan bis Innichen und zwischen beiden die ganze Dolomitwelt vom Toblacher Feld bis zum Schlern.

Das Thal *Vals* zieht sich vom Markte *Mühlbach* 5 St. gerade nördl. in den Urgebirgsstock, welcher das Pfitscher Thal im Süden begleitet und der südwestl. Ausläufer des Zillerthaler Hochrückens ist. Mittlere Thalhöhe nach Sonklar etwa 3000'. Die südl. Hälfte durchzieht der Alpengranit, an welchen sich nördl. der Gneiss anschliesst, in dem die obere eigentliche Alpengegend des Thales liegt. Von *Mühlbach* aus geht der Weg 1 St. stark bergan; düstere Waldungen umschatten ihn; malerisch gruppiren sich Sägemühlen an dem tosenden Wildbache und schwarze Köhlerhütten umdüstern die Landschaft noch mehr. Den Bach hat man rechts bald neben sich, bald in der Tiefe. Plötzlich lichtet sich das Dunkel, das Tosen des Baches verstummt und eine lachende Thalebene mit allenthalben zerstreuten Häusergruppen, aus deren Mitte eine Kirche aufragt, erfreut das Auge. Fast 2 St. lang zieht sich *Vals* (4283') auf ebener Thalsohle hin, umgeben mit Gersten-, Hafer- und Roggenfluren, die jedoch nicht

verwalter Hochzeit hielt, ausbrach, wurde der grösste Theil der Burg in Asche gelegt. Die einst grosse Rüstkammer wurde im 30jährigen Kriege zur Bewaffnung der festen Plätze des Landes und zur Ausrüstung des Zeughauses zu Innsbruck verwendet. Das Kostbarste, was das Feuer verzehrte, waren die schönen Sammlungen von Büchern, Gemälden, Münzen, Antiken und anderen Seltenheiten; nur ein kleiner Theil wurde gerettet. Die Bibliothek besass u. a. die beste Handschrift der Gedichte von Oswald v. Wolkenstein in Folio, mit Musik und Text vom Jahre 1443; sie ist in unbekannte Hände gekommen. Die Burg enthält noch mehrere Säle und Gemächer, eine schöne Kapelle, ein Familienarchiv, kleine Bibliothek, viele Bildnisse. Das Archiv Oswalds ist das Merkwürdigste.

Der schmale Fahrweg von *Mühlbach* nach *Rodeneck* führt über die *Rienz* nach *Korburg*, einem der Familie von Freu gehörigen Edelsitze, und nach *Bachgart*, einem schwach besuchten Bade. Gleich darauf erreicht man das Gasthaus von Vils und das Schloss *Rodeneck*, durch seinen dermaligen Eigenthümer, den Freih. v. Seyfertitz, zu einer herrlichen Sommerfrische eingerichtet. Reisende, welche von Brixen kommen und die Burg auf dem Wege nach Mühlbach besuchen wollen, steigen von *Schabs* hinab zur *Rundterbrücke*, bis wohin Reste einer gepflasterten (römischen?) Strasse gefunden werden. Jenseits der Rienz steigt man wieder aufwärts nach *Rodeneck*. Die Aussicht von der Höhe der Burg ist sehr schön.

Westl. über *Mühlbach* liegt in ziemlicher Höhe auf dem *Spingeser Berg*, dem vom Schabser Sattel aufsteigenden Granitrücken, *Spinga* (3482'). Wegen der Dürre des Bodens, der den Strahlen der Mittagssonne ausgesetzt ist, wie der heftigen stürmenden Gewitter, ist die Gemeinde arm. Der Pfarrer Georg Stocker wallfahrte 1680 nach Jerusalem und liess nach seiner Rückkehr die Kirche zum heiligen Grabe nach dem Muster der Grabeskirche in Jerusalem erbauen. Noch lebt er im Munde des Volkes unter dem Namen *der selige Herr Jörg*. 1797 stand hier der französische General Joubert mit 30,000 Mann, um die wichtige Gegend zu decken. Er wurde von den Tirolern nach einem heftigen zweitägigen Kampfe nach Mühlbach hinabgeworfen, wobei sich be-

Taufers, von der das Ganze den Namen hat. Sie bildet mit den Häusergruppen darunter und den zum Theil mit Schnee bedeckten Bergen des Hintergrundes über ihren Zinnen ein sehr schönes Bild. Nur ein schmaler Felsenpfad und hölzerne Treppen führen zu ihr hinan. Die Burgkapelle ist noch, wie der Kornkasten, gut erhalten; am schönsten ist die Aussicht aus den Fenstern nach Süden. Durch eine Mauer mit einer Durchfahrt, Klause, konnte das Thal völlig geschlossen werden. Die Herren v. Taufers kommen mit Hugo I. 1130 zuerst vor. Hugo V. focht mit Rudolf gegen Ottokar v. Böhmen. Ulrich III. war 1340 der letzte seines Stammes; hierauf folgen im Besitz die Grafen v. Tirol, Degen v. Villanders, die Arberger, die Herzoge Albrecht und Leopold, die Burggrafen v. Lienz 1407, Degen Fuchs v. Fuchsberg, Brixen, Leonhard Graf v. Görz; Max I., welcher es versetzt an die Fieger, Mich. Schmaus, Berghofer und die Grafen Ferrari, unter denen die Burg verfiel.

Von der Westseite kommt hier das *Mühlboaldthal* herein und an seiner Mündung, etwas nördl. von *Taufers*, liegt das Dorf *Mühlen* (2710'), 68 H., 569 E. Die uralte, aus Granit erbaute Katharinenkirche im gothischen Stile hat eine schöne Orgel und gleiches Geläute. Crucifix an der Kanzel vom alten Nissl und heilige Familie von Cosroe Dusi. Die Michaelskapelle auf dem Gottesacker von 1354. Der Pfarrer ist Dekan des Bezirksgerichts. Gasthaus. Bedeutende Glockengiesserei und Spritzenfabrik. Jahrmarkt.

Mühlen gegenüber, an der Mündung des dritten hier eintreffenden Thales, des *Beinthales*, liegt am linken Ufer der *Ache Kematen*, 39 H., 298 E., ½ St. von Sand. mit Filialkirche und dem Edelsitze *Stock*, „beim Stockmeier" genannt; die Ritter von Kematen waren Dienstmannen der Herren v. Taufers. Auf einem waldigen Hügel thront das schöne alte und im gothischen Stile erbaute *Waldburgakirchlein* von 1433. Es soll auf den Trümmern einer alten Burg erbaut sein. Sehr schöne Aussicht, besonders gegen Bruneck und das Mühlwaldthal und dessen Ferner. Hier, ½ St. von Sand, liegt auch das *Bad im Winkel* oder *Weihbrunn* in sumpfiger Lage. Das Badehaus hat eine Kapelle und ist nicht sehr besucht.

Das Mühlwaldthal

(mittlere Erhebung 4231'), zieht bei *Mühlen* aus dem Tauferer
Thalboden 3 St. westl. hinan, gleichlaufend mit dem Rienzthal
von Bruneck, nach *Vintl*, dann schwingt es sich rechtwinkelig
herum und zieht parallel mit Pfunders nördlich zu dem gewaltigen
eisigen Fernerstock der Zillerthaler Gruppe (s. Th. II). Von
Mühlen steigt der zur Noth fahrbare Weg gegen 1 St. stark bergan,
um den engen Ausgangsschlund des Baches zu umgehen und
die innere weitere Thalsohle zu gewinnen, in 2 St., 3½ St. von
Sand, bis *Mühlwald* (3597'), 173 H., 1281 E., durch die untere
westöstl. Thalstrecke auf breiten Thalboden weithin zerstreut.
Die Kirche (3694') ist 1834 auf einem Hügel erbaut; Altarblatt
von Cosroe Dusi. Von hier, wo der Fahrweg aufhört und sich
das Thal nach Norden umbiegt, wird es auf kurze Zeit enger,
dann nach 1½ St. in seiner zweiten Abtheilung in nördl. Richtung
wieder weiter. Diesen höheren Thalboden nimmt die Gemeinde
Lappach (4469'), 52 H., 456 E., ein. Der letzte bewohnte Punkt
ist *Kasern* (4974'). — Unter den nahe zusammentretenden Seitenwänden
des *Lappachthals* mit zum Theil sehr schönen Bergformen
sind folgende Gipfel zu nennen: *Tristenspitze* (8586'), *Ringelstein*
(8064'), *Beisnock* (8412'), *Grubachspitze* (8914'), *Röthespitz*
(9126'), *Pfaffennock* (9448'). — Sowohl von *Mühlwald* als
von *Lappach* aus führen Jochsteige in die benachbarten Thäler
und zwar westl. neben dem *Röthespitz* vorüber ins Pfunderserthal;
nördl. über den *Fürtschlagelferner* in den Zillerthaler Hörzingergrund,
lang und nicht ungefährlich; östl. über die Sattelscharte
des *Pfaffennock* und bequemer über das *Mühlwalderjoch* (7348')
nach Weissenbach.

Das Reinthal

ist das östl. Seitenthal des Tauferer Bodens und Botanikern zu
empfehlen. Der Eingang ist eine wilde unzugängliche Schlucht,
aus welcher der Bach unter den Ruinen der alten Burg *Kofel* hervorbraust
und einen grossen Wasserfall in 3 Abstürzen bildet.
Hier zeigt man auf einem Steine die Fusstritte des heiligen
Wolfgangs. Ungewiss ist es, ob die sogen. Burg *Kofel am Tobel*
wirklich Burg, oder die Reste eines Klarissinnenklosters sind,
welches von Hugo VI. v. Taufers gelobt sein soll. Auf der nördl.

linken Seite führt der Steig empor und über die Kluft hinweg in
den Eingang des Thales. Ueber dem Wege bleibt die Gemeinde
Ahornach, 460 E., und nicht weit davon das nur mit Gefahr auf
Felsentreppen und Leitern zugängliche Bauerngut *Kofler*. Auf
einer über dem Abgrunde schwebenden Brücke steigt man über
den Kessel des Sturzes. Hat man den Schlund des *Reinthales* über-
wunden, so führt der Weg unter einer sehr brüchigen Wand hin,
die schon einen grossen Theil des Thales überschüttet hat, und
bei nassem Wetter häufig absitzt; was man an den weissen Plaiken, wie sie im Salzburgischen heissen, schon von ferne erkennt.
Im Winter und Frühjahre machen die Lawinen den Weg unsicher,
für dessen Besserung nichts geschieht. In ¼ St. hat man diese
schlechte Stelle hinter sich und erreicht nach 1¼ St. bei den ersten
Häusern beim *Sager*, wo bereits der grosse *Lengspitz* (9849″) im
Bachernthale sichtbar wird, einen ziemlich geräumigen Thalboden, welcher hier durch die Vereinigung des nordöstl. *Knuten-*
und des von Osten herabkommenden *Bachernthales*, aus denen
das *Reinthal* entsteht, gebildet wird. Hier liegt auch die einzige
Thalgemeinde *Rein* (5051′) oder auch nach der Kirche *St. Wolfgang*
genannt, 38 H., 256 E., das Dorf nur 3 H. und die Schule, 3¼ St.
von Sand. Man befindet sich hier in dem Mittelpunkte der *Riesen-*
oder *Antholzer Fernergruppe;* besonders umschlingt das *Bachern-*
thal ein majestätischer Fernerkranz, dessen Eismassen sich hauptsächlich gegen den Schoss dieses Thales zu senken. Vom gastlichen Widum, das von der westl. Thalwand gerade in das *Bachern-*
thal hineinschaut, hat man deshalb eine herrliche Einsicht in diesen glänzenden Eispalast. Der Fernerkranz dieses Thales beginnt im Norden mit dem *Knuten-* und *Stutennock* (8663′) und erhebt sich zum *Grauennock*, von wo der Eiskamm über den *Fleisch-*
bacher Ferner, *Mucklaspitz*, dem *Lengsteinferner*, *Hochgall*, *Rie-*
senferner, *Ruthnerhorn* (so ist durch v. Sonklar das etwa 10,700′
hohe *Schneebigenock* am 13. Sept. 1861 umgetauft worden) zum
Stutennock zieht, welcher in das *Reinthal* im Süden niedersetzt.
Dieser ganze Gebirgsbogen ist ununterbrochen mit ungeheuren
Eisfeldern belastet. Auch im Rücken von *St. Wolfgang* erhebt
sich ein hoher, mit Fernern theilweise bedeckter Grat, welcher
das *Rein-* vom *Ahrenthal* scheidet. Auf ihm erheben sich die *Zand-*

18 *

nock, die *Grosse Mostnock* (9677'), *Kleine Klausennock* (9501')
und *Hiebanock* mit der schönsten Aussicht auf den Zillerthaler
Kamm. O.Ltnt. v. Sonklar (Jahrb. d. Alp.V. Th. I, S. 114) bestimmt die höchsten sichtbaren Spitzen von Westen nach Osten,
wie folgt: *Weisszinth* 10,453', *Evis* 10,036', *Möselenock* 11,015',
Thurnerkamp 10,804', die höchste der *Hornspitzen* 10,473', *Schwarzenstein* 10,661'. Dem *Löffelspitz* gibt S. 10,718'. — Hr. Fr. Keil
empfiehlt vorzugsweise die Besteigung des *Mostnock:* von *St. Wolfgang* gerade westl., auch von *Taufers* über *Ahornach* zur *Moosalm*, von da in 2 St. über Bergmatten und Steingehänge zum
Gipfel: im Osten tiefer Einblick in die Gruppe des *Hochgall*
(10,665'), hier *Bacherer Gebirge* genannt, im Westen die Zillerthaler Kette vom *Hochfeiler* (11,170') im Westen bis zum *Reicken-
spitz* (10,264') im Nordosten; Glockner und Venediger schauen
über die Schultern der Vormänner herein; im Süden die Dolomitschroffen von Fassa und Ampezzo. — Von der *Moosalm* führt
ein wenig beschwerlicher Weg an der *Nassenwand* (9049') vorbei
nach St. Peter im Ahrenthal. — v. Sonklar empfiehlt (Mitth. d.
A.V. II, S. 139) vor allem die Besteigung des minder hohen,
etwa in 3 St. von *St. Wolfgang* zu erreichenden *Stutennock* mit sehr
malerischer Aussicht. — Im Norden senkt sich dieser Gebirgsstock zu einem niedrigen Sattel, dem *Klaml*, über welchen ein
Weg aus Defereggen in das Knutenthal führt. Man treibt auch
Schafe aus dem *Bachernthale* über den *Riesenferner* nach Antholz.
In Defereggen heisst die ganze Gruppe der *Rieser*. Einen sehr
lohnenden Ausflug von *Bruneck* würde der Reisende machen, wenn
er über *Taufers*, durch das *Reinthal*, über *St. Wolfgang*, durch das
Knutenthal, über das *Klaml*, durch das oberste *Defereggen*, *St. Jakob*, über die *Staller Alpe* (s. unten), *Antholz* und die *Neunhäuser*
zur Strasse ins *Pusterthal* ginge, von wo er entweder nach *Bruneck* zurück-, oder sogleich im *Pusterthale* fortreiste. Die beiden
Bergübergänge, das *Klaml* und die *Staller Alpe*, sind ganz niedrig
und dienen nur dazu, um den Thalwanderer durch frische Luft-
ströme zu erquicken. Führer ist der Messner Joh. Bacher in
St. Wolfgang.

　　　Das Ahrenthal (Fortsetzung).
　　Wir durchziehen die Engen unter der Burg *Taufers*. Nach

½ St. wird es lichter und es erscheint, 1¼ St. von Sand, *Luttach*, mit *Weissenbach* (3063′), 182 H., 759 E. In der Kirche das Altarblatt von Schöpf. Edelsitz *Am Stock*, jetzt Wirthshaus. Hier mündet das Thal *Weissenbach*, ein kleineres gleichlaufendes Thal mit Mühlwald. In ihm liegt die Gemeinde *Weissenbach* mit der uralten sehenswürdigen St. Jakobskirche, in welcher ein altdeutscher Flügelaltar und ein schönes gothisches Sakramentshäuschen aus Tuffstein. Merkwürdige Felsenklamm in der Nähe. Im hintersten Theile des Thales, welches wie Mühlwald zuletzt nördl. ansteigt, lagert der grosse und prächtige *Neveser Ferner*, der nächste Nachbar des *Möselferners*, mit dem er auch zusammenhängt. Vielfach zerklüftet steht sein Fuss in einer furchtbaren Steinwüste, die er vor sich hertreibt. Mitten aus seinem weiten blendenden Gefilde erhebt sich ein grünumkleideter Felsenstock, ein Lieblingsaufenthalt der Schafe. Am Ferner liegt der eisige *Christensteinsee*. — Von *Luttach* wendet sich das *Ahrenthal* plötzlich von Norden nach Nordost. Am *Rohrbach* findet der Reisende das Schmelzwerk *Arzbach*, wo die gewonnenen Kupfererze des Thales geschmolzen werden. Unweit davon steht die Pfarrkirche von *Ahren*, *St. Martin*, deren Gemeinde 182 H., 1398 E. und 2 Schulen zu *St. Johann* (2¼ St. von Sand) und *Steinhaus* zählt. Die neue Pfarrkirche hat schöne Fresken und Altarblätter von Schöpf, sowie Altäre von Jak. Santer in Bruneck. ¼ St. hinter der Pfarrkirche liegt *Mühlegg* mit dem Berggerichtshause. Nur ½ St. dahinter erreicht man *Steinhaus* (3273′) mit dem besten Wirthshause im Thale; auch befinden sich hier ansehnliche Gewerkshäuser. Ueber *St. Jakob*, 111 H., 770 E., gelangt der Wanderer nach *St. Peter auf dem Koﬂ* (4316′), 6¼ St. von Sand, der letzten Gemeinde dieser Strecke, *Im Ahren*, 85 H., 484 E. Die Kirche steht, ihres Namens würdig, auf einem hohen steilen Felsen. Von *Taufers* bis *Luttach* wandert man dem Zillerthaler Eisrücken entgegen und seine Eisriesen geben der wechselnden Landschaft immer einen grossartigen Hintergrund. Von *Luttach* an aufwärts bis *St. Peter* zieht man zwischen und neben den beiderseitigen Eisgebirgen hindurch und erblickt die blinkenden Dachgiebel nur dann und wann durch eine Seitengasse. Das Thal ist ziemlich einförmig. Bei *St. Peter* verengt es sich zur schauerlichen *Klamm*, wo häufige

Lawinen und Bergbrüche vorkommen, und steigt durch diese
Enge zur letzten Thalstufe empor, dem *Prettau.* Hier wird es alpenhafter, die Eisgebirge des Hintergrundes, die westlichen Eckpfeiler der Venedigergruppe, schimmern herein und geben dem
Durchblick einen passenden Anhaltpunkt. Der Hauptort dieser
Strecke ist *St. Valentin,* 162 H., 842 E., welcher hauptsächlich
durch die Kupfergruben aufkam, die schon 1478 im Betriebe waren. Das zweite Wirthshaus, ½ St. weiter aufwärts, ist besser als
das bei der Kirche. Merkwürdiger Weise wurde der hiesige Bergbau auf einige Zeit verboten, aus dem Grunde, weil das hiesige
Kupfer viel besser war, als das in Schwatz ausgebeutete, wodurch
dem Bergbau zu Schwatz Abbruch geschehe. Wirklich kamen
dadurch die Ahrener Gruben in Verfall, bis ihnen die Grafen
v. Wolkenstein wieder anfhalfen. Sie blühen noch im Besitze der
Grafen v. Enneberg und Freiherren v. Sternbach. Das hiesige
Kupfer ist das beste in Tirol, lässt sich zu Draht ziehen und zu
Lionischen Tressen und Borden verarbeiten. Es geht daher auch
nach Frankreich. Das Erz bricht im Chloritschiefer. Die einträglichste Grube befindet sich bei der Heiligen Geistkirche. Die
Anzahl aller Bergleute beläuft sich auf 174. Das Kupfer wird
unmittelbar aus dem Erze oder durch Cementquellen gewonnen.
Jährlich werden 200 Ctnr. Eisen hierher geführt, um durch Ce-
mentwasser in Kupfer verwandelt zu werden. Durch 6 Stollen
wird das Erz zu Tage gefördert, von denen der oberste, St. Jakob,
5969', und der unterste, St. Ignazi, 3667' ü. d. M. mündet. Durch
letzteren führt eine 583 Bergklaftern lange Eisenbahn. Erlaubniss zum Einfahren ertheilt der Bergverweser oder statt seiner
,,der Einfahrer" Anton Auer. Sehr grosse und schöne Bergkrystalle, Adulare und Magneteisenstein. Ausserdem werden hier
10,000 Torfziegel gestochen. Die kleine Kirche *Zum Heiligen
Geist* liegt, sich gegen den Sturm der Lawinen unter einem Felsen bergend, 1 St. von St. Valentin, mit der Häusergruppe von
Kasern (4996') schon ganz alpenhaft, ein Tauernhaus, in dem
aber nichts zu haben ist. Die Kirche dient zum Gottesdienst der
Tauernwanderer, der Gottesacker zum Begräbniss der auf dem
Tauern Verunglückten. Da, wo rechts der *Windbach* herabstürmt,
führt ein doppelter Jochsteig östl. über das *Vordere* und *Hintere*

Thörl in das jenseitige eisige *Umbalthal*, den Ursprung der *Isel*, welche Virgen durchströmt. Beide Steige gehen 1 St. lang aufwärts über Gletscher; auf der Höhe (9500') breitet sich vor dem Auge weit hingestreckt der wenig bekannte gewaltige *Umbalgletscher* aus mit seinen Schneehörnern, im Osten die *Simonyspitze* (10,900'). An dem Westrande des Gletschers klettert man eine Strecke hinab, überschreitet ihn ostwärts im Angesicht des tiefbeeisten *Dreiherrnspitz* (11,096') und erreicht auf mitunter schwindelndem Pfade am linken Iselufer *Pregratten* (4110'), 9—10 St. von Kasern.

Nach der Einmündung des *Windbachs* steigt das *Prettau* nochmals und stärker zum *Krimler Tauern* an, man kommt in den hintersten höchsten Thalkessel, in welchen besonders rechts ungeheure Eismassen vom *Dreiherrenspitz* herabsteigen, der wegen des südwestl. Steilabfalls von hier aus schwer zu ersteigen sein dürfte. Nun beginnt der eigentliche *Krimler Tauern*, dessen *Thörl* (8749') man in 2¾ St. von Heiligen Geist erreicht. Von ihm hat man einen Rückblick auf die Gletscher des Dreiherrenspitzes. Jenseits geht es rasch in 1 St. in das Windbachthal im Salzburgischen, dann durch das Achenthal und an den Riesenstürzen der Krimler Ache hinab nach Kriml im Pinzgau. — Von *St. Martin* im Beginne des *Ahrenthales* an hat jedes Dorf auf der Nordseite sein eigenes Hochthal, durch das Wasserfälle, aus Gletschern gespeist, herabstürzen. Durch die meisten dieser, sowie der südlichen, Seitenthäler führen

Jochsteige in die benachbarten Thäler. Die bekanntesten und lohnendsten sind folgende: von *Steinhaus* über den *Keilbachgletscher* (2 St. über Eis) auf die innerste Alpe im Stillupthale; von Steinhaus bis Mayrhofen 10½ St.; ein Weg, sehr beschwerlich, aber voll der erhebendsten Ansichten und reich an Scenenwechsel. Ein anderer Steg bringt uns von *St. Jakob* über das *Hörndle* (8067') in 8½ St. in den Zillergrund auf die Au; endlich gelangt man auf einem nicht gefährlichen Wege über die *Hundskehle* ebenfalls in den Zillergrund. Führer: Paul Kaiser und Michael Oberhollenzer von St. Jakob; ferner: Anton Rauchenbichler, vulgo Hun-Tonig, im Felderhäusl in St. Peter und Anton Abner, vulgo Kaserer-Tonig, von Kasern bei Prettau. Von Stein-

haus bis Mayrhofen kostet ein Führer sammt Verpflegung 8—4 Fl.
oestr. W. Von *St. Valentin* aus führt auch noch ein langer, etwas
mühsamer Jochsteig über das *Merbjoch* südl. ins Defereggenthal,
sowie man auch von *Heil. Geist* aus neben dem *Pferrerspitz* und
Vord. Thörl (2 St. über Eis) in das Umbalthal und nach Pregratten gelangt (sehr lohnend, wenn auch mühsam). Von den das
Thal umschliessenden Bergen sind zwar die meisten wegen ihrer
ansehnlichen Höhe lohnend, besonders die im Norden, allein nur
wenige sind bekannt und ohne Gefahr zu besteigen, besonders
die im Eiskamme westl. vom Löffler (Trippachspitz), von denen
fast noch keiner erstiegen wurde. Am ehesten wären noch die
Gfaller- und *Keilbachspitze* (Führer Paul Kaiser von St. Jakob),
die *Dreieckspitze* zugänglich, die *Feldspitze* nördl. von Kasern, so-
dann die *Löffelspitze* (9672') südöstl. von Kasern (das erstemal
vor 4 Jahren von einem Genieoffizier erstiegen — Führer Peter
Innerbichler und Johann Rubner).

    Allgemeines über das Ahrenthal.

    Die untere Thalstrecke von *Bruneck* bis *Taufers* ist frucht-
bar und wohlangebaut; da aber die übrigen Thalgebiete wegen
Mangel an Getreidebau mit versehen werden müssen, so reicht
das Getreide nicht aus. Auf die steilsten Abhänge muss die fruchtbare Erde in Körben hinaufgetragen oder ge gr att e it werden.
Letzteres besteht darin, dass man oben am Abhange eine Walze
oder Rolle anbringt, um welche ein Strick läuft, an dem das Grat-
tel, ein zweirädriger Karren mit guter Erde gefüllt, emporgezo-
gen wird. In den oberen Thalgegenden blüht die Viehzucht, und
zwar wird theils junges Vieh aufgezogen, theils auch fremdes an-
gekauft und gemästet wieder verkauft. Auch werden viele Pferde
gezogen. Die steilsten Alpen, deren es hier sehr viel gibt, wim-
meln von Ziegen und Schafen. Saure Käse und Butter werden
ausgeführt. Die Sennhütten liegen in Dörfern zusammen; die
Alpenwirthschaft wird aber nur von Männern besorgt. Der Holzhandel beschäftigt auf vielfache Weise, durchs Verkohlen für die
hiesigen Hüttenwerke, wie durchs Verfahren hinaus nach Bruneck. Aus den Zirbelbäumen werden Geräthschaften geschnitzt
und gedreht, wie jenseits des Tauern auch. Selbst die Zirbel-
nüsse kommen in Handel. Die weibliche Bevölkerung und die

Kinder verfertigen Spitzen. Der Bergbau mit seinen Nebenzweigen beschäftigt ebenfalls einen Theil der Bevölkerung. Die Bewohner gleichen schon wieder mehr den Zillerthalern und Pinzgauern in Sprache und Sitte; man tritt aus der Fernerwelt wieder in das Gebiet der Keese (Gletscher), der Tauern, Tauernhäuser, Thörl u. s. w. Herzog Rudolf v. Oesterreich zog über den Krimler Tauern und durch das Thal, um Tirol aus den Händen der Margaretha Maultasche zu empfangen.

Mineral. Im Eingang beiderseits Granit, dann Glimmerschiefer, unterbrochen auf kurze Strecke durch den Antholzer Gneisszug; östl. von Taufers Granit, dann Glimmerschiefer mit Kalklagern, der den krystallinischen Glimmerschiefer, welcher das obere Längenthal durchzieht, vom Centralgneiss trennt. Im Glimmerschiefer Einlagerungen von Chloritschiefer mit Magneteisen, auch von körnigem Marmor. Dies mineralienreiche Gebirge zieht quer durch das Mühlwaldthal nach Pfitsch. Talk mit Strahlstein, Adular von Chlorit überzogen, schöne Turmalinkrystalle (St. Johann), im Glimmerschiefer gestrickter Rutil; bei Lappach (Mühlwaldthal) im Marmor Kalkspathrhomboëder, durchwachsen von Asbest, zugleich mit Amianth. Bergkork, Titaneisen. Statuenmarmor bei Taufers. Bei Rettenbach (St. Johann) Bergbau. Eine interessante Kupferkieslagerstätte im Chloritschiefer führt auch Schwefelkies, grosse Bergkrystalle, Kupfervitriol.

Das Gadergebiet oder Enneberg im weiteren Sinne.

Das *Gaderthal* kommt von Süden und geht nach Norden, um sich bei *Bruneck* mit der *Rienz* zu vereinigen. Es ist 10 St. lang und steht durch seine Jochübergänge mit Lüsen, Gröden, Vilnös (Eisackgebiet), Fassa (Etschgebiet), Buchenstein, Ampezzo (Boita-, Cordevole-Piavegebiet) und Prags (Rienzgebiet) in Verbindung. Eng und schmal drängt sich der Thalstamm zwischen Glimmerschieferbergen hinan als *Gaderthal* bis *Zwischenwassern*, dann gabelt sich das Thal; südöstl. kommt der *Vigilbach* herein aus dem Thal *Enneberg* im engeren Sinne, während südl. der *Murzbach*, von Einigen auch noch *Gader* genannt, aus dem *Abteithal* herabkommt. *Vigil-* und *Murzbach* bilden die *Gader*. Merkwürdig und berühmt ist das Thal durch seine Flötzgebilde mit ihren Versteinerungen (Cassian und Wengen), durch seine riesenhaften Dolomite und den vielfachen Wechsel der Gebirgsarten. Nicht weniger interessant sind aber auch die ethnographischen Verhältnisse. Sie gleichen den Versteinerungen der Gegend, sie sind Ueberreste früherer Völkerniederschläge. Wie aber die *Gader* von der mächtigeren Rienz verschlungen wird, so wurden

auch jene vielleicht römischen Niederlassungen durch die deutsche Rienz abgeschnitten.

Von *Bruneck* aufbrechend besuchen wir noch das ganze südl.
der *Rienz* liegende Gebiet. Wir gehen in dieser Absicht von *Brun-
eck* südwestl. an dem linken Ufer der *Rienz* hinan; bald erblicken
wir auf einem Felsen, an dessen Wänden sich die hier reissende
Rienz schäumend bricht, die grossen, zum Theil noch bewohnten,
Ruinen der *Lambrechtsburg* (2997') neben einer kleinen Kirche.
Hoch ragt über alles ein viereckiger Thurm empor; nur wenige
Gemächer sind noch bewohnt. Während uns hier aus den Trüm-
mern, dem düsteren Walde und den wildschäumenden Wogen der
Rienz ein ernst-erhabenes Bild entgegentritt, lacht uns dort von
Norden die wohlangebaute Fläche von *Bruneck* entgegen; nur
ragt hier die Feste *Bruneck*, dort der schneebedeckte Kern der
Tauern aus der lieblichen Hülle hervor. Die Geschichte der Lam-
brechtsburg ist in tiefes Dunkel gehüllt. Sie gehörte einst den
Edlen v. *Rischon* und hiess deshalb auch lange die *Burg Rischon*.
1100 schenkte sie Tagini v. Rischon dem Hochstifte Brixen, 1220
waren die Grafen v. Tirol im Besitze, im 14. Jahrh. wieder Brixen, seit 1645 die Waidmann, dann Johann v. Winkler und endlich der Priester Joseph Hauptmann, dessen Erben jetzt noch im
Besitze sind.

Von der *Lambrechtsburg* steigen wir zu einer nicht hohen, aber
angebauten und bevölkerten Bergplatte südl. empor. Hier liegt
zunächst *Reisach* (2999'), mit St. Georgen und Reiperting 77 H.,
526 E., 1 St. von Bruneck; eine Schule, Kirche und Gasthaus;
Ansitz *Angerburg*, ein altes brixnerisches Lehen, 1540 Besitzthum
der Edlen v. Prack, dann Eleonore Feichtner, Hans Huber, die
Freiherren v. Sternbach, Mutschlechner, 1825 Christoph v. Klebelsberg und jetzt dessen Sohn, Dr. Karl v. Klebelsberg. Hoch
über *Reisach* liegen im Walde uralte, aber geschichtslose Burgtrümmer. Etwas südöstl. liegt die zerstreute Gemeinde *Walch-
horn*. Wandern wir westl. auf der Bergplatte, welche südl. von
einem Gebirgskranze amphitheatralisch umlagert wird, so kommen wir über *Stephansdorf* nach *St. Martin* (s. Lorenzen S. 266).
Hier senkt sich die Bergplatte gegen den Winkel, wo *Gader* und
Rienz zusammenfliessen; auf schönem umgrüntem Hügel steht die

uralte Martinskapelle. Der Ansitz *Schwarzhorn*, einem Bauern gehörig.

¼ St. westlicher, gegen die *Gader* hinab, lagert *Moos*. Aus ihr erhebt sich ein schöner Hügel, welcher die malerische Ritterfeste *Michaelsburg* (2978') trägt, noch grösstentheils wohlerhalten. Als Erbauer gelten Römer des in der Nähe gelegenen Litamum. Geschichtlich waren die ersten Herren die Grafen v. Pusterthal, Ottwien, Engelberth, letzterer auch Graf v. Lurn, und seine Söhne; 1271 kam die Burg an die Görzer Linie, und nach deren Aussterben 1500 an den Bischof Melchior von Brixen, wurde jedoch wieder eingelöst und den Herren v. Welsberg verliehen; von dieser kam sie an die Freih. v. Schneeburg, Bischöfe von Brixen, Freih. v. Wolkenstein, Tröger, und zuletzt an die Grafen v. Künigl. Letztere erhielten auch den grössten Theil der Burg in gutem Zustande. Sehr schöne Aussicht auf die Umgegend von Bruneck, sowie die Burg selbst zur Zierde der Gegend gehört.

Von der *Michaelsburg* steigen wir nun wieder zur *Gader*. An ihrer Ausmündung in die *Rienz* und *Sonnenburg* gegenüber liegt das Dorf *Pflaurenz* (s. Lorenzen S. 266). Ueber die *Rienz* führt eine Brücke. Hier ist der Stapelplatz des aus dem Enneberger Thale herausgeflössten Holzes.

Vor der Mündung des *Gaderthales* lagert ein bewaldeter Berg, der *Kienberg;* sein von Westen nach Osten gezogener Rücken zwingt die *Gader*, ehe sie in die Rienz fliesst, zu einer östlichen Richtung. Da der *Kienberg* aber frei steht, so geht auch westl. ein Thal hinaus zur Rienz, vom *Marbach* durchflossen, der nur durch eine niedrige Wasserscheide von der *Gader* getrennt ist. Kommt man daher aus Enneberg, so verschliesst der *Kienberg* gleichsam das Thal gegen Norden, bald aber öffnet sich dasselbe durch das Doppelthor der *Gader* rechts nach Pflaurenz und Lorenzen zur Rienz und links westl. durch den *Marbach* nach Ehrenburg zur oberen Rienz. An dem *Marbach* liegt das Dorf *Monthal* (2749'), 22 H., 154 E., wie auch das Thälchen des *Marbachs* genannt wird, 2 St. von Bruneck. Nordwestl., am Ausgang des Thales zur *Rienz*, liegt *Ehrenburg* (s. Kiens S. 264). Vor dem Dorfe die heitere schöne Kirche auf einer Höhe, mit Gemälden von Grasmayr, Fresken von Ad. Mölk; unter dem Hochaltare die

Gruftkapelle mit einem uralten Gemälde; daneben die Gruft der Grafen v. Künigl. Neben dieser Kirche steht die Magdalenenkapelle und am Ende des Dorfes die Ruinen der Nikolauskirche. Etwas nordwestl. thront auf einem felsigen, vorspringenden, waldigen Kopfe die alte Feste *Ehrenburg*, das Stammschloss der Grafen v. Künigl, wohlerhalten. Schöne Burgkapelle, Gemäldesammlung. Das Schloss erscheint im 11. Jahrh. als Airnburg, wo Rudolf I., Chunig von Airnburg, das alte Schloss wie den Ansitz im Dorfe inne hatte. 1250 hatten es die Herren v. Geschuren, 1342 die Edlen v. Hund, die Ritter v. Weineck, auf welche abermals die Ritter v. Künigl folgten, die 1471 von den Grafen v. Görz mit dem Burgfrieden und Gerichte Ehrenburg belehnt wurden. Sie blieben seitdem fortwährend im Besitz, nur die Gerichtsbarkeit fiel dem Staate heim. Die Grundmauern sollen römisch sein. Ein Theil der Burg ist mehr schlossartig im neueren Stile erbaut. Südwestl. steigt man nach *Hörschwang* hinan (s. Onach). Die letzten Häuser liegen schon sehr hoch, so dass man von ihnen nur noch 1 St. zum *Lüsener Joche* braucht, das schon der Aussicht wegen über das obere Rienzgebiet die Ersteigung verdient. In der Nähe liegt das besonders von den Ennebergern besuchte Bad *Ramwald*. Das sogen. *Magenbad* hat ein klares, reines und kaltes Wasser, kohlensaures Gas, wenig Eisen und Bittersalz. Das *Gliederbad* hat ausser den vorigen Bestandtheilen noch kohlensaure Kalkerde. Die Anstalten sind noch sehr beschränkt. Die Aussicht vom hochgelegenen Bade ist schön. Von Lorenzen über Monthal 2¼ St., von Bruneck 3 St. Auf demselben Höhenzuge, doch gegen Enneberg hinein, auf dem *Ellengebirge*, liegen *Onach* (3659'), von wo ein Steig über das *Lercheneck* (6919') nach Lüsen geht, und *Ellen*, 27 H., 166 E., mit reizender Aussicht in die Gegend von Welsberg und Niederndorf.

Vom Mündungsgebiet der *Gader*, welches das südl. Gebirgsamphitheater von Bruneck bildet, wenden wir uns in die Engen des *Ennebergs*. Der erste Ort an der Strasse, unweit Monthal, aber auf dem rechten, östl. Ufer der *Gader*, ist *Saalen* (s. Lorenzen S. 266). Gutes Gasthaus, das letzte, wo thalaufwärts deutsch gesprochen wird, dann beginnt das ennebergische Ladin. Auf einer Höhe die Wallfahrtskirche *Maria Loretto*, mit schöner Aussicht hinüber nach Monthal. Von hier führt die Strasse, sehr schmal, links hinan und zieht dann in beträchtlicher Höhe an der östl. Thalwand über dem tiefen Schlunde der *Gader* hin, welche man rechts in der Tiefe nur dann und wann erblickt. Die Bergwände, welche sehr steil sind, bestehen aus Thonglimmerschiefer. Ihre Abhänge sind um die sich hie und da zeigenden Häusergruppen angebaut, oder mit Bäumen, namentlich Eschen, und Buschwerk bedeckt. Jenseits am Steilabhang erblickt man an den Bergen zerstreut *Onaok*, mit Hörschwang 58 H., 314 E. Bald darauf überschreiten wir die Bezirksgrenze von Bruneck und betreten den Bezirk *Enneberg*, 6 Q.M., 14 Dörfer, 883 H., 5824 E. *Enneberg* selbst, im Ladin Maréo oder Maro, im Italienischen Marebbe und im Lateinischen Marubium, 191 H., 1437 E., nimmt das untere *Gaderthal*, wie das östl. nach *Vigil* hineinziehende *Vigilthal* ein und zerfällt in die „Zechen“: *Plaiken*, *St. Maria* oder *Pfarre*, la *Court* oder *Hof* und *St. Vigil*. Das erste Haus in diesem Bezirke, 2 St. von Lorenzen, ist das einzelne Wirthshaus *Palfrad*, Bier und Bedienung gut. Die Männer in diesen romanischen Thälern (Enneberg, Fassa, Gröden) verstehen und sprechen fast sämmtlich deutsch. Nach 1½ St. wird es lichter; links öffnet sich die Thalwand, um ein Seitenthal, den zweiten Hauptthalast, das *Vigilthal*, hereinzulassen. Die Strasse steigt hinab zur Vereinigung des *Vigilbacks* mit der *Gader*, wo *Zwischenwasser*, Lunghiega, liegt. Sehr schöner und überraschender Einblick aus dem bisherigen engen und düsteren *Gaderthal* in das weit sich erschliessende Thal von *St. Vigil* oder *Rauhthal* mit seinen grünen Höhen und gewaltigen Dolomitmassen. Jährlich grosso Viehmärkte, daher ziemliches Wirtbshaus. *Zwischenwasser* ist ein Weiler, welcher zur Gemeinde *Plaiken* (Plüschia) gehört. Letztere Gemeinde liegt links hoch oben an der Bergecke zwischen *Gader*- und *Vigilthal*, mit der *Georgskirche*.

Das *Vigilthal* oder *Enneberg* im engeren Sinne, auch *Rauhthal*, beginnt bei *Plaiken*. Zunächst kommen wir daselbst zu dem Edelsitze *Asch*. Stammhaus der Ritter v. Prack, bekannt in der Zeit des Faustrechts des Thales (s. S. 289), gegenwärtig der Fr. Aloisia Rovara gehörig. Ueberschreitet man den Einschnitt des Baches *Fortgiang*, so gelangt man zur *Pfarre*, Pieve da Maro, mit alter Kirche und schönem Spitzthurme. **Wallfahrt zur *seligsten Jungfrau Maria.*** Vermöge eines Gelübdes müssen die Velsberger wegen Befreiung von der Pest alle 100 Jahre ein Gemälde stiften, welches die Wallfahrt darstellt; 3 solcher Tafeln hat die Kirche schon aufzuweisen, welche dadurch einiges Interesse haben, dass man sieht, wie die Tracht in diesen Zeitabschnitten gewechselt hat. In der Michaeliskapelle ein alter Schnitzaltar. Hochaltarblatt von Horaz Giovanelli (Fleims). Der Pfarrer ist Dekan des Gerichtes (ohne Corvara und Colfuschk). Ueber einen abermaligen tiefen Thaleinschnitt, den des Baches *dö Glisia*, setzend befindet man sich zu *Hof*, la Court, mit dem Ansitz *Rost*, Ras, Stammsitz der gleichnamigen Grafen, jetzt Bauerngut. Von hier steigen wir über *Mannthan*, Mantena, einen Weiler von 20 H., wieder in das Thal hinab zu dem Hauptorte desselben, wie des ganzen Bezirks, *St. Vigil* (3826'), 24 H., 151 E., gutes Wirthshaus, Sitz des Bezirksamts, Maro, Marubium, St. Vigil, Plang di Maro, 1¼ St. von der Pfarre, 4½ St. von Bruneck. Die heitere Kirche ist von Mathias Günther zu Augsburg in Fresco ausgemalt. Bei ihr ein schönes Echo. Herrlich ist die Lage des Ortes, der sich über grüne, sanfte Höhen lagert, aber von gewaltigen Dolomitkolossen, dem *Plang de Corones*, *Mont de Sella* und *Pitz de Peres*, überragt wird. Doch über aller dieser Herrlichkeit, über jenem Schmelz der Wiesen mit den im Abendschimmer in Rosenduft glühenden Dolomiten schwebt das Schwert des Damokles; das lehrt uns der mit ewigem Banne belegte Wald *Wruscha*, hier der englische Park genannt; das beweisen die bei Neubauten sich zeigenden Klüfte, welche in nächtliche unergründete Tiefen hinabreichen; das verkünden die schauerlich durch den Abend tönenden Glockenschläge nach dem Abendgebete, welche an 2 grosse Bergstürze erinnern, die *St. Vigil* einst begruben und den Berg beschwören sollen gegen ferneren Einsturz. — Vor dem Dörfchen in der *Pfarre* führt ein Weg über die *Furgl* ins Geiselsberger Thal nach Olang, sowie man auch von *St. Vigil* aus zwischen *Col de Latsch* und *Fingerspitz* zum Pragser Wildsee gelangt (s. Prags, S. 308). Auch verbindet ein Steig über das westl. Joch (5048') *Pikolein* mit *St. Vigil*. Von hier aus sind bequem zu ersteigen und lohnend die Spitzen: *Kronplatz* (*Plang de Corones*, gewöhnlich *Spitzhörnl* genannt, 7266'), *Dreifingerspitz* (7826'), *Col de Latsch*, *Gr. Monte Sella*, *Armentara* (sehr lohnend); Führer hierzu sind die 3 Brüder Joseph, Franz und Vigil Willert, Jakob Kaneider und Anton Trebo, Gerber, sämmtlich von St. Vigil.

Das *Rauhthal*, Vallon di Rudo, welches von hier an aufwärts im engeren Sinne beginnt, zieht an 4 St. lang, beinahe ganz eben, mit grünen Tiefen neben schroffen, sonderbar geformten Dolomiten hinan. Nach der ersten Stunde sieht man den ziemlich ansehnlichen Bach aus der Erde hervorquellen, der schon am oberen Ende des Thales seinen unterirdischen Lauf beginnt. Hier führt ein Pfad rechts über die Alpen *Gross*- und *Kleinpfannes* nach Wengen, ein anderer links über die Alpe *Fodara-Vedla* nach Ampezzo. Hier liegen die grossen Alpen *Fodara-Vedla*, *Rudo* und *Fosses* als Grenzgebiete, daher vielfache Streitigkeiten über ihren Besitz und Grenze zwischen den tirolischen Gemeinden Ampezzo und Enneberg. Der Sage nach wurde der Streit dahin entschieden, dass 4 Männer von Ampezzo, welche sich dazu gemeldet hatten, einen ungeheuren Stein, welcher auf unbestrittenem Ampezzaner Gebiete lag, über das streitige Gebiet tragen sollten, und wo sie ihn aus Erschöpfung fallen liessen, sollte die Grenze sein. Die Enneberger hielten es für unmöglich für 100 Männer, den Stein fortzubringen. Doch nicht ohne Grauen sahen sie, wie ihn die 4 Ampezzaner mit Leichtigkeit forttrugen. Weit schon hatten sie ihn getragen, als eine Enneberger Sennerin in ihrer Angst ausrief: „In Gottes Namen, sie nehmen uns die ganze Alpe!" Da entfiel den Starken der Stein, zerschmetterte und begrub sie zugleich unter ihm, dass nichts mehr von ihnen zu sehen war. Noch jetzt zeigt man den Stein, gezeichnet durch 4 Zirben. Oestl. unter dem *Col de Latsch* liegt der *Kreidensee*, an dessen Gestade Kreide gewonnen wird. Aus seinem blauen Spiegel taucht ein Felsen auf, ähnlich einem Kapuziner. Am Ufer ein frischer Brunnen und ein Echo. Der Uebergang nach Wengen im Gaderthal über das Joch *Ritt*, 2½ St., ist für den Botaniker wichtig. Bei *St. Vigil* soll einst eine grosse Schlacht zwischen den Enneberger und Italienern vorgefallen sein. Diese Sage ist zum Theil begründet; es waren die Venediger, welche 1487 raubgierig hier einfielen; ihr Uebermuth, der sie der Sage nach mit den abgeschlagenen Köpfen der Enneberger Kegel schieben hiess, erregte den Hass des Volkes, so dass ihre Herrschaft ein blutiges Ende nahm. — In der Nähe von *St. Vigil* liegt das Bad von *Cortina* (ein Kohlensäuerling mit kohlensaurer Kalk- und Bittererde, Eisenoxydul, schwefelsaurem Kalk, geringen Mengen von Kieselerde, angeblich auch phosphorsaurer Thonerde), das bei besserer Einrichtung und Bedienung sehr besucht sein würde, da es wirksam, leicht zugänglich und gut gelegen ist, auch in der Nähe gute Jagdbestände sind (Spielhähne und viel Gemsen).

Von den Herren v. Prack, den einst gefürchteten Gebietern von Asch, gehen noch manche Sagen im Munde des Volkes. Franz Wilh. v. Prack, in der zweiten Hälfte des 17. Jahrh., war als trefflicher Schütze berühmt. Einst erblickte er aus den Fenstern seines Schlosses seinen Todfeind, den Kolzen v. Abtei, als derselbe eben aus dem Pleisswald herausgeritten kam. Schnell legt er auf ihn an und schiesst nach ihm; doch er trifft nur den Sattelknopf seines Gegners, der ihm dafür tödtliche Rache schwor (s. Corvara, S. 294). Eben derselbe Prack lebte auch in Fehde mit den Ampezzanern. Als er einst von einem Besuche bei seiner Geliebten, einem Fräulein auf dem Peutelstein, heimkehrte, hatten seine Feinde die Brücke Tavernanza, welche über einen schauerlichen Felsenschlund führte, abgetragen, und lauerten ihm hier in grosser Menge und wohlbewaffnet auf. Der Ritter, an den Abgrund kommend, stutzte einen Augenblick, zog sein starkes Ross etwas zurück, gab ihm die Sporen und setzte über den furchtbaren Abgrund; doch nur mit den Vorderbeinen hatte das Pferd den jenseitigen Rand des Abgrundes erreicht, dennoch arbeitete es sich glücklich hinauf. Der Ritter sass ab, küsste seinem Rosse dankbar die Hufe und ritt hohnlachend im Angesicht der erstaunten Feinde davon.

Das Hauptthal der Gader (Fortsetzung) zieht von *Zwischenwasser* südl. hinan, der Fahrweg steigt ebenso schnell empor, wie er herabkam, und wir befinden uns wiederum in gleicher Höhe über dem Schlunde des *Gaderbachs*, wie vorhin. Besonders auffallend sind hier links an der Thalwand die vielfach gebogenen und gewundenen Glimmerschieferlagen. Jenseits des

Abgrundes erblickt man auf einer Bergstufe die Gemeinde *Welsch-ellen* (4396') oder *Rinna* (s. u. St. Martin). Die Umgebungen sind trotz des steilen Bodens so fleissig bearbeitet, dass die Gemeinde weit über ihren Bedarf Getreide baut. Von der Kirche hat man eine schöne Aussicht östl. ins Enneberg und nördl. ins Pusterthal. Weiterhin erblickt der Reisende rechts in schwindelnder dunkeler Tiefe einen grünen Hügel, eine von der *Gader* umschäumte Halbinsel, mit einem Hause, *Klein-Venedig* genannt. Gegenüber zieht das Seitenthal *Untermoi* herein, den Sandsteingürtel bezeichnend, den wir schon mehrmals fanden, als Grenzrand des Dolomitgebiets. Hier liegt 1 St. einwärts das gleichnamige kleine Dorf. Flachs- und Getreidebau, sowie ein grosser Viehmarkt. Höher oben im Thale liegt das wenig besuchte Bad *Untermoi.* Die Quelle sprudelt unter einem Kalkfelsen hervor und enthält ähnliche Bestandtheile wie die von Cortina. Die Höhen umher umschattet der *Puthiawald*, aus dem stolz und kühn der doppelgipfelige *Peitlerkofl* (9085') sein kahles Dolomithaupt emporstreckt. Von *Untermoi* führt ein Steig über den *Cartazerberg* (6950') nach Lüsen. Um eine Ecke biegend verlässt der Weg im Hauptthale den Glimmerschiefer und somit beginnt ein anderer, etwas unregelmässiger Charakter der Landschaft. Hügel und Berge bilden die niedere Gegend, über welche die Dolomitzinken des Abteithales nackt und hoch in die Lüfte emporstarren. Von hier folgen bis zum Abteithal die Kalke der Seiserschichten und die rothen Campilermergel mit ihren versteinerungsreichen Zwischenschichten und die darüber folgenden Kalke bis zu den Halobien führenden. Der erste Ort hinter Zwischenwasser in diesem Gebiete ist *Pikolein* (3531'), 1 St. von dem vorigen, mit einem Wirthshause, dem ehemaligen Edelsitze *Freieck.* Die Kirche hat ein stark vergoldetes Holzbild. Die ehemaligen Schmelzwerke für das aus Buchenstein kommende Eisen gehörten den Bischöfen von Brixen. Rechts jenseits des Baches zeigt sich auf einer Halbinsel das Dorf *St. Martin*, mit Welschellen, Campil, Untermoi und Sonnenburg 276 H., 1714 E., mit der darüber liegenden alten Feste *Thurn* an der *Gader;* Kirche und Dorf sind in früherer Zeit einmal durch einen Bergsturz begraben worden. In der Geschichte des Thales hat *Thurn* keinen guten Namen. Der grösste Theil des Thales kam

nämlich im 11. Jahrh. durch Schenkung Volkolds, des Stifters
von Sonnenburg bei St. Lorenz, an dieses Frauenstift, mit Ausnahme des Thurns an der Gader, welcher an das Hochstift Brixen
kam. Die Bischöfe massten sich die hohe Gerichtsbarkeit auch
über das Sonnenburgische Enneberg an, die Schwäche wehrloser
Frauen benutzend. Die Bischöfe belehnten die Herren v. Schöneck mit Thurn und nun ergingen über die armen Bewohner des
Thales alle Greuel des Faustrechts. Auf eine Klage der Aebtissin
von Sonnenburg wurden zwar die Räuber mit einer Geldstrafe
von 16,164 Pfund vom Könige Heinrich v. Böhmen bestraft, allein
die Grausamkeiten und Räubereien dauerten fort. Am schreck-
lichsten zeigte sich der Rechtsstreit unter dem Bischofe Nikolaus
v. Cusa, welcher die ihre Ansprüche geltend machende Aebtissin
verstiess, und als die Bauern, ihre Zinsen zu entrichten, nach
Sonnenburg kamen, wurden sie auf des Bischofs Befehl von Gabriel Prack, seinem Hauptmanne in Buchenstein, sämmtlich nie-
dergehauen und ihre verstümmelten Körper den Hunden vorge-
worfen. Der Hauptmann Prack erhielt für diese grosse That Ab-
lass für alle Sünden und einen Ehrenbecher. Der Erzherzog Si-
gismund nahm sich des Frauenstiftes an, erwarb das ihnen gehörige Enneberg, setzte die Aebtissinnen ein und ihm huldigten die
Bauern trotz aller Einrede der Bischöfe. Zu diesen Wirren hatte
jedoch die verfallene Zucht der Nonnen und ihre Widersetzlich-
keit viel beigetragen.

Auf dem Hauptwege, welcher sich bald hinter *Pikolein* auf
die Thalsohle senkt, kommt man nach *Preromang*, Pré Romang
(Römerwiese), wie eigentlich die ganze Thalgegend bis Pederowa
heisst, mit einer Schwefelquelle. Gegenüber unter dem *Thurn*
mündet das Thal *Campil*, ein Kalkthal, in welchem 2 St. einwärts
die Gemeinde *Campil* (Lungiarú, 4423'), 620 E., liegt; Wirthshaus. Der Getreidebau deckt den Bedarf. Auch wird hier gra-
phithaltiger Thon gegraben, aus welchem gute und gesuchte Ge-
schirre verfertigt werden. Viele Versteinerungen und bei *Valbona*
Steinöl. Bei einer Erdabrutschung kamen neuester Zeit Steinkohlenlager zum Vorschein. Aus dem *Campiler Thal* besteigt man
am besten den *Peitlerkofl*, jenen hoch zwischen Gröden, Lüsen
und Enneberg aufragenden Dolomitriesen; der beste Führer ist

Joh. Planatscher, Waldaufseher in St. Martin. Von dem Wirthshause in *Campil* braucht man 5 St. zu seiner Ersteigung. Vom
kleineren Gipfel kann nur der Schwindelfreie, mit Steigeisen bewaffnet, die höchste Spitze ersteigen. Bergsteige führen von *Campil* über das *Forcellajoch* nach Gröden, Vilnös, Untermoi und
Abtei. Die Höhe des Joches gegen Lüsen, von dem sich der
Berg steiler erhebt, beträgt 6397'. Hier finden sich rothe und
graue Schleifsteine. Das *Campiler Thal* wird oft durch Murbrüche
verwüstet. Von *Preromang* erreicht der Wanderer im Hauptthale
nach einer kurzen Beugung in ¼ St. *Pederoica*, 4 H. und ein
Wirthshaus, wo jährlich ein grosser Viehmarkt gehalten wird.

Links kommt hier der *Wengerbach* herab, einige Mühlen trei-
bend. Ihm folgend kommt man in eine höhere Seitenthalgegend,
in welcher die Gemeinde *Wengen* (4807'), 135 H., 837 E., um-
herliegt in reichen Korn- und Wiesenfluren, bekannt wegen der
hier vorkommenden Versteinerungen. Das Thal, hier *Val de Badia* genannt, ist, wie Campil, ein von hohen Dolomitfelsen in
grösserem Umkreis umschlossenes Kalkthal. Die Gemeinde ist
die wohlhabendste. Die Kirche hat der hier 1691 geborene Künstler Dominicus Molling 1761 mit Bildsäulen ausgestattet. Dasselbe
ist auch der Fall mit der Kirche der h. Barbara, welche am höchsten liegt und eine schöne Aussicht gewährt. Auch ein Bad, *Ru-
maschlungs* (4398'), befindet sich in der Nähe mit Eisen und Kalkerde führender Schwefelquelle. Ausser den meisten Getreidearten
werden Flachs und Erdäpfel, hier Sachsenrüben genannt, gebaut.
In der Umgegend von *Wengen* spukt der Berggeist *Orco*, ähnlich
dem Rübezahl; er ist ein neckender, schadenfroher Geist, und an
allem Unheil in Küche, Speisekammer, Keller und Stall schuld,
verfolgt die Wanderer als eine immer grösser werdende Kugel,
die sie zu zermalmen droht, leitet sie irre, bietet sich ihnen,
wenn sie ermüdet sind, als ein weidendes Pferd an; kaum sitzen
sie aber, so wachsen die Beine zu schwindelnder Höhe empor und
über Stock und Stein geht es nun mit ihnen fort, bis sie herabstürzen. Er verschwindet mit einem grässlichen Gestanke. —
Die hier sehr entwickelten schwarzen Tuffe und Kalke (Wengerschichten, Halobienschiefer) sind reich an Versteinerungen: Halobia Hommeli, Posidonomya Wengensis, Ammonites Aon. Von

19 *

hier aus lassen sich die schon bei St. Vigil erwähnten Alpen
Gross- und *Kleinpfannes* besuchen, wo man auch einige Erfrischungen haben kaqn, eine merkwürdige, vielleicht die grösste
Dolomitalpe, ein hohes Gefilde, rings in weitem Umkreis überragt von den starren Randfelsen des *Kreuzkofls* und anderen
Bergriesen, die eine merkwürdige Felsenmauer bilden, innerhalb welcher die Alpe wie eine alte Reichsstadt liegt, nur
durch enge Einlassthore zugänglich, durch die Scharten der Dolomitzähne. Diese Riesenmauer hat die Alpe mit zahllosen Trümmern überschüttet, sowie auch aus ihr wiederum Dolomitmassen
aufsteigen. 4 kleine Hochseen durchstürzt ein kalter Bach und
verschwindet zuletzt unter dem zertrümmerten Boden. Bald zeigt
sich hier ein ungeheures Steinmeer, aus scharfkantigen Dolomit-
quadern zusammengehäuft, bald üppig sprossende Matten. Wegen ihres Umfanges, wie wegen ihres üppigen Pflanzenwuchses
war diese Alpe in älteren Zeiten ein Zankapfel der umliegenden
Gemeinden, Enneberg, Wengen und Abtei, welche sie gegenwärtig gemeinschaftlich besitzen. Der Ausflug auf diese Alpe bleibt
immer einer der interessantesten, um das Dolomitgebirge kennen
zu lernen.

  Von *Pederowa* geht es noch eine kurze Strecke im Thalboden
fort, wo an einer Stelle des Weges der thonige rothe Sandstein-
boden bei nassem Wetter eine kleine Mure bildet, welche man
rechts überklettern kann. Nun beginnt der Weg wieder sich zu
erheben über die enge Schlucht des Baches *Pontalg*, welcher
rechts in der Tiefe tobt. Wohl 1 St. dauert dieser Anstieg zu der
höheren Thalstufe, dem *Abteithal.* Die Erhebung verursacht ein
von mächtigen Melaphyrbreccien und Tuffen begleiteter Mela-
phyrdurchbruch durch die ganz ähnlichen, steil aufgerichteten
Halobien- oder Wengerschichten. Desgleichen findet sich auch
hier Melaphyr anstehend. Sowie man die Höhe der Thalstufe erstiegen hat, breitet sich das schöne *Abteithal* aus; links oben die
trotzigen kahlen Wände des Kreuzkofls, aus dunkelen Wäldern
sich erhebend, darunter grüne Fluren, welche sich bis in die
Thalsohle herabziehen; auf ihnen liegt, in vielen Häusergruppen
zerstreut, die Gemeinde *Abtei* oder *Badia*, mit Stern und St. Cassian 251 H., 1489 E. Die Häusergruppe mit der Kirche, dem

Widum und dem Wirthshause heisst nach der Kirche *St. Leonhard* (4297′). Den Namen *Abtei* soll die Gemeinde von einem alten Ansitze der Templer haben. Man fand auch alterthümliche Waffen und Geräthschaften, auf Opfergebräuche der Heiden sich beziehend. Von dem Namen *Badia*, wie die Umwohner die Gemeinde nennen, heissen die Bewohner dieses Gebietes Badioten. Die neue Kirche St. Leonhard hat Math. Günther aus Augsburg ausgemalt. Der Ansitz *Kolz* wurde einst von mächtigen Rittern, den Kolzen, bewohnt. Die Thalbewohner sind sehr betriebsam, und kaum ist der Fremde im Wirthshause, so werden ihm auch Versteinerungen, hier Kurretsch genannt, angeboten. Die Badioten sind ausserdem wieder ein besonderes Völkchen in dem weiten Enneberger Thalgebiete, welches sich durch Gutmüthigkeit, Lebhaftigkeit, Genügsamkeit, aber auch durch Putzliebe vor den übrigen Thalbewohnern Ennebergs auszeichnet. Ihr Hauptgewerbe ist Viehzucht. Westl. führt ein Steig zu der zwischen den ungeheuren Dolomitwänden der *Gherdenezza* liegenden Alpe *Zwischenköfl* und von dort über ein Joch in das jenseitige Wolkensteiner Thal (Gröden). Oestl. ragt die lange Felsenmauer des *Kreuzkofls* auf. Zu dieser Wand ansteigend schreitet man (nach v. Richthofen) über die schwarzen Tuffe mit St. Cassianer Versteinerungen, die weissen dolomitischen Raiblersandsteine und gelangt so zu den Schichten von *Heiligen Kreuz*, zusammengesetzt aus einem Wechsel von grauem Kalk, gelblichem Mergelkalk, gelbem Sandstein und schwärzlichen Schiefern, interessant durch die eigenthümlichen Versteinerungen, die besonders häufig in einer kleinen Lähne bei dem Hause des Messners sind. Röthlicher Kalk und rother Sandstein mit versteinerungsreichen Zwischenlagen trennen sie endlich von dem mehrere tausend Fuss mächtigen Kalkstein (Dachsteinkalk) des heil. Kreuzkofls. Jenseits im Osten der Pfannesalpe folgen versteinerungsführende jurassische Schichten. Unter den senkrechten Abstürzen des Kalkschroffen liegt höchst einsam die fast rings von kahlen Wänden oder öden Felstrümmern umgebene Wallfahrtskirche zum *Heiligen Kreuz* (6457′). Graf Otwin v. Lurn und Pusterthal soll hier als Büssender sein Leben beschlossen haben. Unter Joseph II. wurde die Kirche geschlossen, 1809 aber wieder geöffnet. Die Aussicht von der höchsten Spitze des *Kreuzkofls* ist sehr schön und umfassend. Führer hinauf findet man in St. Leonhard.

Von *St. Leonhard* zieht sich der Weg herab zum Bache und auf dessen linkes, westliches Ufer. Im Frühjahr 1821 löste sich vom östl. Mittelgebirge eine ungeheure Masse ab und glitt mit Feldern und Wald langsam ins Thal (6 Häuser, 4 Werkstätten und 109,266 Quadratklaftern Grundstücke des Dorfes *Muda*). Der Bergsturz verdämmte mit seinen Blöcken das Thal, wodurch der seitdem wieder abgelaufene *Sompunter See* entstand. In 1 St. von St. Leonhard thalaufwärts liegt das Dorf *Stern* oder *Villa*, 41 H., mit seinen alten Burgen *Rubatsch*, *Kolz* und *Sompunt*, welche mit dem Einblicke zu den Riesendolomiten von Colfuschk äusserst romantische Bilder darstellen. Hier theilt sich das Thal in 2 Aeste von gleicher Grösse, links, südöstl., kommt die *Gader* von St. Cassian herab, rechts, südwestl., der *Corvarabach*.

Im *Corvarathale* allmählich ansteigend durch Wald und Wiesen kommt man zu der Häusergruppe *Pescosta*, wo sich das *Colfuschker Thal* und Wasser mit dem von *Corvara* vereinigt. Auch hier sind im Winter 1862—63 2 Höfe durch Murbrüche bedroht und ihre Grundstücke verwüstet worden. Es war kein eigentlicher Bergsturz, sondern Durchweichung der Schutthalden aus theilweis zertrümmerter Liasformation, Absitzung der oberen kultivirten Schichten. *Corvara* (4913'), 36 H., 195 E., ein Wirthshaus, liegt reizend in der grünen Tiefe des Thales und an den Abhängen zerstreut, links von einem bewaldeten kalkigen Mittelgebirge gegen St. Cassian begrenzt. Die Kirche, wenn auch nicht gross, ist schön und im gothischen Stile erbaut. Das Altarblatt, die Enthauptung der h. Katharina, soll nach dem Urtheil der Künstler von Dürer oder wenigstens aus seiner Schule, nach der Volkssage aber von Tizian sein, welcher auch im nahen Buchenstein ein Zeichen hinterliess. Hier wurde auch der berühmte Ritter des Thales, Franz Wilhelm v. Prack, von seinen Feinden, den Kolzen, ermordet. Von *Corvara* führen Jochwege 1) südl. über *Campolongo* in 2½ St. nach Araba in Buchenstein, 2) über den Berg *Incisa* nach Pieve in Buchenstein.

Oestl. von hier steigt das Seitenthal und die Gemeinde *Colfuschk* oder *Colfosco* (5227'), 20 H., 237 E., in eine recht cha-

rakteristische Dolomitgegend. Das allmählich ansteigende Thal
ist breit und erglänzt im üppigsten Schmelz der Fluren; sanft erheben sich nördl. und südl. die Höhen, mit Getreidefeldern, Wiesen, Waldgruppen und einzelnen Höfen bedeckt, aber plötzlich,
wie hingezaubert, steigen aus dem sanften Gehügel die starrsten
Dolomitwände auf, weiss und pflanzenleer, von unzähligen Klüften in Pfeiler zerspalten, die sich keine Phantasie abenteuerlicher
denken kann. Der Name des Thales wird von Collis fuscus abgeleitet, weil sich vom Grödner Joch herab ein Höhenrücken zieht,
aus schwarzem Schiefer, schwarzem Sandstein (den Wengerschichten oder doleritischem Sandstein) und Melaphyr bestehend, dessen
Abbrüche auffallend gegen die allenthalben aufragenden blen-
dendweissen Dolomitfelsen abstechen. Der Ort zieht sich von
Osten nach Westen hinan und die Gemeinde lagert sich auf der
sonnigen Abdachung des Nordabhanges. Diese Thalgemeinde gehörte einst zu dem jenseitigen Grödnerischen Wolkenstein, wurde
aber unter Baiern mit Enneberg vereinigt und ist bei diesem geblieben. Die Colfuschker zeichnen sich wiederum vor den anderen Thalgemeinden Ennebergs, namentlich vor ihren nächsten
Grenznachbarn in Corvara und Abtei, aus. Sie hatten einst ihr
goldenes Zeitalter, auf welches sie noch stolz sind, und was sie
nicht wenig drückt, ist die hohe Besteuerung ihrer Güter, die sie
jedoch nur ihrem Stolze, der keine niedrigere Besteuerung wollte,
zu danken haben. Der Colfuschker ist gross und stark an Körper, aber stolz, barsch und streitsüchtig. Trotz der grossen Lasten ist er noch immer wohlhabend, da er hinreichend Getreide,
Gerste, Bohnen, Erbsen, Roggen und etwas Weizen hat, trotz
der hohen Lage. Die ergiebigste Quelle ist die Viehzucht wegen
der grossen und herrlichen Alpen. Die schönste derselben ist die
Alpe *Putz* auf dem von *Colfuschk* nördl. liegenden *Wolkensteiner
Gebirge*, rings von grauen Dolomitmauern umfasst und nur mit
kurzem Gras überwachsen, welches aber so kräftig ist, dass, wie
der Colfuschker nach seiner Art sagt, ein Ochse von einer Hand
voll Gras täglich satt wird. Ochsenmastung ist Hauptsache. Der
hiesige Honig ist sehr gesucht, Butter und Käse verbrauchen sie
selbst. Von hier führt ein Steig westl. nach Gröden über die Alpe
Frara. Der Weg hinan zieht sich zuerst durch üppige Gersten-

felder, wo hindurchgelegte Bretter die Wege bilden, dann durch
dünnen Wald und endlich im Zickzack etwas steiler hinan zum
Grödner Joch, wo man östl. durch die herrliche Aussicht gegen
den Kreuzkofl und alle grauen Dolomitriesen des Höllensteiner
Passes, wie Buchensteins, westl. dagegen durch den Anblick des
Plattkofls überrascht wird. Der Sattelrücken ist nicht hoch, wird
aber rechts und besonders links durch ungeheure Dolomitwände
begleitet. Auf der Südseite von *Colfuschk* starrt die *Sellagruppe*
(7884') hier auch *Boé* genannt, während im Norden das *Wolkenstei-*
ner Gebirge, hier *Sas de Tschiamplo*, aufragt. Auf dem höchsten
Bergriesen im Süden, dem *Sas di lee* (8835'), liegt beinahe auf seiner Spitze, der, wie alle Dolomite, Hochebenen trägt, ein Wildsee, dessen Wasser durch die Klüfte, *Colfuschk* gegenüber, herabstürzt und einige schöne Wasserfälle bildet. Der Bach des Thales
heisst *Salarbach*.   .

    Wir kehren nach *Stern* zurück, um auch den anderen Thal-
zweig von *St. Cassian*, aus welchem die *Gader* herabkommt, zu
besuchen. Von *St. Leonhard* aus führt sogleich ein besonderer
Weg dahin. *St. Cassian* (San Tgiassan, 4905') ist 1¼ St. von
St. Leonhard entfernt. Die 50 H. überraschen durch ihre Grösse;
sie sind fast alle 3 Stockwerk hoch, massiv und sehr nett gehalten, was bei der hohen Lage um so mehr auffällt. Einfaches
Wirthshaus Der obere Theil dieser weithin zerstreuten Gemeinde
heisst *Armentarola*. Das Klima ist rauh, Gerste fast das einzige
Getreide. Besonders reich und merkwürdig ist die Umgegend an
Versteinerungen, so dass, da dieselben neuerer Zeit eine grosse
Rolle spielen, *St. Cassian* ein klassischer Name geworden ist.
Diese Versteinerungen kommen im grauen Mergellager vor. Sie
finden sich nach den neuesten Forschungen wieder auf den Höhen, welche das *Cordevolothal* östl. von *Agordo* begleiten, namentlich am *Duronpass*, an der *Mojazza* und östl. an dem, einem
runden Festungsthurme gleichenden, *Pelmo* (9736'). Nach Regengüssen, wodurch die Thonerde erweicht und die Versteinerungen wohlerhalten ausgespült werden, finden sich dieselben am
häufigsten.

    Drei Wege oder Steige durchziehen und überschreiten von
hier aus den Höhenkranz gegen das südl. angrenzende Gebiet der

Piave. Alle 3 Steige laufen eine Strecke thalaufwärts zusammen, dann aus einander; der interessanteste ist derjenige, welcher links führt und über den *Monte Zissa* (6809') steigt nach Pieve oder Buchenstein, dem Hauptorte des tirolischen Piavegebietes, in 4 St. Er ist für die Versteinerungskunde wohl der merkwürdigste. Auf der Höhe des Joches hat man eine herrliche Aussicht, nördl. über Enneberg hinab ins Pusterthal und auf die jenseitigen stolzen Fernerhäupter des Zillerthales und von Antholz; südl. erhebt sich der hohe beeiste Rücken der Vedretta Marmolata. Südöstl. im Hauptthale fort führt ein Saumweg über die Alpe *Valparola*, wo ehemals in den Raiblerschichten Bergbau auf Eisen (das einst berühmte ferro di Agnello) betrieben wurde, nach *Andraz*, einem Seitenthale von Buchenstein oder Livinalongo. Zur Linken hat man den berüchtigten *Hexenfelsen* oder *Sas de Lagatschö*, den Blocksberg der Umgegend. Von der Höhe dieses Joches zweigt sich links ein Steig ab nach Ampezzo, der dicht unter den 3 Felsenzinken des *Hexenfelsens* vorüberführt, und daher *Strada degli tre Sassi* heisst. Endlich führt ein dritter Steig ¼ St. hinter *St. Cassian* östl. mitten durch die Lücken der Dolomitzähne nach *Peutelstein*, dem Felsenpasse der Ampezzaner Strasse.

Geolog. Bis Pikolein bleibt man zwischen Thonglimmerschieferbergen, das ganze übrige Thalgebiet gehört der Trias an. Der bunte Sandstein tritt nur am Nordrand zu Tage, wo er von Pikolein einerseits über St. Martin zum Nordfuss des Peitlerkofls, andererseits nach St. Vigil und von da nach Prags fortsetzt; dagegen wiederholen sich die darüber folgenden, zum Theil versteinerungsreichen, Schichten des unteren Muschelkalkes (die hier vorherrschend kalkigen Seiserschichten und die durch ihren rothen Schichtencomplex leicht kenntlichen Campilerschichten), der obere Muschelkalk (Virgloria- bis Buchensteinerkalk nach v. R.) und die Halobienschichten in Folge einer Verwerfung. Ueberhaupt kontrastirt die sehr gestörte Lagerung der Schichten bis zu den St. Cassianerschichten und ihren geschichteten Tuffen, welche ungestört lagern, mit den einfachen Lagerungsverhältnissen der Seiseralpe. Die Augitporphyreruption an der Costamühle unter St. Leonhard dürfte die Ursache sein. Es ist hier von mächtigen vulkanischen Breccien begleitet. Grösste Ausdehnung besitzen aber die sedimentären Tuffe, denen die St. Cassianschichten eingelagert sind, sie decken alle Höhen um Wengen, St. Leonhard und von da bis Buchenstein, Fassa und Gröden, im Osten und Westen von den Kalk- und Dolomitwänden begrenzt. Nur zwischen Stern und Colfosco treten nochmals unter jenen jüngeren Triassedimenten die der älteren Trias hervor. Die oberen Kalke und Dolomite des Gaderthales rechnet v. Richthofen dem Dachsteindolomit zu. Nur im Westen, am Gherdenezza, umsäumt von Schlerndolomit und Raiblerschichten, die ihn von den Cassianer trennen; während nach ihm am Fuss des H. Kreuzkofls der Schlerndolomit fehlt, statt dessen hier die merkwürdige Brackwasserbildung der versteinerungsreichen Schichten von *H. Kreuz* unter dem mächtigen Dachsteinkalk auftreten. Campil, das Gaderthal bei St. Leonhard, der Weg aus dem Gaderthal nach Wengen hinauf, der von St. Leonhard zur H. Kreuzkapelle, die Gegend um Colfosco und Corvara bieten dem Geognosten und Paläontologen reiche Aufschlüsse und Ausbeute; die reichste Versteinerungsausbeute aber die Höhen des Prolongisbergs im W. von St. Cassian, der Hauptfundort der St.-Cassianer-Versteinerungen. An Mineralien ist das Gebiet dagegen arm.

Rückblick auf Enneberg und seine Bewohner. Schauerlich und eng ist die ganze erste Thalstrecke im Thonglimmerschiefergebirge, düster die höheren Engen, aber heiter und mattig erscheinen die obersten Thalgegenden, umragt von ihren Dolomitmassen. Dennoch zeigt sich bei näherer Untersuchung der Gegend fast gerade das Gegentheil, und hat der Wanderer die umliegenden Höhen von Abtei, die von unten so sanft erschienen, durchstreift, so beschleicht ihn ein Grauen, und er ist froh, wenn er wieder draussen hinzieht auf der Strasse der Abgründe. Der Boden von St. Leonhard ist ein abgesessener Berg, unter welchem sich die Reste eines begrabenen Waldes finden, dies ist die Vergangenheit, der Bergsturz von 1821 mag die Gegenwart bezeichnen, und wenn man zu den Höhen emporsteigt, tritt geisterartig eine grässliche Zukunft vor die Augen: ungeheure Bergrisse, wie Gletscherspalten, fortwährende Senkungen, welche selbst Bäume spalten, und, was merkwürdig ist, selbst das Vieh vermag nicht von den Wiesen und ihrem Heu zu fressen, so blühend sie aussehen, wenn sie auf ihrer unmerklichen Wanderung begriffen sind, und das Heu derselben muss immer in kleinen Theilen unter anderes gemischt werden. Die spätere Erhebung des Dolomits, in dessen nächtliche Spalten wir schon auf dem Schlern blickten, wie die die Feuchtigkeit anziehenden Thonmassen, mögen Hauptursachen dieser Erscheinungen sein; die Reibungen in der Tiefe mögen den Geschmack des Grases verpesten.

Sowie der ganze Gebirgsstock von Fassa, Gröden, Enneberg und Buchenstein, welcher sich um die hohe Sellagruppe schaart, in geognostischer Hinsicht höchst merkwürdig ist, so ist er es auch in ethnographischer Hinsicht. Es sind die Ruinen der Bergmassen, welche hier die Natur baute, es sind aber auch die Trümmer des Menschengeschlechtes, welches sich hier in den ältesten Zeiten niederliess, es ist ein bunter geognostischer und ethnographischer Mosaikboden.

Wahrscheinlich gehörten die Bewohner Ennebergs zum rhätischen Volksstamme, auf welchen sich dann eine römische Niederlassung pflanzte. Dazu kam später der Einfluss deutscher Umgebungen. Aus diesen Verschmelzungen ging die Enneberger Sprache hervor, wie auch die romanischen Sprachen der Thäler Fassa, Gröden und Buchenstein, welche sich aber je nach dem Verkehr mit den umwohnenden Volksstämmen bald mehr dahin, bald mehr dorthin neigten.

Einige Sprachproben mögen wenigstens in etwas das Eigenthümliche des ennebergischen und grödnerischen Ladins zeigen.

Ennebergisches Ladin.		Grödnerisches Ladin.
L' fre	der Bruder	L' fra.
I fredesch	die Brüder	I fredresch.
La so	die Schwester	La sor.
Les sorus	die Schwestern	La sorans.
La prossa umma	die fromme Mutter	La bravia oma.
Les prosses ummes	die frommen Mütter	La bravies omans.
L' vedl pére	der alte Vater	L' vedl pére.
I vedli peresch	die alten Väter	I vedli peresch.
L' fi, i fis	der Sohn, die Söhne	L' fi, i fions.
La bona vischina	die gute Nachbarin	La bona uschina.
Les bones vischines	die guten Nachbarinnen	La bones uschines.
L' grang Signur	der grosse Herr	L' grang signeur.
Pitsché, plüpitsche	klein, kleiner	Pitle, plüpitl.
Tröp, plö	viel, mehr	Truop, plu.
Jö, tö, al, nos, os, ai	ich, du, er u. s. w.	Je, tu, el, nous, vo, ei.
Che	wer?	Chi.'
Ung, dui, trai, catre, tschinc, sis, sett, ott, nü, disch, ünesch, dodesch, deschdott, vint u. s. w.	eins, zwei, drei, vier u. s. w.	Ung, dọi, trai, catre, tschinc, sies, sett, ott, nuev, diesch, undesch, daudesch u. s. w.

Ennebergisches Ladin.		Grödnerisches Ladin.
Jö sung, tö t'es, al é,	ich bin u. s. w.	Je son, tu t'iés, el é,
nos sung, os sais,		neus song, vo seis,
ai é		ei ié.
Far, fat, tö fesché,	machen, gemacht,	Fé, fat, je fesche,
nos faschuug	ich mache, wir	nous faschong.
	machen	
Orai, oru, jö ó, nos	wollen, gewollt u.	Uléi, olu, je úe, nous
orung	s. w.	ulong.
Massai, massü, jö	müssen u. s. w.	Messeí, messu, je
masse, nos massung		muésse, nous mes-
		song.

Das Thal der Rienz (Fortsetzung).

Oberhalb *Bruneck* zieht sich das südl. Glimmerschiefergebirge wieder zur *Rienz* heran, von einem von der *Riesenfernergruppe* herabziehenden Aste nur getrennt durch die *Rienz*, welche sich . in wildschäumenden Fällen durch diese Enge durcharbeitet. Die Strasse, welche nicht dem Flusse folgen kann, ersteigt die Höhe über demselben mit bedeutendem Anstiege und schönem Rückblick auf Bruneck, und in das Tauferser Thal und dessen eisigen Grenzrücken gegen das Zillerthal. Zu *Percha* (3061') gehören *Unterwielenbach* (3057'), U.- u. O.-Rasen, Litschbach, Violenberg, Aschbach, *Oberwielenbach* (4268') und Platten, 137 H., 793 E. *Oberwielenbach* bleibt links auf der Höhe liegen. Gefecht zwischen den Franzosen und Oesterreichern im Septbr. 1813, in welchem die Oesterreicher die Oberhand behielten. Der *Wielenbach* kommt hier links von den Antholzer Fernern, namentlich der *Schwarzen* und der *Rothen Wand* (8578') herab.

Die Gegend weitet sich wieder etwas, besonders nach Süden, wo man die Kirche von *Olang* mit ihrem hohen rothbedachten Spitzthurme erblickt. Das Dorf liegt am Ausgange des *Gaiselsberger Thales*, welches sich rechts in einem Bogen hinter dem vorliegenden Gebirge hinan, auch noch als Sattel über das Gebirge hinab nach Enneberg unterhalb St. Vigil fortzieht, und mit seiner dem bunten Sandstein angehörenden obersten Thalfurche die vordere Thonglimmerschiefermasse von den dahinter aufragenden Dolomitschroffen abschneidet. Von der Mündung des Gaiselsberger

Thalos an bildet der Thonglimmerschiefer rechts im Hauptthale nur noch einen schmalen Strich, in dem er, durch die von Süden wie ein Schlachtkeil vordringenden Dolomitkolosse von dieser Seite verdrängt, auf die nördl. Thalwand beschränkt wird. — *Unter-*, *Mittel-* und *Ober-Olang*, mit Gosten, Gaiselberg, Perfal und Schartl 209 H., 1671 E. Brücke über die *Rienz*. In *Mittelolang* (3296') gutes Wirthshaus. Ein Bild an der Kapelle in *Mittelolang* vergegenwärtigt einen schönen Zug von kindlicher Liebe aus dem Freiheitskampfe 1809. Peter Siegmeyer, Sohn des alten Tharerwirthes, war nach dem Kampfe, um der Rache des Feindes zu entgehen, geflohen. Als die Franzosen seinem Vater den Tod drohten, stellte er sich dem Feinde freiwillig und wurde auch von den Franzosen, die bekanntlich nichts so sehr hassen, als revolutionäre Bewegung, ohne Barmherzigkeit an dieser Stätte erschossen. — Im *Gaiselsberger Thal* liegen die Bäder *Schartl*, mehr Sommerfrische als Bad, und *Bergfall*. Von diesen Bädern hat man 3 St. nach St. Vigil in Enneberg und ebenso weit über die Fargl nach der Pfarre. Links, südl., führt ein Alpensteig über die hohen Dolomitalpen im Osten von St. Vigil in das Pragser Thal. Das weisse Kirchlein, welches hoch oben vom südwestl. Gebirge aus dem Walde herabglänzt, ist die alte *St. Wolfgangskirche* von *Gaiselsberg* (4294') mit sehr schöner Aussicht ins oberste Pusterthal. — Die *Neunhäuser*, ein Wirthshaus, waren 1809 heiss umkämpft.

Geolog. Von Bruneck bis Wolsberg sind die beiderseitigen Höhen Thonglimmerschiefergebirge, unter dem im Norden sich die krystallinischen Gesteine der Defferegger Centralmasse emporheben, während jene Schiefer im Süden die Unterlage der, je weiter östl., um so mehr dem Pusterthale näher tretenden, Trias mit ihren mächtigen Kalksteinen und Dolomiten bilden, welche letztere endlich bei Niederdorf selbst an das Pusterthal heraustreten. Ihre untersten Glieder, bunter Sandstein und Seiser- mit Campilerschichten lassen sich als fortlaufende schmale Zone vom Westen her durch das obere Gaiselsberger Thal über das Prager Bad bis zum Eingang in den Höllensteiner Pass verfolgen. Die Cassianerschichten scheinen zu fehlen.

Das Antholzer Thal

(mittlere Erhebung 4034') öffnet sich ins *Pusterthal*, wie Taufers mit breiter Mündung und zieht beinahe in gleicher Breite gegen 5 St. lang bis zu seinem oberen Anfange fort. Seine Thalebene wird nur durch Schuttberge, welche aus Seitenschluchten her-

ausgetrieben sind, verengt; sie tragen aber wegen ihres fleissi-
gen Anbaues nur zum Wechsel und zur Verschönerung des Thales bei.   Gegen 3 St. lang zieht das Thal fast nördl. zwischen
grünen Alpengebirgen hin, dann aber wendet es sich nordöstl.;
und wie das Ahrenthal in dieser Richtung unter dem eisbelaste-
ten Zillerthaler Rücken hinstreicht, so drohen auch hier in der
letzten zweistündigen Strecke die hohen Felswände der *Riesenfernergruppe*, und durch alle ihre Scharten streckt die Fernerwelt ihre Eiszungen herab, um sich in einem düster umschatteten
blaugrünen See zu spiegeln, welcher den Hintergrund des Thales würdig schliesst. — Der Weg in das Thal führt von den *Neunhäusern* zunächst nach *Nieder-Rasen* (3286'). Die Kirche ist neu,
von Psenner in Bozen ausgemalt.   Hier sind starkbesuchte Viehmärkte.   Rechts zeigen sich die grauen Trümmer von *Alt-Rasen*,
einst den Herren v. Rasen, dann den Grafen v. Welsberg gehörig.
½ St. weiter im Thale hinan liegt *Ober-Rasen* mit dem Ansitze *Rasen*, dem Stammhause der Edlen Heufler, auf einem Thorbogen
ruhend, durch welchen die Strasse geht.   Links darüber trotzt
die alte halbverfallene Burg *Neu-Rasen*, ein brixnerisches Lehen
an die Herren v. Welsberg.   Beide *Rasen* mit Neunhäusern, Pfaf-
fing und Ried 149 H., 770 E.   Zwischen *Nieder-* und *Ober-Rasen*
zeigen sich noch die wenigen Reste des Schlosses *Eiseck*, welches
einst der Familie Larcher gehörte.   Im Angesicht der im Hintergrunde aufragenden grauen Urfelsgebirge und ihrer Schneekuppen
erreicht der Wanderer in 1 St. oder in 3¾ St. von Bruneck leicht
das *Antholzer Bad* oder den *Salomonsbrunnen* (3453'), ein alka-
lisch-erdiges Eisenwasser.   Die Gegend ist schön und schon grossartig durch die ungeheuren Glimmerschiefer- und Gneisspyrami-
den des Hintergrundes, welche theils in tiefen Schnee gehüllt sind,
oder in ihren Buchten die grünen Gletscherränder zeigen.   Hoch
ragen vor allen die *Wild-* und die *Hochgall* auf, von denen links
sich die *Antholzer Scharte* zeigt mit dem dahinter sich lagernden
Riesenferner, über welchen der Eispfad ins Reinthal führt.   Das
alte Badehaus steckte mitten zwischen ungeheuren Felstrümmern,
welche sich links von dem *Rammelstein* lösten.   Dazu kam 1820,
dass während der Badezeit ein herabspringender Block, den die
Bewohner noch zeigen, die Badehütte zertrümmerte und einen

Gast, Namens Tschiderer aus Bozen, zerschmetterte. Man hat deswegen das Badehaus verlegt. Das Wirthshaus entspricht allen Anforderungen. Eine starke halbe Stunde weiter thalaufwärts liegt der Hauptort des Thales, *Antholz*, mit Nieder-, Mittel- und Oberthal, auch Altrasen 127 H., 976 E., bestehend aus: 1) *Niederthal* oder *Walburg*, nach der Kirche so genannt. 2) 1 St. weiter die grösste Gemeinde und in geistlicher Hinsicht der Haupt- ort des Thales, *Mitterthal* (3929') oder *Gassen*, oder nach der Kir- che auch *St. Georg* genannt; das Bruggerwirthshaus zu empfehlen. Die Pfarrkirche ist dreimal umgebaut. 1 St. östl. das *Stampfer- bad*, ein Bauernbad gegen Gicht und Rheumatismen. Bald hinter dem Orte 3) *Oberthal*, ohne Kirche. Der Boden steigt an über einen grossen Schuttberg, welcher, im Hintergrunde aus 2 Seiten- schluchten rechts und links herausgeschüttet, sich zu einer ge- waltigen, das ganze Thal erfüllenden Mure gebildet hat und fast 2 St. lang in dasselbe hinabsteigt. Unten ist noch der schönste Anbau, voller Häusergruppen. Weiter hinan umfängt den Wan- derer dunkeler Waldschatten, aus dem er in die Tiefe des Thales über die hier am schönsten sich absenkende Schuttfläche zurück- blickt nach Antholz; doch überraschen ihn in des Waldes Dun- kel ungeheure Kiesströme, die noch unbeerdigten Gebeine jenes weit hinab sich erstreckenden Schuttberges. Noch mehr über- rascht jenseits dieses Trümmermeeres plötzlich das Blaugrün eines grossen Hochsees, des *Antholzer* oder *Spitaler Sees*, allseitig zu- nächst von dunkeler Tannenwaldung umschattet, im Norden aber überragt von riesigen Urgebirgsmassen, von denen ein grüner Fer- ner herabhängt. Der See nährt Forellen von 18—20 Pfd. Der Weg, eine Art Fahrweg, zieht rechts am östl. Gestade durch den Wald fort bis an das nördl. Ende, welches man in ¼ St. erreicht. Von hier an erhebt sich der Weg steiler, an einer einsamen, dü- ster gelegenen Alphütte vorüber, an deren Wänden sich Ruhe- bänke befinden für den Wanderer über das Joch, das nach kur- zem halbstündigem Aufstieg erreicht ist und eine sehr schöne Aussicht gewährt (s. Defferegger Thal, Th. V). Jenseits steigt man in 5—8 Minuten auf die *Staller Alpe* und zu ihrem See (6426') hinab und kommt vom Joch in 2 St. nach St. Jakob in Deffereg- gen. Von der Hütte über dem See zweigt sich rechts ein Joch-

steig über die *Rothe Wand* am *Axtbach* hinauf ab in das jenseitige
Thal *Gsies.* Wer den Weg durch das *Antholzer Thal*, namentlich
aus Defforeggen, gemacht hat, wird seiner stets und nicht ohne
Sehnsucht gedenken.   ·

Das Thal der Rienz (Fortsetzung).

»Die *Rienz* schneidet sich von den *Neunhäusern* an wieder in
den Thalboden tief ein und die Strasse muss bei der *Windschnur*
(3193'), einem windumstürmten Platze mit der Antoniuskirche
und einem Wirthshause (Ausspannplatz für die Vorspann der
Fuhrleute), wieder im Angesicht des sich links hineinziehenden
Antholzer Thales, gerade wie von Bruneck aus, stark erheben,
um auf den etwas beschränkten Thalboden von *Welsberg* zu gelangen. Die Strasse führt auf kurze Zeit hinüber auf das linke
Rienzufer, um sogleich wieder auf das rechte zurückzukehren.
Jetzt öffnet sich eine merkwürdige Aussicht und das bisher einförmige Pusterthal verändert seinen Charakter. In der Mitte des
Thales liegt *Welsberg* (3418'), mit Ried, Schl. Welsberg, Anger-
mann, Langenburg, Stauden 103 H., 759 E., mit seinem hohen
Spitzthurme und einem anderen ähnlichen in einiger Entfernung:
links dunkele Waldberge, aus denen das Seitenthal *Gsies* sich in
enger Schlucht öffnet; rechts zunächst als Thalumwallung erheben sich sanfte, angebaute und bewaldete Berge; über diese aber
zieht in den wunderlichsten Gestalten die Dolomitkette aus dem
Süden heran, bald in senkrechten Wänden mit fingerartigen Zinken, bald in kolossalen Pyramiden; einige der höchsten Köpfe
hängen selbst über; grosse Schneelagen umgürten die Tiefen.
Das luftige Weissgrau dieser Dolomitmassen hinter dem saftigen
Schmelz der Vorberge sticht um so auffallender ab. Diese hohe
Zackenkette, welche von Süden heranzieht bis in das Pusterthal
und hier auf dem *Toblacher Felde* in ihrer ganzen Riesengrösse
abstürzt, ist schon theilweise bei Bruneck, sowie auf der Ostseite
auf dem Iselsberg, zwischen dem Möll- und Drauthal bei Lienz,
zu sehen. Auf dem kleinen *Welsberger Boden* war einst ein See,
und das Dörfchen an ihm hiess Zell am See. Im J. 1359 wurde
dieser See auf Befehl Gregors, Herrn v. Welsberg, ausgetrocknet.
Dadurch erwuchs Zell zum jetzigen Dorfe *Welsberg*, welches seinen Namen von der darüber anfragenden *Feste* (3636') erhielt.

2 gute Wirthshäuser: die *Rose*, dem Hrn. v. Guggenberg gehörig, das andere zum Lamm. Sitz des Bezirksgerichtes. Ausser dem Ackerbau beschäftigt die Bewohner noch Deckenweberei aus Kuhhaaren, deren Erzeugniss von den Defereggern vertrieben wird, einst mehr, als jetzt; mehrere Büchsenmacher. Die Kirche hat schöne Altarblätter von Paul Troger. Schöner Bildstock bei dem Edelsitze Zellheim mit guten Fresken. Aus Welsberg war der Maler Paul Troger, geb. 1698, † als Direktor der Maler- und Bildhauerakademie zu Wien 1777. Zu Erbauung der anderen Kirche Maria am Rain gab folgendes Veranlassung. Graf Albert II. von Görz starb 1304 zu Lienz und hinterliess eine Tochter, Emerentiana, welche ihre Brüder ins Kloster nach Italien schicken wollten. Zu ihrem Begleiter wurde der Ritter Balthasar v. Welsberg erwählt. Trotz aller Zerstreuungen der Reise im fremden Lande machte nichts einen Eindruck auf sie. Sie entdeckte ihrem Begleiter endlich, wie schrecklich der Gedanke an die Klostermauern ihr sei, was ihn nicht nur mit Mitleid, sondern auch mit Liebe erfüllte; ein Priester segnete bald darauf ihr Bündniss und sie kehrten nach Tirol zurück und zwar nach Toblach, wo sie sich verborgen hielten. Die Görzer waren ergrimmt über das Mislingen ihrer Pläne und verlangten Rache. Der Propst von Innichen söhnte die beiden Familien aber aus. Als Balthasar diese glückliche Wendung in seinem Asyle zu Toblach erfuhr, brach er in die Worte aus: „Engel, ös ist die Gfahr vorby", und Emerentiana gelobte die Kirche Maria am Rain und so entstand aus dem Bauernhause zu Toblach der Edelsitz *Engelös*, jetzt in den Händen eines Bauern. Ueber dem Dorfe, auf dem nördl. sich erhebenden Bergrücken, liegt das Stammschloss der jetzigen Grafen *v. Welsberg*, ursprünglich Welfesberg; reich und mächtig herrschten sie über Pusterthal. Die Brüder Schwiker und Otto v. Welfesberg erbauten 1140 die Burg. 1539 wurden sie in den Freiherrenstand und später in den Grafenstand erhoben. 1765 brannte die Burg ab, wurde aber wieder wohnlich hergestellt, jetzt verpachtet. Diesem Schlosse gegenüber, nur durch den *Gsieser Bach* bei seinem Austritt getrennt, liegen die Ruinen der Burg *Thurn*, einst auch Besitzthum der Herren v. Welsberg, ebenfalls verpachtet. Südl. von *Welsberg* auf einer Höhe das Bad *Waldbrunn*. —

Ueber dieser Burg, auf einer Bergebene ¼ St. von Welsberg, liegt
die bedeutende Gemeinde *Taisten* (3848'), mit Wiesen, Unterrain,
Schl. Thurn und Adlitzhausen 104 H., 647 E.; die Kirche ist
zwar alt und schon 1151 erbaut, aber später völlig umgewandelt.
Wandgemälde von Fr. Zeiler aus Reutte, Altarblätter von Hen-
rizzi aus Bozen. Hier war das Erbbegräbniss der Herren v. Welsberg, daher noch mehrere alte Grabsteine. Alpenwirthschaft,
Weberei und Flachsbau sind Hauptbeschäftigungen. — Das hier
mündende

Thal Gsies

umfasst in einer Gemeinde Ober- und Unterplanken, *St. Martin*,
Ober- und Untergsies, St. Magdalena, Ober- und Niederthal,
Ausser- (3957') und Innerbüchl 273 H., 1389 E. und ist ein öst-
liches, gleichlaufendes Thal von Antholz und Taufers, doch wird
es an seinem Ausgang durch einen Riegel des Thonglimmerschie-
fergebirges, eine Fortsetzung des bisher das Pusterthal südl. begleitenden Zuges, gehemmt, sich geradezu und so weit wie die
vorigen Thäler ins Pusterthal zu öffnen, es wendet sich erst westl.
und der Bach wühlt sich durch eine Schlucht hinaus. Von *Welsberg* an ist es 6 St. lang (mittlere Erhebung 4674'). Man geht
entweder nach *Taisten* hinauf, um auf der rechten Seite des Thalbachs einwärts zu wandern, oder steigt über den Schlossberg, von
wo man das linke Ufer verfolgt. Bis zur Kapelle *Maria Keil*, wo
der *Durnwaldbach* von Osten hereinkommt, geht es in östl. Richtung hinan. Jenseits des Baches kommt der *Rueblerbach* herab,
über dessen Mündung die sehr wenigen Reste der Feste *Mäusereiter* liegen, einst den Herren v. Mäusereiter, einem Nebenzweig
der Welsberger, gehörig. Rechts von diesen Trümmern, höher
im Thale hinan, auch auf der rechten Seite, liegt *Bühel.* Die 1472
erbaute Kirche ist wegen ihres Alters sehenswerth. In 3 St. von
Welsberg gelangt man über *Althube* nach *St. Martin*, mit Wirthshaus. Die Kirche von 1777 hat ein gutes Hochaltarblatt von
Cosroe Dusi. Hier in *St. Martin* wurde den 28. Oktbr. 1776 Joa-
chim Haspinger geboren. Seine Eltern waren Bauersleute und
widmeten ihn dem geistlichen Stande. Doch schon 1797, als das
Land in Gefahr war, war ihm die Zelle zu eng, sein feuriger Geist
trieb ihn in die Reihen der Landesvertheidiger. 1802 trat er in

den Kapuzinerorden, wurde 1803 Prediger in Schlanders und kam
1807 in das Kloster zu Klausen. Kaum aber vernahm er 1809
den ersten Büchsenschuss, so zog er als Feldprediger mit einigen
Kompagnien aus, und Hofer vertraute ihm in den Maigefechten
am Berge Isl ein Flügelkommando an. Sehr wichtig war sein Einfluss als Geistlicher. Statt Feldherrnstab, Schlachtschwert und
Stutzen führte der Rothbart ein gewichtiges Crucifix. Sowie das
Land vom Feinde gereinigt war, kehrte er in die Zelle nach Klausen zurück. Kaum aber hatte der Feind Tirol abermals besetzt,
trat auch er wieder hervor und wusste bald wieder begeisterte
Schaaren um sich zu versammeln, und bereitete dem Feinde die
Niederlagen in den Brennerpässen unterhalb Sterzing den 4., 5.
und 6. August. Hierauf kämpfte er als Flügelkommandant in der
ruhmwürdigsten Schlacht der Tiroler am 13. August am Berge Isl,
welche die dritte Befreiung Tirols zur Folge hatte. Haspinger
hatte keine Ruhe. Er fasste den kühnen Entschluss, mit Hilfe
der Pinzgauer und Pongauer Salzburg zu nehmen, dann den
Volksaufstand allgemein zu verbreiten und an der Spitze einer
grossen Macht nach Wien vorzudringen und daselbst Napoleon gefangen zu nehmen. Er verlangte, in Mittersill eingerückt, durch
ein Schreiben vom Stadtkommandanten Straub zu Hall Pulver
und Blei. Dieser schickte es zwar, machte aber ihm im Namen
Hofers Vorwürfe, dass er die Sache Tirols über dessen Grenze
versetze. Doch Haspinger erstürmte den Pass Lueg, während
Speckbacher die Pässe in den Hohlwegen nach Salzburg siegreich
erzwang. Haspinger besetzte nun Hallein, konnte sich aber nicht
gegen die Uebermacht behaupten. Am 16. Oktbr. konnte er jedoch nicht von Golling vertrieben werden. Erst als er hörte,
dass die Baiern wieder durch die Hohlwege im Pinzgau vorgedrungen waren, begab er sich mit seinen Getreuen nach Kärnten,
wo er sich mit dem Kärntner Hofer, Türk, vereinigte und die
Franzosen aus Spital vertrieb. Von hier eilte er wieder durch Pusterthal auf den Brenner zu Hofer. Nach der feindlichen Bese-
tzung flüchtete er nach Münster (Vintschgau) ins Kapuzinerhospiz;
gewarnt flüchtete er nach Goldrain im Vintschgau, wo er sich im
Schlosse Monate lang verborgen hielt. 1810 im August wanderte
er als Handwerksbursche durch die Schweiz nach Mailand und

20 *

dann nach Wien, wo er vom Kaiser als Belohnung die Pfarre Hietzing bei Wien erhielt. Er ist 1858 in Salzburg gestorben und begraben. Eine Gedenktafel für ihn ist in der Innsbrucker Franziskanerkirche.

Durch eine Thalenge kommt man in $\frac{1}{2}$ St. in den höher liegenden Thalkessel nach *St. Magdalena.* Der Thalboden wird durch Schuttberge in der Tiefe uneben. Von der Höhe über der Kirche hat man eine schöne Aussicht thalabwärts nach St. Martin. Der Getreidebau, Hafer und Gerste, deckt den Bedarf nicht. Ergiebiger ist die Viehzucht, und mancher Bauer hat über 60 Rinder. Hauptsache dabei ist Ochsenmastung; jährlich werden 5 — 600 Mastrinder aus dem Thale verkauft. Der früher bedeutende Leinwandhandel ist sehr gesunken, was der Zersplitterung der früher grossen Compagnien zugeschrieben wird. Der Holzhandel könnte sehr ergiebig sein, wenn die Forsten besser geschont und bewirthschaftet würden. Dennoch ist das Thal nicht arm und namentlich St. Martin wohlhabend. Aus dem Hintergrunde des Thales führt zwischen *Pfannhorn* und *Gaikogl* ein bequemer Jochsteig (7090') nach St. Jakob in Defereggen, über welchen lebhafter Verkehr stattfindet, indem die Teppichhändler Defereggens hier einen Theil ihrer Waare holen, wie die Gsieser in Defereggen mageres Vieh, um es zu mästen. — . Ein anderer Jochsteig führt von *St. Magdalena* neben dem *Hochstein* (7740') vorüber nach Kalchstein und Innervillgratten. Führer in St. Magdalena.

Das Thal *Prags* mündet etwas oberhalb *Welsberg.* $\frac{1}{4}$ St. thaleinwärts hat man rechts noch grüne Gebirge, meistens Glimmerschiefer, während links die schroffen und kahlen Dolomitkolosse schon heranrücken. *In der Saag* theilt sich das Thal; rechts zieht *Ausser-* und *Innerprags* (4270') hinein gegen das Enneberger Gebirge mit *Schmieden* und *St. Veit* — alle 4 Orte 119 H., 621 E. Im Hintergrunde dieses Seitenastes flutet einsam zwischen hohen Dolomitfelsen der bedeutende *Prager Wildsee* (5363'). Von hier führt westl. über die *Innerste Alpe* an einem kleineren See (7178') und dem *Dreifingerspitz* vorbei ein Weg nach St. Vigil in Enneberg, 5 St.; östl. unter dem hohen *Seekofl* (8885') hin auf die *Welsberger Rossböden*, von da in $4\frac{1}{2}$ St. auf die *Welschen Böden* (6267') und südl. nach Ampezzo. Im Hauptthale findet der Rei-

sende das von hohen Gebirgen umschlossene Bad *Altprags*. Die
Entdeckung der Quelle wird auf ähnliche Weise, wie die von
Gastein erzählt. Man zählt 7—800 Badegäste jährlich. Wie das
ganze Pusterthal zu den billigst und wohlfeilst zu bereisenden Gegenden Deutschlands gehört, so ist auch *Prags* als Bad sehr billig; doch lässt die Wirthschaft noch zu wünschen übrig. In der
Nähe, gegen Schmieden, liegt das Bad *Neuprags*, auch *Erlach*-
oder *Möselbad* genannt. Das neue Badehaus liegt auf einer Höhe
und ist am bequemsten von *Niederdorf* aus zu erreichen.

Flora (schon von Wulfen erforscht). An der Welsberger Rossalpe (I), dem Ru-
delhorn (II), an der Brunst (III), dem Sarzlkogl (IV) und der Neunerspitze (V) a. a. O.:
Ranunculus glacialis II, hybridus, Aquilegia pyrenaica, Papaver pyrenaicum, Arabis
pumila II, Draba frigida III u. IV, Alyssum Wulfenianum, Alsine aretioides IV,
Cerastium ovatum, Trifolium alpinum, Oxytropis campestris, Onobrychis, Hedysarum, Potentilla alpestris, Sibbaldia procumbens, Saxifraga squarrosa, burseriana,
sedoides, oppositifolia I, Homogyne discolor, Gnaphalium carpaticum V, Anthemis
alpina, Aronicum Clusii, scorpioides, Senecio Cacallaster IV, Crepis incarnata,
grandiflora, Phyteuma Sieberi V, Rhododendron Chamaecistus, Gentiana imbricata, Valeriana supina (hinter dem See), elongata (Knappenfuss), Pedicularis rosea II, asplenifolia II, Androsace glacialis II, Primula glutinosa II, Salix hastata,
reticulata, Allium Victorialis, Poa laxa, minor, Festuca spadicea, Avena versicolor

Das Thal der Rienz (Fortsetzung).

Auf der Hauptstrasse im *Pusterthale* erscheint, 1¼ St. von
Welsberg, das schöne Dorf *Niederdorf* (3649'), mit Eggeberg
205 H., 1070 E. Die Kirche ist neu, von 1792, mit Altarblättern von dem Tiroler M. Knoller. Sehenswürdig sind die 4 Holz-
bildsäulen: David, Magdalena, Petrus und Hieronymus, vom
alten Nissl aus Fügen (s. Viecht, II, S. 215). Die Deckengemälde
sind von Altmutter. Die Spitalkirche hat Jos. Renzler aus Lorenzen mit Altarblättern versehen. Krankenhaus. Geburtsort des
Bildhauers Joh. Maria Marleitner, der sich in Venedig auszeichnete. ¼ St. nordwärts liegt die alte Kirche *Im Moos* mit gothischem Spitzthurme. Die besten Wirthshäuser sind die Post und
der schwarze Adler, Höllensteiner, wo die Stellwagen Mittags ein-
kehren. Mit der Strasse von Bruneck nach Sillian trifft hier die
südliche nach Ampezzo zusammen, daher starker Verkehr. 2 Jahrmärkte. Rechts von *Niederdorf* führt ein Weg in ⅜ St. nach dem
Bade *Maistadt* in lieblicher Lage, im Schutze eines Lärchenhains.
Herrliche Ansicht der interessanten Umgegend von *Niederdorf*.

Das Hochaltarblatt in der Kirche von P. Troger. Nachkur von Prags. 400 Gäste, gute Einrichtung. Nur ¼ St. von *Niederdorf* liegt das *Weiher-* oder *Kohlerbad.* Unterkunft in Niederdorf. Links der Strasse, auf einer Höhe, liegt *Aufkirchen* (4184') ein Wallfahrtsort (Kirche 1474 erbaut). Das Kirchlein, welches über *Aufkirchen* aus dunkelm Walde herabschimmert, *St. Peter am Koß,* soll die älteste Kirche der Gegend sein; verfällt jetzt.

Von *Niederdorf* in 1 St. hat man das *Toblacher Feld* (3910') erreicht, mit dem Dorfe *Toblach* (3901'), 111 H., 847 E., welches links liegen bleibt, mit Aufkirchen, Haselsberg, Kandellen, Radsberg, Schönhuben, Frondeigen, Grotsch, Neunhäusern, Höllenstein 287 H., 1479 E. In der neuen (1769) reichgeschmückten Kirche ein besonders schön geschnitztes Tabernakel. Die frühere Mauth gegen Italien machte den Ort lebhaft; dieses war noch mehr der Fall unter der französischen Zeit, wo Niederdorf der letzte baierische Ort und Toblach der erste illyrische war. Das frühere Leben bezeugen die Ansitze, Burgen und Schlösser der Umgegend und des Ortes, als *Ligöde* (Eigenthümer und Bewohner waren: Konrad Pfaff 1283, Oswald Schwab als Pfleger 1397, 1500 war es Arnoldisch und 1550 Winkelhofensch; jetzt fast verschwunden), *Herbstenburg* (von Christoph Herbst, Richter in Toblach, erbaut 1500, Wohnung Max' I. während er das Bad Maistadt brauchte; durch Heirath an Leopold Gössl, dann an die Herren v. Graben, v. Prak und 1605 an die v. Walther, jetzt Eigenthum des Dr. v. Klebelsberg), *Engelös* (s. Welsberg, S. 305), *Neidenstein* (gehörte einst den Freiherren v. Enzenberg, jetzt Joh. Taschler), *Biedenegg* (zuerst den gleichnamigen, später den Herren v. Leiss, jetzt der Gemeinde Toblach gehörig) und *Thurn* (auch der *Rothe Thurn* genannt, von den Herren v. Kurz erbaut, 1515 an Wilh. v. Winkelhofen verkauft). Ein gutes Wirthshaus ist das *Hackhoferische.* Man leitet den Namen des Ortes von Doppelache her, weil mehrere Bäche sich nördl. im Gebirge vereinigen; näher liegt wohl die Erklärung von *Tobelache,* denn jene 4 Bäche vereinigen sich in einem wahren Tobel und stürzen sich nun vereint aus einem engen Schlunde heraus gegen das Dorf, oft mit verderbenbringender Wuth, wie die meisten Tobelachen. Diese *Toblache* kommt vom *Pfannhorn* und ein altes prophetisches

Sprüchlein sagt: „Reichen die Murgänge bis an die Spitze des Horn, dann ist Toblach und Wahlen verlor'n." In dieser Enge liegt das Dorf *Wahlen*, 42 H., 229 E. Jochsteige führen links nach Gsies und nordöstl. über das *Thörljoch* nach Kalkstein in Villgratten. Unweit *Toblach* liegt auf einer Höhe die Kapelle *Zum heiligen Joseph in Lersach*, welche Kaiser Max I. in Folge eines Gelübdes im Kriege gegen Venedig, während er hier längere Zeit verweilte, erbauen liess.

Das *Toblacher Feld* ist der Wendepunkt zwischen Ost und West; jeder Umwohner, jeder Führer oder Kutscher macht den Fremden auf das Riesenkreuz (3910′) an der Strasse aufmerksam. Hier zieht die Wasserscheide quer durch das Pusterthal und scheidet den Lauf seiner Gewässer in eine westl. Abdachung durch die Rienz zur Etsch in die Adria und in eine östl. durch die bald jenseits entspringende Drau zum schwarzen Meer. Diese Wasserscheide gibt dem Reschenscheideck auf der Malser Haide, wie dem Brenner in der Centralkette, an Höhe nur wenig nach. Merkwürdig treten gerade hier die Dolomitmassen, von Süden herandringend, bis auf die Thalfläche vor, sind aber gerade auch hier in ihrer Mitte geborsten, eine 3 St. lange, gerade nach Süden gehende, Spalte bildend, aus welcher die *Rienz* herausströmt und mit leichter Mühe der Drau zugeleitet werden könnte. Auch in geschichtlicher Hinsicht war hier einst eine Völkerscheide und noch verkündet der *Victoribühel* den Sieg der deutschen Bojoarier über die auch hier vordringenden Slaven im J. 609. Hier sollte die Sterzinger Kapelle mit der Inschrift: „Bis daher und nicht weiter, kamen die feindlichen Reiter" stehen.

Das *Toblacher Feld*, obgleich nicht ein Centralrücken, ähnelt doch der Höhe zwischen Finstermünz und Mals; der Reisende ahnet im Sommer nicht die Höhe, auf welcher er hinzieht, Wiesen und Getreidefluren begleiten, hohe Gebirge umragen ihn auf einer Höhe, welche der Gebirgskamm der meisten deutschen Waldgebirge nur selten erreicht. Nur der Winter und seine Begleiter verkünden auch hier die hohe Lage. Am Kreuze ist die Trivia, wo sich die Hauptstrassen dreifach theilen: nach Oesterreich, Tirol und Italien.

Sowie der Wanderer die heitere Gegend des *Toblacher Feldes* verlässt, umfängt ihn dunkeler Schatten, wenn nicht gerade die Mittagssonne ihre Strahlen brennend hereinsendet in den Thalspalt. Die gegenseitigen Wände treten immer so vor, dass sie das Thal fast völlig versperren und nur selten einen Durchblick gestatten. Der Fuss dieser senkrechten Wände ist umschüttet von dem Gerölle derselben, um dem Pflanzenwuchs eine Leiter zu geben, auf welcher Tannenwäldchen und höher das Krummholz mühsam hinanklettert zu den allem Leben abholden Schroffen. In ¼ St. erreicht man in einer kleinen Erweiterung der Spalte den *Toblacher See* (4016'), der dadurch entstand, dass die weitere Kluft nicht so schnell ausgefüllt wurde, als abwärts und oberhalb; allenthalben erblickt man seinen grünen, mit Pflanzen überzogenen Grund. Das Fischrecht darin gehört dem Grafen Kunigl. Er kann abgelassen werden und an seinem Abzuge ist ein Entenfang. Rings umschatten düstere Nadelwaldungen den Spiegel, über welchen sich die bleichen Dolomite erheben, und ihr Bild in der Tiefe verdoppeln. Noch ernster und grossartiger wird die Gegend oberhalb des Sees; fast senkrecht und unmittelbar steigen die Felswände aus dem grünen, schmalen, aber ebenen Thalboden nackt und starr empor. Bei einem einsamen Weghause vorüber, wo das Thal völlig geschlossen erscheint, kommt man in 2 St. von Toblach zu dem einsamen Post- und Wirthshause *Höllenstein* oder *Höhlenstein* (4579'), oder *Landro;* hier ist zugleich die Grenze der deutschen Sprache, wenn auch noch nicht Deutschlands. Von hier aus erblickt man südlich die Dolomitgruppe des *Cristallino* (10,264'), *Pico del Forame* und der noch südlicheren *Kristallköpfe.* Der sie verbindende zerklüftete Gletscher ist leicht zu begehen, die Aussicht vom *P. d. Forame* grossartig und vielleicht einzig in ihrer Art. Aus einem östl. Seitengrunde kommt die *Schwarze Rienz* vom kleinen *Paternkogl* herab, an welcher hinauf ein Jochsteig an grässlichen Steinwüsten vorüberzieht nach St. Joseph im Sextenthal, 6¼ St. Das Hauptthal mit der Strasse wendet sich bald darauf aus seiner bisherigen südl. Richtung nach Westen; die Strasse führt kurz vor dieser Wendung auf einem Damme durch den sehr seichten *Dürren-* oder *Höllensteiner See.* Nicht weit davon, ¼ St. von Höllenstein, liegt einsam das gute Wirthshaus *Schluderbach,* Georg Planer gehörig. In der nun westl.

Thalstrecke verlieren die Bergformen an Wildheit; sie erscheinen
abgerundeter; rechts kommt aus einer Schlucht die *Rienz* als kleiner Bach hervor, welcher an der *Creparosa* entspringt. Nur ein
sehr aufmerksamer Beobachter wird hier die quer durch die Thalsohle ziehende Wasserscheide zwischen Etsch und Piave erkennen. Man erwartet immer, an eine Art Joch zu kommen und
merkt bald den Fall der Gewässer nach jenseits nicht ohne Verwunderung. Die Wasserscheide erhebt sich höchstens 700' über
Toblach. (Fortsetzung des Wegs s. unter Piavegebiet.)

II. Das Etschthal mit seinen Thalwänden von Bozen bis Verona.

Bis gegen *Neumarkt* hin bietet das Etschthal noch ziemlich
dieselben geognostischen Verhältnisse, wie von Meran bis Bozen:
links grüne Porphyrberge, rechts die Fortsetzung der dolomitischen Mendel, darunter ein niedriges Porphyrvorgebirge, nicht
mehr eine schmale Stufe, sondern eine breite Hochebene; es sieht
aus, als ob ein Arm der Etsch einst hier in gerader Richtung zwischen dem vorderen Porphyrabfall und der Mendel hindurch gezogen wäre von Andrian über Kaltern nach Neumarkt. Diese ehemalige Rinne der Etsch ist aber mit Sand ausgefüllt. Die dadurch
entstandene Hochebene ist sehr angebaut und bevölkert, und eine
Strasse durchzieht sie in der Richtung des vermuthlichen alten
Etschbettes.

1) In der Thalsohle verschwinden nach Ueberschreitung
der *Eisack* der Rosengarten und Schlern hinter der linken Thalwand der Etsch, und von Norden her winken uns die hohen Oetzthaler Ferner ihren Abschiedsgruss zu. Nicht ohne Wehmuth blicken wir zu jenen frischen Höhen, wenn wir wahrnehmen, dass
wir unter ein anderes Volk treten, die Welschen, die zwar hier
erst als Ansiedler erscheinen nur in den fieberreichen Niederungen, indem sie die böse Luft leichter vertragen, als die Deutschen; aber dennoch schon einen Einfluss auf den Hauptstamm
der deutschen Bevölkerung ausüben, der nicht wohlthätig ge-

nannt werden kann, da meistens bei solchen Mischungen von beiden Seiten nur das Böse angenommen wird. Den Etschboden bedecken Mais- und Maulbeerpflanzungen, während links an den Höhen die Rebe kocht. Die Etschebene selbst ist mit vielen Kanälen durchschnitten. Jenseits der Ebene erhebt sich steil und schroff der Ostabhang jener Hochebene, welche im Munde des Volkes *Ueberetsch* oder *Eppan* genannt wird. Wir wollen sie die *Hochebene von Eppan* nennen. Da wir diesem Absturz hier ziemlich nahe sind, so erhebt er sich hoch und der flachgezogene Rücken der Mendel zieht im Ferndust darüber hin.

Flora. Salix angustifolia, Cyclamen europaeum; auf den welschen Wiesen und an den Eppaner Eislöchern: Seseli venetum, Avena argentea, Galium helveticum, Artemisia tanacetifolia, Athamanta cretensis, Bupleurum stellatum; an der Mendel: Ranunculus pyrenaeus, Villarsii, Geranium argenteum, Peucedanum rableuse, Galium helveticum, Gnaphalium Leontopodium, Scabiosa lucida, Artemisia lanata, Czackia Liliastrum.

Hoch ragt rechts an der Nordecke des vorgeschobenen Porphyrrückens das stolze *Sigmundskron* (1161'') empor. 2 St. von Bozen liegt *Leifers* (781'), 191 H., 1182 E., in ungesunder Gegend, daher der Leiferer Tod in den Sagen des Volkes. Hübsche Kirche in byzant. Stil. Hier mündet der *Brantenbach*, zwischen Deutschenofen und Petersberg entstehend; im Hintergrunde der Wallfahrtsort *Weissenstein*. Auf dem Wege dahin kommt man an dem Schlosse *Lichtenstein* vorüber. Die Seidenzucht liefert in Leifers jährlich 100 — 120 Ctnr. Galetten. *Branzoll* (722'), 109 H., 681 E., 1 St. von Leifers, Eisenbahnstation, ist Hauptflossstätte für die Waaren- und Holzversendungen auf der Etsch, welche hier schiffbar wird, so dass man von hier auch zu Wasser die Reise abwärts machen kann. Ueberfahrt nach *Pfatten* (s. S. 321). Die Gegend wird hierauf einsamer, indem der westl. Porphyrvorsprung etwas näher tritt und die bevölkertste Gegend verdeckt. Bei *Auer* bricht der westl. Porphyrrücken ab und vor uns liegt eine völlig veränderte Gegend. Das Thal erweitert sich nicht nur, sondern gestattet auch einen Rückblick in das Paradies von Kaltern bis auf die Hochebene von Eppan. Hoch ragen die Schlösser Leuchtenburg und Laimburg auf und Kaltern, Altenburg. Tramin und Kurtatsch glänzen aus dem südl. Duftschleier hervor. *Auer*, Ora (801'), 147 H., 908 E., liegt an dem links herabkom-

menden *Höllen-* oder *Hohlenbach.* Hier ist eine Ueberfahrt, die
Eisenbahnstation 20 Min. westl.　Die neue *Fleimser Strasse* über
Karditsch, wo der Stellwagen Mittag macht, und das Joch *S. Lu-
gano* (3459'), nach Cavalese ist sehenswerth.

Flora bei Branzoll: Cytisus radiatus, Senecio Cacallaster, Echinops sphaerocephalus, Euphorbia carniolica, Seseli rableuse.

Im *Höllenthal* ansteigend kommt man, an dem einsamen
Wirthshause *Pausa* vorüber, in die Gabeltheilung des Thales;
links, hoch oben auf einem hohen, ins Etschthal hinausragenden
Berge, liegt die Gemeinde *Aldain* (3865'), und auf dem Gebirge,
welches das Thal spaltet, *Radein* (4908'), zus. 268 H., 1383 E.;
beide Gemeinden leben von Viehzucht und Holzverkauf, und sind
rein deutschen Stammes.　Der *Cislonberg,* ein Dolomitkopf mit
Sandumrandung, über dem Porphyr aufragend, scheidet das *Höllenthal* vom *Trudenthal,* welches bei *Neumarkt* zur Etsch geht.
Wo der Weg von *Neumarkt* durch das *Trudenthal* sich mit der
schönen Auer-Fleimser Strasse verbindet, ist ein Brauhaus „alle
fontane fredde". — Ein Seitenthal des *Höllenthales* ist das des
Schwarzenbaches, durch welches man über *St. Martin* rechts zu
dem *Schwarzhorn* (7710'), links zum *Grimmjoch* (7321') hinansteigen kann; beide in der Umgegend berühmt durch ihre herrliche Aussicht.　Führer zum Grimmjoch in Radein, 1 St. weiter
ein Wirthshaus.　Auf den Grimmjochwiesen ein Haus zu Heu-
bäderkuren, daneben eine hübsche neue Kapelle.

Von *Auer* der Strasse folgend hat man links über der Strasse
die Ruinen von *Castell Feder* (castellum foederis); nach einigen
von den Römern, nach anderen von den Longobarden erbaut,
zum Andenken eines Friedens.　Höher oben unter dem *Cislonberg*
(4933') liegt *Montan* (1559'), 137 H., 933 E.; in der Nähe erhebt sich noch wohlerhalten die uralte Burg *Enn* (1827'), der
Stammsitz der Herren v. Enn, welche aus dem Rheinthale hier
eingewandert sein sollen, später mit den Eppanern gleiche Macht
errangen, aber auch durch Meinhard gestürzt wurden; der letzte,
Wilhelm v. Enn, zog wieder in das Rheinthal zurück und fiel neben Leopold bei Sempach.　Jetzt ist das Schloss kais. Lehen im
Besitz der venetianischen Grafenfamilie Zenobio-Albrizzi.

Ueber *Vill* (704') gelangt man nach *Neumarkt* (675'), mit Truden 245 H., 1685 E., ital. Egna; Eisenbahnstation; Gasth. zur Krone; Etschbrücke. Hier war die römische Niederlassung Enna oder Endis. In der Völkerwanderung vernichtet, blühte es durch den Waarendurchzug, besonders nach Bozen, unter seinem jetzigen deutschen Namen auf.

Kurz vor *Neumarkt* kommt links das schon erwähnte *Trudenthal*, ital. Trodena, herab, vom *Gallwiesenbach* durchströmt. Durch dieses Thal, welches zwischen 2 Dolomitkuppen, dem *Cislonberg* und *Hornspitz* (5706'), hinansteigt, führt eine Verbindungsstrasse nach Cavalese, im Fleimser Thal. Auf diesem Wege erblickt man zunächst das Schloss *Kaldif*, einst eine Römerfeste, dann den Herren v. Enn gehörig, von denen die Burg nach einander an den Landesfürsten, die Katzensteiner, Rottenburger und die Edlen v. Payr überging, zuletzt an Hrn. Gasteiger in Hall. und findet im Weiler *Kaldisch* ein gutes Wirthshaus. Im Hintergrunde des Thales liegt das Dorf *Truden* oder *Trodena* (3540'), ein Sommerfrischort der Neumarkter.

2) **Weg über Kaltern** (Stellwagen von Bozen nach Kaltern 3 St., zu Fuss 4 St.) von *Bozen* durch die grossen Weingärten und Maisfelder des Thalbodens in 1 St. zur Etschbrücke unter *Sigmundskron*, nach Giovanelli Pons Drusi, im Mittelalter eine wichtige Zollstation. Jenseits derselben ein gutes Wirthshaus, ein Vergnügungsort der Bozener; dabei die Ruinen einer alten Kapelle. Unmittelbar darüber steigt schroff das Porphyrgebirge auf, welches die stundenbreite und 5 St. lange Hochebene von Eppan trägt. Auf der Nordostecke erhebt sich stolz und majestätisch die Burg *Sigmundskron* (1161'), an der Stelle der Römerfeste Formicaria, woraus später im Deutschen Formigar und noch später Firmian entstanden sein soll. Die Grafen v. Firmian setzten sich nämlich schon in der frühesten Zeit hier fest, von denen mehrere die Landeshauptmannschaft an der Etsch führten, und noch jetzt blüht ihr Geschlecht. Die Burg *Formigar* aber ging 1473 an den Erzherzog Sigmund über, welcher die Burg so herstellte, wie man sie jetzt sieht; einen Bau, dessen Riesentrümmer noch Bewunderung erregen und alles dieser Art in Tirol übertreffen. Noch wohnt in der Burg eine Pächterfamilie; auch befin-

det sich das Pulvermagazin für die Bozener Besatzung daselbst. Sie gehört dem Grafen v. Sarnthein.

Die Strasse führt nun in der Tiefe rechts um die Ecke des Berges von *Sigmundskron* und steigt dann, links nach Süden umbeugend, im Rücken der Burg zwischen Weinbergen durch das Dorf *Frongart* nach *Girlan* (1369'), 131 H., 927 E., in weinreicher Gegend. Gutes Wirthshaus z. Rössl. Westl. liegt in einiger Ferne *St. Paul*. Ehe wir dahin gelangen, müssen wir durch eine Tiefe und ein vielfaches, sandiges Thongehügel, doch alles mit der Rebe übersponnen. Zur Linken ragen die 2 schauerlichen Burgruinen *Wart* und *Altenburg* auf, ehemals Eigenthum der hier gebietenden Eppaner; gegenwärtig gehört Wart dem Grafen v. Künigl und Altenburg dem Grafen v. Khuen auf Gandegg. Bald darauf erreicht man das stattliche Pfarrdorf *St. Paul* (1230'), 192 H., 1178 E., gutes Wirthshaus zum Adler, schöne Häuser und ein Platz, von welchem eine Strasse südl. nach Kaltern, eine nördl. nach Terlan, eine östl. nach Bozen ausläuft. Die Pfarrkirche wurde im 14. Jahrh. im gothischen Stile erbaut und neuerdings stilgemäss restaurirt. Das Gemälde Pauli Bekehrung wird vorzüglich als Kunstwerk geschätzt; schöner Thurm mit der 100 Ctnr. schweren Glocke; reizende Aussicht bis nach Meran hinauf, aus dessen Gegend die Burg Tirol uns grüsst. Der schöne Gottesacker ist mit Arkaden umgeben. Die alte Kirche daselbst enthält ein schätzbares Gemälde. Vom Kirchenplatze führt ein Saumpfad nach *Fondo* im Nonsberg an *Freudenstein* und *St. Valentin* vorüber auf den Einschnitt zwischen *Matschach* und *Mendel* 1½ St.; bis zum Kreuze, wo der Steig von Kaltern einmündet, ¾ St., und bis zum guten Wirthshaus noch 1¼ St. Vom Wirthshause 2 St. auf den Gipfel des *Monte Roen* (6680') mit dem besten Ueberblick der ganzen Gegend und Einblick in Nons- und Sulzberg. Von *St. Paul* nordwestl. liegt die Burgruine des ehemals stolzen *Hoch-Eppan* (2041'). Auf dem Wege dahin kommt man noch an den wenigen Ueberresten der Burg *Fuchsberg*, des Stammsitzes der Grafen v. Fuchs, und der vom Besitzer, Hrn. v. Putzer in Bozen, geschmackvoll hergestellten Burg *Korb* vorüber nach *Missian* (1196'), einem ungesund liegenden Dörfchen, seitwärts vom Wege von Meran nach Bozen. Darüber thront *Hocheppan* auf freier

Höhe, die weite Umgegend von Meran bis hinab nach Salurn, sowie in das Eisackthal hinauf überschauend, im Rücken gedeckt
durch die Wände der Mendel. Der Vorthurm, einst durch unterirdische Gänge mit der eigentlichen Burg zusammenhängend,
heisst der *Kreidenthurm*, weil von ihm aus die Kreidenfeuer, das
Zeichen zum Aufgebot des Landsturmes, in das Land hinein lo-
derten. Andere leiten den vielen Vorthürmen eigenen Namen von
„Kreien“, altdeutsch für Lärmmachen, ab. Auch hier soll einst
ein Römerkastell gestanden haben.

Die Grafen v. Eppan, welfischen Stammes und bojoarische
Grenzgrafen in Bozen, wurden durch die Bischöfe von Trient aus
Bozen verdrängt und liessen sich hier auf dem Grundeigenthume
ihrer Väter nieder, wo sie zu solcher Macht emporstiegen, dass
sie Nebenbuhler der Grafen v. Tirol wurden. Friedrichs I. 3 Söhne, Ulrich II., Heinrich I. und Arnold I., wurden Stifter von
3 verschiedenen Linien. Ulrich behielt die Burg Eppan. Alle
seine Bemühungen gingen dahin, sich an seinen Feinden, besonders den Bischöfen von Trient, zu rächen und sich selbst dadurch
zu erheben. Dieser Hass vererbte sich auf seine Söhne Friedrich II. und Heinrich, und führte bald zu Thaten des Uebermu-
thes und Frevels, die von den Grafen v. Tirol, Albrecht und
Berchtold, Vögten der Bischöfe, geahndet wurden. Als aber der
Bischof von Trient einst mit 2 Kardinälen, auf Veranlassung Heinrichs des Löwen, nach Deutschland reiste, um die Händel des Kaisers mit dem Papste zu schlichten, wurden sie von den Eppanern
aus einem Hinterhalte überfallen, gefangen und nur gegen ein
grosses Lösegeld wieder in Freiheit gesetzt. Heinrich der Löwe
bekriegte sie nun selbst und nöthigte sie, alle geraubten Besitzungen herauszugeben und öffentlich Abbitte zu thun. Hierdurch
verloren sie ihr Ansehen so, dass ihre eigenen gedrückten Dienstmannen sich mit Hülfe der Grafen v. Tirol gegen sie und neben
ihnen erhoben. Sie wurden nun Lehenträger der Bischöfe von
Trient. Friedrichs II. erster Sohn, Friedrich, wurde Abt in Marienberg, ein anderer Sprosse, Egno, wurde Domherr in Trient.
Nach dem Tode der Uebrigen trat er aus dem geistlichen Stande
und heirathete. Sein Sohn war Ulrich III., welcher in Schlesien
gegen die Tartaren mitkämpfte. Nach seinem Tode setzte er, da

er selbst kinderlos war, seinen Neffen Egno, Bischof von Brixen und Trient, zum Erben ein. In Folge seiner Händel mit den Grafen v. Tirol wurde er zuletzt genöthigt, nach Padua zu entfliehen. Ein jüngerer Bruder, Gottschalk, genoss eine Pfründe an der Kirche zu Trient und starb 1300, als der letzte seines Stammes. Die Burg, zum Theil bewohnt, zum Theil verfallen, gehört jetzt dem Baron Theimer.

Südl. von *Hocheppan* liegt die Burg *Boimont*, eine der schönsten Ruinen dieser Gegend, die Stammburg der Herren v. Boimont oder Payrsberg. Die Burg gehört jetzt den Grafen v. Wolkenstein-Trostburg. Von hier steigt man, an *Freudenstein* (1702'), einem noch wohlerhaltenen Schlosse, den Grafen v. Lodron in Trient gehörig, vorüber, wieder in die Tiefe nach *St. Michael*, San Michele tedesco, oder *Eppan* (1297'), 90 H., 2140 E., mit Girlan und St. Paul 413 H., 4545 E., und einem Kapuzinerkloster in sehr schöner Lage, fast auf der Höhe der Wasserscheide der Hochebene von *Eppan*, von welcher die Gewässer nördl. ins obere Etschthal, südl. in die Seebucht von Kaltern abfliessen. Der Ort zählt viele schöne massive Gebäude, welche den Wohlstand der hiesigen sogen. Weinherren bezeugen. Westl. darüber prangen am Fusse der *Mendel*: *Gondegg* (1297'), eins der besterhaltenen Schlösser, Stammsitz und noch gegenwärtig Eigenthum der Grafen v. Khuen; darüber der Ansitz *Moos*, einst den Rottenburgern, jetzt den Herren v. Schulthaus gehörig; südlicher das stattliche Schloss *Englar* (1565'), in dessen Besitze die Firmiane, Pollweiler, Thune, Völser und zuletzt die Khuen folgten, daneben das gut erhaltene gothische Kirchlein St. Sebastian; *St. Valentin* (1920'), von den Rittern gleiches Namens erbaut, wohnlich hergestellt, gehört jetzt dem Grafen v. Meran, der hier zuerst die rheingauer Art des Weinbaues mit gutem Erfolge eingeführt hat; *Gleifheim* und *Greit* liegen *St. Michael* zunächst. Auf der Höhe hinter diesem schlösserprangenden Höhenzuge liegt das Bad *Thurmbach*. Herrlich, ja einzig ist die Aussicht von dem oberhalb *Gleifheim* liegenden *Calvarienberge*, besonders gegen Abend, wenn die Sonne schon hinter der Mendel steht, hinab auf die bevölkerte und wohlangebaute Hochebene, welche hier wie ein Garten ausgebreitet erscheint.

Von *St. Michael* kommt man in ½ St. über die erwähnte Wasserscheide nach *Unterplanitzing* (1370'); rechts darüber liegt *Oberplanitzing*, zus. 68 H., 352 E. Noch höher erhebt sich der *Matschatsch*, ein Vorsprung der *Mendel*, umschattet von ehrwürdigen Kastanienwaldungen. In ½ St. liegt vor uns das schöne *Kaltern* (1332'), 245 H., 1684 E., mit beiden Planitzing, Ober- und Mitterdorf 383 H., 3538 E. Sitz der grössten Weinhändler Tirols. Das beste Wirthshaus mit Lesekabinet ist das Rössl bei Franz Röggla. Der Markt gleicht, besonders in einiger Ferne, wo die grossen umliegenden Dörfer mit ihm verschmelzen, einer grossen Stadt. Diese Ansicht wird erhabener und schöner durch den Blick in die Tiefe auf die Bucht des *Kalterer Sees* und über ihn hinaus in das breite Etschthal gegen Neumarkt. Auch das Innere des Marktes ist heiter und städtisch; in der Mitte der halbkreisförmigen Hauptstrasse befindet sich ein grosser Platz, geschmückt durch das neue geschmackvolle Rathhaus. Die Pfarrkirche ist im neueren Stile, aber freundlich; die Deckengemälde von Schöpf, das Hochaltarblatt von Unterberger; die Gemälde der Seitenaltäre von dem Venezianer Carlo Liberale Cozza. Das Franziskanerkloster steht an der Stelle der ehemaligen Feste Rottenburg, eines Besitzthums der Rottenburger bis zu ihrem Sturze. Auch in der Kirche des Klosters sind schätzbare Gemälde. Vom neuen Friedhofe schöne Aussicht auf den *Kalterer See*; den schönsten Ueberblick der herrlichen Gegend bietet die Höhe des Ansitzes *Windegg*. Südl. von *Kaltern* verschwindet zwischen dem östl. Porphyrrücken und der westl. Dolomitkette jene aus Thon und Sand bestehende Masse, welche von St. Paul her diesen Raum ausfüllte und dadurch die Hochebene von Eppan schuf; jene beiden Parallelrücken aber setzen noch südl. fort und zwischen ihnen senkt sich nun der Boden von der Hochebene in das Seethal von Kaltern, welches gleich darauf, indem der Porphyrrücken abbricht, in das Etschthal mündet. Wir steigen von *Kaltern* zu seinem See hinab, dem *Kalterer See* (682'), dessen oberste Bucht sehr reizend ist durch die lieblichen, wohlangebauten Gestade; das untere Ende verfliesst bei Ueberschwemmungen mit der Etsch und geht in ein Moos über; er ist 1 St. lang, ½ breit und nährt Hechte, Birschlinge und Aale. Leider gibt es hier keine Kähne zu mie-

theu. Am linken Gestade führt die Strasse nach Neumarkt; von
dem einzelnen Wirthshause an diesem Wege steigt links ein Pfad
auf das südl. Ende des Porphyrrückens, kurz zuvor, ehe er plötzlich bei *Gmünd* abbricht; durch Weingärten und einen ehrwürdigen hochstämmigen Eichenwald gelangt man auf einen vorspringenden Felsenkopf mit der Ruine *Leuchtenburg* (1812'): ursprünglich ein Römerwerk, besassen sie im Mittelalter die Rottenburger,
deren Hauptfeste es war; jetzt gehört sie dem Grafen A. v. Khuen.
An dem stolzen Thurme erblickt man das Wappen Friedrichs m.
d. l. T. Vor allem überrascht wird man aber durch die Aussicht
auf das ganze Etschthal, welches sich hier plötzlich in der Tiefe
aufrollt. Gleich darunter, gegen die Etsch hinab, liegt *Laimburg*,
Stammsitz der Herren gleiches Namens, jetzt Eigenthum der
Grafen Thun. Am Fusse der Porphyrwand liegt *Pfatten*, Vadena
(729'), mit einer Ueberfahrt (Pfad) über die Etsch.

Der eigentliche Rücken des Porphyrzugs ist bewaldet und
man findet hier eine Wildniss und Einsamkeit, wie man sie zwischen dem Leben des Etschthales und dem lustigen, bunten Getreibe der Eppaner Hochebene nicht erwartet. Hier liegen auch,
von dem Schatten der Wälder umdunkelt, die *Seen von Montigl*
(1759'), bekannt wegen ihrer kostbaren Fische (Birschlinge). Am
rechten Ufer des *Kalterer Sees* wächst auf sonnigem aber mage-
rem Kalkboden der berühmte Kalterer Wein, der mildeste in Südtirol, mehr roth, als weiss. Es wird viel Wein unter seinem Namen verkauft; wer aber einmal diesen Nektar trank, und das küh-
lende und doch wärmende, von der Zunge wegfliegende Gewürz
kostete, kann den Unterschied leicht erkennen. Fast unmittelbar
an *Kaltern* stösst *Mitterdorf* (1510'), mit dem darüber aufragenden Schlosse *Kampan*, einst den gleichnamigen Herren, welche
1490 ausstarben, jetzt den Grafen v. Enzenberg in Innsbruck gehörig, und *Sallegg*, Landsitz des in der Umgegend begüterten
E. H. Heinrich. Wiederum eine Stufe höher liegt *St. Nikolaus*
oder *Oberdorf* (1782'). Wallfahrtskirche. Unweit *St. Nikolaus*
liegt das Bad *St. Rochus*. Auf derselben Bergstufe südl. fortziehend erreicht der Wanderer jenseits *St. Anton*, 39 H., 208 E.,
das Dorf *Altenburg* mit der merkwürdigen, uralten St. Peterskirche, welche der Sage nach vom Bischofe Vigilius gegründet sein

xoll; daran sehenswerthe Fresken von Egnolf aus St. Paul 1440.
Altenburg steht auf den Ruinen eines grösseren Ortes. In der
Nähe eine bedeutende Höhle. Die wohlhabendste Volksklasse
waren die Weinhändler, ehe die Traubenkrankheit auch hier ein-
brach. Von *Kaltern* aus wandern wir entweder auf der gewöhnlichen Strasse rechts am See hin oder über *St. Anton* und *Altenburg* nach

dem Markte *Tramin* (863′), 155 H., 2069 E., am Abhange
des *Mendelgebirgs*, wo sich dieser in die Fläche des *Traminer
Mooses* senkt. Die Pfarrkirche ist alt und hat einen schönen gothischen Altar mit alten Gemälden, einen der höchsten Glockenthürme in Tirol, mit schöner Aussicht, einen schönen Platz und
ansehnliche Gebäude. Hier schlug Ludwig der Brandenburger
Karl IV., als letzterer im Verein mit dem Bischofe von Trient gegen Margaretha Maultasche zog. Das ehemals berüchtigte *Traminer Moos* erstreckt sich 3 St. lang und fast 1 St. breit und hielt
4,196,094 Wiener Quadratklaftern. Es machte die Gegend so ungesund, dass selten jemand 50 Jahre alt wurde. Schilf und
schlechtes Gras war der einzige Ertrag, welchen Tramin, Kaltern und Kurtatsch unter sich theilten. Endlich dachte man an
die Austrocknung dieses Gebietes. Der bekannte Zallinger ent-
warf den Plan und 1777 waren die Kanäle gezogen mit einem
Kostenaufwand von 40,000 Fl. Der Boden wurde nun unter die
Theilnehmer vertheilt und bringt auf der einem grossen Garten
gleichenden Thalebene reichen Ertrag; die Luft hat sich so verbessert, dass die Bevölkerung seit dieser Zeit auf das Doppelte
gestiegen ist. Der bekannte hiesige Wein (von den Italienern
dolce picante genannt) wächst an den heissen Bergwänden, ist
dem Kalterer gleich und hat schon auf dem Kostnitzer Concil eine
Rolle gespielt. Die Rebe wird auch schon lange in der Rheinge-
gend gebaut. Von *Tramin* durchschneidet eine Strasse die ganze
Breite des *Mooses* und zieht bei Neumarkt über die Etsch.

　　Auf dem l i n k e n U f e r der Etsch von *Neumarkt* abwärts
treffen wir auf die alte Kirche *St. Florian*, gewöhnlich *Klösterle*
genannt, denn sie war sonst eine Pfarrkirche mit einer Klosterge-
meinde; der *Aalbach* kommt links aus einer Schlucht, durch
welche der *Mandrulberg*, aus Dolomit bestehend, südl. begrenzt

wird. Durch das Thal selbst aber zieht der Porphyr aus dem dahinter liegenden Porphyrgebirge herein. Denn so massig auch die Dolomitberge ins Etschthal herein zu treten scheinen, so sind es doch nur Oasen, welche sich im Rücken an den Porphyr anlehnen, der auch durch die Gebirgsschluchten heraustritt bis nahe ins Etschthal. Zu hinterst im *Aalbach* liegt ziemlich hoch oben das Dörfchen *Gfrill*, 42 H., 217 E., eine Sommerfrische der Umgegend. Der nächste bedeutende Ort ist *Salurn* (686'), 288 H., 1770 E.; Eisenbahnstation, gutes Wirthshaus. Der *Titschbach*, welcher links herabkommt über eine Dolomitwand, bildet einen schönen Wasserfall. In der Pfarrkirche ist ein gutes Gemälde von Cigolini aus Verona. Auf einem schwer zugänglichen Felsenstock unter der hohen Wand des *Geiersbergs* blickt die Ruine der alten Feste *Salurn*, von welcher das Dorf den Namen hat, unheimlich herab. Sie gehörte einst den Eppanern, kam dann an den Landesherrn, die Rottenburger, Völser und zuletzt an die Grafen Albrizzi. Ueber *Buchholz* steigt man zum *Grossen Geier* (3419') auf, der eine sehr schöne Aussicht gewährt.

Flora. Thalictrum foetidum, Clematis recta, Anemone trifolia, Arabis muralis, Althaea officinalis, Athamanta cretensis, Galium purpureum, cristatum, Cytisus alpinus, Rhamnus saxatilis, Saxifraga Burseriana, Laserpitium Gaudini, Euphorbia carniolica, Viola elatior, Crepis pulchra, Mercurialis ovata, Luzula nivea; in den Sümpfen: Salvinia natans, Aldrovanda utriculosa.

Auf dem rechten Etschufer, 1 St. von Tramin, in fast ganz ähnlicher Lage, zeigt sich *Kurtatsch* (1045'), 84 H., 965 E., mit Graun, Söll, Kungg, Entikler, Oberfennberg, Panca 240 H., 2130 E., auch von den Trümmern ehemaliger Schlösser umlagert, nämlich *Altlehen*, der Herren v. Anich Stammsitz, *Entikler* und *Strehlburg*, letzteres noch wohl erhalten. Wiederum 1 St. weiter gelangt man nach dem stattlichen *Margreid* (818'), in ungesunder heisser, aber weinreicher Gegend.

Flora. Tamus europaeus, Asperula longifolia, Phyteuma Scheuchzeri, Centaurea sordida; am Fennberg: Cytisus radiatus, alpinus; gegen Kalkofen: Scabiosa graminifolia: gegen Aichholz: Arabis sagittalis.

Auf der Fortsetzung unseres Weges lassen wir links mitten im Thale das Dorf *Kurtinig* (674'), 39 H., 192 E., liegen. Die steile Felswand rechts bildet hier, wie die Grenzwand unter Salurn, eine scharfe Ecke, indem sie von Süden nach Westen recht-

21 *

winkelig umbiegt in die warme Bucht von *Aichholz*, denn die
Nordwinde werden von jähen Kalkwänden abgehalten, die Strahlen der Mittagssonne aufgefangen und ihre Glut durch das Zurück-
prallen vom nackten Gestein verdoppelt, daher kocht hier einer
der edelsten Weine Tirols. — Isatis tinctoria. — Die rechte Thalwand zieht von *Aichholz* wieder mehr südl.; in der Ecke, welche
bei *Aichholz* dadurch gebildet wird, kommt das *Höllenthal* herab,
aus dessen Hintergrunde man rechts nach *Fennberg*, Sommerfrische der Aichholzer, links über ein niedriges Felsenjoch nach San
Pietro im Nonsberg kommt. Auf der *Cima d'Arza* (5423') schöner Ueberblick über das Etschthal und Nonsberg. Von *Aichholz*
erreicht man, an der rechten Thalwand fortziehend, der Grenz-
schanze von Salurn gegenüber, *Deutsch-Metz, Mezzo Tedesco,*
Meta Teutonica (683'), 271 H., 1607 E., am *Nosbach* oder *Noce*,
welcher hier die Grenze zwischen Deutsch- und Welsch-Tirol
macht; zur Zeit der Longobardenherrschaft in Italien der erste
deutsche Ort. Durch die gelungene Regulirung des *Nosbachs* in
seinem untersten Laufe, wozu die Steine durch Absprengung einer
mächtigen Felswand gewonnen worden sind, ist dessen Mündung
weiter vom Orte entfernt worden. Der Ort hat viele stattliche
Häuser, gut und reinlich gehalten im Gegensatz des jenseits des
Nosbaches liegenden Welsch-Metz. Gasthof alla mezza corona ist
zu empfehlen. Eine majestätische Felswand erhebt sich darüber
mit einer ungeheuren Grotte, in welcher *Kronmetz* (2803') liegt,
das Stammhaus der Herren v. Metz, nach deren Aussterben es in
eine Einsiedelei des heil. Gotthard umgewandelt wurde. Gleich
darunter steht die Burg *Deutsch-Metz*, die gewöhnliche Wohnung
der Herren v. Metz, welche in männlicher Linie 1465 ausstarben,
worauf ihre Besitzungen durch Heirath an die Grafen v. Firmian
übergingen. — Moeringia Ponae.

Von *Salurn* abwärts besteht die linke Thalwand aus steil abfallenden Felswänden; die Etsch drängt sich an sie heran, so
dass an manchen Stellen der Strasse der Raum durch Kunst gewonnen werden musste; denn der rechtseitige, ½ St. breite Thalboden war einst Sumpf, daher hier ein wichtiger Engpass. Besonders wurde dieser Pass zu der Zeit umkämpft, als Bojoaren
und Longobarden um die Grenze stritten. Auch in den späteren

Volkskriegen kam es in diesem Engpasse der „Schanze" zu blutigen Händeln. Merkwürdiger noch ist der Engpass in volksthümlicher Hinsicht; er bildet diesseits die Grenze zwischen Deutsch-
und Welschtirol. Wenn auch der von Norden Kommende schon
vom Brenner an manches anders werden sieht, als im Norden des
Brenners, und es in seiner Unbekanntschaft mit Italien italienisch
nennt, so wird er dies, aus Italien kommend, widerrufen und
sich zuerst wieder in dem Gasthause zu Salurn heimisch fühlen,
wenn er von freundlichen Kellnerinnen bedient wird, statt der
eigennützigen Camerieri's, die jeden Schritt bezahlt haben wollen.
Anstatt der bunten, lustigen und meistens reinlichen Volkstrachten Deutschtirols sieht man hier viel zerlumpte lazzaroniartige
Gestalten; der Stolzere aber, der sich mehr dünkt, geht in abge-
schabter, schwarzgewesener Manchesterjacke und Hose umher,
den Kopf mit einem weissen Strohhute bedeckt. Ebenso erscheinen die Wohnungen; die Hütten nur zerlumptes Flickwerk, die
grösseren stattlichen Gebäude, bisweilen auch Palazzo's genannt,
gleichen völlig jenem abgetragenen Manchestergewande; in den
grossen Fenstern kleine eckige blinde Glasscheiben, und wo diese
in dem letzten Jahrhunderte einmal verunglückten, gar nicht,
oder durch Papier ersetzt; oft fehlen alle Glasfenster und graue
hölzerne Fensterläden schliessen die hohläugigen Fenster; der
Kalk ist malerisch halb abgebröckelt und das Ganze, wenn es an
der Strasse liegt, mit Staub dicht überpudert. Ebenso unheimlich
ist auch das Innere vieler Gasthöfe, so grossartig sie von aussen
bisweilen erscheinen, nichts behagliches, als höchstens grosse Betten; keine Spur von dem wohnlichen Gefühl in einem selbst ganz
gewöhnlichen Bauernwirthshause in Deutschtirol. Das hochauf-
jauchzende, weithin durchs Gebirge wiederhallende Kraftgefühl
der deutschen Aelpler ist verschwunden, obgleich der Lärmen und
das Geschrei in den Wirthshäusern selbst grösser ist, als dort.
Doch gibts auch in Welschtirol und in Italien gute, reinliche Gasthöfe und hat auch für den Fremden, der nicht bloss alles durch
die schwarze Brille sieht, das welsche Leben sein Schönes, vor-
ausgesetzt, dass er nicht allein reist und der italienischen Sprache
mächtig ist; denn mit dem Französischen kommt man kaum im
Gasthofe einer grösseren Stadt aus. Schon die besonderen Lagen,

in welche sich eine Gesellschaft lustiger Gebirgswanderer versetzt sieht, wenn sie nicht ohne Scheu die stolzen Hallen eines stolzen Gasthofes mit prangender Inschrift betritt und, im Innern angekommen, sich schlechter behelfen muss, als in einer Sennhütte, haben einen gewissen Reiz, denn „vom Erhabenen zum Lächerlichen ist nur ein Schritt." Doch ist es nicht überall so und der italienische Reis mit Parmesan macht vieles wieder gut. In abgelegenen Gegenden wird man sich oft besser unterhalten, als auf der Strasse. Durch Handeln oder Markten beim Eintritt in das Wirthshaus verliert der Reisende nur, denn er bekommt nicht mehr, als ausgemacht ist und muss deswegen doch so viel bezahlen, als andere, die sich's wohler sein lassen. Man sperre sich überhaupt durch nichts Abstossendes von der Gesellschaft ab, wie es leider viele Reisende zum eigenen Schaden thun, und man wird froh und lustig seine Reise auch durch Welschtirol fortsetzen. Den meisten Aerger machen den Reisenden unstreitig die Vetturine, welche, trotz aller Uebereinkunft, jeden Fussgänger, den sie treffen, noch aufladen, unter dem Vorwande, das oder die Pferde liefen zu schnell und es sei besser, dass sie, wenn auch schwer beladen, aber langsamer gingen. Man schliesst daher die Uebereinkunft am besten unter der Bedingung, dass man von jedem Aufsitzenden dem Kutscher ein Bestimmtes abzieht, und stelle sich sicher, dass man nicht früher abgesetzt oder an einen anderen Vetturin verhandelt wird, als an dem bedungenen Ziele der Fahrt. Der Fussreisende ist unabhängiger und freier, und wenn er auch schwitzt, so schwitzt der im vollgepackten Wagen noch mehr und schluckt fortwährend den Staub, den er macht, ein.

An der Mündung des *Nosbaches* in die Etsch, aber an ihrem linken Ufer, liegt, 1½ St. von Salurn, *Welsch-Michael* oder *San Michele* (705'), 87 H., 518 E., Eisenbahnstation und der erste welsche Ort an der Heerstrasse. Auf der Höhe gegen *Salurn* liegt das noch wohlerhaltene Schloss *Königsberg*, mitten aus Weinbergen hervorschimmernd. Die ersten Besitzer waren die Grafen v. Eppan, ihnen folgten die Bischöfe von Trient, welche die Grafen v. Tirol damit belehnten. Als Afterlehen erhielten die Burg die Rottenburger, Greifensteiner und die Herren v. Nomi, worauf sie an die Landesfürsten zurückfiel. Jetzt gehört es einem Trientiner.

Sehr interessant ist die Aussicht südl. das weite Etschthal hinab,
nördl. hinauf und westl. gerade in die Oeffnung des Nosthales;
alles umstarrt von den südl. Kalkalpen, die ihr eigenes Gepräge
haben, das wesentlich verschieden ist von jenem des Nordens.

Die ganze Gegend von Bozen her ist warm, ja heiss, und
wegen des immer noch feuchten Thalbodens ungesund, daher, wer
kann, in den heissen Monaten die Sommerfrische sucht. Der Boden des Thales, wo er ausgetrocknet ist, befördert Getreidebau
und Viehzucht; die Wiesen sind drei- bis viermähdig. An den
Höhen gedeiht der Wein. Unter den Baumfrüchten gehen nur die
Mandeln als Waare auswärts, dagegen ist die Maulbeerbaumzucht
schon bedeutend und die Viehzucht wird nicht vernachlässigt.

Die Brücke (676') über den *Nos* führt sogleich nach *Welsch-
Metz, Mezzo-Lombardo* (Meta Longobardica, 631'), 393 H., 3119 E.,
dem ersten Welschtiroler Ort am rechten Etschufer; eine echt italienisch eng zusammengedrängte Häusermasse, im Gegensatz des
reinlichen, freundlichen Deutsch-Metz, unreinlich, unordentlich
und zerfallen. Gasth.: al cervo, Caffé Pergamini. Von hier
führt eine schnurgerade Kunststrasse zur Eisenbahnstation *S. Michele.* Das Michaelskloster, von den Eppanern gestiftet, 600 Jahre
alt, unter Baiern eingezogen und später nicht wieder hergestellt,
ist dem Verfalle nahe. Ihm gegenüber, wo der *Nos* in die Etsch
seine Eiswogen flutet, liegt das Dörfchen *Grumo*, bekannt als
Schlachtfeld. Als die Franken unter Kramnichis einen Einfall
durch den Nonsberg in das Etschthal gemacht hatten, erschien
Ragilo, longobardischer Graf des Lägerthales, verheerte alles
weit und breit, um die Nonsberger zu züchtigen wegen ihres
den Franken geleisteten Beistandes. Mit Beute beladen kehrte er
zurück, aber Kramnichis ereilte, schlug und tödtete ihn auf diesem Felde. Der Ort liegt am Fusse einer grauen Kalkwand, über
welcher sich der Dolomit erhebt. Einen sehr schönen Standpunkt
zur Uebersicht der Gegend bietet die alte Kirche *St. Peter* auf
einer Höhe. Zur Gemeinde gehört *Zambana*, 53 H., 223 E. Thaleinwärts gegen die Rocchetta zeigt sich links das noch wohnliche
und den Grafen v. Spaur gehörige Schloss *Welsch-Metz.* Durch
ungeheure Dämme ist den Verwüstungen des aus der Enge her-
vorbrechenden *Nosbaches* gesteuert, sowie anderen Theils durch

Gräben die Sumpfwasser des Deutsch-Metzer Mooses abgeleitet
wurden, wodurch die vorher nur Sumpfgras und Fieber spendende
Fläche in einen herrlichen Garten verwandelt und die Luft von
ihren verpestenden Dünsten gereinigt wurde. Den grössten Theil
der Thalfläche bedecken Maulbeerbäume, von Reben in schönen
Gewinden verbunden. Der Sommer ist sehr heiss und man zieht
sich deshalb, wenn es nur irgend die Zeit gestattet, in die
Schatten der höheren Thäler oder auf alpenfrische Höhen zurück.
Ueber schöne Alpen mit weithin reichenden Aussichten führen
Bergsteige nach Judicarien. Bei *La Nave* ist eine schon seit den
ältesten Zeiten bestehende Etschfähre. Das Etschthal von hier an
abwärts gleicht einem Garten, in welchem die mit den Gewinden
der Reben geschmückten Maulbeerbäume mit Pfirschen und Mandeln abwechseln, zwischen deren Grün Kirchen, Landhäuser und
Schlösser hervorleuchten, oben überragt von grauen Kalkzinnen.
Links der Kalkkopf gegen das Avisiothal ist der *Monte Corona*,
mit einer herrlichen Aussicht gegen die Rocchetta und die dahinter aufsteigende, zum Theil begletscherte, Dolomitkette, südl.
nach Trient und nördl. das Etschthal weit hinan. *Lavis* oder *Na-
vis* (718′), 209 H., 2331 E., liegt malerisch in der Bucht, aus-
welcher der mächtige *Avisio* hervorrauscht. Der Markt ist wohl-
gebaut, Sitz eines Bezirksgerichtes, in den Franzosenkriegen ein
vielfach umkämpfter Platz, Station der Eisenbahn, die hier am
linken Etschufer hinzieht. Nun geht es an den Bergwänden vorbei, auf denen die lustigen Gefilde von *Meano*, 99 H., 559 E.,
mit 7 Nebenorten 348 H., 2056 E., an Getreide und Wein reich,
sich ausbreiten, mit einer schönen Ansicht von Trient und seiner
Umgegend von diesen Höhen. In heisser Gegend liegt *Gardolo*,
236 H., 1447 E. Die Etsch biegt plötzlich von der rechten Thalwand herüber an die linke, dazu drängen sich die Häuser immer
mehr zusammen, das Getreibe auf der Strasse wird immer lebhafter; alles verkündet die Nähe einer grossen Alpenstadt, zu der
die weithin zerstreute Bevölkerung zusammenströmt, wie in den
Hochthälern zu den Kirchorten. Aus der Häusermasse, welche
das ganze Thal schliesst, wölbt sich die Kuppel eines Domes auf
und wir stehen am Thore der grössten Stadt Tirols, des alten,
wohlummauerten

Trient (ital. Trento, lat. Tridentum, 604'), 1178 H., 15,616 E.
Eisenbahnstat.; Gasthöfe: Europa, die Krone (deutsch); Kaffeehäuser: Nones, nur von Italienern besucht, Lutterotti, Mazucana;
Restaurationen mit Bier: al Pavone, al Rebuchino. Es liegt im
Schosse einer äusserst üppigen, reichen Natur, umragt von hohen, zum Theil kahlen, schroffen Gebirgen. Der Name wird
vom Dreizacke Neptuns abgeleitet, dessen Verehrung eine Schaar
Etrusker, welche sich hier zur Zeit des Tarquinius Priscus niedergelassen haben sollen, einführte. Der Anführer der Etrusker
war Rhätus und von ihm erhielten die Rhätier ihren Namen. Der
Einfall der Cimbern störte die Ruhe dieser Ansiedelung. Der
eherne Arm der Römer bezwang die Rhätier unter Drusus, und
Trient wurde eine bedeutende Römerstadt, durch Kastelle geschützt. Auch das Roma secunda verbreitete schnell seine Herrschaft, in dem der frühere Einfluss der Verbreitung des Christenthums sehr förderlich war. Hermagoras, Bischof von Aquileja,
war der erste hiesige Apostel; der heil. Vigilius vollendete 385
das Werk und wurde der dritte Bischof von Trient. Die Völkerwanderung störte die Ruhe. Nach Odoakers Herrschaft blühte
Trient unter dem grossen Theodorich wieder auf; noch zeugen die
jetzigen Mauern von jener Zeit. Während des Kampfes des ost-
römischen Reiches mit den Gothen behauptete Trient seine Unabhängigkeit. Dem Andrange der Longobarden unter *Albuin* 569
konnte es nicht widerstehen und es folgte nun eine traurige Zeit
der feudalen Zerrissenheit. Karl d. Gr. erst brachte wieder Ruhe
hierher. Kaiser Konrad der Salier schenkte Ulrich, dem 60sten
Bischofe, 1027 die weltliche Herrschaft von Trient mit der Für-
stenwürde. Dadurch, dass die Bischöfe in dem Streite über Tirol zwischen Luxemburg und Brandenburg auf die Seite der Luxemburger traten, brachten sie es dahin, dass die Grafen v. Tirol
Trient 14 Jahre lang in Besitz nahmen, und erst Rudolf v. Oesterreich gab es, doch unter der Bedingung zurück, dass die Bischöfe
die Oberhoheit Tirols anerkennen mussten. Wie in Italien ein
fortwährend republikanischer Kampf im Grossen und Kleinen das
Land zerriss, so auch hier. Erst die Gefahr, von den Venedigern
unterjocht zu werden, vereinigte sie; die Trienter schlugen die
Venediger bei Calliano und tödteten deren Feldherrn Sanseverino

1437. Maximilian I. bekriegte von hier aus die mächtige Republik und vereinigte Welschtirol definitiv mit Deutschtirol.

Im Reformationstreite erhielt die Stadt eine geschichtliche Bedeutung durch die 18 Jahre dauernde Kirchenversammlung, ein Gegenstück von Kostnitz, welche zwar, wie die Silberflotte Spaniens, Geld, aber auch Faulheit brachte; denn 7 Kardinäle, 3 Patriarchen, 33 Erzbischöfe, 235 Bischöfe, 7 Ordensgenerale, 146 Theologen und viele weltliche Gesandte mit ihrem Tross brachten den Bürgern leichten und reichlichen Gewinn.

Die Stadt ist schon ganz italienisch gebaut, unterscheidet sich jedoch vortheilhaft durch grössere Reinlichkeit der wohlgepflasterten Strassen. Die Häuser sind massiv und haben Ziegeldächer, die Strassen und Gassen Schrittsteine; die Hauptstrasse ist die Contrada larga; unter den 6 Hauptplätzen ist der Domplatz, mit einem schönen Brunnen, der vorzüglichste; 15 Kirchen, vor allen die *Domkirche*, ein grösstentheils gothisches Gebäude, doch mit einer Kuppel, 1048 angefangen und noch unvollendet. Alte Wandgemälde zieren die Wände und Decke. Der Hochaltar steht in der Mitte unter der Kuppel, durch deren Fenster er erleuchtet wird. In der Seitenkapelle des Allerheiligsten ist ein schönes marmornes Crucifix und Gemälde von K. Hot; ausserdem Gemälde von Torre, Camarino, Orbetto und Craffonara; das Marmordenkmal des Venedigers Sanseverino. Die Kirche *St. Maria Maggiore*, in welcher die Kirchenversammlung gehalten wurde, daher in einer Nebenhalle die Abbildung derselben; besonders berühmt ist die Orgel, welche der Erbauer mit Hilfe des Teufels vollendet haben soll; nach der Vollendung sollen ihn die Trientiner aus Dankbarkeit geblendet haben, damit er nirgends eine ähnliche bauen könne; doch ein Blitzstrahl rächte ihn und zerstörte wenigstens theilweise das Werk. H. Spomani, Moroni und Cignaroli schmückten die Kirche mit Gemälden. Die *Peterskirche* mit der Kapelle di S. Simonin, welcher als Knabe von den Juden geschlachtet sein soll; seine Mumie, wie die Werkzeuge, durch welche er zu Tode gemartert sein soll, werden hier gezeigt. Geschichtliches Interesse hat eine hölzerne Tafel mit den Wappen und Namen derjenigen, welche unter Kaplers Anführung die Venezianer bei Calliano schlugen. In der Martinskirche ein schönes Hochaltarblatt von Cignaroli. In der geschmacklosen Jesuiterkirche Gemälde von Pozzo und Troger.

Unter den weltlichen Gebäuden sind zu bemerken: das Schloss *Buon Consiglio*, einst die Residenz der Bischöfe, ist in eine kastellmässig imponirende Kaserne verwandelt und zeigt durch die schönen Deckengemälde im Inspectionszimmer und einigen Mannschaftszimmern Spuren alter Pracht; Paläste: Tabarelli, Bellenzani, Sardagna, Zambelli, das „alte Haus" der Familie Geremia, jetzt Tevini, in correct lombardischer Architektur u. a.; Rathhaus, Theater. Am Ende der Stadt steht das alte, prachtvolle Kastell. — Durch die Mauern führen 5 Thore hinaus allenthalben zu Landsitzen älteren und neueren Ursprungs. Der Garten des Grafen Consolati in Seregnano mit seinen exotischen Gewächsen ist ein sprechender Beweis der Milde des hiesigen Klima's. Am Thore Santa Croce liegt der neue, schöne Gottesacker. In einiger Entfernung davon die Ruinen des Palastes *delle Albere*, Landsitz der Bischöfe. Unweit der Brücke San Lorenzo erhebt sich bei der Gemeinde *Piè di Castello* der abschüssige Felsenhügel *Verruca* oder *Dos Trento*, mit der uralten Kirche des heil. Apollinar, in deren Gemäuer, besonders am Thurme, man römische Inschriften und Bildwerke findet. Hier stand einst das römische Kastell Verruca. Von hier aus hat man die schönste Uebersicht der Stadt und ihrer Umgebungen; seitdem aber 1857 der Hügel befestigt ist, gehört zur Ersteigung eine besondere Erlaubniss. Bei dem darüber liegenden *Sardagna*, 106 H., 678 E., schöner Wasserfall *Ruscello di Sardagna*. An der *Fersina* ist die Brücke *Pontalto* wegen des furchtbaren Abgrundes sehenswerth, welchen sie überspannt. An diesem zieht die Eisenbahn zum Stationsplatze hin. Die Stadt ist Sitz eines Bisthums, Kreisamtes, Civil-, Kriminal- und Wechselgerichtes, einer theologischen und philosophischen Lehranstalt mit Bibliothek, hat ein Gymnasium, 2 Buchhandlungen: Seiser und Bazani, 2 Bibliotheken. Die sehenswerthe Sammlung von Alterthümern des verstorbenen Grafen *Benedict v. Giovanelli*, welche er der Stadt geschenkt hat, befindet sich im städtischen Museum. Gartenfreunden und Botanikern ist der Garten des Herrn Capelletti zu empfehlen. Auch der Gewerbsfleiss hat sich neuerer Zeit gehoben. Der Weinbau überwiegt den

Getreidebau, so dass das Sprichwort sagt: „Getreide für 3 Monate, Wein für 3 Jahre." Das bedeutendste Bodenerzeugniss ist
der Maulbeerbaum. Die Sprache der Trienter ist italienisch, und
zwar haben sich in ihr viel mehr die alten Formen der klassischen
italienischen Dichter erhalten, als in Italien, doch hat sie auch
deutsche Wörter aufgenommen, z. B. il Trager, der Träger (Bote),
il Wagerle, der Wagen, il Tisler, der Tischler, il Slosser u. a.
Der Welschtiroler, und besonders der Trienter, thut sich nicht
wenig darauf zu gut, von den Römern abzustammen, obgleich so
viele Völkerströmungen seit jener Zeit das römische Blut hinweg-
gespült und eine Menge anderer Völkerschichten sich daselbst
nach einander niedergeschlagen haben. Wenigstens die Kriegs-
lust ihrer Ahnen theilen sie nicht, indem sich nirgends so viele
Leute dem Kriegsdienste auf alle mögliche Weise zu entziehen
suchen, wenn sie gleich Cäsar und Scipio heissen. Der Welschtiroler nahm auch an den Freiheitskämpfen des Deutschtirolers
wenig Antheil. Während der Deutschtiroler sich in den heissen
Sommermonaten auf luftige Alpenhöhen zurückzieht, um sich im
Strome frischer Lüfte zu baden, und dort in munterer Gesellschaft
die Sommerfrische zu geniessen, verschliesst sich der Welschtiroler in seine steinernen Häuser, zieht aber im Herbst aufs Land,
jeder nur sich oder seiner Familie lebend und die Freuden des
Landlebens geniessend, wozu hier hauptsächlich der Vogelfang
gehört.

Geolog. Die Umgegend von Trient gehört zu den für den Geologen interessantesten von ganz Südtirol, die aber noch einer genaueren Untersuchung bedarf, zu der, bis jetzt vergeblich, angeregt wurde. Auf kleinem Raume findet
der Geologe hier die ganze Formationsreihe von der Thonschieferunterlage hinauf zu dem reichgegliederten Eocän, dazu kommen ausser quarzführendem Porphyr noch die jüngeren Eruptivbildungen, wohl basaltischer Natur. Reiche Aufschlüsse durch Strassenbau und zahlreiche Steinbrüche, Gelegenheit, selbst Versteinerungen zu sammeln, und solche in den Steinbrüchen und von Sammlern
anzukaufen unterstützen die Forschung; es bedarf nur der Zeit und des guten
Willens, um reich belohnt zu werden. Zwischen Gardolo finden sich die Glieder der Trias, in dessen Kalken dort, wie in den Kalkinseln, die sich, Lavis
im Westen und das Sillathal im Osten, über dem Porphyr an alle Grave und
bei Fornas erhalten haben, einst ein reicher Bleibergbau betrieben wurde; jetzt
nur noch Bergbau auf Schwerspath. Auch die Vorhöhen des dolomitischen
Chegul und Monte Terrarossa, südöstlich von Trient, an deren Fuss bei Pavo
Thonschiefer- und Porphyrunterlage hervortreten, versprechen Aufschlüsse. Den

Schluss der Trias bildet der vielzerklüftete Dolomit. Zum Studium der jurassischen und Kreideablagerungen laden die westlichen Vorhöhen des Monte Calis, die sich zwischen Etsch und Fersine gegen Trient senken, ein. Die neue und alte Strasse von Trient ins Valsugana, die Steinbrüche zwischen Trient und Cognola und bei Villamontagna geben hier die nöthigen Aufschlüsse. Eine mächtige Diluvialterrasse deckt an der Strasse vor Civezzano die Unterlage, so dass als Tiefstes der Dolomit erscheint, darüber der Oolith, in den Steinbrüchen westlich von Civezzano mit den versteinerungsreichen Bänken des Terebratula - fimbriaeformis - Horizontes. Der Horizont der Rhynchonella biloba und der der Posidonomya sind noch aufzusuchen. Zahlreiche Steinbrüche werden dagegen über dem Oolith gegen Villamontagna und Cognola, auch bei Sella im unteren rothen Ammonitenkalk betrieben, auf dem Diphyakalk unmittelbar bei Trient (alle Laste). Im Neocom über Moja eine Bank voll Terebr. contorta. Bei Malta rothe und graue Kreidemergel mit Echiniten. Am Belvedere unter dem Monte Calis lagert mächtiger Nummulitenkalk mit Neritina conoidea. Reicher entwickelt, wohl aufgeschlossen und versteinerungsreich findet das Nummulitengebirge sich in einer Schlucht über *Sardagna*. Basaltische Tuffe treten an verschiedenen Punkten auf, aber fast ohne Einfluss auf das Relief des Bodens. Ferraresi di Modena ist als wohlbewandert in der näheren und weiteren Umgebung von Trient dem Geognosten als Führer zu empfehlen, besitzt auch stets einen Vorrath von Versteinerungen zum Verkauf.

Flora reich, sowohl an den südlichen Formen der trockenen unteren Berggehänge, wo ausser den uns schon von Meran und Bozen bekannten Holzpflanzen auch Cercis Siliquastrum vorkommt, als auch an alpinen Pflanzen auf den Höhen. Sehr lohnend für den Botaniker ein Ausflug über Sardagna und den Dos della Croce zur Höhe des M. Bondon. — In den unteren und mittleren Regionen : Clematis recta. Helianthemum Fumana, marifolium, Paeonia officinalis (Sardagna), Epimedium alpinum (D. S. Rocco), Dentaria digitata (Sardagna), Farsetia clypeata, Lepidium graminifolium, Capparis spinosa, Viola suavis (Sard.), Dianthus sylvestris, Seguieri, monspessulanus. Saponaria ocymoides, Silene italica, Geranium molle, Ruta graveolens, Trifolium scabrum, Vicia cordata, Dorycnium herbaceum, Peucedanum venetum, Eryngium amethystinum, Scabiosa gramuntia, graminifolia, Centranthus ruber, Bidens bipartita, Artemisia camphorata, Senecio nebrodensis, Galium purpureum, Campanula spicata, sibirica, Scrophularia canina, Lamium Orvala, Melittis Melissophyllum, Thymus pannonicus, Sideritis montana, Calamintha Nepeta, Plantago Victorialis, Serapias cordigera, Carex gynobasis, Tragus racemosus, Grammitis Ceterach u. a. Auf Aeckern : Rapistrum rugosum, Bifora radians, Bidens bipartita, Calendula arvensis. — Der reiche Dosso di Trento, an dem unter anderen Capsella pauciflora, Primula intermedia Facch., Ephedra, ist leider wegen seiner Befestigung verschlossen. Am Dos della Croce : Ranunculus Villarsii. Am *M. Bondon :* Ranunculus Thora, Thlaspi rotundifolium, Silene alpestris, Linum Narbonense, Trifolium badium, alpinum, Geum inclinatum, Potentilla nitida. Epilobium organifolium, Rhodiola rosea, Saxifraga oppositifolia, petraea, Astrantia minor, Bupleurum graminifolium, stellatum, ranunculoides, Athamanta cretensis, Peucedanum Chabraei, rablense, Heracleum asperum, Galium helveticum, Achillea Clavenae, tanacetifolia, Doronicum austriacum, Cineraria alpestris, Senecio abrotanifolius, Leontodon pyrenaicus, Crepis pulchra, Hieracium aurantiacum, villosum, Phyteuma comosum, Michelii, Vaccinium Myrtillus, uliginosum, Arctostaphylos alpina, Gentiana lutea, excisa, Pedicularis tuberosa, comosa, Scrophularia Hoppii, Veronica aphylla, bellidioides, Horminum pyrenaicum, Calamintha grandiflora, Betonica Alopecuros. Aretia Vitaliana, Androsace obtusifolia, Statice alpina, Plantago montana, Rhododendron ferrugineum, Pinus Cembra, larix, Nigritella angustifolia, Lloydia serotina, Asphodelus albus, Czackia Liliastrum, Ornithogalum pyrenaicum, Luzula spicata, Carex baldensis, Sesleria sphaerocephala, Avena argentea u. a. — Am *Monte Gazza:* Alchemilla pubescens, Saxifraga adscendens, Hieracium alpinum. Am *Monte Maranza:* Anthyllis montana. Am *Monte Zambana:* Geranium nodosum.

1) **Von Trient nach Rovoredo, linkes Ufer**, auf dem auch die Eisenbahn hinführt. Das fast stundenbreite Etschthal wird rechts und links von hohen Bergwänden begleitet. Durch Entsumpfungen ist der Boden sehr fruchtbar und die Umgegend gesunder geworden. Links erhebt sich ein weit aus der Bergkette vorspringender Hügel mit der ehemaligen Einsiedelei *S. Rocco*, welcher eine schöne Aussicht gewährt. An der engsten Stelle zwischen dem Vorsprunge und der Etsch zeigen wenige Trümmer eine alte Befestigung dieses Passes, *Covelo*. Bald darauf kommen wir nach *Matarello* (624'), 292 H., 1760 E., ein Dorf an dem *Valsordabach*, welcher links von den Höhen von *Vigolo* herab kommt. ¼ St. weiter liegt *Aquavica;* davon nur das Wirthshaus an der Strasse. Hier beginnt das *Lögerthal*, Val Lagarina, worunter man das ganze untere Etschthal von hier an bis zur Klause (Chiusa), der letzten Enge, ehe die Etsch in die Ebene tritt, versteht. Der Name wird gewöhnlich abgeleitet von Lago, weil es einst von einem See, wie der benachbarte Gardasee, bedeckt gewesen sei; die bedeutend höhere Lage des Etschthales verstattete einen schnelleren Abfluss dieses Sees, nachdem er sich einmal einen Abzugsgraben verschafft hatte. Hat die Natur dieser Thalstrecke den Namen gegeben, so möchte die Grenze erst bei Calliano anzunehmen sein, wo, ähnlich wie bei Salurn, nur noch stärker, das Thal auf eine kurze Strecke seinen Lauf verschiebt; denn es nimmt nach kurzer westlicher, wieder seine südliche Richtung an. Das Klima ist gemässigt, indem in 30 Jahren die Kälte nicht über 9 und die Wärme nicht weit über 26 Grad stieg, während sie am nördl. Fusse der Alpen in dieser Zeit oft

30 Grad überstieg, wogegen auch die Kälte dasolbst einen viel höheren Grad erreichte. Der Hagel ist hier eine Landplage. Regenwetter hält, im Gegensatz der nahen östlicheren Gegenden von Bassano, Belluno u. s. w., nie lange an. Fast alle Gebirge des *Lägerthales* gehören dem Jurakalk an, hie und da Auflagerungen der Kreideformation, Scaglia genannt; bisweilen erscheint auch Basalt.

Von *Aquaviva* gerade nach Süden erscheint weiter unten zur Linken der Berg *Scanupio* (6776') — Centaurea nervosa — und darunter ein Trümmerhaufen, rechts von der Strasse die Etschinsel *Ischia.* Ueber *Besenello*, 245 H., 1232 E., kommt man in die Engen von *Calliano* (593'), 179 H., 882 E., Eisenbahnstation, 4 St. von Trient, bekannt durch die erwähnte Schlacht der Trienter mit den Venezianern 1487. Das Altarblatt in der Kirche stellt die Schlacht vor. Auch späterhin, 1797 und 1809, war diese Gegend der Schauplatz blutiger Gefechte. Hier mündet durch einen Felsenriss der *Rossbach* aus der

Folgaria (Füllgreit), einem schönen Seitenthale der Etsch, in einer Gemeinde 692 H., 3583 E., merkwürdig wegen der ursprünglich deutschen Bevölkerung, vermuthlich auf Veranlassung des Bischofs Friedrich v. Wangen durch die Grafen Ulrich und Heinrich v. Bozen 1216 dort angesiedelte deutsche Arbeiter. Es ist eine von oolithischem Kalke umfasste Jurakreidemulde, beides versteinerungsreich; Ferulago galbanifera. Man steigt von *Calliano* auf der Thalstrasse empor zum *Castell Beseno*, der Sage nach römischen Ursprungs, später Stammsitz eines gleichnamigen Geschlechtes, zuletzt an die Grafen Trapp übergegangen, jetzt von einer armen Familie bewohnt, macht es noch immer einen imponirenden Eindruck. Unweit der Burg bringt die Strasse an den Rand des Abgrundes, über dessen schwindelnde Tiefe sie mit einem kühnen Brückenbogen setzt. Im Hintergrunde des Thales gelangt man auf einen herrlichen, weiten, hochgelegenen Boden, über den sich *Villa di Folgaria* (3626') hinlagert, eine Hauptsommerfrische von Roveredo. Die Bewohner sind denen der benachbarten 7 Gemeinden ähnlich, doch hat ihre Sprache, obgleich sie auf deutschem Gebiete wohnen, mehr welsche Ausdrücke aufgenommen; sie sind schlank, aber kräf-

tig gebaut. Viehzucht und Holzhandel sind Haupterträgnisse;
doch wird auch viel Kopfkohl verkauft. Wein gedeiht noch, aber
nicht hinreichend. Die prächtigsten Alpen im grünen Schmucke
umgürten des Thales Hintergrund; ein bequemer Weg führt über
ein Joch (4316') nach S. Sebastian und Lavarone. Ein sehr schöner Aussichtspunkt ist der Berggipfel *Finonchio* (5069'); man
übersieht das ganze Lägerthal und jenseits den mächtig aufragenden Kamm des Monte Baldo.

Im Etschthale bleibt links das *Castell della Pietra*, einst Besitzthum der Herren v. Castelbarco, jetzt den Freiherren v. Cres-
seri gehörig. Das Etschthal biegt nun rechts gegen Westen ein,
doch nur bis *Volano*, 238 H., 1454 E. Die auf der Höhe liegende
Kirche bietet eine schöne Aussicht auf die jenseitige Thalseite.
Das Schloss von *Volano* wurde 577 von den Franken zerstört.
Die Höhen schmücken Eichen- und Buchenwaldungen. Das Etschthal schwingt sich nun wieder um ein Vorgebirge, an dessen Abhange die Strasse hinzieht, nach Süden, und in 1 St. betreten
wir die wichtige Seidenstadt *Roveredo*.

2) Von Trient nach Roveredo, rechtes Ufer. Man
folgt hier entweder dem Thalweg über *Pissavacca* nach *Romagnano*, zus. 104 H., 571 E., oder, um den Wasserfall von *Sardagna*
(1800'), 106 H., 678 E., zu besuchen, dem Steige zu diesem im
Schosse einer Kalkmulde ruhenden Dorfe, dessen arme Bewohner
jede Spanne Erdreich auf das sorgfältigste bearbeiten. Der Wasserfall ist einer der schönsten Südtirols; herrliche Nussbäume beschatten den Platz. Steil senkt sich der Weg auf *Belvedere* herab,
das sich auf grünem Hügel sonnt, dessen Reben einen edlen Wein
liefern. Nur wenig tiefer liegt *Ravina*, 134 H., 788 E., auf einem
nicht sehr fruchtbaren Schuttberge eines Giessbachs angesiedelt.
Bald darauf treffen wir mit dem unteren Wege in *Romagnano* zusammen, 2 St. von Trient, auf einem Abhange liegend; es hat
weite, gut gepflasterte Strassen und ist reinlich. Edle Reben bedecken die Abhänge. Hier findet man Führer auf den *M. Bondone* (6887') mit schöner Aussicht über das Trientergebiet. Ueber
Garniga, 84 H., 502 E. (Hypericum Coris), an dem gleichnamigen Wildbache, welcher aus einem Tobel des *Bondone* hervorbraust, geht es nach *Aldeno*, 217 H., 1255 E., an der Mündung

des *Rio Cei*, 3½ St. von Trient. Die Gegend ist nicht sehr gesegnet, da die Bewohner im Kampfe mit den Elementen zu bald ver-
zagten. Im Seitenthale hinan liegt *Cimone* (1637'), 159 H., 754 E.
Auf dem Grenzrücken gegen *Judicarien* (Sarcagebiet) breitet sich
der herrliche *Garten Abrahams*, Orto d'Abram, aus, ein dem Botaniker geheiligtes Feld, dessen Gipfel (6936') den beschwerlichen
letzten Aufstieg lohnt; es ist eine Jurakreidelnsel, überragt von
Nummulitenkalk, aufgelagert auf oolithischem Kalke und Dolomit. Es gibt auch eine *Abrahamsquelle*, ebenfalls Orto d'Abram
genannt, eine klare, stark aus dem Kalkgebirge hervorbrechende
Quelle. Von *Aldeno* führt der Weg über *Prai* nach *Nomi*, 163 H.,
857 E., an der südöstl. Ecke des Thales, wo sich dasselbe herüber nach Westen zieht, *Calliano* gegenüber. Die Ruinen der
Burg *Nomi* waren Stammsitz der gleichnamigen Herren, deren
Rechte und Besitzungen zuletzt auf Anna Freiin v. Moll übergingen. Nur ½ St. südlicher liegt *Chiusole*, von einer alten Klause
dieser Enge, deren Trümmer noch sichtbar sind, den Namen führend. Das hiesige Steinkohlenflötz im eocänen Tertiärgebirge ist
noch unbenutzt; ½ St. weiter beginnt geologisch das *Lägerthal* bei
Pomarolo (648'), mit Chiusole, Piazzo und Sevignano 239 H.,
1421 E., bekannt wegen seiner Trüffeln; römische Alterthümer;
Geburtsort des Mathematikers und Physikers Fontana; Seide,
Tuch und Eisen sind die wichtigsten Zweige des Gewerbfleisses.
Darüber prangt das Schloss *Castelbarco*, das Stammhaus der ehemaligen Herren des Lägerthales, welche noch fortblühen. Von
den Venezianern und später von Max I. zerstört, ist es nicht wieder hergestellt. Darüber befindet sich die Einsiedelei des heil.
Antonius und das Dorf *Savignano*. Von *Pomarolo* über *Castellano*
und *Ilonzo* (8034') führt ein Jochsteig (3897') auf die schöne Alpe
Stivo (3984') am Fusse des *M. Stivo*. Von *Pomarolo* südl. 1 St.
weiter liegt *Villa Lagarina* (607'), 113 H., 657 E. Aeusserst reizend ist seine Lage mit seinen weithin zerstreuten Häusergruppen, welche aus dem Grün der Weingärten hervorschimmern.
Villa selbst ist stadtähnlich gebaut, jedes Haus hat in seinem Innern einen Kühlung spendenden Brunnen; die Kirche enthält
schätzbare Gemälde; es war in römischer Zeit Hauptort des *Lägerthales*. Ueber dem Dorfe liegen die Schlösser *Nogaredo, Ca-*

stelnuovo und zuhöchst *Castellano* auf Basalt, einst den Castelbarkern, jetzt dem Grafen Lodron gehörig. Von dem Thurme zu
Castellano, welches sehr hoch liegt, hat man eine überraschend
prächtige Aussicht auf das Lägerthal, nach Roveredo und über
33 Dörfer. Nicht weit davon liegt das Dorf *Castellano* (2486′),
157 H., 841 E., mit noch unbenutzten Braunkohlenlagern. Eine
Stufe tiefer breitet sich die Gemeinde *Pedersano* (1156′) aus,
118 H., 577 E.; in der Nähe wird treffliche grüne Erde gegraben.

    Roveredo (Roberetum, Rovereit, 689′), mit Borgo S. Tom-
maso 666 H., 8636 E., am linken Etschufer; Eisenbahnstation.
Gasthöfe: *Rössl* (il Cavalletto) und *Krone.* Den Namen soll es
von dem grossen Eichenwalde (robur, rovere) haben, welcher in
frühester Zeit die Gegend bedeckte; daher die Eiche auch im
Wappen der Stadt, welcher die neue Wasserleitung treffliches
Trinkwasser zuführt. Sie hat eine herrliche Lage mitten im grossen Becken des *Lägerthales*, an der Ausmündung des *Lenothales*,
welches links, östl. herabzieht; die Etsch strömt rechts ½ St. von
der Stadt in weitem Bogen um dieselbe; gegen 500′ hat sich schon
die Sohle des Etschthales von Bözen herab gesenkt; dennoch liegt
das Thal noch gegen 300′ über dem anliegenden Thale des Gardasees.

    Unter der Herrschaft der Römer, Gothen, Longobarden und
Franken verwalteten Grafen das Lägerthal, welche sich bald zu
mächtigen Dienstmannen erhoben, vorzüglich die Castelbarker,
die sich aus den Zeiten Kaiser Lothars herschreiben. Als Grenzgrafen wurden sie von 2 Seiten bald begünstigt, bald angefeindet,
wussten aber die Umstände so zu benutzen, dass sie zu dem mächtigsten Geschlechte dieses Landestheils heranwuchsen. Auf den
Burgen *Ario, Oresta, Lizzana, Beseno* und *Castelcorno* wohnten
5 Brüder, 5 Geschlechtszweige bildend. Alle festen Plätze des
Lägerthales waren in ihrem Besitze. Bei der Burg Lizzana erbaute sich Wilhelm v. Lizzana ein Schloss, umgab die dabei befindliche Häusergruppe mit einer Mauer und gründete hiermit *Ro-*
veredo. Im 15. Jahrh. wurden die Venezianer Herren eines grossen Theils des Lägerthales und durch Vermächtniss des Azzo v.
Castelbarco auch eines grossen Theils der ehemaligen Castelbarkischen Besitzungen. Aus Verdruss darüber verkaufte Aldrighetto

v. Castelbarco, Herr von Roveredo, einen Theil seiner Besitzungen, namentlich Roveredo, an Friedrich m. d. l. T., der sie jedoch wieder mit Vortheil an Venedig verhandelte. Unter Venedigs Herrschaft blühte die Stadt schnell auf. Umsonst versuchten die Castelbarker ihre Macht wieder zu erlangen. Ihr in dieser Absicht mit Mailand geschlossenes Bündniss beförderte nur ihren einstweiligen Untergang. Der im 16. Jahrh. auf *Gresta* wohnende einzige Sprössling schloss sich an den Kaiser und den Landesfürsten von Tirol an, und von diesem begünstigt, blühte das Geschlecht bald wieder auf. Es wurde in den Reichsgrafenstand erhoben und in einen grossen Theil seiner Stammgüter eingesetzt. Bald entspann sich hierüber ein Kampf zwischen Tirol und Venedig, welcher mit der Niederlage des berühmten venezianischen Heerführers Sanseverino bei Calliano, durch die besonnene Tapferkeit Kapplers, welcher schon bei Murten, Gransee und Nancy mit gefochten, für den Augenblick zu Gunsten Tirols entschieden wurde. Der Krieg entbrannte nochmals verheerend, bis er von Max I. 1487 durch einen Frieden beendigt wurde auf den früheren Besitzstand. Das treue Roveredo wurde von Venedig noch mehr begünstigt. In dem Kriege des Bündnisses von Cambray besetzte Max I. Roveredo; bestätigte aber auch alle Rechte dieser Stadt, wodurch dieselbe, trotz der Pest von 1630, der Franzosen 1703 und des Miswachses 1709, an Wohlstand zunahm. Erst ein dritter Einfall der Franzosen schien durch ungeheure Kriegssteuern Bonaparte's 1799 ihren Wohlstand vernichten zu wollen, wie überhaupt die nun folgende Franzosenherrschaft. Doch der lange Friede hob den Gewerbfleiss wieder. *Roveredo* ist der Brennpunkt der Seidenfabrikation in Tirol, deren Beginn in die Zeit der venezianischen Herrschaft fällt; 1548 gründete der Venezianer Savioli die erste grössere Fabrik. Ihm folgten die Nürnberger Ferlegher 1580, welche das Wasser zum Betriebe benutzten. Ueber die Nürnberger erhob sich wieder Joseph Bettini mittelst des Dampfes. Die Tiroler Seide gilt mit der mailändischen und piemontesischen als eine der besten Arten und ist gesuchter als die französische und sonstige italienische, wird in London oft mit höheren Preisen als jede andere bezahlt. In neuerer Zeit hat die Krankheit der Seidenraupen neben der Trauben-

22 *

krankheit den Wohlstand der Roveredaner vermindert. — Ebenfalls einträglich ist der Handel mit Sumach (Rhus cotinus), welcher von Bozen an im Etschthale wild wächst und vorzüglich
gedeiht.

Roveredo hat 2 Vorstädte: *Santa Catarina*, westl. gegen Sacco, und *San Tomaso*, südl. nach Verona, durch den *Leno* von der
Stadt getrennt, mit einer Reihe Paläste, die in die herrliche Gegend hinausläuft. Gegen Trient erschliesst der Corso das Innere
der Stadt, deren Strassen enger sind; sie hat 7 öffentliche Plätze:
der schönste ist der *Marcusplatz*, ihn schmückt ein schöner Brunnen und die kolossale Bildsäule der Aurora; nächst ihm ist der
Platz *delle Ocche* der schönste, auf dessen Brunnen die Bildsäule Neptuns steht. Unter den Kirchen ist die *St. Marcuskirche*
mit ihrem Altare des heil. Hieronymus die sehenswertheste, im
15. Jahrh. erbaut (Gemälde von Brusasorci und Baroni von hier).
Die zweite Kirche, *Santa Maria del Carmine*, von dem Veroneser
Schiavini erbaut, enthält ebenfalls sehenswerthe Gemälde von Baroni. Die Kirche *del Soffragio* dient der deutschen Gemeinde zum
Gottesdienste. Die Kirche *S. Rocco* hat ein Gemälde von Udine;
Santa Catarina von Brusasorci. Dicht über der Stadt klebt an
einem Felsen das Schloss *Castel Junk*, welches die Herren v. Lizzana erbauten und später der Sitz des venezianischen Statthalters
war, jetzt Amthaus des Stadtmagistrats. Das *Getreidemagazin* in
schönem Stile von Ambros Rosmini (unvollendet); die *Wasser-
kunst*, welche die Stadt aus dem *Lenobach* mit Wasser versieht;
das *Gartenhaus Bridis* von Kraffonara ausgemalt, der Tempel der
Tonkunst genannt. — Neben verschiedenen Unterrichtsanstalten
ist hier die Academia degli Agiati mit einer Bibliothek, Buchhandlungen, Buchdruckerei, Casino, Theater, musikalische Aka-
demien. Eine neue grossartige Brauerei liefert vortreffliches Bier.
Die Einwohner zeichnen sich durch Feinheit, Bildung, Treuherzigkeit und Zuvorkommenheit aus, so dass sich in ihnen das Gute
der beiden Völker vereinigt zu haben scheint, auf deren Grenze
sie wohnen; während sonst in solchen Fällen oft das Gegentheil
stattfindet. Man findet hier nicht jenen dummen Stolz, eine Folge
grober Unwissenheit, womit so viele Italiener, namentlich an der
Grenze, auf Deutschland herabblicken, sondern jene Bescheiden-

heit der höheren Bildung, welche aus der Kenntniss des Auslandes entspringt. Die Roveredaner sind in Welschtirol, was die Florentiner in Italien sind. Daher fühlt sich auch der Deutsche mitten unter Italienischredenden recht heimisch. Ihre Sprache ist die toskanische Mundart mit ihren Feinheiten und Eigenthümlichkeiten.

Geolog. Roveredo und Monte Baldo geben die reichsten Aufschlüsse über die jüngeren, insbesondere jurassischen Schichten der südtiroler Alpen. Nur im Val d'Arsa reichen die Aufschlüsse bis zu dem Dachsteinkalk, im Etschthal selbst ist das tiefste der graue, meist oolithische Kalk mit denselben Versteinerungen wie in der Gegend von Trient (Sega di Noriglio bei Roveredo, Volano, Nomi, Chizzola), bei Volano auch mit den pflanzenführenden Schichten von Rotzo. Darüber folgen die Schichten des mittleren Jura's (Dogger nach Beneke): der Marmor mit Rhynchonella bilobata (Tambinelleno, Lizzanella bei Trient, Ponte di Tierno, Nomi, Volano) und die rothen Posidonomyenschichten mit P. alpina (Madonna del Monte, östlich von Crassano, Brentonico, Ponte di Tierno), und dann der obere Jura (*Malm*), zusammengesetzt aus dem rothen Ammonitenkalk mit Amm. acanthicus, der in zahlreichen Brüchen um Roveredo aufgeschlossen ist (Roveredo, Torri, Nomi, Brentonico), und aus dem Diphyakalk (Vallunga, bei Roveredo, Volano, Monte Nago, Torri, Folgaria u. a. O.). Darüber folgt der Biancone oder Neocom, dessen Kalke sich oft vom weissen Diphyakalk nur durch mattes Ansehen petrographisch unterscheiden, und die Scaglia; den Schluss bilden die Nummulitenkalke und die mit ihnen verbundenen kohlenführenden Schichten. Mit ihnen treten vielfach Basalt und basaltische Tuffe zusammen, zum Theil von ihnen bedeckt. Im Basalttuff am Monte Baldo (alla Viana, al Bot, Pianetti all' Albiolo, alle Scaleta) die Grünerde, an ersteren Orten zugleich mit rother Farberde, begleitet von Hornstein, Quarz und Chalcedon, auf nur einige Zoll mächtigen Gängen. Alle diese jüngeren Ablagerungen lagerten sich in einer tiefen verkisteten Bucht ab, so dass wir sie trotz der mehrfachen Verwerfungen, die sie noch nach der Ablagerung des Eocän betrafen, und deren Linien ebenfalls aus Südsüdwest nach Nordnordost streichen, in Zusammenhang von Cimone, im Westen von Aldeno, über Isera, Tierno, Brentonico, über den Monte Baldo bis Torri am Gardasee verfolgen können, wo im Oolith Ammonites Murchinsonae. Nach Beneke sind die lehrreichsten Profile: 1) Im S.S.O. von Roveredo, das, welches über die Kirche Madonna della Monte bei Roveredo, über die Höhe des Monte Zara, im Osten von Lizzanella, zum Val d'Arsa hinüberführt; 2) das von S. Ilario ostwärts über die Höhen zwischen Roveredo und Volano; 3) das sehr vollständige, von der Fähre von Calliano westwärts über die Höhen von Nomi nach Pomarollo, und endlich 4) das zur Höhe des Monte Baldo, vom Ponte di Tierno bei Marco, im Süden von Roveredo, über die Vorhöhen, Crosano, Brentonico zu den Alphütten am Altissimo di Nago hinauf, wo noch der ammonitenreiche obere Jura und versteinerungsführender Neocom vorkommen; hier kehrt dieselbe Schichtenfolge vom grauen oolithischen Kalk bis zum Nummulitengebirge, zweimal durch, von letzterem zum Theil bedeckte, basaltische Gesteine unterbrochen, wieder. Ein ähnliches Profil liefert der Weg von Avio durch das Avianathal nach der Madonna delle Neve. Zu empfehlen ist jedenfalls noch der Weg von Calliano über Folgaria nach dem Val Astico hinüber.

Flora. Viele Formen der mediterranen Flora: Reseda suffruticosa, Sagina glabra, Androsaemum officinale, Genista ovata, Cytisus Laburnum, purpureus, argenteus, Coronilla scorpioides, Vicia lutea, Ptychotis heterophylla. Cynoglossum pictum, Campanula alpina (gegen Vallarsa), Orobanche ramosa, Centaurea Calcitrappa, Asphodelus albus, Scilla auctumnalis, Danthonia provincialis, Sorghum halepense. Poa dura, Orchis Simia (Castellano), Serapias pseudo-cordigera, Iris pallida, pumila. Auf den Höhen: Daphne alpina. Am Corno di Tratte: Saxifraga Vandelii. — Bei Castelcorno: Saxifraga petraea.

Zunächst lockt das hier im Osten unmittelbar an der Strasse ausmündende *Lenothal* zu einem Ausfluge. Dieses Thalgebiet besteht aus 3 Abtheilungen: 1) die unterste Thalstrecke *Vallunga*, der heitere und grüne Eingang und Vordergrund des Thales, welches sich dann ¼ St. aufwärts in 2 Aeste spaltet; 2) das Thal des *Leno di Vallarsa*, welches südsüdöstl. hinansteigt, und 3) das Thal des *Leno di Terragnolo*, welches östl. emporzieht gegen die vicentinische Grenze auf der Jochscheide. Durch das Thal *Vallarsa* führt die nächste Verbindungsstrasse zwischen Roveredo und Vicenza, erst 1823 vollendet, obgleich schon 1694 zuerst in Vorschlag gebracht. Damals scheiterte der Plan an der Eifersucht Venedigs; Napoleon befahl ihren Bau 1812 von Moskau aus, allein die folgenden Ereignisse verhinderten die Ausführung bis 1817 unter Franz I.

Da, wo das Thal *Vallunga* endet, verschliessen hohe Wände jede Fernsicht und der *Leno* braust in der Tiefe aus einer engen klaffenden Spalte hervor. Aus einer Höhle der linkseitigen Thalwand leuchtet das Kirchlein *S. Colombano* herab, einst mit einer Einsiedelei versehen. Eine kühne steinerne Bogenbrücke überspringt den *Leno di Terragnolo*, um die Strasse in das Thal des *Leno di Vallarsa* zu führen. Am M. Leno: Daphne alpina. Die Thalgemeinde besteht aus 36 kleineren Orten und zählt 2489 E. Der Hauptort heisst *Vallarsa* oder *Pieve di Vallarsa* (2558′), 490 H., 2931 E., auch oft nur *Chiesa* (Kirche), mit einem eigenthümlichen Glockenthurme, aber schönem Geläute. Den letzten Ort, *Campo silvano*, berührt die neue Strasse nicht mehr; er liegt auf einer Höhe, unter welcher sich das Thal in mehrere Zweige spaltet, die zu den vicentinischen, nicht hohen Grenzjöchern hinaufsteigen. Die Strasse führt über das Joch *Piano delle Fugazze*

(3970') und jenseits im Thale des Timonchio (Bachiglionegebiet) hinab über Schio und Malo nach Vicenza. Von *Campo silvano*, wo ein ziemliches Wirthshaus ist, führt auf dem Bergrücken, auf dessen Kap es liegt, ein leichter Aufstieg zur Jochhöhe *Campo grosso*, mit den herrlichsten Alpen überkleidet, auf denen Malabaila Hacqueti, Cirsium carniolicum, in das durch seinen Säuerling im Vicentinischen und unteren Etschthal bekaunte Bad *Recoaro*, 177 H., 859 E., mit zugeh. 9 Orten 1206 H., 5451 E., nur 1½ St. von Pieve, 7 St. von Roveredo nnd 3 Posten von Vicenza. Der Ort zählt nicht weniger als 50 Gast- und Wirthshäuser. Da es ein Versammlungsplatz der Roveredaner und der gleich liebenswürdigen Vicentiner ist, so ist es auch für den Fremden ein unterhaltender Badeort, jetzt durch eine treffliche Strasse mit Vicenza verbunden. Die Quellen haben + 9° R. 1834 zählte man 3000 Kurgäste; schöner Kursaal. Etwas abwärts im Thale, dem *Valdagnothale*, liegt der Markt *Valdagno*, 341 H., 1950 E., Hauptort des Thales. Nicht weit davon ist *Vestina*, wo ein merkwürdiges Thal ist, dessen Seitenwände aus ungeheuren Basaltsäulen bestehen, über welche im Hintergrunde ein Wasserfall herabstürzt. Darüber liegt *Montebolca*, ein auf dem gleichnamigen Berge liegendes Dorf, wo es sehr viele Versteinerungen gibt. Ueber diese in geognostischer Hinsicht, namentlich wegen der vulkanischen Gebilde, merkwürdige Gegend findet man in des Grafen v. Sternberg Reise ein Weiteres. Höher und starrer, als die Jochübergänge, sind die Gebirgsrücken, welche die Thäler auf beiden Seiten begleiten und zum Theil die Jöcher gegen Vicenza quer übersetzen. Besonders schroff ist die Kette, welche Vallarsa westl. begrenzt und es vom Etschthale scheidet, in ihr die *Cima di Levante* (6389'), *Cima di Posta* (7277'). Weniger schroff und alpenhafter übergrünt ist der Scheiderücken gegen Terragnolo, mit dem *M. Colsanto* (6680') und *M. Pasubio* (7064'), welcher letztere eine Besteigung mit Führer aus Terragnolo verdient. Am Abhange des *Colsanto*, da, wo er sich zwischen beiden Thälern als Scheidewand aus der Tiefe erhebt, liegt *Trambilleno*, 186 H., 1103 E., nur 1½ St. von Roveredo. Dabei sprudelt die Quelle *L'orco* vom Mai an mit starkem Geräusche aus der Erde, versiegt aber wieder im September. Wenn auch fast durch das ganze Thal Wein, Getreide und Maul-

beerbäume gedeihen und Wälder die Schultern der Berge umschatten, so ist der Boden doch im Ganzen zu trocken, um vielen
Gewinn zu ziehen. Auch die Viehzucht ist nicht sehr bedeutend.

Geolog. Was Roveredo für die jüngeren Sedimente, das ist Recoaro für
die älteren der Trias. Fast ringsum von Jura (Oolith bis Diphyakalk) umkreist,
der im Norden zu zerrissenen alpinen Höhen sich erhebt, bildet die Trias ein
Mittelgebirge um das Grundgebirge, den Talkschiefer, der in der Tiefe des Kessels von Recoaro auftritt, von da zum Boldoriothal hinüberziehend, in dem er
fast bis Schio hinabreicht. Die Trias, deren genauere Erforschung wir v. Schan-
roth verdanken, beginnt mit Conglomerat und buntem Sandstein an der mittleren Höhe der Thalwände über dem Schiefer. Ihnen folgten die Seiserschichten
mit Posidonomya Clarai und die Campilerschichten mit Myacites fassaensis. Vor
allen durch seinen Versteinerungsreichthum interessant ist aber der, aussen gelbe,
obere Muschel- oder Virgloriakalk mit Retzia trigonella und den Versteinerungen
der Nordalpen und Oberschlesiens. Die Versteinerungen der ersteren sind vor
allen im Val Serraggere, bei Pozzer, Lovati und Rovegliana vertreten, während
die Hauptfundstätten der Versteinerungen des Virgloriakalkes Rovegliana bei Recoaro, Val Serraggere, ein Seitenthal des Boldorio, im N.N.W. von Recoaro,
insbesondere aber Val del Rotolono bei Rovegliana. Die Seiserschichten führen
auch hier vielfach Gypsstücke. Aus den über dem dem Virgloriakalk folgenden
Sandsteinen und Mergeln, Mergelkalken, Dolomiten und lichten Kalksteinen
wurden bis jetzt keine Versteinerungen bestimmt und ist ihre Vergleichung mit
den höheren Triasgliedern der Fassaneralpen noch zu erwarten. Das Kreidege-
birge, welches sich südlich an den Jura anschliesst, bei Novale versteinerungsreich, wird zum grossen Theil durch das eocäne, besonders im Val d'Agno sehr
entwickelte, Nummulitengebirge bedeckt, das sich, zum Theil übergreifend, bis
an das Juragebirge verbreitet, so an der Rückseite des Monte Spizza. Südöstlich
von letzterem, westlich über dem Chiampothal, liegt die für die Kunde fossiler
Fische so wichtige Lagerstätte des Monte Bolca. Zahllos sind die Durchbrüche
basaltischer und trachytischer Gesteine, die bis in den Kessel von Recoaro re-
chen, interessant der Antheil, den der Basalt an der Bildung des Eocäns durch
seine sedimentären versteinerungsführenden Tuffe nimmt. Mächtige Trachytmas-
sen finden sich im sogen. Tretto, im Norden und Nordwesten von Schio und südlich vom Monte Spizza, im Süden von Recoaro; zu Staro und Cucco bei Recoaro erhebt sich der Trachyt über dem Talkschiefer.

Um in den zweiten Thalast, *Terragnolo*, 374 H., 1890 E.,
zu kommen, hält man sich vor der Vereinigung beider Thäler
links und steigt ½ St. steil empor nach *Noriglio* (1315′), 213 H.,
1040 E., welches hoch oben am rechtseitigen Thalabhang von *Ter-*
ragnolo liegt und dessen Einwohner ursprünglich Deutsche sind.
In 1½ St. ebenen Weges gelangt man nach *S. Nicolo* (1132′). Der
Weg steigt nun zwischen hohen, aber grünen Bergen 1 St. lang
steil aufwärts, indem man rechts unter sich den *Leno* hat; wahr-

haït überrascht wird das Auge durch den Anblick des Thalbodens
des Hauptortes *Terragnolo* (2375'). Trotz der schon hohen Lage
gedeiht der Maulbeerbaum noch trefflich; an den kahlen, sonnigen Felsenrippen rankt der Wein und die ebenen Bergabsätze
schmücken Getreidefluren, die höheren Wiesen. Den meisten Gewinn bezieht man aus dem Holze, welches der *Leno* in die holz-
armen Gegenden des Etschthales trägt, aber nicht lange mehr zu
tragen haben wird, wenn hier, wie überhaupt um Roveredo, die
Wälder nicht mehr geschont werden. Die eigentlichen Alpen sind
an Vicentiner verpachtet, indem die Thalbewohner, ausser Ziegen, wenig Vieh halten. Die Thalbewohner des *Lenogebietes* scheinen deutscher Abstammung zu sein und sie werden für Nachkommen der Cimbern gehalten. Sie führen eine rauhe Lebensweise,
haben eine barbarische Sprache, einen starken kräftigen Wuchs
und sind sehr arbeitsam.

Im Etschthale selbst dehnt sich westl. von *Roveredo* die
grosse gartenähnliche Ebene ¼ St. weit aus bis zur Etsch bei
Sacco (554'), 321 H., 1343 E., einem alten Hafenplatze, besonders für den Holzhandel, mit einer grossen Tabaksfabrik. Es
kommt schon 848 vor. Auf einer Fähre setzt man über den Fluss
und betritt das Gebiet von *Isera*, das sich mit seinen Weingärten
stufenweis erhebt. Zur Linken zeigen sich die wenigen Ueberreste der Burg *Predaja:* zuerst die Wohnstätte der Schlosshaupt-
leute von Trient, wurde es später eine Besitzung der Castelbarker. 1416 zerstörten es die Venezianer. Viele römische Alterthümer in der Nähe scheinen auf römischen Ursprung hinzudeu-
ten. ¼ St. darüber lagert sich die Gemeinde *Isera* (767'), 108 H.,
631 E., *Folas* und *Reviano* 31 H., 140 E., *Marano* 42 H., 222 E.
Darüber ragt auf steilem Felsen die Burg *Castelcorno;* ursprünglich einem gleichnamigen Geschlechte eigen, kam sie durch Heirath an die Castelbarker und später an die Kirche von Trient,
welche sie den Lichtensteinern verlieh, nach deren Aussterben
(tirolischer Linie) sie an Trient zurückfiel und von einer Pächterfamilie bewohnt wird. Nur 1¼ St. liegt sie von Roveredo und gewährt eine der schönsten Aussichten über die Umgegend. *Isera*
selbst ist ein äusserst anmuthiger Ort, mitten zwischen schwebenden Weingärten, welche den köstlichen *Iserawein* spenden, der

kühn mit den meisten südlichen europäischen Weinen in die
Schranken treten darf. Er ist der edelste Tiroler Wein, ist dunkelfarbig roth und süss. Seine Güte verdankt er wohl auch dem
Umstande, dass er als Ausbruch behandelt wird. Schon Virgil
sang begeistert: Quo te carmine dicam Rhaeticn? Ausser dem
Weine gedeiht der Maulbeerbaum trefflich und es finden sich mehrere Seidenspinnereien hier. Beide Erwerbszweige haben durch
Trauben- und Seidenwürmerkrankheit sehr gelitten. Dass eine
solche paradiesische Gegend, wie *Isera*, ein Lieblingsaufenthalt
nicht nur der Roveredaner, sondern auch der weiteren Umgegend
ist, lässt sich leicht erwarten. In *Isera* halten daher die Roveredaner ihre Sommerfrische, noch mehr ihre Herbstlust; viele ansehnliche Gebäude, darunter vorzüglich die Paläste der Herren
Fedrigotti und des Grafen Alberti, glänzen aus dem bunten Gewimmel von Gärten, Felsen, Mauern, Gebüsch und Hütten hervor; dazu hat man in der Nähe einen prächtigen Wasserfall, dessen Wassersäule hoch oben zwischen den Schlössern *Castelcorno*
und *Castellano* beginnt und sich stäubend über einen Felsenbogen
herabwirft, umsäumt von buntfarbigen Regenbogen.

Von *Isera* führt eine Strasse weiter nach *Ravazzano* (599'),
Eisenbahnstation, an der Etsch; hier kommt auch von Roveredo
eine Strasse herüber nach dem Gardasee, 4½ St. von Roveredo
bis Riva, mit Stellwagen in 3 St.; daher ist auch hier eine Ueberfahrt. Durch einen Garten von Wein, Getreide, Maulbeerbäumen und Taback gelangt der Reisende an den Trümmern des Castelbarkischen Schlosses *Monte Albano*, jetzt eine Kirche, vorüber nach *Mori* (635'), 621 H., 4236 E., welches seinen Namen
von den Maulbeerbäumen haben soll. 1 St. lang streckt es sich
in dem Thale des *Comeraso* hinan.

Geolog. Hier Eocän, bei *Tierno* mit kohlenführenden Süsswasserschichten, und Basalt und basaltische Tuffe, die mit ihm auftreten, verschiedene Zeolithe führend (Pektolith, Natrolith, Analcim, seltenem Apophyllit), und Kalkspath.

Das kurze Thal des *Comeraso* ist in mehrfacher Hinsicht
merkwürdig. Es bildet einen tiefen breiten Einschnitt, durch
welchen es die südliche Fortsetzung der rechtseitigen Etschthalkette völlig absondert, wodurch die merkwürdige vereinzelte
Masse des *Monte Baldo* entsteht, im Westen vom Gardasee, im

Osten vom Etschthale, im Süden von der Ebene, im Norden von dem *Comerasothal* umtieft. Das Thal steigt nur allmählich an bis zum Sammelplatz seiner Gewässer, dem *Loppiosee*, von dem der jenseitige Abhang zum Gardasee kürzer und viel steiler ist wegen der tieferen Lage des Sarcathales. Durch dieses Thal wanderte eine venezianische Flotte in den Gardasee. Herzog Filippo Maria Visconti von Mailand bekriegte Venedig; er beherrschte den Gardasee durch Landtruppen und eine kleine Flotte. Da machte 1439 der Candiote Sorbolo dem venezianischen Feldherrn Gattamelata den Vorschlag, eine Flotte über die Alpen in den See zu führen. Man lachte anfangs über seinen Plan, dennoch wusste er durchzusetzen, dass er 2 Galeonen, 3 Galeeren, 1 grosse Veroneser Barke und 25 kleinere Schiffe erhielt. Dieses Geschwader führte er die Etsch hinauf bis Ravazzano, von wo es zu Land auf Walzen oder besonderen Wagen weiter befördert wurde. 2000 Arbeiter füllten die Vertiefungen aus, überbauten die Schluchten mit Brücken, sprengten die Felsen und ebneten den Weg, auf welchem 2000 Ochsen (2—300 an einer Galeere) das Geschwader in den See von Loppio brachten. Jenseits des Sees stieg die Flotte in der Bahn eines Wildbaches bis auf die Wasserscheide, welche die Etsch vom Gardasee trennt. Da nun der Gardasee bedeutend tiefer (über 300') liegt, als das Etschthal bei Mori und diese Tiefe nicht durch ein langes Thal gemildert wird, sondern im Gegentheile durch jähen Absturz abgebrochen ist, so fand die Flotte im Hinabgleiten die grössten Schwierigkeiten zu bekämpfen. An starke Ankertaue befestigt, wurde sie mit vielen Winden langsam auf die schiefe Bahn hinabgelassen, welche sie in den See geleitete. Mit Staunen sahen die Umwohner die Meeresschiffe hoch oben von den Schultern des Monte Baldo herabschweben. Die Reise hatte 15 Tage gedauert und 30,000 Fl. gekostet.

Die Umgegend von *Mori* ist sehr fruchtbar und alles, was der Boden erzeugt, ist von vorzüglicher Güte, dies gilt namentlich von der Seide der hiesigen Maulbeerbäume, den Oliven, Kastanien und Wein. Auch wird viel Taback gebaut, der vor Einführung des Monopols in Tirol ein blühender Handelszweig war. Die ehemaligen Eisengruben sind eingegangen. Im J. 1703 wurde die Umgegend durch die Franzosen unter Vandamme verwüstet. Der Ort kommt 854 schon vor.

Am *Comeraso* fortwandernd kommt man unweit *Loppio* an die Mündung des von Norden herabziehenden *Gardumothales*. Es hat einen engen Eingang; die Hauptthalgemeinde ist *S. Felice di Gardumo*, 68 H., 370 E., auf einer ansteigenden Mittelebene mit einer Wallfahrtskirche. Weiter hinan zeigt sich zur Linken auf weitausschauender Höhe die Burg *Gresta*, ein Besitzthum der Grafen v. Castelbarco, einst, zur Zeit ihres Unglücks, ihre Zufluchtsstätte. Dahinter liegen *Pannone*, 103 H., 582 E., *Chienis* mit *Ronzo* (3069'), 175 H., 803 E.; seitwärts *Nomesino* und *Manzano* mit 1700 Bewohnern. Wieder aus dem Thale heraustretend biegen wir rechts um das Kirchlein *S. Rocco* und stehen plötzlich bei dem Dorfe *Loppio*, 101 H.; 516 E., an dem Gestade des malerischen *Loppiosees* (641'), dessen zum Theil senkrechte Felsengestade sich in seinen blaugrünen Fluten spiegeln; in der Mitte tauchen 2 Inseln auf. Im Dorfe *Loppio* findet man eine schöne, 1820 erbaute Kirche und einen Palast der Grafen v. Castelbarco. Der See nährt köstliche Forellen. Die Strasse windet sich links am See hin und steigt im Hintergrunde durch eine wilde Felsengegend schnell und steil hinan zur Wasserscheide, der *Höhe von Nago* (715'). Eine wundervolle Aussicht überrascht den Wanderer: in grosser Tiefe öffnet sich der weite und tiefblaue Busen des Gardasees, umschlungen von dem Felsengebirge Ledro's; zunächst unter uns Torbole und sein Hafen, rechts die gartenähnliche Ebene von Arco, einst die oberste Bucht des Sees, durchwunden von dem silbernen Bande der Sarca; südl. erhebt sich das Auge zu den majestätischen Abhängen des Monte Baldo, der in mächtigen Stufen emporsteigt; südöstl. an seinen Abhang gegen das Etschthal schmiegt sich Brentonico.

Ueber *Tierno* (765'), 75 H., 384 E. (Geolog. s. S. 346), in dessen Nähe man sogen. englisches Salz findet, an der südlichen Thalwand kommt man in 1½ St. nach *Brentonico* (2180'), 108 H., 349 E., auf dem Rücken eines Ausläufers des *Monte Baldo*, der steil in das *Sornathal* abfällt, daher man von hier eine prächtige Uebersicht des Lägerthales hat. Mit Loppio und noch 8 kleinen Orten zählt die Gemeinde 960 H., 3940 E. Der Ort ist gut gebaut und darüber erhebt sich im Norden die Burgruine *Brento-nico*, oder *Castello del Dosso Maggiore*, ein Schloss der Grafen v. Castelbarco, von den Franzosen zerstört.

Zu einem Ausfluge auf den *Monte Baldo* findet man Führer und Maulthiere in Brentonico. Dieser merkwürdige Berg hat manche Aehnlichkeit mit dem fast gleichhohen Untersberg bei Salzburg; wie jener tritt er, mächtig über seine Umgebungen aufragend, in das flache Land hinaus, und fällt daher um so mehr auf; wie jener ist er allenthalben durch tiefe Thäler von den übrigen Gebirgen getrennt; er ist, wie jener, ein botanischer Garten und daher häufig besucht von Pflanzenfreunden; auch versieht er die weite Umgegend mit Marmor. Ausserdem finden sich Braunkohlenlager (bei Sorna), rothe Erde (bei Crosano) und grüne Erde, treffliche Farbestoffe und Basalt. Der Berg ist eine Fortsetzung des Kalkrückens, welcher das Etschthal schon von Lavis aus zur Rechten begleitet, von demselben aber durch den Einschnitt des Comerasothales getrennt und nur durch ein niedriges Joch verbunden. Er bildet eine 10—12 St. lange Kette, welche sich gegen das Etschthal in wenigen aber grösseren Thälern abdacht, wodurch dieser Ostabhang mehrfach gruppirt und durch Felsenabsätze abgestuft wird. Eine Vorkette hindert die Bäche, sich unmittelbar zur Etsch zu ergiessen, und sammelt dieselben erst zu grösseren Bächen, dem *Sorna*, *Aviana* und *Pissalte*. Gegen Westen zum Gardasee dacht sich der Berg gleichmässiger ab; ohne Unterbrechung rinnen unzählige Bäche von dem höchsten Rücken zum See. Gegen Süden entsendet der Berg einen Ausläufer zum Vorgebirge S. Vigilio im See und einen anderen zur Chiusa, der Etschklause; zwischen beiden zieht ein bedeutendes Thal, vom *Tasso* durchströmt, gegen Süden und mündet ausserhalb des Gebirgs in die Etsch. Während die untersten Abhänge umgrünt sind von südlicher Pflanzenfülle, umdunkeln höher schattige Forste die Seiten der Berge, deren breite Rücken die schönsten Alpen mit zahlreichen Sennhütten tragen; nur die *Cima di Paitana* (5859') ragt kahl und schroff mit ihren Felsenköpfen auf; doch auch die Seiten des Berges werden, besonders gegen das Etschthal, häufig von Felsenwänden gebildet. Die Hochgipfel gewähren verschiedene prachtvolle Rundsichten, die sich durch ihren

bunten Wechsel vorzüglich auszeichnen. Von *Brentonico* aus ersteigt man zunächst den nördlichsten Hochgipfel *Altissimo di Nago* (6571'). Während nördl. der Blick in die herrliche Ebene von
Arco sich senkt und in den Schluchten der Sarca hinan dringt bis
zu den Schneegebirgen, welche ihr den Ursprung geben, weilt
das Auge mit Entzücken auf dem blauen grossen Spiegel des Gardasees, von dessen Gestaden die Häuser von Riva und Torbole
wie glänzende Körnchen heraufschimmern, darüber der kleinere
Spiegel des Ledrosees; gegen Nordost und Osten streift der Blick
das Etschthal hinan und jenseits auf die merkwürdigen Felsengebirge von Fassa und Valsugan. In 2¼ St. von diesem Berggipfel
erreicht man, südl. fortsteigend, die höhere *Cima delle Fenestre*
(6621'); von hier in 1½ St. den *Monte Maggiore* (6954') oder *Colma di Suscaga*, den höchsten Gipfel, und in abermaligen 1¼ St.
die südlichste Spitze *Costabella*. Von den beiden letzten Gipfeln
ist die Aussicht ausserordentlich schön und erhaben, indem zu
den noch nicht entschwundenen Herrlichkeiten der ersten Aussicht hier noch der ganze untere Gardasee, die unübersehbaren
Flächen Venedigs und der Lombardei, durchzogen von vielen
Flüssen und belebt von so vielen grossen und merkwürdigen Städten, hinzukommen; jenseits des Po's erkennt man bei heiterem
Wetter den Zug der Apenninen, gegen Südosten über die Euganeen den Spiegel der Adria. Zum *Gardasee* führt von der *Cima
delle Fenestre* ein steiler Pfad gerade hinab nach *Malsesine;* von
der Südspitze *Costabella* ein ebenfalls steiler Pfad nach *Caprino*
am Südfusse in 5 St. Von Mori zum Altissimo di Nago braucht
man 6 St.

Ueber 30 Sennhütten liegen auf den höchsten Bergstufen des
Nordabhanges, wo man übernachten kann. Die Sennhütten heissen hier Boiten und bestehen aus zusammengeflochtenen Baum-
ästen; wo man im Norden Nocken, Schmarren oder Mus erhält,
bekommt man hier Polenta. Der Reisende thut am besten, an
dem einen Ende hinauf- und an dem anderen hinabzusteigen, und
diese Wanderung mit der Fortsetzung seiner Reise zu vereinigen.
Der leichteste Aufstieg möchte der von Brentonico sein. Die Fülle
der Heilkräuter verschafft den Umwohnern einen Erwerb mehr,
indem ein besonderer Handelszweig daraus entstanden ist. Das

vorzügliche Viehfutter auf den Alpen des *M. Baldo* macht seine
Butter und seinen Käse berühmt. Der *Altissimo di Nago* gehört
noch ganz zu Tirol, dann zieht die Grenze bis gegen den *M. Maggiore* auf dem Rücken hin, westl. Italien und östl. Tirol lassend,
und läuft dann östl. herab ins Etschthal nach Borghetto.

Geolog. s. unter Roveredo, S. 341.

Flora. Der Monte Baldo ist vom Fuss bis zum Gipfel klassischer Boden
für den Botaniker: Ranunculus rutaefolius, Thorax hybridus, Villarsii, Isopyrum
Thalictroides. Aquilegia pyrenaica, Delphinium elatum, Aconitum Anthora, Epimedium alpinum, Papaver pyrenaicum. Corydalis lutea, Arabis saxatilis (Valle
Losanna), pumila, bellidifolia, Dentaria digitata, pinnata, Petrocallis pyrenaica,
Draba aizoides, Thlaspi rotundifolium, Capsella pauciflora, Lychnis flos Jovis,
Alsine austriaca, Moehringia Ponae (Aviana), polygonoides, Linum viscosum, alpinum. Narbonense (Val Freddo), Acer monspessulanum (Avio), Cytisus radiatus,
purpureus. Anthyllis montana, Trifolium alpinum, Lathyrus latifolius, Orobus
luteus, Vicia oroboides. Potentilla micrantha, nitida, Agrimonia agrimonoides,
Alchemilla pubescens, Epilobium Dodonaei, Sedum maximum, Ribes petraeum,
Saxifraga Cotyledon, bryoides, sedoides, petraea, Ptychotil heterophylla, Bupleurum ranunculoides, graminifolium, Athamanta Matthioli, Ligusticum Seguierii,
Meum Mutellina, Peucedanum Chabraei, rablense, Molospermum cicutarium, Asperula taurina, longiflora, Galium vernum, purpureum, rubrum, helveticum, Scabiosa graminifolia, Homogyne discolor, Erigeron Villarsii, alpinus, glabratus, Gnaphalium Leontopodium, Achillea Clavenae, Anthemis alpina, Chrysanthemum alpinum, Doronicum austriacum, Cineraria longifolia, alpestris, Senecio Doronicum,
Serratula Rhaponticum, Scolymus hispanicus. Leontodon Taraxaci, Crepis pulchra,
Phyteuma comosum, Sieberi, Campanula carnica, petraea (Mad. delle Croce), Azalea procumbens, alle Rhododendron. Ilex, Gentiana lutea, excisa, bavarica, nivalis, Scrophularia Hoppii, vernalis, Linaria alpina, Veronica aphylla, fruticulosa,
saxatilis. Paederota Bonarota. Pedicularis fasciculata (Malcesine), acaulis, comosa,
tuberosa, verticillata. Calamintha grandiflora, Melissa officinalis, Horminum pyrenaicum, Nepeta nuda, Lamium orvala, Betonica hirsuta, Alopecuros, Androsace
imbricata, Chamaejasme, lactea, Primula spectabilis, acaulis, venusta, Statice alpina, Plantago Victorialis, montana, Daphne lanceola, Aristolochia pallida, Euphorbia carniolica, Salix Pontederana, glabra, hastata, angustifolia, arbuscula, retusa,
herbacea, Betula viridis, Juniperus nana, Pinus Cembra, Limodorum (Brentonico),
Narcissus poeticus, Galanthus, Erythronium, Dens Canis, Asphodelus albus, Czackia, Ornithogalum pyrenaicum, Veratrum nigrum, Luzula nivea, spicata, Carex
baldensis, mucronata, aterrima, gynobasis, Agrostis rupestris, Avena amethystina,
lucida, sempervirens, Molinia serotina, Festuca rigida, Halleri, pilosa, spadicea,
Grammitis Ceterach, Polystichum rigidum, Cystopteris regia, Asplenium Adianthum, nigrum, Halleri (Pian della Ceneri), Adianthum Capillus Veneris u. a. gemeinere Arten.

Im Etschthal selbst 1 kleine Stunde unterhalb *Roveredo* breitet sich die Gemeinde *Lizzana* (637'), in 4 Orten aus, 257 H.,

1566 E. Darüber zeigt sich das Schloss *Lizzana* (s. S. 338). Zum Besuche verweilten einst auf dieser Burg Kaiser Heinrich II. bei seiner Rückkehr aus Italien und der italienische Dichter Dante, welcher, als Ghibelline aus Florenz vertrieben, von den Scaligern in Verona aufgenommen wurde; in deren Hause wurde der Dichter mit Wilhelm v. Castelbarco bekannt und dieser lud ihn auf seine Burg in Tirol ein. Die Natur dieses Landes machte einen tiefen Eindruck auf den Dichter, ein Eindruck, dem viele Bilder seiner Comedia divina entstammen. Bald hinter *Lizzana* wird der eben noch einem Garten gleichende Thalboden der Etsch von einer schauerlichen Felsenwüste unterbrochen, welche sich links von einem Berge herabzieht, die Trümmer eines grossen Bergsturzes, die *Slavini di S. Marco* genannt von dem jenseits des Sturzes liegenden Dorfe *San Marco* (517'), 120 H., 675 E. Ungeheure Felsentafeln über einander hingeschoben, wie die Schollen bei einem Eisgang, bald hoch auf einander gethürmt, bald in kühnen Stellungen aufragend, überdecken nicht nur den ganzen Abhang bis zur Etsch, sondern auch zum Theil das jenseitige Ufer und die Abhänge daselbst. Die Zeit dieses Bergsturzes ist nicht gewiss; nach der fuldaischen Chronik geschah dieser Bruch 883, wo sich im Etschthale ein solcher Bergsturz ereignet habe, dass das Flussbett der Etsch bei Verona leer geblieben sei, bis sich der Fluss eine Bahn gebrochen habe [1]).

Bei *Serravalle*, 156 H., 774 E., erreicht der Reisende das Ende des Beckens von *Roveredo*, eine Enge mit der alten, von den Castelbarkern erbauten, Thalsperre *Serravalle*, jetzt Ruine. Gegenüber mündet das Thal *Sorne*, vom *Monte Baldo* herabkommend, bei *Chizzola*, 114 H., 575 E. Etschüberfahrt. Ueber *Santa Margarita*, eine uralte Kirche, welche die Bischöfe von Trient an die Stelle einer ehemaligen Räuberhöhle setzten, gelangt man nach *Ala* (652'), 522 H., 3483 E., mit Pilcante und Ronchi 701 H., 4422 E., der letzten Stadt Tirols im Etschthale, sowie der letzten Eisenbahnstation auf deutschem Boden. Gasth.: il va-

---

1) Dante vergleicht einen Theil der Hölle mit diesem Trümmermeer in seinem zwölften Gesang:

       Qual' e quella ruina, che nel fianco
       Di qua da Trento l'Adice percosse etc.

pore und il cervo.   Die Stadt war einst in ganz Deutschland bekannt wegen ihrer Sammetfabriken, welche durch genuesische
Flüchtlinge hierher verpflanzt wurden und 1740 300 Webstühle
und 300 Familien in Ala und der nächsten Umgegend beschäftig-
ten; diese Fabriken setzten, ausser dem Handelsgewinn, 75,000
Fl. in Umlauf. Neuester Zeit ist dieser Erwerbszweig gesunken, doch die grosse Fabrik von Francesco Malfatti noch immer
sehenswerth. *Ala* wurde erst 1820 zur Stadt erhoben und liegt
malerisch an der Ausmündung des Thales *Ronchi*, auf einem Abhange halbmondförmig; unter den Häusern sind viele palastähn-
liche, auch ein Kapuzinerkloster.   Durch das *Ronchithal* führt
ein Weg über das *Campo grosso* ins jenseitige Vicentinische, wo
er mit der Strasse durch Vallarsa zusammentrifft. Im 4 St. langen Thale liegt die einzige Gemeinde *Ronchi* (2089′). Jenseits
der Etsch liegt *Pilcante*, einst durch die Sammetfabriken näher
mit Ala verbunden; jetzt verarmt. Von *Ala* wendet sich das
Etschthal mehr westwärts, um dann wieder seine südl. Richtung
zu verfolgen, ganz ähnlich den Windungen des Thales unterhalb
Salurn und Caliano. Jenseits dieser Biegung durchzieht die Strasse das Dorf *Vo Casaro*, 91 H., 512 E.; jenseits der Etsch, in der
Bucht des Thales, liegt *Avio* (431′), 711 H., 3333 E. Eisenbahnstat. Nach Giovanelli's Ansicht hat die Römerstrasse ihren Zug
auf der rechten Thalseite durch Avio genommen. In der Pfarrkirche ein sehr schönes Altarblatt von Guercino, den h. Antonius
vorstellend. Römersteine. Auf einer Höhe das noch bewohnte
Castelbarkische Schloss *Avio* (castello di Sabbionara); etwas darunter die Antonskirche mit einem guten Bilde von Paul Farinati.
Gegen *Pilcante* das Zudorf *Sabbionara* und unweit dessen auf der
Höhe die Trümmer des Castelbarkischen Schlosses *San Giorgio*.

Bei *Avio* öffnet sich das *Arianathal*, welches, zwischen den
Vorsprüngen des *Monte Baldo* eingeengt, gegen Nordwesten ansteigt und sich dann in 2 Aeste spaltet, von denen der nordwest-
liche in der Richtung des Hauptthales und unter gleichem Namen
in die Region der Alpen sich erhebt. Oberhalb *Avio*, am sogen.
Tretto, ist die bekannte Grünerdengrube des *Monte Baldo*.
Gegen Südwest zieht der andere Thalast am *Rio dell' aqua nera*
hinauf zu dem Alpenboden *Piano di Cencre*, über dem auf einer

Schaubach d. Alpen. 2. Aufl. IV.   23

Höhe das Kirchlein *Maria Schnee, Madonna delle neve* (3457')
liegt, der Vereinigungspunkt der Hirten und Bergleute in den
Farbengraben zur Messe; hier sind auch Erfrischungen zu haben.
Zwischen beiden Thalästen erhebt sich der höchste Gipfel des
Monte Baldo, Acque nere (7022'), gewöhnlich nur *Colma* genannt.
In Avio Führer dahin.

Die Oelbäume von Avio gelten als die besten im Etschthale.
Bedeutend ist der Handel mit Holz; ausserdem findet man 5 Seidenspinnereien, 1 Tuch - und 1 Geschirrfabrik.   1 St. unter *Avio*
gelangt man auf dem rechten Etschufer zu der letzten Häusergruppe auf deutschem Boden, *Mama,* von wo man auf einer Etschüberfahrt nach *Borghetto* gelangt.   Auf der Hauptstrasse von Ala
selbst öffnet sich von Süden her linker Hand ein kleines Seitenthal, durch welches ein Richtweg über die Grenzjöcher in das
jenseitige *Val Pantena* und durch dieses nach Verona führt.

2 St. unter Ala erreicht man den Grenzort *Borghetto* (398'),
100 H., 562 E. Wenig Orte und Mangel an Anbau; rechts die
Abstürze des *Monte Baldo* bis zu seinem Südkap, von dem sich
nur ein niedriger Bergrücken herabsenkt. Beide Thalwände er-
setzen, was sie an Höhe verlieren, durch Steilheit und dadurch,
dass sie näher an einander rücken. So kommen wir zu der von
den Fluten und den Völkern vielfach umkämpften und in den
letzten Jahren wieder stark befestigten *Klause,* Chiusa. Die Etsch
macht einen Versuch in ihrer ursprünglichen Richtung, den letzten Felsenring der Alpen zu zersprengen, allein sie wurde zurückgewiesen und windet sich nun schlangenartig um eine Felsenecke
in den Engpass hinein. Dieser Engpass ist ganz eigenthümlicher
Art, die Wände sind nicht hoch, aber völlig kahl und glatt, wie
zugehauen, und zwischen diesen glatten Wänden wälzt sich der
eingeengte, mächtige Alpenstrom hindurch, nirgends eine Spanne
Land zeigend; nur die in Felsen gehauene Strasse hoch über dem
Strome gleitet gleich einem schmalen Bande an den Wänden hin,
tiefer die Eisenbahn. So brennend die Mittagsstrahlen der Sonne
hereinfallen, so kellerartig kühl ist es Nachmittags, wenn man
aus dem sonnigen Thale in diese dunkele Kluft kommt. — Zwischen Pezi und Chiusa: Campanula petraea. — Bald öffnen sich
die Alpenschlünde und plötzlich tritt man hinaus in das sanfte

Gehügel. Von *Volargne*, 196 II., 746 E., Eisenbahnstat., nur noch eine Station, und wir sind in dem stolzen, prächtigen und ehrwürdigen Verona, das sich in paradiesischer Gegend an den Fuss der Alpen lagert und die Reize der Ebene als Fernsicht, der lieblich und üppig umgrünten Vorhöhen als Vorgrund und die Majestät des Hochgebirgs im verklärten Hintergrunde in sich vereinigt, abgesehen von ihren grossen geschichtlichen Erinnerungen, welche aus unzähligen Denkmälern der alten und mittelalterlichen Geschichte zu uns sprechen.

III. Die südwestlichen Seitenthäler des Etschgebiets.

Der Gardasee und das Gebiet der Sarca.

Wenn sich der Reisende auf den Fluten des *Garda* wiegt, umfangen von den lieblichsten Ufern, an denen die Olive, der Granatbaum und die Aloe wuchern und die Citronengärten prangen, da ahnet er wohl kaum, wie winterlich kalt es an der nahen Geburtsstätte dieser Gewässer aussieht. Während man hier den Schatten sucht und jedes Lüftchen, welches Wohlgerüche und Kühlung aus den Gärten der Hesperiden mit sich führt, bewillkommt, sucht man oben an dem Ursprunge dieser Gewässer jedes Sonnenplätzchen begierig auf, jeden Felsblock, welcher vor dem schneidenden Eiswinde schützt, der von den weiten Schneefeldern und Eismeeren herabweht. Dort klettert man mühsam über Bergruinen und das Rauschen der Eisbäche, das Gekreisch eines Lämmergeiers, das Brummen eines Bären, der Donner der Lawine oder das Gerassel eines Felsenbruches ist die einzige, wenn auch grosse, aber unheimliche Musik, das Wiegenlied dieser schönen azurnen Fluten; hier ruht der müde Wanderer, ausgestreckt im Fischernachen, kaum fühlt er, dass er sich bewegt, und bemerkt nicht, dass er schneller von der Stelle kommt, als vorher mit aller Kraftanstrengung im Schweisse seines Angesichtes; über sich den blauen Himmel, unter sich die noch dunkelblauere Fläche des Wassers, um sich die blauen Massen der Berge, wird er bald,

23 *

eingewiegt von den lauen Lüften, dem Geplätscher der Wellen oder dem Liede der Schiffer, entschlummern. Mit Verwunderung wird er erwachen, sich die Augen reiben und nicht wissen, wie ihm geschieht: denn alles hat sich verändert: verschwunden sind die, wie Gewitterwolken den Blick hemmenden, Gebirge, ein unbegrenzter Gesichtskreis liegt auf der weiten meerartigen Fläche, welche nur in grosser Ferne durch den niedrigen Streifen des Uferrandes begrenzt wird. Ohne Frage vermittelt die *Sarca* die grössten Gegensätze in grösster Nähe, in Bezug auf die klimatischen und die daraus hervorgehenden Verhältnisse in den deutschen Alpen. Wie das Thal des Nosbachs ein paralleles Glied des Etschthales, so ist das *Sarcathal* wieder mit seinen rechtwinkeligen Umbeugungen ein Parallelthal des Nosbachs. Die *Sarca* entsteht aus den ungeheuren Eisgefilden des 11,409' hohen *Adamello* und seiner Umgebungen. Bald nach ihrer Entstehung wendet sie sich südöstl., in tiefer Thalschlucht das Granit- (Tonalit-) Massiv des *Adamello* und seine schmale östliche Schieferhülle durchsetzend, und geht in östliche Richtung über, bleibt in derselben bis zur Einmündung des von Norden kommenden Nambinothales. Diese erste Strecke im Urgebirge führt den Namen *Val di Genova*, parallel dem Val di Sole im Nosthale. Von der Einmündung des Nambino an läuft die *Sarca* in dessen Richtung fort, indem sie sich rechtwinkelig gegen Süden wendet; ihr Thal bildet nun, wie vorher das Nambinothal, die Grenzrinne zwischen den westlichen Granit- und den östlichen Kalk- und Dolomitalpen, welche sich hier zu einem sehr hohen isolirten, begletscherten Gebirgsstock, der *Bocca di Brenta*, erheben und eine Fortsetzung des Zuges sind, der nördlicher das Val di Sole vom Val di Non scheidet. In dieser südlichen Richtung führt es den Namen *Val di Rendena*. Von *Tione* an biegt es sich abermals rechtwinkelig nach Osten, während die geognostische Grenze zwischen Granit und Kalk im Thale des *Arno* in der bisherigen Richtung fortzieht über Roncon. Das *Sarcathal* von hier an bis zum *Toblinosee* könnte man, da es keinen besonderen Namen hat, die Durchbruchstrecke heissen, denn es muss auf dieser Strecke 2 Kalkketten durchbrechen, wie man gewöhnlich sagt, besser wohl: die *Sarca* benutzte tiefe Felsenrisse zu ihrem östlichen Abflusse. Das *Rendenathal* ist ein

Längenthal, daher die Seitenthäler Querthäler; diese Durchbruchstrecke ist ein Querthal, daher die Seitenbäche durch Längenthäler zwischen den verschiedenen Kalkketten hereinkommen, in denen oft schöne Seespiegel ruhen. Die letzte Kette, welche die
Sarca in einem furchtbaren Schlunde durchschneidet, ist dieselbe,
welche der Nosbach in der Rocchetta durchbricht, und das *Sarcathal* tritt nun beim *Toblinosee* eigentlich in die Etschrinne von
St. Michele bis Lavis, von welcher sich die Etsch nur abwendet.
Vom *Toblinosee* an biegt die *Sarca*, in diese Rinne tretend, gegen
S.S.W. um, durchströmt nun in der Richtung des Etschthales von
Neumarkt bis Lavis mehrere kleinere Seen und ergiesst sich bei
Torbole in den 16 St. langen *Gardasee*, aus dem sie bei Peschiera
als Mincio wieder heraustritt. — *Val di Genova* ist einsam, wal-
dig und ohne einen Ort, im Hintergrunde von den grossartigsten
Scenen der Hochalpennatur umschlossen, und stellt die kalte
Zone dar; *Val di Rendena* ist bedeutend bevölkert und Ortschaft
reiht sich an Ortschaft in dieser nördl. gemässigten Zone. Die
Durchbruchstrecke ist ein bunter Wechsel von düsterstem Ernst,
von Ebene, Höhe und Tiefe, von sonnigen Matten und schneegefurchten Wänden, von einsamen Forsten und weithin zerstreuten
Häusergruppen, versteckt in dem Laube der Rebe oder beschattet
von den sperrigen Armen der Kastanie; je nachdem die *Sarca*
zwischen den starren Kalkgebirgen der Trias und des Ooliths
fliesst oder durch die, von den leichtverwitternden oberen jurassischen und Kreideschichten erfüllten, Mulden von Stenico und
lago Toblino. Die letzte Strecke, das *Seethal*, ist die heisse Zone;
die Olive, Granate, Feige, Cypresse und die Goldfrüchte des Südens verkünden die warme Sonne; an der Quelle der *Sarca* thaut
das Eis nie, an ihrer Mündung friert das Wasser nie. Dieser
ganze Theil Tirols mit dem Gebiet des Chiese heisst Giudicaria,
Judicarien, dessen 3 Bezirke sind: *Tione* 14,677 E., *Stenico*
9721 E., *Condino* 11,064 E. Viele Orte und Alterthümer verkünden die ehemalige Herrschaft der Römer; ihnen folgten die Gothen, Longobarden, Franken, die Kirche von Trient, welche die
Grafen Lodron als Grenzhüter daselbst belehnte.

Wir bereisen das Thal von *Roveredo* aus auf dem Wege, welchen wir bis zur Höhe hinter dem Loppiosee schon kennen. Wir

wählen diesen Weg aus dem Grunde, weil wir den Gardasee auf der einen Seite hinab-, auf der anderen hinauffahren müssen. Wir fahren daher von *Riva* an seinem westlichen Gestade in seiner Nordbucht hinab zum Ausflusse des Mincio, dann am östlichen Gestade wieder heran und wandern von da das *Sarcathal* hinauf bis zu dessen Ursprung.

Wir steigen von der Höhe, von der wir oben hinabsahen in den See, hinab nach *Nago* (675'), 149 H., 654 E. Es liegt am Abhange des Gebirgs und ist durch den kleinen Bergrücken *Penede*, mit einem von den Franzosen unter Vendome zerstörten Schlosse gleiches Namens, von der Thalebene der *Sarca* getrennt. In der Nähe sind neue Befestigungen angelegt. Ein guter Führer zum M. Baldo ist Pietro Bergamini. Hinter der Höhe hervortretend blickt man rechts die grosse Thalebene hinauf bis Arco, links hinab nach Torbole zum Gardasee; nur westl. ist der Blick durch einen niedrigen Bergrücken gehemmt, welcher vereinzelt aus der Ebene aufragt und die Mündung der Sarca bei Torbole von der jenseitigen Ebene gegen Riva trennt. Die Strasse zieht sich links hinab nach *Torbole* (252'), 137 H., 672 E., einem als Hafenort sehr belebten Dorfe, umgeben von graugrünen Olivenhainen, 4¼ St. von Roveredo, 8¼ St. von Trient, ⅜ St. von Riva und 1 St. von Arco. —

Der *Gardasee*, lago di Garda, lacus Benacus der Römer, ist nach dem Boden- und Genfersee der grösste Alpensee, nämlich 16 St. lang, an der breitesten Stelle 5 St., an der schmalsten 1 St. breit; sein Flächeninhalt beträgt gegen 7 Q.M., seine grösste Tiefe 887' und die Meereshöhe seines Wasserspiegels bei Riva 194'. Er liegt aber fast 300' unter dem Etschthale bei Roveredo und um 413' niedriger als der Comersee; hat daher unter allen Alpenseen die niedrigste Lage. Ausser der *Sarca* sind der *Toscolano*, die *Timalga*, *Brasa*, *Gardola* und der *Ponal* die bedeutendsten Zuflüsse. Beim Schneeschmelzen steigt die Fläche des Sees um 3—4, selten um 6', welches die Schiffer aber dem Wachsen der Wasserpflanzen zuschreiben. Der See friert nie zu und sein Wasser zeichnet sich unter allen Alpenseen durch ausserordentliche Klarheit aus; es ist sehr weich, löst die Seife gut auf und Hülsenfrüchte kochen sich schnell weich. Wie alle Alpenseen, besonders aber die Ausgangsseen, hat auch der *Gardasee* seine regelmässigen Tageswinde, so lange keine Störungen in der Luft vorkommen. Um 2 Uhr nach Mitternacht erhebt sich ein leichter Nordwind, S o v e r genannt; die Bewohner von Torbole haben noch den besonderen Namen Vento paesano, Heimatswind, für ihn; er geht von Norden nach Süden am stärksten längs der Ost-küste, die im Schatten liegt, und nach Sonnenaufgang; gegen 10 und 11 Uhr Mittags hört er auf; es folgt eine Windstille. Nun, um 12 Uhr ohngefähr, si volta il lago, sagen die Schiffer (der See wendet sich), der Südwind, Ora oder Ander (Unterwind) erhebt sich, welcher sich am stärksten an der im Nachmittag im Schat-ten liegenden Westküste hinanzieht, gegen Sonnenuntergang am stärksten weht, gegen Mitternacht aber aufhört, um nach kurzer Windstille wieder dem Nordwind Platz zu machen. Sowie man auf der Nordseite der Tauernkette den von Süden, d. h. von ho-hen Eisbergen, herabwehenden Tauern- oder Schönwetterwind nicht mit dem eigentlichen Südwinde, welcher Regen und Sturm vom Meere herbringt, verwechseln darf, so ist auch hier der eigentliche Nordwind, wie der eigentliche Südwind, welcher aus ferneren Gegenden kommt, von den genannten regelmässigen Winden zu unterscheiden; der eigentliche Nordwind heisst Vento tramontana: er bringt Stürme und regt den See sehr auf; der Vinezza kommt von Venedig und ist feucht und regnerisch. Aus-serdem gibt es noch eine Menge Namen, welche von Thälern und Orten der Umgegend herrühren. Der See hat, wie auch die ande-ren Seen, seine Strömungen, die beim Sturme dem Sturme folgen und dadurch das Wasser in dieser Richtung anhäufen. Mit dem Nachlasse des Windes setzt sich das Wasser wieder ins Gleichge-wicht und daher folgen nun die Rückströmungen, die eigentlichen Strömungen, Corrivo genannt. Auch ein anderes Steigen und Fallen, auf dem Genfersee seiches, dem Bodensee Ruhss genannt, wird hier bemerkt. Die Stürme sind oft furchtbar erhaben, sie ähneln schon den Seestürmen, wie bereits Virgil Georgica Lib. II sagt: Fluctibus et fremitu assurgens, Benace, marino. Dennoch behaupten die Schiffer noch von keinem Unfall etwas zu wissen. Die Schifffahrt ist belebt, würde aber noch viel belebter sein, wenn der Mincio schiffbar gemacht würde. Die Venezianer sollen ihn einst verrammelt haben.

Die Einfuhr in die Alpen über den See besteht in Getreide, namentlich Weizen und Mais; die Ausfuhr in Holz. Die Schiffe gleichen, der Höhe des Vorder- und Hintertheils und ihrer schwarzen Farbe nach, den schwarzgeschnäbelten Schiffen der alten Griechen; sie führen vierarmige Anker. Die grössten, die eigentlichen Lastschiffe, heissen barche. Sie führen einen Mast und ein grosses viereckiges Segel, haben eine Länge von 50 und eine Breite von 15' und tragen bis 800 Some (eine Some hat 15 Pesi und ein Peso 25 Pfund), also 3000 Ctnr.: die Mastbäume solcher Schiffe haben 76' Höhe. Die kleineren Lastschiffe, bis 750 Ctnr. tragend, heissen barchettoni. Ausser diesen Lastschiffen gibt es noch barchettine zur Ueberfahrt der Personen, desgleichen Gondoln und Fischerkähne, batei pescaroli. Als die schnellsten Ruderer gelten die Schiffer von Torbole. Die grösseren Segelschiffe brauchen bei günstigem Winde durch die ganze Länge des Sees nur 4 St., ein Ruderschiff mit vier Rudern 6 St. Jetzt befahren auch Dampfschiffe regelmässig den See.

Schon oben wurde erwähnt, dass die Venezianer eine Kriegsflotte in den See brachten. Doch schon 849 soll die erste Seeschlacht zwischen den Veronesern und Brescianern bei Desenzano vorgefallen sein, deren Abbildung, von Brusasorzi gemalt, auf dem Rathhause in Verona gezeigt wird. Jenes mit so vielen Kosten in den See geschaffte Geschwader der Venezianer wurde durch die Zaghaftigkeit seines Führers, Pietro Zeno, von den Mailändern bei Maderno den 20. Novbr. 1439 vernichtet; nur 2 Galeeren retteten sich. Die Venezianer erbauten nun auf dem See selbst 8 Galeeren. Riva war der Hafen der Mailänder, Torbole der venezianische zum Ueberwintern. Am 10. April 1440 kam es zwischen beiden Flotten zur Schlacht, in welcher der neue venezianische Befehlshaber Contarini einen grossen Sieg erfocht, mehrere Schiffe und Riva eroberte, wodurch Venedig bis zum Ende des Krieges die Herrschaft über den See behauptete. 1799 lag in Peschiera eine französische Kriegsflotte, welche später die Oesterreicher benutzten. — Der See ist sehr fischreich und daher die Fischerei ein einträgliches Gewerbe. Unter den Fischen ist

der Carpione (Salmo carpio und umbla) der berühmteste; die alte
Sage lässt ihn vom Goldsande auf dem Grunde des Sees leben;
er ist der Ombre chevalier des Genfer Sees. Ihm folgt die Lachs-
forelle, trutta di lago, bei Torbole. Der Sage nach beherbergt
der See auch Meerfische; es ist eine Heringsart, welche in den
Flüssen zur Laichzeit hinaufsteigen, besonders in der Etsch, der
Brenta und dem Po; in dieses kleine Meer herein gerathen, scheinen sie keinen Rückweg gefunden zu haben. Sie ziehen in grossen Haufen im See herum und heissen hier Sardene, bei Ebel der
Cyprinus Agone des lago maggiore. Sie werden in grosser Menge
gefangen.

    Von *Torbole* führt die Strasse gerade auf den *M. Brione*
(1181'), einen vereinzelten Berg- und Felsenrücken, zu, welcher
aus der Ebene des *Sarcathales* an ihrem rechten Ufer auftaucht
und dann wieder südl. in die Fluten des Sees stürzt. Dieser Berg
und die Bergstufe, über welche der Weg nach Nago führt, bestehen aus Nummulitenkalk, den hier ein schmaler Streifen Jurakalk vom Oolith trennt. Das Nummulitengebirge mit Basalten
verläuft nordöstl. nach Roveredo. Die Strasse ist kühn in die
Wand gesprengt und durch ein Zollhaus fast gesperrt; sie führt
dann in der Ebene am See fort und übersetzt kurz vor Riva die
beiden vom Nordwestgebirge herabkommenden Bäche, den *Var-*
rone und *Albula*. Gleich darauf erreicht sie die am Abhange und
zwischen ihn und den See gedrängte Stadt *Riva*, deutsch *Reif*
(194'), 273 H., 1907 E., mit 6 zugeh. Orten 863 H., 4997 E.
Gasthöfe: die Sonne und al giardino; Kaffeeh.: Andreis unter
den Arkaden am Landungsplatze; Restauration: al Vilano. Der
Bergabhang, an dem die Stadt liegt, erscheint echt südl., in der
Ferne dürr und kahl; erst in der Nähe zeigt sich die Einwirkung
des milden Klima's. Die Sommerhitze ist nicht grösser, als im
übrigen Deutschland, ja noch geringer, nämlich 25—27 Grad;
aber der Winter ist es, welcher die Milde bestimmt; denn nur
selten fällt das Thermometer viel unter den Gefrierpunkt. Der
See trägt zu einer Art oceanischen Klima's bei. Schnee fällt selten. *Riva* ist daher das Hesperien Deutschlands, wo im dunkelen
Laube die Goldfrucht glüht. Ueber der Stadt thront das Schloss
Rocca, zur Zeit der Scaliger erbaut, jetzt Kaserne und Fort. In

der Pfarrkirche gute Gemälde und Fresken.   Das Getreide reicht
kaum für das halbe Jahr aus.   Dafür entschädigt das Erträgniss
der Seide, des Oelbaums und der Südfrüchte (agrumi) reichlich;
doch gedeihen Citronen und Pomeranzen keineswegs wild, sondern sie bedürfen der Pflege und des Schutzes im Winter, um
nicht einem hinterlistigen Froste zu erliegen.   In den Citronengärten, hier nur giardini genannt, werden vorzugsweise Citronen
gebaut, welche man in Cedern und Limonen theilt.   Von den
ersteren kommt das Cedronat, die letzteren sind unsere Citronen.   Die Cedern oder hiesigen Citronen erreichen die Grösse
eines Kinderkopfes.   Diese giardini bilden das Haupteinkommen
des Gardaseeufers.   Jeder Garten bildet ein längliches Viereck,
dessen Länge ganz unbestimmt, dessen Tiefe aber immer 28—30'
beträgt; gegen Norden ist er durch eine 25' hohe Mauer gedeckt,
die anderen Seiten haben kaum 3' hohe Mauern; auf der vorderen, südlichen Grundmauer erheben sich schlanke Marmorpfeiler
gegen 20' hoch, 8—9' von einander abstehend und oben durch
Querbalken verbunden.   Die Grösse eines Gartens wird nach der
Anzahl der Zwischenräume zwischen den Pfeilern, campi, bestimmt.   Die Räume zwischen den 4 Grundmauern werden mit
guter Erde ausgefüllt.   Die Setzlinge zieht man aus Pomeranzen-
kernen und pfropft alsdann Citronen darauf.   Anfangs November
erhalten die Gärten eine Bretterdecke und nur Thüren, welche
den Tag über offen stehen, um Licht und Luft herein zu lassen.
Im Innern sind kleine irdene, mit Wasser gefüllte Schüsseln aufgestellt, spie, Aufpasser, genannt, weil sie den Frost verrathen;
zeigt sich eine Eisrinde, so wird in Pfannen Feuer angemacht.
Anfangs April werden die Bretterhüllen hinweggenommen und
dann gewähren die Gärten ein schönes Schauspiel.   Stolz und
schlank ziehen in langen Reihen, im saftigsten Grün die Citro-
nenbäume hin, bedeckt mit Blüten und schwerbeladen mit goldenen Früchten, so dass viele Bäume gestützt werden müssen;
selbst die regelmässig auf einander folgenden weissen Marmorsäulen tragen nur dazu bei, den Schmuck dieser Gärten zu heben,
wenn auch dem Malerischen zu schaden.   Auf ein campo rechnet
man 2 Bäume (eigentlich 10 Bäume auf 7 campi).   Man erhält
jährlich von einem campo 1200—2000 Limonen, unter denen die

limoni di Canea die beliebtesten sind, welche die Venezianer von Candia hierher verpflanzten; sie sind klein, mit dünner glatter Schale, sehr saftig und kernlos. Pomeranzen werden wenig gezogen, weil man die Pomeranzen Süditaliens wegen ihrer Süssigkeit vorzieht, während es bei den Limonen das Gegentheil ist, weil die hiesigen mehr die ihnen eigenthümliche Säure besitzen.

Dasselbe gilt vom ganzen *Gardasee*, an dessen südwestlichem Gestade, der *Riviera*, dieser Citronenbau am stärksten betrieben wird. In dem obersten Theile des Sees, so weit er noch zu Deutschland gehört, sind die Gärten von Riva die bekanntesten. Mancher Besitzer zieht jährlich 50—70,000 Stück, das Hundert zu 2½—4 Fl. Doch wachsen nur die wenigsten Citronen, welche in Riva verpackt und verschickt werden, hier, sondern an den südlicheren Ufern. Umgrünt und umblüht ist *Riva* noch vom Lorbeer (orbegaro)- und Granatbaum; die Lorbeerblätter kommen in den Handel. Ausserdem gibt es in *Riva* Papiermühlen, 2 Geschirrfabriken, Ziegelbrennereien, Holzwaaren-, Stecknadel-, Sonnenschirmfabrik, Getreide- und Holzhandel. *Riva* wurde nach mannigfachem Wechsel der Herrschaft, hauptsächlich zwischen Trient, Venedig und Mailand, 1575 von Maximilian II. zur Stadt erhoben; dennoch verminderte sich gerade damals die Bevölkerung durch Auswanderungen und die Pest. 1703 liessen sich die Franzosen die gedrohte Verbrennung der Stadt sehr theuer abkaufen; 1796 wurde sie von demselben Feinde geplündert, noch zweimal seitdem mit Erpressungen heimgesucht, 1809 sogar von französischen Schiffen beschossen.

Wir fahren von hier am rechten, westlichen Gestade hinab. Man darf sich bei dieser Fahrt nicht zu weit vom Ufer halten, weil sonst seine Schönheiten in dem grossen Ganzen verschwinden; diese Reize bestehen aber in dem südlichen Pflanzenwuchse und dem Anbau des Bodens, was man nur in gewisser Nähe unterscheiden kann; dabei hat man die gegenüberliegenden Gebirge in der gehörigen Ferne, um ihre Formen zu überblicken; tritt man dann die Rückreise an der anderen Seite an, so erblickt man nun die vorher in der Nähe betrachteten westlichen Gestade übersichtlicher und die östlichen in der Nähe. Wer die Reise nur nach einer Richtung als Durchreise macht, hält sich am besten rechts an der blühenden Riviera hin, im Angesicht des östl. sich hinstreckenden Baldo.

Das Erste, was den Reisenden auf seiner Fahrt fesselt, ist der rechts niederstäubende *Fall des Ponal;* ein Theil des Sturzes ist durch ein Gebäude (Aufschlagamt für das nach Ledro gehende Getreide), welches, zwischen die Felsen eingekeilt, auf einer steinernen Brücke ruht, verdeckt. Um den ganzen Sturz zu übersehen, steigt man auf einer Treppe hinter dem Hause hinan und blickt in den Abgrund hinab. Der *Ponal* entsteht im *Val Giovo,* dicht über dem Thale des Chiese, durcheilt den *Ledrosee* und durchstürmt dann das *Val di Ledro.* Das ganze Thal hat 7 St. Länge, die Einwohner zeichnen sich durch Leibesgrösse und Stärke aus. Der Hauptort *Pieve di Ledro* (2080'), 52 H., 295 E. (die Hauptkirche oder der Mittelpunkt der Gemeinde) liegt am oberen Ende des *Ledrosees,* welcher ⅔ St. lang und ¼ St. breit ist, eine reizende Lage hat, umgeben von den Ortschaften *Molina,* 103 H., 526 E., *Legos* und *Mezzolago,* 28 H., 172 E., auf einer mitten in den See hineinspringenden Halbinsel. Hinter *Tiarno di sopra* steigt man zum Joch *Paivel* hinan, 8 St. von Riva, und dann schnell in 1 St. hinab nach *Condino* im Chiesethal. Südwestl. von *Tiarno* führt eine gut fahrbare Strasse fast eben ins *Val Ampola* und nach *Storo* im Chiesethal, weiter nach *Lodrone* und zum Idrosee.

Geolog. Im V. Ampola Dachsteinkalk mit seinen Versteinerungen und denen der Gervillienschichten. Im V. dei Conzei. nördl. vom Lago di Ledro, Ammonitenkalk. — Botan. Im V. Ampola: Saxifraga arachnoidea; im Ledrothale: Campanula caespitosa, Adenophora suaveolens, Viola lutea, Linum alpinum, Serratula Rhuaponticum, Centaurea austriaca, Myrrhis, Avena alpestris, Cladium Mariscus.

Hat man den *Ponalfall* hinter sich, so steigen die Bergwände steil aus dem See empor und in ¼ St. erreichen wir am *Kofl Kalder* die deutsche Grenze, welche gerade über den See setzt und jenseits zum Monte Baldo hinanläuft. Von nun an haben wir rechts das lombardische, links das venezianische Ufer. Die Uferwände fallen so steil in den See, dass kein Landen möglich ist; nur dann und wann öffnet sich eine reizende Bucht, mit Citronengärten geschmückt. Eine solche abgeschlossene Bucht ist es, in welcher der Garten des Grafen *Bettoni* liegt; dieser Garten hat

900 campi und liefert die schönsten und saftigsten Citronen der Umgegend. Gleich darauf setzt der *Monte Cretegno* seinen Fuss in die blauen Fluten des Sees; er bildete einst die Grenze der Citronengärten gegen Norden. Bald öffnet sich eine grössere Bucht, in welcher sich die weissen Häuser von *Limone*, 157 H., 527 E., zeigen mit ihren Limonengärten und Olivenhainen.

Geolog. Unter dem Kreide- und Juragebirge, welches die Uferberge von Limone über Tremosine bis Gardone bildet, während die südlicheren Hügel des flachen Ufers aus Eocän bestehen, treten gebirgeinwärts die Triaskalke und Dolomite, sowie bei S. Michele, im N.W. von Tremosine, die Dachsteindolomite und Kalke in Verbindung mit Kössenerschichten auf; so auch im pflanzenreichen Val Vestino, dem oberen V. Toscolano, das südl. von Gargagno mündet. — Botan. im Val Vestino: Saxifraga arachnoidea, Capsella procumbens, Potentilla micrantha, Salix salviaefolia.

Die Berge treten wieder mit ihren Wänden an den See heran und man erblickt an ihnen · nur von Rauch geschwärzte Felsenhöhlen, in welchen die Fischer zu übernachten pflegen. Dagegen zeigen sich auf den Bergstufen schöne und reizend gelegene Ortschaften. In *Campion* ist ein Landsitz des Grafen Archetti, mit schönen Gärten, sehenswerth; darüber zeigt sich die Kirche von *Gardola*. Die bedeutende, in den See halbkreisförmig vortretende, Halbinsel ist der Gipfel eines Schuttberges, welchen die *Tignalga* erbaut hat, und welche wegen ihres dürren Aussehens die *Hungerwiese*, Pra della fame, genannt wird. Es tritt nun der letzte Felsenarm des Brescianer Gebirgs an den See heran, der Fuss des *Monte Fraine*, welcher das *Toscolanothal* links begleitet. Die Felsen verschwinden; statt ihrer zeigen sich sanfte, abgerundete Hügel und hiermit beginnt die sogen. *Riviera*. *Gargnano* macht den Anfang derselben mit seinem herrlichen Busen; hier reihen sich *Gargnano*, *Villa* und *San Pietro* mit ihren weissen Häusern so an einander, dass sie einer grossen, prächtigen Stadt gleichen. Die ganze Gemeinde mit noch 8 anderen Orten: 1335 H., 4255 E.

Hier spiegeln sich bald Kirchen, bald Paläste, bald Citronengärten in dem See. Die über der Seefläche aufsteigenden Hügel sind mit Lorbeerbäumen, Agaven, Oliven, Feigen, Granaten, Oleander und Rosmarin bedeckt, die Mauern mit den schönen Blüten der Kapern und mit Reben bekränzt. In *Gargnano* lau-

det man, besucht einen der Gärten mit ihren stolzen Lorbeerbäumen und prächtigen Citronen. Der Marktplatz ist sehr belebt.
Man versieht sich mit Lebensmitteln, um die Fahrt zu Wasser
fortzusetzen. Jener weither schimmernde Palast, welcher sich
in der tiefblauen Flut spiegelt, gehört dem Grafen Bettoni; die
von der Höhe herableuchtende Kirche zwischen stolzen Cypressen bezeichnet die Lage von *Gai.* Bald darauf liegt das gewerb-
reiche *Toscolano*, in 7 Theilen 539 H., 2670 E., gegenüber. In
alter Zeit war Tusculanum Haupthandelsplatz der Benacenser;
viele römische Alterthümer, namentlich schöne Säulen und Grundmauern ansehnlicher Gebäude, bezeugen dieses. Der Sage nach
ist hier eine grosse Stadt, Benaco, untergegangen; die Veranlassung zu dieser Sage gaben wahrscheinlich die im See gefundenen
Römersteine. Jetzt beleben Papiermühlen den Ort. Ausserdem
sind noch eine Tuchfabrik und Drahthütten in Thätigkeit. Unterhalb *Toscolano* ergiesst sich wildschäumend der *Toscolano* in den
See, in welchem er sich eine grosse Halbinsel erbaut hat. Durch
dieselbe ist die jenseitige liebliche Bucht von *Maderno* entstanden, dem alten Hauptorte der Riviera. Seine weissen Paläste
und Häuser und die Pfeiler seiner ungemein zahlreichen, bis
dicht an den See amphitheatralisch herabsteigenden Citronengärten werfen im heiteren Sonnenscheine einen hellen Schimmer auf
die ultramarinblauen Fluten, welche unser Schiff durchschneidet.
Im Spätsommer erhält diese Küste ein grösseres Leben durch ihre
schönen Bewohnerinnen, welche dann am Wasser in kleinen hölzernen Ständern knieen und den Flachs, eins der schönsten und
einträglichsten Erzeugnisse der dahinter aufsteigenden Höhen,
mit Steinen klopfen, dann in die krystallene Flut tauchen und in
frohen Chören dazu singen. Ueber *Fasano* und *Gardano* zieht
sich ein tiefer Busen südwestl. in das Land hinein, in dessen Hintergrunde das ansehnliche Dorf *Salo* (7 Theile), 809 H., 5140 E.,
in einem Walde von Lorbeeren und Orangen liegt, die im Frühjahre weithin ihre Wohlgerüche verbreiten. 1350 wurde der
Hauptsitz der Verwaltung der Riviera von Maderno hierher verlegt. Es ist jetzt Sitz einer Prätur mit Civil- und Criminalgericht,
sowie eines Postamtes; denn 3 Strassen treffen hier zusammen:
1) nördl. von Gargnano, 2) südl. von Peschiera und Desenzano,

und 3) westl. von Brescia und dem oberen Chiesethal; denn das
Thal des Chiese zieht nur $\frac{1}{2}$ St. westl. von Salo vorüber. *Salo*
führt jährlich für 1 Million Lire Zwirn (Refe di Lino) aus, sowie
auch viele Südfrüchte. Das weibliche Geschlecht steht in dem
Rufe der Schönheit. Hinter dem Orte erhebt sich der *Monte Pen-
nino*, auf dessen südlichstem Vorgebirge, dem letzten Ausläufer
der höheren Brescianer Gebirge auf dieser Seite, sich malerisch
das Dorf *Volciano*, 151 H., 970 E., zeigt. Der Fuss dieser Berge,
wie überhaupt die meisten Vorhöhen zunächst am Gebirge, besteht aus geschichtetem Kalk und Kalkmergel voller Meerverstei-
nerungen. Auch findet man viele Feuersteine, sowohl nester-
weise, als in kleinen Schichten, und zwar von grauer, schwarz-
gelber, blauer, grüner und röthlicher Farbe. Der Kalk ist weiss
oder röthlich; doch gibt es auch schwarzen Marmor, welcher
vorzüglich schön bei Tremosine gebrochen wird. Die Hügelreihe,
welche den See südl. von Salo umschliesst, besteht meistens aus
Breccie und losen Geschieben; in den nächsten um Salo findet
man Quarzkrystalle in schönen Prismen und Bruchstücke von
buntem Jaspis, Chalcedone, Achate und Karneole. — Von *Salo*
aus geht das Ufer gerade östl. hinaus, eine bedeutende Halbinsel
bildend mit dem Vorgebirge *Fermo*, welches über einige aus dem
See aufragende Felsen zu der halbmondförmigen Insel *Lecchi* oder
l'Isola dei Frati (wegen eines ehemaligen Klosters), oder auch
schlechthin nur *l'Isola* heisst, deren anderes Horn, südwärts gebogen, auf die nahe Insel *di S. Biagio* zeigt, welche wieder mit
dem Vorgebirge *Manerbe*, mit ehemaligem Minerventempel, unter
dem See verbunden ist. Sie misst nur 2620' Länge und 323'
Breite. Den höchsten Punkt der Insel schmückte einst ein Tempel des Jupiter; schon 1200 bestanden 2 Kirchen, *Santa Maria*
und *S. Lorenzo*, und 1220 wurde an die Stelle des Tempels ein
Kapuzinerkloster erbaut; Reben-, Citronen- und Olivenpflanzun-
gen bedeckten bald den Felsen. Hier wurde auch der Papst
Adrian VI. erzogen. Nach der Aufhebung des Klosters durch die
Franzosen kaufte der Graf Luigi Lecchi die Insel und verwan-
delte das Kloster in eine glänzende Villa. Von hier gerade südl.
steuernd kommen wir noch an einigen Vorgebirgen vorüber, welche die Riviera heraussendet und landen in *Desenzano* an dem

einen Südende des Sees, Markt, 772 H., 4530 E. Auf der Höhe
des Schlosses hat man eine herrliche Uebersicht des Sees. Oestl.
von hier zieht die Halbinsel *Sermione*, 166 H., 580 E., von Süden gegen Norden ⅔ St. weit in den See hinein, nur durch eine
ganz schmale Landenge mit dem Lande zusammenhängend. Sie
spaltet das südl. Gestade des Sees in 2 grosse Busen, den westlichen von *Desenzano* und östlichen von *Peschiera.* Die Halbinsel
ist klassischer Boden; hier wandelte Julius Cäsar, hier sang in
seiner ländlichen Zurückgezogenheit Catull [1]). Eine Reihe Pfeiler, welche zum Theil noch durch feste, runde Bögen verbunden
sind, erhebt sich an der Stirne der Halbinsel über die Felsen, an
deren Fuss der See brandet. Die Pfeiler bestehen aus Marmor-
quadern, welche an Ort und Stelle gebrochen sind, die Bögen
und Gewölbe bestehen aus dauerhaftem Tuffstein aus der Gegend
von Moniga; der Mörtel ist derselbe, wie am Amphitheater von
Verona. Zu den Zeiten Karls des Grossen befand sich auf ihrer
südlichen Seite eine Burg, le Cortine genannt. Ansa, Gemahlin
des Königs Desiderius, baute in derselben ein Kloster und die
noch stehende Kirche S. Salvatore. Eine andere Kirche der Halbinsel, S. Peter, wurde 1320 erbaut und hat merkwürdige Frescogemälde. Die Hauptkirche, S. Maria maggiore, hat römische
Marmorsäulen, sowie in mehrere Häuser römische Inschriften eingemauert sind. Das sogen. neue Castell ist von dem Herrn della
Scala erbaut und gibt der Halbinsel ein malerisches Aussehen;
die Höhe, auf der es steht, ist durch einen Graben abgeschnitten
und zur Insel gemacht. Am Fusse des Castells befindet sich der
Hafen, von 420 Menschen umwohnt. Die Landenge bildet sumpfige Niederungen.

Von *Sermione* steuern wir nach *Peschiera*, 132 H., 1156 E.,
die ganze Gemeinde 340 H., 2262 E., der südlichsten Spitze des
Sees, an der Ausmündung seiner Fluten, dem *Mincio.* *Peschiera*
ist Festung und hier breitet sich der See meerartig aus. Oestlich
von *Sermione* steigen an fünf verschiedenen Stellen aus einer Tiefe

---

1)   Peninsularum, Sirmio, insularumque
          Ocelle, quascunque in liquentibus stagnis,
          Marique vasto fert uterque Neptunus:
          Quam te libenter, quamque laetus inviso.

von 216' Luftblasen sprudelnd empor, deren Gehalt aus kohlensaurer Luft und geschwefeltem Wasserstoffgas besteht; bei kalter
Luft steigt Rauch aus dem Wasser, welches säuerlich schmeckt
und den Geruch von faulen Eiern hat.

Wir wenden den Nachen wieder dem Gebirge zu. An dem
Flecken *Lazise*, 290 H., 1450 E., ganze Gem. 493 H., 2637 E.,
mit schönem gothischem Thurme auf dem Kirchhofe, auch den
Ruinen eines grossartigen venetianischen Kastells, und *Bardolino*,
357 H., 1504 E., vorüber, gelangen wir in die schöne Bucht von
Garda, 289 H., 1170 E., welche von dem weit gegen Westen
vorspringenden Vorgebirge *S. Vigilio* gebildet wird. Hier herrscht
ein ewiger Frühling, indem der Monte Baldo den Nordwinden den
Zutritt verwehrt, während die lauen Südlüfte durch ihn aufgehalten werden. Die Hügel sind ringsum mit Oliven, Wein, den
köstlichsten Feigen und anderen Gewächsen des wärmeren Südens
umgrünt. Im Garten des Grafen Alberti üppige südliche Vegetation. In den Busen von *Garda* ergiesst sich der vom *Monte
Baldo* herabkommende *Tesino*. Auf einem Felsen steht eine Ca-
maldulenser-Einsiedelei an der Stelle einer alten Burg, in welcher einst Adelheid, Witwe Lothars und nachmalige Gemahlin
Kaiser Otto's I., von Berengar gefangen gehalten wurde. Man
hat von hier oben eine der schönsten Aussichten über den unteren See und auf das vom Tasso durchströmte Thal Caprinago.

Geolog. Zahlreiche Steinbrüche, die von Garda an längs des Seeufers bis
nach Torri reichen, liefern Versteinerungen aus den oolithischen und oberen jurassischen Schichten. Bei den Häusern von Scavejaghe, kurz vor S. Vigilio, entdeckte Beneke die ammonitenführenden oolithischen Kalke mit A. Murchisonae,
auf dem halben Wege von Vigilio nach Torri den Muschelmarmor von Posidonomya alpina, unmittelbar dahinter den rothen Marmor voll Amm. acanthicus
und endlich kurz vor Torri den eigentlichen Diphyakalk. — Von Pflanzen
bei S. Vigilio: Nerium Oleander.

Wir rudern westl., um das Vorgebirge *S. Vigilio* zu umschif-
fen. Dieses Vorgebirge, welches dem von *Manerbe* und der Insel
Lecchi gegenüber liegt, ist der Endpunkt eines südwestl. Ausläufers des *Monte Baldo*. Die Höhe ist unstreitig der schönste Aussichtspunkt des ganzen östl. Gestades, indem der Blick sowohl
auf- als abwärts reicht. Ein vortrefflicher Hafen ladet zum Landen. Schnell rudern wir längs den immer steiler und schroffer

Schaubach d. Alpen. 2. Aufl. IV. 24

werdenden Ufern, an *Torri,* mit Albisani und Pai 187 H., 1154 E.,
Castelletto, mit Brenzone 292 H., 1783 E., *S. Giovani* und der
Insel *Tremelone,* vorüber nach *Malsesine,* 545 H., 1541 E., mit
Cottone und Molino di Malsesine 758 H., 2010 E. Schon vor diesem Orte treten die Wände des *Monte Baldo* schroffer und trotzi-
ger in den See und der Anbau und die blühenden Gärten des Südens drängen sich nun in die Felsenbuchten; hier aber blüht die
Aloë und hoch wölbt sich das Laubdach des Lorbeers in den lieblichen natürlichen Gärten dieser Oasen. *Malsesine* hat einen Hafen, ein altes Schloss und einen Wartthurm; denn es war der feste
Anhaltepunkt der Venezianer, von wo aus sie den See beherrsch-
ten. Bald darauf begrüssen wir wieder die unsichtbare, quer
über den See setzende, Grenze Deutschlands und legen bei Torbole oder Riva an.

Flora. Ausser den schon genannten Holzpflanzen häufig Cercis, Quercus Ilex.
bis hoch hinauf Buxus sempervirens, in Zäunen Rhamnus Paliurus; ausserdem:
Paeonia officinalis, Matthiola varia, Erucastrum obtusangulum, Lepidium graminifolium, Hutchinsia petraea, Reseda Phyteuma, Silene Saxifraga, Alsine laricifolia,
Moehringia Ponae, Erodium malacoides, Spartium junceum, Cytisus argenteus,
Ononis Columnae, Trifolium striatum, scabrum, Dorycnium herbaceum, Astragalus
monspessulanus, Lathyrus setifolius, Agrimonia agrimonoides, Bupleurum aristatum, Seseli Gouauni, Asperula longifolia, Knautia longifolia, Scabiosa gramacetia,
graminifolia, Buphthalmum speciosissimum, Artemisia camphorata, Campanola sibirica, Convolvulus cantabrica, Cynoglossum pictum, Scrophularia canina, Ver-
bascum rubiginosum, Euphorbia procera, nicaeensis, Parietaria diffusa, Vallisneria,
Naja major, minor, Arum italicum, Serapias pseudocordigera, Cladium, Fimbristy-
lis dichotoma, Carex baldensis, nitida, Andropogon Gryllus, Heteropogon Allionii,
Sorghum halepense, Hierochloa australis, Pipthatherum multiflorum, Arundo Do-
nax, Avena sempervirens, Koeleria phleoides, Festuca ciliata, Lolium boucha-
num, Bromus madritensis.

Von *Riva* aus kann man noch *Tenno* am *Varrone* besuchen,
wo man eine herrliche Uebersicht der ganzen Umgegend von Riva
hat. Nicht weit davon liegt der See von *Tenno,* welcher jedoch
nördl. zur oberen Sarca abfliesst. — Eine kühn und kunstreich in
den Felsen gebrochene Strasse führt von hier auch ins Ledrothal.

Das Sarcathal (Judicarien).

Die Gegend von *Riva* und *Torbole* bis *Arco* war einst ebenfalls von den Fluten des Sees bedeckt, die, wie in vielen oberen
Seebuchten der Alpen, allmählich durch die Geschiebe der *Sarca,*
des *Varrone* und *Albula* weiter zurückgedrängt wurden. Da der

See nicht nur den Spiegel des nahen Meeres, sondern selbst dessen
Tiefen untertieft, so kann er sich nie, wie vielleicht mancher ehemalige Hochsee, durch tieferes Einschneiden seiner Ausmündung
entleeren. — Ein guter Fahrweg führt nördl. nach *Arco* (290′),
454 H., 2490 E., am Fusse der Höhen, welche die ehemalige
obere Seebucht mit hohen Felsenmauern gegen Norden umschlies-
sen. Diese Ebene gehört zu den wunderbarsten Winkeln Tirols;
der mildeste Himmel überwölbt diesen Garten von Oliven, Granaten, Wein, Feigen und dem herrlichsten Obste. Das Klima ist
besonders Brustkranken ausserordentlich zuträglich, so dass solche, welche sich deshalb hierher geflüchtet haben, oft ein hohes
Alter erreichen, wie überhaupt die Bewohner von Arco. Inglis,
in seiner Reise durch Tirol, sagt von dieser Gegend: „Zwischen
dem See und dem Fusse der Gebirge liegt eine Ebene von etwa
1 St. Länge und Breite, deren Fruchtbarkeit und Schönheit mit
den berühmten spanischen Huerta's wetteifert, und bei weitem
alles übertrifft, was die gemässigteren Landstriche Englands und
Frankreichs und die tiefen Thäler der Schweiz Aehnliches aufzuweisen haben. Die Folge der glücklichen Lage ist eine so üppige
Vegetation, wie sie der gemässigten Zone schwerlich angehört.‟
— Die Thürme, metallbedeckten Kuppeln und hohen Schorn-
steine geben der Stadt *Arco* in der Ferne ein orientalisches Ansehen; darüber thront malerisch auf hohem Felsen die Burg *Arco*
(873′), der Stammsitz der Grafen v. Arco, welche zu den mächtigsten Geschlechtern Südtirols gehörten, und sich rühmlichst dadurch auszeichneten, dass sie, obgleich ein gefährlicher Vorposten gegen die mächtige Republik Venedig, dennoch stets alle An-
träge derselben in echt deutschem Interesse standhaft zurückwie-
sen, und einen hartnäckigen Kampf auf Leben und Tod vorzogen,
in welchem sie ihre Selbständigkeit und ihren Ruhm retteten.
Die Pfarrkirche ist schön. Zum Stadtgebiet gehören noch die
Orte, welche in der Ebene und an den Abhängen umher zerstreut
liegen.

　　Das obere *Seethalgebiet* und selbst noch ein Theil der westl.
angrenzenden Durchbruchstrecke erscheint als ein durch eine
Ueberschwemmung vielarmig durchfurchtes Gebiet, unstreitig die
Folgen ehemaliger Etschströmungen, indem die vielen Parallel-

24 *

thäler und Rücken ganz in der Richtung des oberen Etschthales liegen. — Unmittelbar hinter *Arco* verengt sich das Thal, verliert jedoch seine Thalsohle nicht und der Weg führt eben durch graugrüne Olivenhaine und reiche Fruchtfelder über *Ceniga* nach *Dró* (389'), 306 H., 1974 E. Hier kommt östl. der Bach aus der südlichen Abdachung des *Cavedinethales*. Durch eine kleine Enge gelangt man an ihm nach *Drena* (1219'), 126 H., 593 E., mit den Ruinen eines gleichnamigen Schlosses, 2 St. von Arco. Bei der Häusergruppe *Vigo* erreichen wir die das Thal durchsetzende Wasserscheide, während sich die Thalspalte bis Vezzano fortsetzt, von wo wir dann wieder von jenseits heraufsteigen werden. Rechts hat man den *Garten Abrahams*, Orto d'Abram, wo sich eine schöne Aussicht ins Lägerthal erschliesst (Führer der Waldaufseher in Vezzano); links auf dem langen, aber nicht hohen Scheiderücken gegen das Sarcathal hat man einen schönen umfassenden Ueberblick des Sarcathales; der in der Tiefe' liegende *Cavedinesee* bildet den Glanzpunkt.

Von *Dró* aufwärts wird das Hauptthal bald durch wüstes Gerölle und gleich darauf durch einen Bergrücken rechts, einen jener Parallelzüge, eingeengt. Oestl. hinter ihm liegt der *Cavedinesee*, ¼ St. lang, nicht halb so breit, welcher in die *Sarca* abfliesst. Seine ursprüngliche südliche Ausmündung scheint durch einen Bergsturz verschüttet zu sein; denn jetzt liegen Ein- und Ausfluss dicht neben einander. Am östlichen Ufer liegen die *Casoni di Caredine*, von den edelsten Weinreben umgrünt. Der Seitenrücken, welcher den See von der *Sarca* scheidet, ist verschwunden und der aus dem *Toblinosee* ihm zufliessende Bach durchzieht mit der *Sarca* eine Ebene von Norden nach Süden. Bei *Pietra murata* (773') erweitert sich der Thalboden wieder zu einer bedeutenden Fläche, an deren Westseite die *Sarca*, an der Ostseite der den *Toblino*- mit dem *Cavedinesee* verbindende Bach herabfliesst; der ehemals sumpfige Boden zwischen beiden ist durch Kanäle trocken gelegt und in einen herrlichen Frucht- und Weingarten umgeschaffen. Die Strasse hält sich am rechten *Sarcaufer* bis zum Austritt dieses Flusses links aus seinem Schlunde, wo sie ihn überspringt und verlässt, indem sie an das westliche

Gestade des *Toblinosees* zieht. Er ist sehr schmal, besonders an seinem oberen Ende und hat eine herrliche Lage. Besonders reizend machen ihn die grossen weit vorspringenden Halbinseln mit ihren tiefen Buchten. In der Mitte spiegelt sich äusserst lieblich eine kleine Insel mit dem Schlosse *Toblino*, den Grafen v. Wolkenstein gehörig. Der See (758′) ist der Sammelplatz mehrerer nördl. und östl. herabkommenden Bäche. — Am nördlichen Ende und an der nach Trient führenden Strasse liegt *Massenza* mit einem bischöflichen Sommerpalaste und etwas höher (1205′) *Vezzano*, 172 H., 914 E.

Geolog. Der Toblinosee liegt in einer Mulde des oolithischen Kalkes, ausgefüllt durch den sogen. Nonsberger Schiefer, unter welchem im Osten, Norden und Westen ein Gürtel des rothen Jurakalks hervortritt. Aehnlich sind die Verhältnisse des Kessels von Terlago und Baselga. — Botan. Phillyrea media, Orchis Spitzelii.

Das *Cavedinethal*, welches vom unteren *Sarcathale* nur durch einen schmalen Bergrücken getrennt wird, öffnet sich im Süden von *Vezzano*. Gerade im Norden ragt schroff und starr die Dolomitwand des *Monte Gazza* (6285′) empor, die südliche Fortsetzung der *Mendelkette*, von der sie durch die *Rocchetta* getrennt ist, von Vezzano aus in 4—5 St. zu ersteigen. Führer der Waldaufseher. Südl. von *Vezzano* liegen in dem *Cavedinethale Padernione*, 75 H., 391 E., und *Calavino*, mit Madruzz 194 H. 1146 E., mitten zwischen Weinbergen, 3½ St. von Trient, 5 St. von Arco. Man lässt hier die Weintrauben bis Mitte Februar am Stock und gewinnt dann aus ihnen einen sehr guten, feurigen, süssen Wein, ähnlich dem Cyperwein. Auf einem Felsenhügel über *Madruzz* liegen die Ueberreste der einst stolzen und prächtigen Burg (1733′), des Stammsitzes der Herren v. Madruzz. Leider hat der jetzige Besitzer, Marchese Coretta in Genua, diese Stammfeste eines geschichtlich berühmten Geschlechtes nicht nur dem Verfalle überlassen, sondern durch Verkauf der schönsten Steine selbst zerstört. Dennoch verkünden die Ueberreste der Kapelle, Prunksäle, Keller und Ställe die ehemalige Herrlichkeit und die Macht der Besitzer. Mit Gewissheit treten sie im 12. Jahrh. auf. Sie waren nahe verwandt mit den Häusern Braganza, Medicis, Borromeo u. a., und hatten Besitzungen in Savoyen, Piemont, Lothringen, Valencia und Montferrat; doch ein Haupttheil ihrer Besitzungen lag hier in Tirol; diese umfassten 4½ Q.M., 1 Stadt, 3 Märkte, 20 Dörfer, 3164 H. und 14,059 E. Sie wurden später fast erbliche Inhaber des bischöflichen Stuhles von Trient, auf dem 128 Jahre lang (1530—1658) nur Madruzzer einander folgten. Der ausgezeichnetste war Christoph, Zeitgenosse und Liebling Ferdinands I. Der letzte war Karl Emanuel, welcher als solcher sich von der Ehelosigkeit loskaufen wollte, um sein Geschlecht fortzupflanzen; allein umsonst. Dazu verlor er einen Process gegen die Castelbarker und dadurch einen Theil seiner Besitzungen. Mit ihm erlosch sein Geschlecht. Eine herrliche Aussicht eröffnet sich von der Höhe des Schlosses, besonders hinab auf den Toblinosee. Am Fusse des Berges liegt ein *Lorettokirchlein*, in Gestalt des heiligen Hauses zu Loretto. Noch südlicher gelangt man im *Caredinethal* über *Lasino*, 220 H., 1376 E., und *Stravino* nach *Cavedine* (1672'), 414 H., 2517 E., dem Hauptort des Thales, von wo man über die Wasserscheide hinüber nach *Vigo* und *Drena* wieder zur *Sarca* bei *Dró* zurückkommt.

Von *Vezzano* führt die Trienter Strasse über einen kleinen Scheiderücken in ein höher liegendes Becken, dessen tiefste Stelle der schöne *Terlagosee* bedeckt, von grösstentheils steilen Uferwänden umgeben. In diesem rings umrandeten Kalkbecken liegen die Orte *Terlago* (1434'), 177 H., 1066 E., *Vigolo*, mit *Baselga* 92 H., 454 E., durch welches letztere die Strasse geht, nach *Cadine* (1556'), 109 H., 564 E., und von da durch ein kurzes Nebenthal in das Etschthal; zwischen Cadine und Trient liegen 2 Forts. Von Arco bis Trient braucht man auf diesem Wege 8—9 St. Von *Vezzano* aus führen ausserdem noch Bergsteige über die beiden Schultern des *Gazza*, über Molveno und Andola oder über Cavedago im Sporeggiothale in den Nonsberg, mit dem Blick auf die hohe begletscherte Bocca di Brenta.

Westl. vom *Toblinosee* tritt die *Sarca* aus einem dunkeln Schlunde hervor. Dieser Felsenriss ist so tief, dass man von der Sarcabrücke aus 2 St. braucht, um in den 32 Windungen der Kunststrasse hinanzusteigen. Die Stelle, wo sich die Strasse gabelt, heisst *alle sarche*. Hat man die Höhe errungen, so geht es eine Strecke westlich thaleinwärts; jetzt rollt der Vorhang vor einem neuen wundervollen Landschaftsbilde auf, das um so überraschender ist, je düsterer die Eindrücke waren, welche der Wanderer so eben im Schweisse seines Angesichtes empfing. Es erschliesst sich *Vorder-Judicarien*, eine herrliche hochgelegene Thalmulde, in die Länge gezogen von Südwest nach Nordost, zwischen 2 Kalk - und Dolomitketten eingebettet. Die ganze Mulde, gebildet von dem weichen Nonsberger Schiefer, der den ringsum hervortretenden rothen Jurakalk bedeckt, erscheint als ein sonniges Gehügel, übersäet mit einem Gewühle von Dörfern und Kirchen, welche von allen Höhen winken, Landhäusern, Burgen, Gärten und Fluren. Ernster und erhabener sind die Züge des Gebirges, welches im Westen und Norden als hohes Kalkgebirge, in verschiedenen Gruppen auftauchend, hinzieht. Vor allen ist es die Gruppe der *Bocca di Brenta* (*Cima di Vallone* 9274', *di Nardis* 10,071'), welche durch ihre Eismassen auf ihren starren Felsengipfeln die ganze Aufmerksamkeit fesseln. Ihre Eislager senken sich nur nach Süden und Westen; die Ostabdachung fällt zu steil ab. Die *Sarca*, welche unheimlich und ungesehen aus der Tiefe herauf grollt, zerschneidet das sonnige Gehügel in zwei Hälften, eine südliche und eine nördliche; beide werden wiederum durch tiefe Einschnitte, welche der *Sarca* Seitenbäche zuführen, in mehrere Gruppen zerschnitten. Im Süden ist es der *Borinabach*, welcher die Hochebene mit seinen Nebenästen zertheilt und die Gewässer derselben bei *Cares* (1535') der *Sarca* zuführt. Die Bevölkerung der Südhälfte zerfällt noch in die 2 Pfarrgebiete *Lomaso*, 565 H., 3895 E., mit Comano, Poja, Lundo, Vigo, Dasindo, Stimiago, Fiave, Campo min., Campo magg., St. Lorenzo, Faurio und Balin, *Bleggio inferiore*, 161 H., 982 E., und *B. superiore*, 251 H., 1747 E., mit S. Croce, Cares, Balbido, Calvastro, Quadra, Rango und Villa. *Comano* (1951'), auf dem Abhange hoch über den Engen der *Sarca*, hat ein nur von Italienern besuchtes Bad, dessen Quellen tief unten, nur 20' über der *Sarca*, hervorbrechen. Römische Alterthümer daselbst lassen schon auf römische Badeanstalten schliessen. Das Wasser enthält Kalk- und Salzsäure, ist klar und geruchlos. Ueber den *Lanvasonbach*, den ersten Seitenast des *Borinabachs*, kommen wir nach *Campo minore* mit einem noch von einem Pächter bewohnten gleichnamigen Schlosse, dem Stammsitz der Herren v. Campo, Trienter Le-

hensmannen, jetzt dem Grafen v. Trapp gehörig. Darunter liegt
das Dorf *Campo maggiore* (1553'). — Am *Lunvason* aufwärts gelangt man über *Vigo* zu der Pfarrkirche *S. Lorenzo*, über welcher
das Kastell *Spine* aufragt, mit einziger Aussicht über die ganze
Umgegend, den Grafen v. Arco gehörig. Ein sehr unterhaltender Pfad führt über die Kirchen *S. Silvestro* und *S. Martino* zu
der *Alpe Vigo*, worauf man fast auf der Höhe des Joches, welches hinüber nach Dró im unteren Sarcathale führt, durch die
Berggemeinde *S. Giovanni* überrascht wird.

Jenseits des *Rovinabaches* betreten wir *Santa Croce*, die Pfarrkirche von *Bleggio*. In *Villa* ist ein Sommerpalast des Grafen
Arco; nicßt weit davon die schöne Ruine von *Ristoro* (2191). —
Durch das Thal von *Balino* kommt man südl. auf einer Strasse
über *Balino* (2363') zu dem hochgelegenen herrlichen *Tennosee*,
in dessen Mitte eine liebliche Insel. Unweit des südlichen Seeufers geht es im Angesicht der schönsten Aussicht über die Umgegend von Riva und den Gardasee nach *Tenno* hinab.

Um auf das l i n k e Ufer der *Sarca* zu gelangen, steigt man
von *Campo maggiore* tief hinab in die schaurigen Felsenengen der
Sarca, überschreitet sie und klimmt wieder eben so steil jenseits
empor nach *Banal-Stenico* (2104'), mit 6 Zuorten 362 H., 2225 E..
Sitz des Bezirksgerichts von ganz Vorder-Judicarien. Das Schloss
Stenico oder *Stinig* war Stammsitz eines gleichnamigen Geschlechts,
später im Besitz der Kirche von Trient und Sommerfrischpalast
der Bischöfe, jetzt ärarisch. Eingemauert findet sich ein Römerstein: M. Ulpius. Bellicus. Vet. Leg. XXX. V. V. S. Suis; ferner
eine Erinnerungstafel der Judicarier, auf welcher sie für die Einführung des Barbacovianischen Codex dem Verfasser und dem
Fürstbischofe danken. Im Rittersaale ein altes halbverlöschtes
Gemälde, auf den Erwerb von Judicarien hindeutend. In der
Pfarrkirche ist ein Meisterbild von Craffonara, der aus der hiesigen Gegend stammt. In der Nähe von *Stenico* bildet die *Sarca*
einen überwölbten Schlund, ähnlich den Oefen der Salzache und
Lammer; nicht weit davon entströmt der *Rio bianco* im Sommer
einer Felsenhöhle und malerische Mühlen gruppiren sich um seine
Fälle. Endlich befindet sich hier noch die schöne Felsengrotte
Frapporta.

In das nach Norden aufsteigende Thal des *Ambiez* führt von *Stenico* eine Strasse, die *Sarca* rechts in der Tiefe lassend, über *Premione* und *Villa*, 56 H., 391 E., nach *Tavo*. In diesem Thale liegen mehrere Sennhütten nahe unter den Gletschermassen der *Bocca di Brenta.* Ein Steig führt dort hinan und dann in der Nähe der Eisfelder rechts hinüber auf die Alpe *Ceda*, von wo man gerade hinab zum See *Molveno* kommt. Nachdem die Strasse bei *Tavo* eine flachere Stelle des Seitenthales übersetzt hat, zieht sie sich um eine Höhe, auf welcher äusserst reizend die Orte *S. Lorenzo*, 215 H., 1274 E., *Orsino*, *Senaso*, *Berghi* und *Pergnano* liegen, wiederum nördl. in ein Seitenthal, das in der Richtung von Sporeggio liegt; in 2 St. gelangt man auf ihr an den kleinen *Nembiasee* und kurz darauf zu dem 1½ St. langen und ⅓ St. breiten *Molvenosee*, an dessen Westseite die Strasse hinführt. Er ist sehr tief und birgt herrliche Forellen; seine Wasserhöhe steigt und fällt; nur beim höchsten Stande flutet er nach Süden über, während er sonst keinen sichtbaren Abfluss hat. Am nördlichen Ende, wo der *Biorbach* mündet, liegt *Molveno* oder *Malfein* (2723'), 92 H., 447 E. Von Nordwesten herab kommt das *Val delle Sege.* Durch dasselbe steigt man anfangs im Wald an mehreren Mühlen empor, bis sich das ungeheure Felsenamphitheater der *Bocca di Brenta* eröffnet. Ein Steig geht nördl. über eine Schneide des *M. Gallina* (7709') zum *Tovelsee* (s. Nonsberg, S. 386). Die Strasse bringt uns am *Biorbach* in 1½ St. nach *Andalo* (3285'), 119 H., 558 E., mit einer Glashütte. Unmittelbar dahinter zeigt sich der *Andalosee* mit bitter schmeckenden Fischen. Gleich darauf erreicht man die Grenzhöhe gegen das nördl. zum Nosbach hinabsteigende Thal *Sporeggio*, worin hinter einem kleinen Gebirgsrücken *Caredago* (2722').

Das Hauptthal von *Stenico* aufwärts ist hier gegen Westen wiederum fast völlig geschlossen durch die hohe Kalkkette, welche von der *Bocca di Brenta* herabzieht; der Weg zieht sich daher auf der Höhe der linken Thalwand fort. Nach ⅓ St. kommt rechts das Thal *Dalcon* herein, dessen Bach von den Gletschern der Bocca di Brenta genährt wird. Man betritt nun über *Pez*, *Ragoli* und *Preore* (1674') *Hinter-Judicarien*, und in 2 St. von Stenico den Hauptort desselben, *Tione* (1776'), 294 H., 1779 E.,

Sitz des Bezirksgerichtes an der Vereinigung des von Süden kommenden *Arno* mit der *Sarca.*

Durch das *Arnothal* steigt man südl. auf guter Strasse nach
Roncone (2654'), 180 H., 1073 E., zur Wasserscheide. Bei *Cretta*
gutes Wirthshaus. Von hier über *Daone* und den *Monte Campo*
an einem malerischen See vorbei durch das *Val d'Adame* nach
Cedegolo im Ogliogebiet. Die Strasse zieht weiter nach *Condino*
im Chiesethal über den *Idrosee* nach Brescia. Kurz vor *Roncone*
kommt von Westen das grosse Seitenthal *Bregazzo*, in welchem
aus den Gletschern des *Capo di Carè* der *Arno* entspringt, an der
Grenze Veltlins. Hier finden sich viele Spuren von Metallen, namentlich von Schwefelkies und Blei. Das *Arnothal*, wie das des
Chiese, bilden mit dem oberen *Sarcathal* eine grosse Längenspalte,
welche die östlichen Kalkketten begrenzt und nur zwischen Tione
und Condino durchschneidet.

Das *Sarcathal* von *Tione* aufwärts nach Norden bis oberhalb
Pinzolo heisst *Rendenathal* und gehört mit seinen Orten zu *Hinter-
Judicarien.* Im Westen wird es von der hohen beeisten Veltliner
Grenz- und Granitkette begleitet, im Osten von der Kalkkette
der Bocca di Brenta, welche jedoch hier noch einen etwas niedrigeren Zug vorgeschoben hat, wodurch die Gewässer abgehalten
werden, unmittelbar als Querthäler nach Rendena herabzuströ-
men. Regelmässiger, als gewöhnlich, kommen die Querthäler
von der westlichen Granitkette herab. Von *Tione* aufwärts hat'
sich bei ihrer Umbiegung von Westen nach Norden die *Sarca* tief
eingeschnitten. Bei *Villa* (1910') kommt das erste bedeutende
Seitenthal aus dem Urgebirge, das *Valentinothal*, durch welches
ein Steig hinüber führt in den obersten Theil des Chiesethales,
der zu Italien gehört. Bei der Einmündung des zweiten Neben-
thales, des *Borzagothales*, öffnet sich das *Sarcathal* zu einem schönen, bevölkerten und angebauten Thalboden. Den Hintergrund
des Seitenthales ummauern hohe Gletscherwände, über welche
der *Carè alto* (10,952') als Oberhaupt aufragt. Auf dem Thalboden der *Sarca* lagert sich die Pfarrgemeinde (*Pieve*) *di Rendena.*
welche mit Mortaso, Fisto und Borzago die Gemeinde *Spiazzo*
bildet, 332 H., 1696 E. Hier liegt auch *Mortaso*, wo der heilige
Vigil, Bischof von Trient, als Glaubensprediger von den Heiden

gesteinigt wurde. Das Thal verengt sich gleich darauf. Doch schon bei *Strembo* (2219'), 118 H., 635 E., eröffnet es sich wieder zu einem freundlichen, bevölkerten Thalboden, auf dem man fortwandert über *Caderzone* zur Vereinigung des nördl. herabkommenden *Nambino* mit der *Sarca.* Man überschreitet beide Bäche,[*] um nach *Pinzolo* (2425') zu kommen, wo das Wirthshaus als Standquartier zu empfehlen ist, der Förster Suda als Berather. Das *Nambinothal* öffnet sich gleich darauf, dessen Gebiet sich in einem grossen Bogen von Osten über Norden bis gegen Nordwest an dem hohen Gebirgskranze herum zieht, und viele Seitenthäler, welche von allen Seiten zusammenlaufen, aufnimmt. Am Eingange selbst liegt der Ort *Caresolo.*

Nur ¼ St. geht es eben fort, bis links das *Nombronethal* von Norden herabkommt, in dessen oberstem Gebiete, hoch oben zwischen öden Granitwänden, 4 Hochseen aufspiegeln; bis zum grössten führt noch ein Steig. Der höchste liegt unmittelbar an einem Ausguss des Eismeeres der *Vedretta Presanella*, welche ihre Gletscherarme in alle umliegenden Thäler sendet. Das *Nambinothal* selbst zieht nun nordöstl. aufwärts, ist aber am Eingange so brüchig, dass man in sein Inneres über den Rücken, welcher es vom *Nombronethal* scheidet, steigen muss. Hier oben liegt *S. Antonio* (2024'), 19 H., 105 E. Dahinter wird Thal und Weg in den dunkeln Schatten des grossen *Waldes von Campiglio* gehüllt, und von Süden und Osten kommen die Eisbäche des *Agnola-, Brenta-* und *Asthales* von den Gletschern der Bocca di Brenta. Vor der Einmündung des letzten Thales heisst das Hauptthal *Narbinethal.* Oben, wo sich im Norden der Wald lichtet, ruht einsam das Wirthshaus *Campiglio* und die Kirche *Madonna de Campiglio* (4781'). Hier kommt der *Lambinbach* nordwestl. aus 3 Hochseen herab. Gleich darauf erreicht man die luftige Alpenhöhe *Ginevrie* mit Sennhütten, von wo sich der Weg in das Val di Sole, und zwar nach Dimaro hinabsenkt.

Die *Sarca* selbst kommt im *Val de Genova* herab, das ½ St. oberhalb Pinzolo, bei der Kirche *Madonna del potere*, beginnt und sich westl. und nordwestl. zwischen die höchsten Gebirgsstöcke Welschtirols, den Adamello und die Presanella hinaufzieht. Führer: Jäger Fiet in Caresolo, Andrea Masé (vulgo Don Bar-

tolo) auf der Alpe Bedole und *Caturani* in der Sägemühle al Casol.
Nach v. Sonklar (Mitth. d. A.V. II) wird das holzreiche, einsame
Thal nur von wenigen Schneidemühlen und Sennhütten belebt.
Bei der Kirche *S. Stefano* (2704'), mit schöner Aussicht, beginnt
◆der unterste Thalboden, ¼ St. lang; auf dem zweiten, *piano di
Genova*, liegt die grosse Schneidemühle *al Casol*, nachdem man
bei dem 300' hohen Falle des von der *Cima di Nardis* herabkommenden Gletscherbachs (*Piss de Nardis*) vorübergekommen ist.
Gleich oberhalb der Mühle stürzt der *Lavisbach* 600' hoch herab.
Die dritte Thalstufe reicht von da bis zur *Sega della Tedesca*,
von wo man auf der *Scala della Tedesca* eine weitere erklimmt,
auf der die *Caretalpe* liegt. Oberhalb derselben folgt die *Scala
della Preducca* und dann öffnet sich der Einblick in das überaus
wilde Cercenathal, ¼ St. von der *Caretalpe* erreicht man die *Be-
dole-Sägemühle* (4896') auf dem letzten ebenen Thalboden —
4—5 St. von Pinzolo. — Von hier aus erkletterte v. Sonklar mit
Caturani die *Lobbia* (9350'), einen aus der Adamellogruppe nördl.
herabziehenden Felsengrat zwischen dem *Bedole* und dem *Matterotgletscher*, recht in der Mitte zwischen *Adamello* und *Presanella*.
Gerade im Westen über dem Eismeere des Bedolegletschers liegt
die *Cima del Mandron* (10,500'). Die nördliche *Presanellagruppe*
beginnt westl. mit dem *M. Piscanna, Cima Lagoscuro* (10,002'),
fällt in der *C. del Dosson* auf 9699', erhebt sich in der *Brusazza*
auf 10,513', *S. Giocomo* 10,373', und in der östlichen höchsten
Spitze, im Sulzberg *Presanella*, im V. di Genova *Cima di Nardis*
genannt, auf 11,270'. — Von Südwesten nach Osten folgen sich:
der *Grosse Adamello* (11,409'), der *Kleine Adamello* (11,317'),
M. Rumo (10,500'), von dem der Lobbiagrat herabkommt, *M. Le-
vade* (10,601'). (Vergl. S. 6 der Einleitung.)

Allgemeines über Judicarien. Die verhältnissmässig für ein solches Gebirgsland starke Bevölkerung findet im
Land-, Wein- und Flachsbau, sowie im Vertrieb des Bau- und
Brennholzes, welcher das meiste einträgt, nicht hinlängliche Nahrung; daher die Männer ihren Verdienst zum Theil im nahen Italien in allerhand Hantierungen, auch als Tagelöhner, suchen —
hereinverdienen —. Doch herrscht bei der grossen Genügsamkeit
und Arbeitsamkeit der Welschtiroler keine wirkliche Armuth.

Das Thal des Nosbaches.

Dieses grosse herrliche Thal läuft ziemlich parallel mit dem Etschthale im Norden in seinen verschiedenen Wendungen, nur in kürzeren Strecken; sowie im Süden das Thal der Sarca in noch mehr verjüngtem Maassstabe. Das ganze Gebirge besteht im Osten aus Kalk- und Dolomitalpen, westl. aus Urgebirge. Das Kalkgebirge wird begrenzt: im Osten, von der Mündung des Ultenthales bis zu seinem Austritte in die Ebene, durch das Etschthal; westl. durch eine Linie, welche vom Mitterbade im Ultenthale über Lieben Frau an der Ostseite des Somarginethals zieht, sich von dort um das Südende des Ultener Porphyrzugs biegt, an dessen Westseite ein schmaler Kalkstreifen weit nördl. reicht, die Sandsteinunterlage bis zum obersten Maraunerthal. Von dort läuft die Westgrenze ziemlich geradlinig nach Malé und Dimaro im Sulzberg, wo sie dieses Thal wieder verlässt und im Thale Selva hinansteigt nach der lieblichen Jochhöhe von Ginevre, von da den Thälern Nambino und Rendena bis Tione folgt. Südl. von Tione verbreitete sich einst eine zusammenhängende, jetzt meist zerstörte, Kalkdecke über deren Unterlage bis zu den Urgebirgen auf der westlichen Landesgrenze, so dass von Tione bis Condino sämmtliche westliche Querthäler vor ihrem östlichen Austritt Kalkgebirge durchschneiden müssen. Von Lodrone westwärts folgen darin die zusammenhängenden Kalkalpen (vergl. S. 8 ff.). Diese ganze Gebirgsmasse des Kalkes ist für den Geologen dadurch merkwürdig, dass sie zeigt, wie unabhängig Bergketten, Flussthäler und Wasserscheiden neben einander bestehen. Die Bergketten ziehen ziemlich parallel mit dem Etschthale; die Gewässer aber, welche die von Norden nach Süden gehende Urgebirgskette der Orteler Alpen entsenden, laufen bald in den Parallelthälern der Parallelketten von Norden nach Süden, bald durchbrechen sie dieselben von Westen nach Osten, oder dringen vielmehr durch Spalten und Risse des Kalkgebirges in das östl. nächste Parallelthal, um wieder in diesem so lange nach Süden zu fliessen, bis sich eine östliche Thalspalte öffnet. Ebenso setzen auch die Wasserscheiden immer quer durch die von der Natur von den Bergketten gebildeten Thalrinnen. Sowie oben das Etschthal durch seine Einbiegungen nach Osten von Meran

über Bozen bis Auer eine schmale Porphyrmasse von dem östlichen Porphyrgebirge abschnitt und es der westlichen Dolomitwand als Vorstufe zutheilte, so biegt sich das Etschthal von Auer
bis Lavis wieder ebenso viel westl. und schneidet nun einen Theil
der östlichen Dolomitwand ab, der auf dem linkseitigen Porphyrgebirge in vereinzelten Bergen erscheint. Dies betrifft vorzugsweise das Thal des *Nos, Noce,* das übrigens im Lande selbst nach
seinen verschiedenen Richtungen auch verschiedene Namen führt.
Der Bach entspringt an der Grenze Veltlins, an der *Cima dei tre
Signori* (10,521'), *Dreiherrenspitz* (Tirol, Mailand, Veltlin). Die
oberste Thalstrecke heisst *Val Bormina* (weil es nach Bormio
führt); die zweite, schon ebenere, aber in derselben Richtung
fortgehende, Strecke ist das *Val del Monte* bis zur Einmündung
des von Norden kommenden *Val della Mare,* von wo das Thal
den Namen *Val Pei* erhält und unter diesem Namen südl., parallel mit dem oberen Vintschgau, geht bis *Fucine,* wo westl. vom
Passe *Tonale* das Thal *Vermiglio* herabkommt. Bis hierher liegt
das Gebiet in Gneissgebilden; von hier an bis zum Kalk durchzieht es den Granit bis Dimaro in östlicher Richtung. Hier stösst
es auf den Kalk-Dolomitzug und wendet sich nordöstl. bis *Cagno.*
In der Strecke von *Fucine* bis *Cagno* heisst das Thal *Val di Sole*
oder *Sulzberg* und läuft parallel dem unteren Vintschgau; von Malé an im Kalkgebirge liegend durchbricht es dasselbe und springt
nach Süden um als *Val di Non* oder *Nonsberg;* diese Strecke läuft
parallel dem Etschthal von Meran bis St. Michael, wo der *Nosbach,*
plötzlich sich wieder östl. wendend, die Dolomitkette der Mendel durchbricht und in das Etschthal tritt. — Den Namen *Nonsberg* hat dieses Gebiet daher erhalten, weil das Thal oder vielmehr der Thalbach sich so tief eingeschnitten hat, dass die ganze
Bevölkerung auf den Bergabhängen und Stufen wohnt und diese
sehr fleissig angebaut hat. Es ist derselbe Begriff von Berg, wie
anderwärts in den Alpen.

Zur Zeit des Kaisers Augustus wurden die Rhätier dieses
Thales von den Römern unterjocht und ihnen römische Religion
und Gesetze gegeben. Besonders wurde Saturn verehrt, wie viele
Alterthümer beweisen. Die christlichen Apostel des Thales waren der heil. Vigilius, Sisinius, Martyrius, Alexander und Rome-

dius, welche auch als Märtyrer starben. Das Thal blühte unter
römischer Herrschaft zu grossem Wohlstande empor, und diese
Blüte bestand unter den Ostgothen fort. Erst die Longobardenherrschaft zerstörte dieselbe, indem sie die Franken von Westen
herbeizogen unter Kramnichis 577, welche nun beide in Zerstörung und Plünderung einander überboten. Nach dem Rückzuge
der Franken schalteten die longobardischen Machthaber sehr will-
kürlich, bis ihrer Herrschaft durch Karl den Grossen ein Ziel gesetzt wurde. Nach diesem fiel das Thal an die Kirche von Trient
und deren Vasallen, zu denen auch die Grafen v. Tirol sich gesellten. Hierdurch entstand eine höchst drückende Vielherrschaft, welche allen Wohlstand vernichtete, und deren Folge
wilde Bauernstürme waren, die lange Zeit das Thal durchwogten.
Die Pest im 17. Jahrh. verschonte das Thal, so dass es ein Zu-
fluchtsort aus anderen Gegenden wurde. Doch mehr als diese
Seuche wütheten, wie in ganz Deutschland und anderen Ländern,
die Hexenprocesse. Auch die französischen Kriege durchstäubten
das Thal wegen des Toualepasses.

Der Eingang in das Thal, *St. Michael* gegenüber, bildet eine
grosse weite Bucht des rechtseitigen Etschthales, welche im Hintergrunde durch eine schauerliche Felsenenge völlig geschlossen
ist. Die 2 Strassen von Welsch- und Deutsch-Metz vereinigen
sich vor dem Passe zur gemeinsamen Strasse auf dem linken Ufer
des *Nosbaches*. Nur der Bach, der einem Flusse gleicht, da er
bei seinem 15stündigen Laufe sehr viele und mehrere bedeutende
Seitenbäche aufnimmt, hat sich eine Bahn durch die wilde und
enge Felsenklamm der *Rocchetta* (908') gebrochen. Später ist es
auch dem Menschen gelungen, sich eine Strasse zu bahnen, welche zuerst rechts an den Wänden hinansteigt, dann jenseits der
Klamm sich wieder senkt und gleich darauf über den *Nos* auf
dessen rechtes Ufer setzt. Ein in Stein gehauenes Kreuz ver-
ewigt einen traurigen Vorfall. Ein glückliches Paar kehrt von
der Trauung in Welsch-Metz ins Thal zurück, oben in der Rocchetta wird das Pferd scheu und stürmt hinab zur Brücke, wo die
junge Verlobte aus dem Wagen über die Brücke in den gähnen-
den Abgrund des Nos geschleudert wird. Rechts auf dem Felsen
steht der alte Thurm *Visiaun* oder *Visione*, der Sage nach ein rö-

mischer Luginsland. Seit 1859 wird der Pass durch ein bedeutendes Fort vertheidigt.

Ehe sich noch das Thal nördl. wendet, kommt von Süden
her das Thal des *Sporreggio* herab. Da es gerade in der entgegengesetzten Richtung des Nonsbergs aufsteigt, der Fortsetzung der
Nonsberger Jurakreidemulde nach Süden folgend, so gewährt es
von seinen Höhen einen schönen Blick in dieses Thal. Hauptort
des Thales ist *Spor Maggiore* (1776'), 185 H., 1131 E., auf einer
Höhe zwischen dem *Nos* und *Sporreggio*; ihm gegenüber liegt,
durch die Spalte des *Sporreggio* getrennt, *Spor Minore*, 92 H.,
574 E., mit einer Heilquelle. In beiden Dörfern Sommerpaläste
der von hier stammenden Spaur. Auf einem Felsenhügel thront
das Schloss *Spaur* oder *Spor*, 1690 noch bewohnt, seitdem verfallen. ¼ St. über *Spor Maggiore* ragt die Feste *Belfort* auf, von
Schanzen und Thürmen umstarrt. Einst den Reifern gehörig,
ging sie an die Spaur über, gehört jetzt der Trienter Familie Sa-
racini. ½ St. hinter *Spor Maggiore* zieht rechts das Thal des *Sporreggio* hinan zu den Alpen von *Spor*, welche von hohen und
schroffen Kalkgebirgen umstarrt sind; links, oder in der Richtung des Hauptthales fort, steigt man zur obersten Thalgemeinde
dieses Gebietes, nach *Cavedago*, 81 H., 523 E., empor in 1 St.,
von wo man über die Wasserscheide gegen das Sarcagebiet nach
Andalo und zum *Molvenosee* hinabsteigt nach Judicarien; ebenso
führt von *Cavedago* südöstl. ein Weg ins Etschthal und nach Lavis.

A. Der Nonsberg,

die unterste Thalstrecke des *Nosthals*, von der Brücke bei der
Rocchetta aufwärts ist wesentlich verschieden von den oberen
Strecken. Das Thal steigt nördlich 4 St. hinan; der Bach hat
sich so tief und eng eingeschnitten, dass man ihn fast nirgends
sieht und ein Thalboden fehlt. Desto lachender ist das beider-
seitige Mittelgebirge, welches östlich und westlich nur sehr allmählich ansteigt, aber von vielen Querthälern durchschnitten
wird. In seiner ganzen nördlichen und östlichen Erstreckung ist
dieses Mittelgebirge von dem Zuge der Mendel halbkreisförmig
umrandet; so steil und senkrecht aber die östlichen Abstürze dieses Gebirgszuges gegen das Etschthal sind, so allmählich senkt
es sich auf die Mittelebene des Nonsbergs. Der westliche Rücken,

welcher dem Wanderer thaleinwärts zur Linken aufragt, besteht aus Kalk. Auf der Mittelstufe lagern sich unzählige Ortschaften, schimmern von allen Höhen Kirchen, Schlösser und Burgen, und zwischen allen breiten sich die äusserst gesegneten Fluren des *Nonsbergs* aus. Das Sprichwort nennt es ein Stück Himmel, welches auf die Erde gefallen sei. Fast die ganze Masse dieses Mittelgebirges ist ein Niederschlag, ein Ausguss des rothen Sandsteins, der den Dolomit gewöhnlich begleitet; nördl. und westl. steigen aus dem Grün des Gartens die weissen scharfen Dolomite. Von der Mendel herab zieht ein schmaler Kalkstreifen durch das sandige Mittelgebirge, das *Romediothal*, bis in die Tiefe des Nos-.baches.

1) Die Westseite. Die Strasse von der Brücke geht zunächst über ein ungeheures Trümmermeer, welches 1811 ein Bergsturz schuf. Bald wird man aufgehalten durch eine tiefe Schlucht, welche der *Lovernadega* in das sandige Mittelgebirge wühlte. Zwischen den tiefen Einrissen der Zubäche liegen links die Ortschaften *Dercolo* (1262'), 45 H., 280 E., welches seinen Namen von einem Tempel des Herkules mit der Aufschrift Deo Herculi ableitet, *Lover, Segonzon, Quetta* und *Termon*. Zwischen *Dercolo* und *Segonzon* erhebt sich stolz das Schloss *Bellagio*, Stammsitz des gleichnamigen Geschlechtes, seit 1475 den Grafen v. Khuen gehörig. Eine sehr schöne Aussicht über die Umgegend gewährt die hochliegende *Pankrazkirche*. Bald darauf erreicht man die erste Pfarrgemeinde *Denno* (1335'), mit den schon genannten Zudörfern 227 H., 1165 E. Die schöne Pfarrkirche hat alte sehenswerthe Gemälde. In der Nähe die sehr wenigen Ueberreste der Burg *Denno*, Stammsitz der Grafen v. Alberti. Ueber dem Dorfe liegt das Felsenschloss *Corona*, wie Kronmetz in eine Felsengrotte gebaut und eine herrliche Aussicht bietend, Stammsitz der Herren v. Corona, zuletzt Eigenthum der Familie Spaur, wurde es 1617 durch den Einsturz der Decke unbewohnbar. Ueber *Cunevo* führt die Strasse nach *Flaron* (1807'), 103 H., 641 E., oder *Pflaum*, mit einem Schlosse, welches seit der Zeit besteht, wo die Burg *Flavon* unterhalb des Dorfes wegen der Erdbrüche verlassen werden musste und seit der Zeit eine schöne Ruine darstellt. Die Burg war der gleichnamigen Grafen Stammsitz, nach

Schaubach d. Alpen. IV. 2. Aufl. 25

deren Aussterben sie an die Spaur-Burgstall fiel, denen sie auch zum Wohnsitz dient. Ueber *Terres* (1857'), 78 H., 401 E., kommt man zur tief ausgewühlten

Schlucht der *Trasenega*, die aus kleinen fischreichen Seen am oberen Ende entspringt. Dieses Thal beginnt westl. des Bergrückens, welcher uns bisher zur Linken lag, seine Gewässer sammeln sich in dem *Tovelsee*, 1½ St. lang, ¼ St. breit, unterhalb dessen ein furchtbares Trümmermeer den ganzen Thalboden erfüllt. Bis zur reizenden Einsiedelei der *heiligen Emerentia* behält das Thal seine nördl. Richtung bei; dort tritt es aus dem Gebiete des festen Kalksteins in das des Nonsberger Schiefers und folgt als Querthal der natürlichen östlichen Abdachung zum *Nos*. Es ist sehr schön bewaldet, daher durch Schneidemühlen am Bache belebt und reich an Wild.

Die Strasse, welche die Schlucht durchsetzt, bringt zunächst nach *Tuenno* (1976'), 285 H., 1641 E.; rechts davon, etwas tiefer, auf dem Bergvorsprung zwischen der *Trasenega* und dem *Nos*, lagert das Dorf *Nanno*, 117 H., 659 E., mit dem Schlosse *Nanno* (1865'), dem Stammhause der Herren v. Madruzz, von dem berühmten Baumeister Palladio erbaut auf Kosten des Kardinals und Fürstbischofs Christoph von Trient, aus dem Hause Madruzz, früher der Kirche von Trient, jetzt Hrn. C. de Giuliano in Nanno gehörig und von armen Familien bewohnt. Hier wächst einer der besten Weine des Thales und Tirols. Die kleine runde Kirche rechts an der Strasse war einst Besitzthum der Tempelherren. Rechts in der Tiefe liegt das Pfarrdorf *Tassullo* (1712'), mit Campo 232 H., 1184 E. Gleich unterhalb des Dorfes hat man ein schönes Landschaftsbild, dessen Vordergrund eine Mühle, üppige Weingewinde und Waldgruppen sind; jenseits des *Nos* mehrere Wasserfälle über einander, dunkele Waldungen und eine in dunkeler Felsengrotte ruhende Einsiedelei. Etwas südl. von *Tassullo*, auf derselben niederen Stufe über dem *Nos*, liegt *Campo* und dabei zeigt sich der alte Thurm *Valler*, einst Eigenthum der Greifensteiner, später der Corredo, jetzt der Grafen Spaur. Ueber *Rallo* (1897') kommt man hinab zur wildromantischen Brücke über den *Nos*, *Pontalto* genannt.

Wieder auf die Mittelebene zurücksteigend kommen wir nach

Cles (2062'), 306 H., 2699 E., dem Hauptorte von *Nonsberg* und schon in den frühesten Zeiten der Brennpunkt des Thales; seit 1860 Telegraphenstation. Gasthöfe: Adler und Krone; Weinhaus: Martinelli (Macocci); Bierhaus: Agostini (Dobra). Hier stand ein Haupttempel des Saturn, an dessen Stelle später die erste Kirche (ecclesia) trat, woraus später der Name *Cles* entstand. In der Nähe fand man grosse Leichenfelder, die *Schwarzen Felder;* hier fand man römische Münzen fast aus allen Zeiten der Republik und des Kaiserreichs bis zur Einführung des Christenthums, eine Unzahl von Gegenständen des Schmuckes aus Gold und Steinen, sowie auch Waffen und Lampen. Beim tieferen Nachgraben fand man die Reste eines Saturntempels. Wahrscheinlich wurden hier die oben genannten Apostel des Nonsberges getödtet. Die Folge dieses Mordes war die Bestrafung der Mörder von Trient aus und die gewaltsame Einführung des Christenthums. Zum Bau der ersten Kirche wurden die Bruchstücke des eingerissenen Saturntempels genommen, daher sich noch an der Kirche Bruchstücke interessanter römischer Bausteine finden. — Der Markt liegt auf einer schönen fruchtbaren Mittelebene, 4 St. von der Rocchetta. Die Strassen sind gepflastert, haben schöne Brunnen und stattliche Gebäude. Der Handel ins Thal mit Wein und aus dem Thale mit Seide von hier aus ist nicht unbedeutend. Viele Badegäste von Rabbi, welche den Brunnen trinken, halten sich der grösseren Bequemlichkeit wegen hier auf, wodurch der Ort an Leben gewinnt, der überdies Sitz des Bezirksgerichts ist. Auf der Höhe bei der Kapelle *San Chiatar* hat man eine herrliche Aussicht über die Umgegend. Etwas abwärts gegen den *Nos* thront auf sonnigem Hügel das Schloss *Cles*, Stammhaus der gleichnamigen Freiherren, deren einer, Bernhard v. Cles, Kardinal und Fürstbischof von Trient wurde und die es noch besitzen. Das Schloss ist durch einen Brand zur Ruine geworden. — Ausflüge: 1) auf die *Malga* und von da auf den *M. Peller* (7329'), die *Cima Nana* und den *Sasso rosso* (8387'); 2) auf die *Cima delle 4 ville*. Pferde in Cles. — Die Strasse erreicht bald über *Cles* den Wendepunkt des Thales, und kaum ist sie um die Ecke des *Rovereberges* gebogen, so steigt sie hinab zum *Nos*, um denselben zu überschreiten.

25 *

2) Die Ostseite, auf der ebenfalls eine Strasse von der *Nosbrücke* an der *Rocchetta* bis *Fondo* führt. Nur wenig östlicher von der Mündung des *Bresimothales* öffnet sich das Thal *Rumo*, dessen unterste Strecke eng und finster ist; vom *Pescarabach* durchströmt, steigt es gerade nach Norden an und bildet die Grenze des östlichen Dolomitgebirges und des westlichen Glimmerschiefers, auf dem jedoch sich auch Dolomite erheben. Etwa 1 St. aufwärts gabelt es sich und auf den flacheren Höhen lagern sich allenthalben zerstreute Häusergruppen, deren Bewohner Getreidebau und Viehzucht treiben. Vier Gemeinden in den aus dem *Nosthal* nördl. gegen Ulten und das Etschthal ansteigenden Thälern sind von Deutschen bevölkert, welche in frühester Zeit als Aelpler aus Ulten herüberwanderten, sich nach und nach aber fest ansiedelten, wie im umgekehrten Verhältniss welsche Tagelöhner sich im heissen, fieberreichen Etschthal niederliessen, nämlich *Provés* (4477′), 87 H., 491 E., *S. Felix*, *Lorang* und *Sennale*. Das ganze Thal zählt ohngefähr 1700 E. Jochübergänge bringen nach Ulten (ins Mitterbad) und in das Thal der Novella.

An der Ausmündung des *Rumothales* steht links auf der Ecke über dem *Nos* die Ruine *Cagnó*, Stammsitz der gleichnamigen Herren, jetzt Eigenthum der Grafen v. Thun. Darüber lagert die Gemeinde *Cagnó*, 83 H., 443 E. Nur ¼ St. östlicher, auf gleicher Höhe, liegt das Dorf *Revó* (2270′), 229 H., 1405 E. Man tritt hier aus den schattigen Engen hinaus an den gegen Süden gerichteten Abhang des Berges, von wo man den ganzen Nonsberg abwärts überblickt; daher hat *Revó* die sonnigste Lage im Nonsberg, den besten Wein und das beste Obst des Thales. Das Dorf hat mehrere Paläste und eine schöne Pfarrkirche, einen uralten römischen Thurm. Eine herrliche Wasserleitung aus dem Rumothal versieht das Dorf mit gutem Wasser. Ueber *Revó* erhebt sich der Berg *Ozol*, von dessen Höhe man eine herrliche Doppelansicht hat, westl. hinauf im Val di Sole, südl. hinab durch den ganzen Nonsberg.

Oestl. wird der Bergabhang von *Revó* durch das Thal der *Novella* begrenzt, welches nördl. hinanzieht. Das *Novellathal* ist der eigentliche obere Anfang der langgezogenen Thalmulde, wozu auch das *Sporreggiothal* gehört, rings von einem Dolomit-Kalkzaun umgeben; der *Nos*, westl. durch diesen Zaun hereinbre-

chend, raubt der *Novella* bei der Vereinigung den Namen. Das
Novellagebiet ist westl., nördl. und östl. von einem Dolomitkranze
halbkreisförmig umragt, in der Tiefe mit Sand ausgefüllt, in welchem
die Bäche sich ein tiefes Bett ausgewühlt haben. Wir wandern
an der Westseite zum Quellgebiete der *Novella* hinan, um
auf der Ostseite herabzusteigen.

Von *René* kommen wir über *Romallo*, 123 H., 691 E., mit
einträglichem Wein- und Getreidebau, nach *Cloz* (2486′), 155 H.,
1016 E., mit der Burgruine *Castelfava*, den Grafen v. Arz gehörig,
nach *Arsio*, mit 6 Dörfern 230 H., 1416 E.; starker Getreidebau.
Hier wächst der letzte Wein thalaufwärts. Reste unterirdischer
Gebäude, Särge u. dergl. sollen rhätischen Ursprungs sein.
Etwas tiefer gegen die *Novella* liegt das Schloss *Arz*, Stammsitz
der gleichnamigen Grafen; ursprünglich reiche Gewerke. Hinter
Arsio steigt der Weg stärker an nach *Castelfondo* (2991′), 161 H.,
1043 E., am *Rabbiola*, welcher aus dem hochgelegenen *Languce*
herabkommt. Rechts bleibt das Schloss *Vigna*, über der *Novella*
hängend, und in *Castelfondo* das gleichnamige Schloss, beide den
Grafen v. Thun gehörig und von Verwaltern bewohnt. Bei *Castelfondo*
aufwärts hört das Nonsberger Schiefergebiet, die Mittelebene,
auf, man tritt auf festen felsigen Kalkboden, zuerst auf jurassische
Ammonitenkalke und steht an der Grenze, von welcher
abwärts sich der Bach selbst sein tiefes, oft unzugängliches Bett
wühlte, während ihm von hier an aufwärts die Berge seinen Lauf
vorschreiben. Die *Novella* kommt uns aus einer Kalkschlucht
entgegen und in ihr dringen wir aufwärts nach *Tret* (3664′),
34 H., 238 E. Der Name bedeutet in den Salzburger Alpen eine
Anzahl Sennhütten, welche dorfmässig zusammenstehen. Die
Kalkwände gleichen in ihren horizontalen Schichten künstlichen
Mauern. Diese Enge, welche man auch links auf bequemem,
kürzerem Wege über den *Kreuzberg* umgehen kann, bildet den
Uebergang aus der Laubwaldung zum Nadelholz. *Tret* ist der
letzte welsche Ort aufwärts; alle Benennungen der Gegend sind
deutsch, die Sprache des Volkes ist deutsch. Nur der Name
S. Felice ist noch italienisch, die Bevölkerung deutsch. Trotz der
Höhe noch guter Weizen. Rechts in einem Seitenthale, durch
welches der *Jägerbach* herabkommt, liegt hoch oben, fast auf der

Jochhöhe des *Gampen*, der berühmte Wallfahrtsort *Unsere liebe Frau im Walde*, *Sennale* (Sennerei) (4256'), der Sage nach eine Niederlassung der Templer, ein Hospiz für die Reisenden über den Gampen, um welches sich Aelpler niederliessen. Die alte verfallene Kirche wurde 1459—81 neu gebaut und zwar in gothischem Stile, mit 6 reich vergoldeten Altären. Die umher zerstreute Gemeinde zählt 242 E. Von hier übersteigt der Alpenwanderer die nahe Höhe des *Gampen* und schwelgt jenseits im Hinabsteigen nach Tisens im Genuss der überraschendsten Aussicht nach Meran und über das obere Etschthal. Noch belohnender aber ist die Ersteigung des *Laugenspitzes*, der hier *Luch* heisst (S. 166). Der über den *Gampen* aus dem Etschthal kommende Reisende, welcher mit uns, die wir zurückkehren, thalabwärts wandert, wird beim Austritt aus der vorhin erwähnten Enge unter *Tret* nicht wenig überrascht, wenn er mit einem Mal den ganzen Nonsberg überblickt bis hinab zur Rocchetta. Wir wenden uns nun sogleich links und befinden uns unmittelbar über dem Markte *Fondo* (1916'), 225 H., 1820 E., welcher frei auf schöner Höhe über der Tiefe der *Novella* schwebt, mit 1858 erbauter Kirche (Eingangsthor sehenswerth), schönen Häusern, hübschen Plätzen und Gassen. Gasth. z. *Gerber*. In der wärmeren Jahreszeit beleben Sommerfrischgäste des Etschlandes den Ort. Bei der Kirche *Sta. Lucia* schöne Aussicht. Handel mit Getreide, Holz und Wein. Zunächst über *Fondo* und mit dem Orte durch eine neue Strasse verbunden liegt *Malosco* (3285') mit dem gleichnamigen Schlosse, dem Stammhause der Herren v. Malosco, Sitz des Bezirksgerichtes. Ein Weg geht von hier über die Höhe südöstl. in das Thal und den Ort *Rufredo*, und von da über eine tiefe Scharte der Mendel, im engeren Sinne die *Mendel* genannt, auf die Eppaner Hochebene. Eine Brücke über die *Novella* bringt von *Fondo* auf die jenseitige, schon durchwanderte Thalseite. Der Hauptstrasse von *Fondo* nach Trient folgend lassen wir das Pfarrdorf *Sarnonico* (3048'), 77 H., 421 E., starker Getreidebau, und das Schloss *Mohrenberg*, Stammhaus der ausgestorbenen Familie Mohrenberg, zur Linken. Darüber die kleine Gemeinde *Ronzone* (3260'), 73 H., 411 E. Die Strasse selbst zieht über *Cavareno* (3065'), 154 H., 805 E., nach *Romeno* (3032'), 200 H., 774 E., auf einer herrlichen Mittelebene des Bergrückens, welcher zwischen dem *Novella*- und *Rufredo-* *(Romedio-)* *Thal* stufenweis in die Tiefe des *Nosbachs* herabsteigt, einst der Hauptort der bischöflichen Macht. Die Kirche ist neu und hat Gemälde von dem hier geborenen Meister Lampi. Beim neuen Kirchenbau fand man unter dem Altare einen römischen Denkstein, dessen Inschrift sich auf den Saturndienst bezog. Ausser der Pfarrkirche bestehen noch 3 kleinere ältere Kirchen. Von *Fondo* her bis *Romeno* bildet rechts der Abhang gegen die *Novella* in der Tiefe noch eine Stufe mit Dörfern, unter denen *Vasio* (2608′), 21 H., 113 E., und *Dambel* (2371′), 108 H., 601 E., die bedeutendsten sind. *Dambel* ist mit dem jenseitigen *Revó* durch eine Brücke über die *Novella* verbunden. Auf einem über der Tiefe aufstrebenden Vorsprunge liegt die Einsiedelei des *heiligen Biagio*, ebenfalls durch eine, aber sperrbare, Brücke mit dem jenseitigen Ufer verbunden. Von *Romeno* biegt die Strasse links ein über *Salter* (2982′) mit *Malgol* (2508′) 62 H., 386 E. und sein verfallenes Schloss, in der Tiefe umgürtet mit den kleinen Dörfern *Bank*, *Cosgel*, *Piano* und *Borz*, zu S. Zeno gehörig. Man biegt hier etwas in das *Rufredo-*, in der Tiefe *Romediothal* genannt, ein, welches ein Parallelthal der *Novella* bildet und von der *Mendel* herab zum *Nos* zieht. Hier beginnt der wärmere Süden; Maulbeerbäume und Weinreben umschatten und bebuschen die Abhänge. Von *Malgol* geht es schräg hinab gegen die Einmündung des *Rufredobaches* in den *Nos* nach *S. Zeno* (2013′), 57 H., 320 E. Eine herrliche Kirche in gothischem Stil steht frei im Felde und bewahrt die Ueberreste der hiesigen Apostel Sisinius, Martyrius und Alexander.

Zu einem belohnenden Abstecher lockt das sich hier öffnende *Romediothal*. Es schneidet sich tief bis in die jurassische Unterlage des Nonsberger Kreidemergels ein, eng, so weit es in der Zone des Kreidegebirgs (Neocom und Scaglia) liegt, unter denen an den Gehängen der rothe jurassische Marmor, in der Tiefe der Oolith, auftritt; jenseits dieses Gürtels tritt man aus den Engen in freiere, höhere Gegenden. Hier spaltet sich das Thal, indem südöstl. das *Valverde* und nordöstl. das *Rufredothal* hinansteigt, beide zur Mendelkette sich erhebend und die höchste Masse derselben, den *M. Roen* (6681′), einschliessend. Auf der Ecke, wo

beide Thäler zusammenstossen, thront auf hohem, fast unzugäng-
lichem Felsen die *Einsiedelei des heiligen Romedius*, einer kühnen
Felsenburg ähnlich, nur vom Bergrücken aus zugänglich, aber
hier durch eine Mauer geschützt gegen beutelustige Beduinen.
Durch das Mauerthor gelangt man in den Hofraum, wo der durstige Wanderer ein Wirthshaus findet. Von hier steigt man auf
einer Treppe empor in die sogen. Einsiedelei, welche aus 5 über
einander liegenden Kapellen besteht. Die erste hat alte merkwürdige Fresken (die 4 Evangelisten), die zweite mit dem Sakramente
heisst il Santissimo, die dritte il Salone, in Rundform, hat ein
schönes Altargemälde, die vierte ist unansehnlich, die fünfte, die
Kapelle des heiligen Romedius, hat Säulen aus rothem Marmor.
So gelangt man auf dieser Stufenleiter zu einer bedeutenden Höhe,
von der man nicht ohne Schwindel in die Tiefe des Abgrundes
blickt. Der heilige Romedius, aus dem Hause Taur im Innthale
stammend, war ein Zeitgenosse des heiligen Vigilius. Rechts
zieht man von der Einsiedelei in dem waldreichen *Valverde* hinan
bis auf den Rücken der *Mendel.*

　　Links oder nordöstl. steigt das grössere *Ruffredothal* empor.
Man kommt im Verlaufe dieses Thales durch die Orte *Don* (3058'),
48 H., 354 E., und *Amblar* (2876'), 50 H., 266 E. Bei letzterem
Dorfe kommt rechts das *Val delle Prede* herab, durch welches
man die Alpen des *Roen* und diesen höchsten Gipfel des Mendel-
zuges selbst ersteigen kann. Man wird, indem man an den Rand
des östl. in schwindelnde Tiefe abbrechenden Berges hinaustritt,
durch eine der herrlichsten Aussichten über das Etschthal, seine
östlichen Gebirge, wie des Nonsberges überrascht. Der Berg ist
zugleich einer der Blocksberge Südtirols, wo der Teufel und sein
Gefolge, die Hexen, sich herumtummeln. Daher war auch an
seinem Fusse gegen den Nonsberg der Sitz der Hexenprozesse.
Höher im Thale hinan lagert in wildromantischer Gegend das
Dorf *Ruffré* (3704'), 99 H., 524 E., über 3 kleinen Seen, aus denen der Bach entspringt. Nicht weit von hier liegt das Wirthshaus (4284') auf der Jochhöhe der *Mendelscharte*, von wo man
jenseits nach Kaltern und auf die Eppaner Hochebene hinabsteigt.

　　Aus der Tiefe des *Romediothales* führt der Weg steil aufwärts,
um wieder die Mittelebene des *Nonsberges* zu gewinnen. Der erste

Ort, welchen man auf der vorspringenden Ecke erreicht, ist *Ta-von* (2297'), 54 H., 275 E., mit einer herrlichen Uebersicht der Umgegend. In der Nähe die Trümmer der gleichnamigen Burg, wahrscheinlich Stammsitz der Grafen v. Thun. Auf derselben Ebene liegt *Corredo* (2706'), 136 H., 779 E., mit schönen Häusern. Ueber dem Dorfe das Schloss *Corredo*, das Stammhaus der jetzigen Grafen v. Coreth. Noch höher, links, liegen *Smarano*, 82 H., 490 E., und *Sfruzzo* (3193'), 109 H., 564 E. Hier taucht östl. das Dolomitgebirge aus dem Sand der Mittelebene auf. Der Boden in dieser ganzen Strecke ist so trocken, dass das Trinkwasser nur aus Ziehbrunnen geschöpft wird. Der Weg zieht nun stark abwärts über den *Tresbach* auf eine niedrigere Bergstufe, auf welcher *Tajo* (1625'), 134 H., 662 E., ruht, ein freundliches Dorf mit einem schönen gepflasterten und von Bäumen beschatteten Platze; Weinbau. Höher liegt in reichen Getreidefluren *Tres* (2564'), 117 H., 641 E. Da, wo der *Tresbach* aus einer engen Schlucht, welche er in die höhere Bergstufe gerissen hat, in die niedrigere Ebene von *Tajo* tritt, ragt aus dunkeler Waldung das Schloss *Brughier*, Stammsitz eines Nebenzweiges der Grafen v. Thun, auf. Aus der Tiefe schaut das Dorf *Dermullo* (1661'), 26 H., 142 E., herauf.

Viele kleine Ortschaften reihen sich an die Strasse oder liegen rechts und links von derselben auf und zwischen dem Gehügel, auf dem der Wein- und Seidenbau immer mehr um sich greift. Die Pfarrkirche ist in *Torra* (1742') und zur Gemeinde gehören Tuenetto, Viou, Dardine, Mollaro, Prió, zus. 173 H., 904 E. Links zieht das enge *Vercothal* hinan, in welchem das Dorf *Verco*, zur Gemeinde Torra gehörig, liegt, einst eine römische Niederlassung, nach hier von Maffei aufgefundenen Römersteinen. Die enge wilde Schlucht dieses Thales überschreitend erblickt man bei *Tos* (1488'), 60 H., 376 E., die prachtvollste und glänzendste Burg des Thales, *Thun* (1906'), rings umschattet im anmuthigsten Wechsel von schönen Waldgruppen und Weinbergen, Wiesen und Gärten. Die Prunksäle des Inneren sind reich an Gemälden, Kupferstichen und seltenen Büchern. Das Wasser erhält die Burg durch eine seit 1548 erbaute Wasserleitung, welche auf Riesensäulen eine Schlucht übersetzt und von *St. Peter* kommt,

wo die Ruinen der gleichnamigen älteren Burg prangen. Der
Sage nach wanderte die Familie mit dem heiligen Vigilius in Tirol ein und schwang sich bald in den Grafenstand empor. Von
Ferdinand II. erwarben sie die Grafschaft Hohenstein am Harz,
welche sie jedoch später an Stollberg überliessen. Seit 1592 spal-
tete sich die bis dahin vereinigte Familie in 4 Linien. Ueber
Vigo, die Pfarrgemeinde von Tos, und *Mari*, zus. 137 H., 799 E.,
gelangen wir wieder an die Brücke der *Rocchetta.*

Allgemeines. Wein wird bei weitem nicht hinlänglich
gebaut. Mais, eine Hauptnahrung, hat sich sehr verbreitet, deckt
aber auch den Bedarf der grossen, auf einen engen Raum beschränkten, Bevölkerung nicht. Die Kartoffel hat hier früher, als
im übrigen Tirol, das Loos der Aermeren erleichtert. Seidenbau
ist bedeutend. Getreide, Holz und Vieh wird ausgeführt und
deckt die Einfuhr. Die Nüchternheit, Sparsamkeit und Genügsamkeit der Bewohner trägt viel zum Auskommen bei. Deutschtiroler aus der Gegend von Meran würden wohl schwerlich in solcher Anzahl im Nonsberge wohnen können bei ihrem Bedürfniss
gefüllter Fleischtöpfe. Im Herbste werden in Menge die hier
durchziehenden Zugvögel gefangen. Hasen sind selten, die Hir-
sche ganz verschwunden, Gemsen nur in den höchsten Gebirgen.
wo sich auch Bären einfinden. Die Häuser sind alle von Stein.
die ärmliche Hütte, wie der stattliche Palast, alles mit Schindeln
gedeckt. Im Winter zieht sich die ärmere Volksklasse in die warmen Viehställe zurück; die Weiber spinnen, die Männer schnitzen
Holzgeschirr, verfertigen Besen oder wandern ins Etschland und
nach Italien, von wo sie das Erworbene in die Heimat bringen,
die dem Nonsberger über alles geht. Die Frauen sind mehr kräftig, als schön, die Männer tragen das scharfe rhätische Gepräge
in ihren Zügen. Volkstracht fehlt ganz. Der Charakter des Volks
ist durchaus redlich und Hauptzüge sind Gastfreundschaft und
Sparsamkeit. Die Sprache ist eine grobe italienische Mundart,
welche oft in das Französische umschlägt. Die Gebildeten verstehen und sprechen deutsch; auch der gemeine Mann versteht
es ziemlich.

Das Reisen durchs Thal ist billig und sicher. Wer es nicht
vorzieht, das Thal zu Fuss zu durchwandern, kann die hier be-

stehenden Posten und Stellwagen benutzen oder miethet ein Maul-
thier, weil das Fahren wegen des vielen Auf- und Absteigens
durch die Einschnitte der Querthäler beschwerlich ist.

Flora des Nonsbergs, reich an südl. Formen; bei der Rocchetta: Paeonia
officinalis; ausserdem im Thale: Cytisus purpureus, radiatus, Linum viscosum,
Dianthus Seguitrii, atrorubens, Bonicania hirsuta (Biro), Viola lactea (Novella),
Helianthemum marifolium (Denno), Scrophularia Hoppii und Arabis Halleri (Novella), Dianthus neglectus (Dennoalp).

　　　B. Der Sulzberg, Val di Sole,
beginnt da, wo, der scharfen Ecke des *Roverebergs* gegenüber,
die Strahlen der nördlichen Thäler zusammenlaufen und der *Nos*
von Südwesten herabkommt, an der Brücke über den *Nos*, wo
seit 1859 2 kleine Forts, und mit ihm ein völlig veränderter Land-
schaftscharakter wegen der geognostischen Verhältnisse. Das
vielfach durchfurchte, von zahllosen Häusergruppen und Fluren
belebte Mittelgebirge ist verschwunden; unser Weg führt uns jetzt
in der Tiefe des Thales selbst fort. Bis zu dem Thalboden von
Dimaro hat man in südwestlicher Richtung das Kalkgebirge links,
südöstl., zum Begleiter, welches uns schon vorher links, aber
westl., begleitete; rechts, gegen den Ultener Scheiderücken, zeigt
sich der Kalk und Dolomit schon mehr bruchstückweise und von
Dimaro an ist das Thal ein gewöhnliches Querthal der Orteler
Uralpen, welche von Norden nach Süden ziehen, und daher dieses Thal östl. hinabsenden. Das *Rumothal*, vom *Pescara* durchströmt, bildet die geognostische Grenze rechts, wie er *Nonsberg*
und *Sulzberg* trennt. Vom Uebergange über den *Nosbach* an besuchen wir die beiderseitigen Thäler. Die Wendung des Thales
bildet einen sogen. Durchbruch der von Norden nach Süden ziehenden Kalkdolomitkette, und das Thal *Rumo* ist das erste von
Norden jenseits der Kette herabkommende Thal. Das Sandmittel-
gebirge als Stufe ist verschwunden. Statt dieses mit unzähligen
Dörfern, Häusergruppen, Schlössern und Kirchen übersäeten Mittelgebirges zeigt sich ein wenig breiter Thalboden, darüber breiten weite Forste ihre schattenden Fittiche aus, über ihnen grüne
Alpen, im Hintergrunde überschimmert vom Glanze der Ferner.
Der Brücke gegenüber, auf welcher wir den *Nos* überschreiten,
öffnet sich links, unweit des *Rumothales*,

　　　das *Bresimothal*. Auf dem Vorsprung, welcher zwischen bei-

den an ihrer Mündung liegt, lagern sich *Livo*, 109 H., 721 E.,
und *Preghena*, 96 H., 715 E. 2 St. lang steigt das Thal zu dem
Ultener Scheiderücken hinan in nordwestlicher Richtung, vom
Barnezbache durchströmt. Bald hinter einer Gabeltheilung des
Thales zeigt sich auf der Höhe des dadurch entstandenen Berges
Baselga (3107') und darüber die alte verödete Burg *Altaguardia*
(4044'), der Stammsitz eines gleichnamigen ausgestorbenen Geschlechtes. Links im Hauptthalzweige hinauf, in der breitesten
Stelle des Thales, liegt *Bresimo*, mit Baselga 94 H., 549 E. Hinter dem auf kleiner Höhe liegenden *Bresimo* brechen Mineralquellen hervor, vom Volke stark besucht, besonders gegen Haut-
krankheiten. Herrliche Alpen breiten sich gegen Ulten hin aus.
Der Bach soll aus dem Hochsee *Trent* entspringen, welcher sich
jedoch auch gegen Ulten abdacht.

Im Hauptthale aufwärts führt die Strasse am linken Ufer
durch mehrere kleine Ortschaften nach *Caldés*, 89 H., 612 E.,
dem ersten bedeutenden Orte im *Sulzberge*, mit Magras, Arnago,
Terzolas, Samoclevo, Cavizzana, S. Giacomo, Bozzana 503 H.,
3069 E., in einer engen Stelle des Thales. Holz und Wiesen geben neben dem Kalke, der gebrannt und verführt wird, Nahrung.
2 Schlösser schmücken die Umgebung; das eine gleich links unter der Strasse am Eingange des Dorfes, das andere rechts oben
auf der Höhe, *Rocca;* beide gehörten den mächtigen Herren v.
Caldés, nach deren Erlöschen sie an die jetzigen Eigenthümer,
die Grafen v. Thun, fielen.

Bald hinter *Caldés* öffnet sich rechts das grosse Seitenthal,
die Gemeinde *Rabbi* (3440'), 436 H., 2505 E. Bei *Terzola* zieht
sich die Hauptthalstrasse hinab zum Bache *Rabbies;* noch vor der
Brücke zweigt sich rechts die Seitenstrasse ins Thal *Rabbi* ab, das
besonders in seiner ersten Strecke eng und durch Waldungen umdüstert ist. Die Ortschaften lagern sich, in einzelne Häusergruppen zerstreut, durch den ganzen unteren Abhang der Gebirge.
Die grösste Gemeinde ist *S. Bernardo*, 176 H., 1087 E., *Pra-
corna* 93 H., 513 E., *Piazzola* 167 H., 905 E. Noch ¼ St. weiter
thaleinwärts kommt man zum Bade *Rabbi* (3951'), dem Selters
Tirols. Die Bestandtheile der Quelle sind: freie Kohlensäure,
kohlensaures Eisenoxydul, Magnesia u. s. w. Vieles Wasser wird

versendet. Der Brunnen ist von Gasthäusern umgeben, unter denen das eine des Hrn. Pangrozzi das grösste und eleganteste ist.
Ueber eine neuentdeckte Quelle hat der Besitzer ein Kaffeehaus
„alla Rotonda" gebaut und mit hübschen Anlagen umgeben. Gerade nördl., dem Bade gegenüber, liegt oben am *Sonnberge* die
Gemeinde *Piazzola* (4142') mit einem Wirthshause, Führern und
Maulthieren. Rechts an *Piazzola* vorüber zieht ein Jochsteig
durch das Thal des *Corroseebachs* in 3 St. auf das Joch, wo man
den merkwürdigen *Corvosee* (7843') findet, welcher schon jenseits
des Joches gegen Ulten liegt, aber durch eine Spalte im Jochrücken sich in das Rabbithal ergiesst. Noch höher im Hintergrunde wird das Thal äusserst einsam, Thalwiesen, Wälder und
Ferner verschliessen das Ende, von wo man rechts über den *Gleck*
nach Ulten, nordwestl. über ein hohes Eisjoch des *Zufridferners*
im Angesicht der grossartigsten Eisgebirge, namentlich des Orto-
lers und der Königswand, nach Martell hinabsteigt. Endlich führen noch 2 Jochsteige südl. und südwestl. in das oberste *Sulzberger Thal*, namentlich durch das *Val di Zerzem* nach Cogolo und
Pejo. Von dem Joche herrlicher Rückblick auf die Ceval- und
Martellgruppe. Führer in Piazzola.

Mineral. Hier beginnt der bis zum Tonal fortsetzende Zug von Magnet-
eisensteinlagern im körnigen Dolomitkalk. In diesem auch Serpentin mit Grammatit und Bronzit. Ob aus Serpentin die körnigen Gemenge von Olivin, Granat, Smaragd und Bronzit des Nons- und Sulzbergs stammen?

Flora von Rabbi: Dianthus atrorubens, Lychnis flos Jovis, Epilobium Fleischeri, Bupleurum stellatum, Asperula longifolia, Statice Armeria, Daphne striata,
Luzula flavescens. — Am Salandferner gegen Martell fand Fleischer: Alchemilla
pentaphylla, Arenaria Murchliusli, Carex foetida.

Wieder ins Hauptthal zurückgekehrt, erreichen wir unweit
der Ausmündung des *Rabbithales* den Markt *Malè*, 185 H., 1332 E.,
12 St. von Trient, 4 St. von Cles; grosse Viehmärkte. Der Ort
hat durch seine ansehnlichen Gebäude etwas Städtisches. Getreidebau, gute Wiesen; der Weinbau aber ist verschwunden. Oberhalb *Malè*, ohngefähr da, wo das Thal den Kalkrücken, den es
erst durchbrochen und an welchem es sich jetzt noch eine Zeitlang in südwestlicher Richtung gehalten hatte, verlässt, um rechts
in westlicher Richtung sich von ihm loszumachen und in das Urgebirge einzudringen, erweitert es sich zum ansehnlichsten Thal-

boden des ganzen Gebietes. Ueber die Dörfer *Croviana*, wo ein
Schloss der Grafen v. Thun, und *Monclassico* kommt man nach
1 St. zum Ende des Thalbodens bei *Dimaro* (2418'), mit Carciato
106 H., 678 E., an der Einmündung des *Meledro*, dessen südl.
aufsteigendes Thal geognostisch die Fortsetzung des bisherigen
Sulzberger Thales, nämlich die westl. Grenze der mehrerwähnten
Kalkkette ist. Ein Weg führt von hier an der Kapelle *S. Brigitta*
und einzelnen Hütten (*La Sega*) vorüber in $3\frac{1}{2}$ St. auf die schöne
Alpe *Ginevrie*, und von da 1) ins *Val di Narbine* (Sarcagebiet),
2) bei der Kirche *Madonna di Campiglio*, einst eine Art Hospiz,
vorüber in 2 St. nach *S. Antonio* im Rendenathale.

Von *Dimaro* an aufwärts wird das Thal wilder und ernster;
schäumend wirft sich der *Nosbach* in seinem stärker ansteigenden
Felsenbette herab. Die Thalwände links und rechts bestehen aus
Glimmerschiefer; weiter gegen S.W. erheben sich mit einer Vorstufe von Thonschiefer die mächtigen Granitberge des *Piz Mezzodi*
(7937'), *Cima di Nambiu*, *Coraisello* und die *Presanella*. Alle kleinen Häusergruppen liegen auf der nördlichen, sonnigen Uferseite.
Erst bei *Pellizano* (2927'), 87 H., 606 E., zeigt sich wieder ein
kleiner Thalboden. Hier gedeiht nur noch Gerste und Hafer,
desto beträchtlicher ist die Viehzucht. $\frac{1}{4}$ St. davon, noch auf
demselben Thalboden, spaltet sich das Thal und hier liegen an
der Vereinigung des westl. herabkommenden *Vermiglio* mit dem
nordwestl. herbeifliessenden *Nos* die Gemeinde *Ossana* (3167'),
115 H., 707 E., mit den Trümmern der Burg *Ossana* oder *Orsa-
na*, dem Stammhause der Fedrizi; es wurde 1509 vergeblich von
den Venedigern belagert. Dabei liegt *Fucine* (3064', Schmelz-
oder Hüttenwerk), wegen der nahen, früher stärker betriebenen,
Eisengruben so genannt.

Das Thal *Vermiglio* zieht in der bisherigen Richtung noch
3 St. lang fort. Die letzte Thalgemeinde ist *Vermiglio*, mit Cortina, Fraviano und *Pizzano* (4042') 247 H., 1468 E. Führer:
Kunas. Bald darauf ziehen links grosse Waldthäler hinan zu dem
mächtigen Felsenstock der *Vedretta Presanella* (11,270'), einem
wilden Eisgebirge, welches seine Gletscher nördl. nach Vermiglio,
östl. und südl. in das Sarcathal sendet. Der Hintergrund des Thales gegen Veltlin und Val Camonica wird durch den bekannten

Pass *Tonale* (5935') geschlossen, das niedrigste Joch der Orteler Alpen. Schon in 2 St. von den letzten Häusern erreicht man wenigstens die Höhe des Passes. Der *Tonale* selbst bildet eine weit hingestreckte Bergwiese, 3½ St. lang und 2 St. breit, welche das trefflichste Heu nach Vermiglio sendet. Das *Hospiz* (6251'), wo gute Nachtherberge, liegt ¼ St. seitwärts vom Wege, der sich bei der *Cantoniera* (5630') abzweigt. Auf dem nördlichen Gebirge über der *Cantoniera* hat man den schönsten Anblick der Ortelergruppe im Norden und der Adamellogruppe im Süden. Führer in Vermiglio. Auf dem Wege herauf hat man eine schöne Ansicht der Presanella. Jenseits des Passes geht es hinab nach *Ponte di Legno* am Oglio (s. Veltlin, 8. 77). Von *Fucine* bis zur lombardischen Grenze führt eine vortreffliche ärarialische Kunststrasse, auch eine Telegraphenleitung von Malé her. An der Grenze, wo 1848 und 1866 einige Gefechte vorgefallen sind, ein Fort aus Granitquadern.

Das Thal des *Nos* zieht sich von *Ossana* nordwestl. unter dem Namen *Peithal* hinan; hohe Eisrücken schliessen den Hintergrund. Der *Nos* bildet einen tiefen Einschnitt und die Gemeinden *Comasine*, 71 H., 387 E., *Celentino*, 94 H., 506 E., *Celedizzo*, 79 H., 437 E., und *Cogolo*, 62 H., 377 E., lagern auf dem gegen Westen gerichteten Thalabhange. *Cogolo* (3640'), der Stammort der Grafen v. Migazzi, bietet befriedigende Unterkunft. Führer: Binder und Framba. Hier spaltet sich das Thal abermals, in ein nördliches und westliches. Auf der Bergecke der Thalspaltung liegt *Pejo* (4977'), 121 H., 698 E., mit einem guten Säuerling, an Kraft und Reinheit dem von Rabbi überlegen, häufig aus Veltlin, Brescia und Bergamo besucht. Man findet hier im Bade gutes Quartier. Das Thal nördl., *Val della Mare*, steigt, 2 St. durch Waldschatten hinan zur letzten Hütte, wo den Wanderer der Fernerglanz von allen Seiten umschimmert. Ein beschwerlicher und langer Fernersteig (3½ St. über Eis) führt zwischen dem *Ceval*- und *Veneziaspitz* ins Madritschthal und Martell; Führer in Cogolo und Pejo unter Gemsjägern und Waldhütern. Der *Nos* kommt westl. herab aus dem *Val del Monte*, dessen oberster Anfang das *Val Bormina* ist; durch dasselbe führt ein beschwerlicher Weg, auf kurzer Strecke über den Gletscher, in das

Thal *Furva* und durch dasselbe nach Bormio. Den *Corno di tre Signori*, *Dreiherrenspitz* (10,521'), lässt man links.

Der Sulzberger, dem seine gebirgige Heimat nicht genug Nahrung bietet, wandert viel auf Arbeit in reichere Gegenden. Dieser „Hereinverdienst" wird auf 300,000 Fl. jährlich geschätzt. Er ist genügsam, thätig, aufgeweckt, nur überlässt er die Feldarbeit den Weibern.

IV. Die südöstlichen Seitenthäler.

Das Avisiothal,

nach dem Eisack-Rienzgebiet das grösste der Nebenthäler der Etsch, mittlere Erhebung 3459', zieht, auf beiden Seiten von keinen langen Seitenthälern begleitet, 20 St. weit nordöstl. in den Südalpen hinan, umschlossen von den Gebieten der Etsch von Branzoll bis Lavis, der Eisack (Eisack, Rienz, Gader), Piave und Brenta. Es ist ein Tempel der Geognosie, aufgeschlossen durch die Forschungen unseres berühmten Geognosten L. v. Buch und seiner Nachfolger. Der rothe Porphyr und Dolomit sind der Masse nach die vorherrschenden Gebirgsarten, welche den Charakter der Landschaften ausmachen, doch treten auch Granit, Syenit, Augitporphyr, Sandstein und Kalk auf. Die grossartigen Hochgebirgserscheinungen findet der Wanderer im Hauptthale weniger, als in den Seitenthälern und auf den Scheiderücken gegen Gröden und Enneberg.

Das Thal wechselt in seinem Verlaufe seinen Namen dreimal: die unterste Strecke von *Lavis* bis *Val Floriana*, 7 St., so weit ohngefähr das Thal dem Etschthale parallel läuft, heisst *Zimmers-* oder *Cembrathal*, ein Name, der vielfach gedeutet, gewöhnlich von den Cimbern, welche einst hier gewesen, abgeleitet wird, oder von der Pinus cembra, wonach man freilich fast alle Hochthäler so benennen müsste. Deutschen Stammes scheinen die Cembrer, wenn auch rauh italienisch sprechend, zu sein, indem ihr ganzes Aeussere auffallend von den angrenzenden Welschen absticht. Die Charakterschilderung der Römer passt sehr

gut auf sie. Obgleich sie mit den Welschtirolern in Handel und
Wandel in nächster Verbindung stehen und diese in neuerer Zeit
für die Franzosen fochten gegen die Deutschtiroler, und die Ge-
fangenen derselben, selbst Hofer, mishandelten, so dass selbst
die Franzosen darüber empört wurden, kämpften die Cembrer
tapfer gegen die Franzosenherrschaft. Diese ganze erste Thalstrecke liegt im Porphyrgebirge, welches nur im Nordwesten von
den Dolomitbergen gegen das Etschthal stellenweis überragt ist.
— Die zweite Thalstrecke heisst *Fleims*, ital. *Fieme*, zieht 8 St.
lang und zwar in seiner unteren Hälfte in fast östlicher Richtung,
in seiner oberen Hälfte aber wieder die vorige nordnordöstliche
Richtung annehmend, bis hinan nach *Moëna*. Auch die Fleimser
scheinen durchaus deutschen Stammes, wenn sie auch italienisch
sprechen. Geognostisch ist diese Thalstrecke die bunteste des
ganzen Thales, indem hier rother Porphyr mit Sandstein, Kalk,
Dolomit, Granit, Syenit, Augitporphyr, Melaphyr u. s. w. wechselt. Es ist die anmuthigste, fruchtbarste und bevölkertste Thalgegend. — Die letzte und dritte Strecke ist das bekannte
Fassathal oder *Evas*, 5 St. nördl. ansteigend zu dem Quellenge-
biete des Avisio. Die Fassaner haben, wie die angrenzenden
Enneberger, Grödener und Buchensteiner, ihre eigene Mundart;
die Volkssprache ist fassanisch (romanischer Dialekt), die Ge-
richtssprache deutsch, die Kirchensprache italienisch; daher re-
den die Männer alle 3 Sprachen, die Weiber nur fassanisch und
italienisch. Das Deutsche ist im Ganzen gut und rein, fast dem
Niedersächsischen ähnlich. Das Klima ist hier wegen der hohen
Lage schon viel rauher. Auch hier ist die geognostische Karte
ein bunter Mosaikboden, am Monzoni noch ganz von der Zusammensetzung in Fleims, übrigens durch die Augitporphyrtuffe und
Dolomite vorzugsweise charakterisirt.

1) Im grössten Theil des *Cembrathales* tost der *Avisio* in
einer tiefen Porphyrschlucht hin, durch welche kein Weg führt;
man muss, um in das Thal zu gelangen, links oder rechts ausbeu-
gen und dann auf der recht- oder linkseitigen Bergstufe, auf welcher auch die Orte liegen, hinwandern. Doch wird dieser Weg
häufig durch tiefe Seitenschründe unterbrochen, welche man umgehen muss. Um zu dem Hauptorte des Thales, *Cembra*, zu ge-

Schaubach d. Alpen. 2. Aufl. IV.   26

langen, hält man sich links. Ueber das schön gelegene *Verla*
kommt man nach *Sevignano*, 39 H., 255 E., von wo man *Cembra*,
auf kleiner Hochebeno lieblich gelagert, erblickt. In der Tiefe
unter jener Höhe lugt der schwarze Porphyr in kleiner Masse
zum ersten Male aus dem rothen Quarzporphyr hervor. *Cembra*
(2098'), 248 H., 1463 E., Gasth. Lanziger, hat eine schöne,
neuerlich vergrösserte, Pfarrkirche mit sehenswerthen Gemälden
und schönem Geläute. Von hier über ein Joch des *Marischalt*
(3625') ein angenehmer Weg nach Saluru. Von Lavis bis hierher (3 St.) hat das Thal eine östliche Richtung; um den Porphyr
in der Tiefe wendet es sich nordöstlich herum. Wo von Osten
der *Regnanabach* hereinströmt, öffnet sich die Schlucht in der
Tiefe etwas, so dass sich *Spiazzo* mit einer Burg an das Bett des
Baches lagern kann. Durch das Thal *Regnana* ziehen Wege nach
Pedol, unweit des *Piazzesees*, von wo man in das Gebiet der *Fersina* nach *Pergine*, 349 H., 3297 E., hinabsteigt. Der *Avisio*
schneidet sich wieder tiefer ein und man gelangt auf dem sonnseitigen Abhange über *Favra*, wo die Fahrstrasse endigt und der
Saumweg beginnt, *Valda* (2480'), 72 H., 479 E., *Grumes*, 133 H.,
820 E., und *Grauno*, 78 H., 363 E., nach *Capriana*, 129 H.,
760 E. Von *Valda* 3 St. bis auf die Spitze des *Monte Caction*
(4828') unter Führung eines Waldaufsehers. Nun beginnt

　　2) das *Fleimser Thal*. *Capriana* gegenüber liegt *Val Floriana* an der Mündung des gleichnamigen Thales. In der Kirche
ein schönes Altarblatt von Horatius Giovanelli. Das Thal *Fleims*
gehörte einst mit Udine, Belluno und Feltre zu der Mark Treviso;
es regierte sich selbst unter der Hoheit des griechischen, später
des deutschen Reiches. Von Venedig in die Enge getrieben, un-
terwarf es sich 1112 durch Verträge an Trient. Diese Verträge
wurden die Verfassung des Thales, welche ihm seine Freiheit zu-
sicherten gegen eine geringe Abgabe: freies Eigenthum der Wälder und Alpen, der Jagd und Fischerei. Die Fleimser besassen
eine eigene Gemeindeordnung, freie Gemeindeverwaltung und
öffentliche Gerechtigkeitspflege, wodurch jenes Selbständigkeits-
gefühl erwuchs, das sich fremder Einmischung so standhaft ent-
gegensetzte. Als man ihnen 1300 von Feltre einige Alpen streitig machen wollte, zogen die Fleimser aus, erstürmten Feltre,

plünderten und verbrannten es. Im Kampfe mit Venedig standen
sie stets auf der Seite Deutschlands, wie auch im Kampfe gegen
Frankreich. Links auf der Höhe wieder fortwandernd kommen
wir, fortwährend im Porphyrgebirge, auf dem neuen Fahrwege
von *Capriana* über *Altrey* nach *Molina* (3194‘), 107 H., 542 E., mit
gutem Wirthshause, an der Mündung des *Pradajathales.* In diesem hinaufsteigend erreicht man bald eine flachere Bergstufe, deren Boden aus Sandstein besteht, dem fortwährenden Begleiter
und Gürtel der Dolomitgebirge. Auf dieser Höhe erreicht man zunächst *Carano*, mit gutem Wirthshause und Schwefelbädern, mit
S. Lugano 156 H., 973 E., wo die Strasse von Auer im Etschthal
herüber ins Fleimser Thal führt. Nur ½ St. weiter von *Carano*
liegt *Cavalese* (3174‘), 303 H., 2561 E., der Hauptort von Fleims,
Gasth. all’ uva, in schöner, sonniger, fruchtreicher Flur, mit
schönen Häusern; eine Hauptsommerfrische des Etschlandes, 10 St.
von **Lavis.** Eine schöne, durch Alter merkwürdige Kirche, geschmückt von einheimischen Künstlern, an denen das Thal so
reich ist. Schon ihre Lage ist reizend, auf weit ausschauender
Höhe, durch eine Lindenallee mit dem Orte verbunden. Das uralte marmorne Eingangsthor überrascht und ist wahrscheinlich
älter als die jetzige Kirche. Gute Gemälde verschönern das Innere: das Hochaltarblatt und die Gemälde auf den beiden Altären sind von Franz Unterberger (die Unterberger, zu den besten
Malern Tirols gehörig, sind von hier); das Abendmahl von Alberti, die Fresken (in der Kuppel den Himmel, an den Wänden
die Seeschlacht von Lepanto vorstellend) sind von Franz Furlanell aus dem nahen Tesero, ebenso die Oelgemälde in der Sca-
pulierkapelle, die vierzehn Nothhelfer von Horatius Giovanelli
aus Carano, das Altarblatt der Rosenkranzkapelle von Anton Longo, Pfarrer, Maler und Baumeister aus Cavalese, die Bildsäulen
des Petrus und Paulus von Zorzi. Ueber der Kirche, von Linden
beschattet, steht ein steinerner Tisch mit steinernen Bänken: dieses war einst der Versammlungsplatz, das Forum der Gemeinde.
Auf dem Marktplatze steht der Uhrthurm, von dem genannten
Longo erbaut. Auch in Privathäusern findet man schätzbare Gemälde. In dem Franziskanerkloster sind Gemälde von Bonnora,
Furlanell und das schöne Tabernakel von Joseph Betta von hier.

26 *

Nordöstl. ragt der Dolomitberg *Cucal* (5380'), von Kalk umgeben,
auf. Von *Cavalese* an wird links (rechte Thalseite) der Dolomit
vorherrschend, wenn auch der Porphyr in der Tiefe noch von
einem Sandrande von den Schroffen des Dolomites geschieden
wird. Auf der südöstlichen Thalseite herrscht aber der Porphyr
fort bis zum höchsten Scheiderücken, der sich hier für Porphyr
zu einer ungewöhnlichen Höhe und scharfen Bergkette erhebt,
deren höchster Gipfel die *Cima Lagorai* (8268'), vielleicht der
höchste Porphyrgipfel in den Alpen, ist. Ueber *Tesero* (3150'),
264 H., 1612 E., dessen Bewohner sich theilweise vom Korb-
flechten nähren, kommt man nach *Ziano*, 220 H., 1364 E., wo
man den *Avisio* überschreitet. Hier verändert sich plötzlich das
Thal, und zwar in jeder Hinsicht. In seiner letzten Strecke stieg
es fast östl. an; hier biegt es rechtwinkelig nach Norden um; bisher bildete es eine ziemlich einförmige, enge Schlucht, auf deren
Abhängen sich die Bevölkerung sonnt; nur an einigen Stellen
zeigte sich inselartig in der Tiefe am Wasser eine angebaute Halbinsel; jetzt erweitert sich die Tiefe zu einem beträchtlichen Thalboden, auf welchen sich die Bevölkerung von den Höhen herabzieht; es ist der Thalboden von *Predazzo* (3160'), 271 H., 2666 E.,
der Brennpunkt geognostischer Forschungen; denn eine Granitinsel erhebt sich hier aus der Tiefe mitten zwischen Kalk, Dolomit, Augitporphyr, rothem Porphyr und Sand, und diese Erscheinung ist es, welche auch die anderen Veränderungen hervor-
gerufen hat. Der ganze Thalboden, wie auch alle zunächst ihn
umschliessenden Bergmassen, doch in kleinem Umkreise, bestehen aus Granit verschiedener Art. Zuerst kommt im Verlaufe des
Thales (aufwärts) ein kleinkörniger Granit, glimmerreich, mit getrennten, schwarzen, glänzenden Glimmerblättchen, kleinen weissen Feldspathkrystallen, wenig Quarz und ebenso wenig Hornblende. Jenseits *Predazzo*, sowie man den *Avisio* überschritten
hat, folgt mit dem Einschnitte eines Thälchens ein ganz anderer
Granit mit ausgezeichnet rothem Feldspath, wenig Glimmer, grossen, aus einem Mittelpunkte ausstrahlenden Turmalinkrystallen,
welche oft Kupferkiese einschliessen. Am *Sacinabache* kommt
wieder der erste feinkörnige Granit zum Vorschein. [Zuerst wurde
die Aufmerksamkeit der Geognosten durch die Aufsätze des Gra-

fen Marzari Pencati angeregt, welcher bei dem Wasserfalle von *Canzacoli*, kurz vor *Predazzo* links durch eine Schlucht des feinkörnigen Granits herabstürzend, den Granit auf jüngerem Kalke aufgelagert sah, umgeändert in Predazzit. Oestlich kommt das Thal *Paneveggio*, vom *Travignolo* durchströmt, herab; durch Granit ansteigend, liegt das ganze waldreiche, unbewohnte obere Thal im Porphyr, in der Höhe aber von hohen Dolomiten umragt, die, wie gewöhnlich, tiefe Zwischenräume zwischen sich lassen, durch welche Jochwege in die benachbarten Thalgebiete führen; im Hintergrunde liegt nahe am Joch ein Wirthshaus und eine Kapelle, von wo man links hinüber nach Falcade im Cordevolegebiet, rechts aber, südl., in das Cismonethal hinübersteigt. Von *Predazzo* schliesst sich das Thal wieder zwischen Granitwänden; von 2 Seiten treten hohe Dolomitberge heran, das Thal einengend; unter jenen Dolomitmassen zeigen sich jedoch andere Gebirgsarten. Sowie man den feinkörnigen Granit bei dem Thaleinschnitt von *Mezzoralle* hinter sich hat, erscheint schwarzer augitartiger Porphyr, welcher an den Grünporphyr, den Verde antico, erinnert, vielen Feld- und Kalkspath enthaltend. Dieser Porphyr bildet in der Tiefe beide Bergwände bis *Forno* (3571'), 31 H., 222 E., wo ein grauer, dichter Kalkstein beginnt, der aber bald wieder durch eine kühne Felsenmasse schwarzen Porphyrs, links aus dem Kalk und dem darüber aufsteigenden Dolomit hervorlugend, unterbrochen wird, doch nur auf kurze Strecke, worauf wieder der graue Kalk und ein weisser Sandschiefer erscheinen. Nördl. von *Forno* führt ein Joch neben dem *Cavignon* (8446') vorüber nach Obereggen und Deutschenofen. Das Thal erweitert sich nun und wir betreten

3) bei *Moëna* (3735'), 280 H., 1679 E., das *Fassathal.* Mineralienhandlung von Felicetti Medil. Links kommt das Thal *Costalunga* vom *Caressapasse*, welcher *Fassa* von *Welschenofen* scheidet, herab, in den rothen Sandstein gebettet, zu oberst an den jenseitigen Porphyr stossend, auf beiden Seiten von hohen Dolomitgebirgen begleitet. Rechts, von Osten, zieht *St. Pelegrin* herab, aufsteigend über Kalk, dann grösstentheils durch den Porphyr bis zur Jochhöhe von *St. Pelegrin* (6045'), über welche ein

Weg ins Cordevolethal führt, wo sich auch eine Art Tauernhaus befindet. Führer sind von Moëna oder Someda mitzunehmen. Bei diesem Aufstiege begleitet den Wanderer links der merkwürdige Gebirgswall des *Monzonithales*, zuerst eine ungeheure hochauf- zinkende Dolomitgruppe, *Valfaccia*, auch *Sasso di Loch* (8348'), dann der aus Syenit bestehende *Monzonberg* oder *Riccobetta* (8325'), welcher sich wieder an eine Dolomitmasse mit der *Lastei di Caria* (8077') anschliesst. Zur Rechten, oder im Süden, steht zunächst der *Viezzena* (7874'); nur durch einen Sandstreifen, welcher eine Scharte ausfüllt, getrennt, erhebt sich östl. eine Kette von Dolo- mitbergen, welche bis zur Jochhöhe fortzieht. Bei *Moëna* selbst fällt der *Avisio* in eine aus grünlichem Porphyr mit rothen Feld- spathkrystallen bestehende Schlucht. Das Thal steigt nun im ro- then Sandstein zwischen himmelragenden weissen Dolomitzacken stark aufwärts nach *St. Johann* und *Vigo*, zus. 148 H., 753 E., welche ziemlich zusammenhängen. Wirthshaus bei Ant. Ricci. An der Strasse liegt die Hauptkirche *St. Johann* (4206'), das Dorf links darüber *Vigo*, der Hauptort von *Fassa;* das darüber aufzackende Dolomitgebirge ist die Ostseite des uns schon be- kannten Rosengartens, hier gewöhnlich von dem aus ihm kom- menden Thale *Vajolettgebirge* genannt; im Osten jenseits des *Avi- sio* bauen sich die jenem ähnlichen Dolomithörner der *Valfaccia* auf. Dem Dorfe gerade östl. gegenüber öffnet sich das merkwür- dige *Monzonithal.* Man findet im Wirthshause ein geognostisch- geologisches Fremdenbuch, in welchem der Fremde die Schrift- züge der berühmtesten Geognosten und Geologen erblickt. Kaum ist man in den Ort getreten, so wird man auch merken, dass man in einem bekannten mineralogischen Ort ist; denn von allen Sei- ten kommen Leute und bieten Steine oder ihre Dienste als Führer an; *Augustin*, der bekannte Führer von A. Humboldt, Buch u. a., ist leider todt. Für Bergbesteigungen sind die Waldaufseher mehr zu empfehlen, als die Mineraliensucher. Gewöhnlicher Lohn 3 Fl. pro Tag.

    Das *Monzonithal.* Kaum ist man nach *Pozza* (4117') (wo Mineralien beim Curaten) am Eingange des Thales gekommen, so gestaltet sich die Natur ernster und grossartiger nach allen

Seiten. Auch dem Nichtmineralogen fallen die ungeheuren Sye-
nitblöcke auf, mit denen der Bach und ein Theil der geneigten Thalfläche bedeckt ist, sowie beim Rückblick gegen Vigo besonders die ungeheuren Dolomitzacken des Vajolettgebirges (Rosengarten), welche in starrer Majestät das an seinem grünen Abhange hingelagerte Vigo bedrohen; südl. aber vom Wege erheben
sich über dunkele bewaldete Vorhöhen zu schwindelnder, flim-
mernder Höhe die Dolomitsäulen der *Valfaccia* (*Zwölferkogl Monzoni*). Nach einigem Anstieg kommt man in eine einsame Aue
und bald darauf an die eigentliche Thalschleuse, wo man stärker
ansteigt, während der Bach in der Tiefe eine Art Oefen bildet,
überdunkelt von dem Schatten der Bäume. Nach dieser Enge
tritt man in das geognostisch merkwürdige Amphitheater des *Monzonithales*, das auf den ersten Blick nicht den auffallenden Wechsel von Gestalten und Farben darstellt, den man vermuthen sollte.
Der Kessel des Thales ist tief aufgeschüttet und bildet eine schief
geneigte Fläche, in welche sich der Bach sein Bett links etwas
eingeschnitten hat. Dieses Bett besteht aus mehreren neben einander liegenden, mit ungeheuren Geschieben augefüllten, breiten
Furchen. Die Richtung des Thales ist anfangs östl., von dem
engen Eingang an aber südl.; es schwingt sich demnach um die
Riesenpfeiler der dolomitischen *Valfaccia*, deren Kette das obere
Thal westl. begleitet und es vom Fassa trennt. Im Osten wird es
von einem zusammengesetzteren Bergstocke begleitet, den man
im Eingange gerade vor Augen hat, ehe man sich südl. wendet.
Von der Tiefe zieht ein Sandberg pyramidalisch hinan, überragt
von einer schwarzen Augitporphyrmasse, welche in 2 Gipfeln
emporsteigt, aber doch noch von höheren Dolomitwänden rechts
und links an Höhe übertroffen wird. Im Süden endlich spannt
sich von der einen Dolomitkette zur anderen der in der Geognosie
und Mineralogie so berühmte *Monzonberg* oder *Riccobetta*, ein
eigenthümlicher isolirter Syenitstock, reich an Mineralien, die
sich in ihm gebettet haben. Schon vom Eingang in das Thal bei
Pozza erblickt man einen grossen Theil des Bodens mit den Geschieben dieses Gesteins bedeckt und kaum begreift man, wie es
der Bach hat durch die Engen seines jetzigen Bettes herausschaf-
fen können. Ebenso zieht dieses Trümmermeer jenseits der Enge

bis zu dem Fuss des Berges über die Alpen des Thales hinan.
Auf gleiche Weise ist der Südabhang des *Monzonberges* gegen Pelegrin damit überschüttet. Die Hauptbestandtheile dieses schönen
Monzonsyenits sind grosse Feldspathkrystalle und Hornblende.
Letztere ist lauchgrün. Ausserdem finden sich Glimmer und Turmalin darin. Dieser Syenit ist die Lagerstätte von jenen Mineralien, die das *Fassathal* so berühmt gemacht haben, nämlich des
Vesuvians und Gehlenits, des braunen Granats, Zeylanits, Fas-
saits und Albits. Die Steine finden sich jedoch nur da, wo sich
der Syenit dem Dolomit nähert. Auch in der nördlichen Thalwand wechseln Kalk, Augitporphyr und Dolomit.

Wie im Fassathal überhaupt viel fremdes Vieh übersommert,
so sind die Senner des *Monzons* meistens Italiener und zwar aus
dem Vicentinischen, ein zwar armes und nicht sehr reinliches,
aber lustiges Volk, mit dem sich gut umgehen lässt, wenn man
ihre Sprache kennt. Der vielen Felsen wegen weiden hier meistens nur Schafe. Der Hintergrund des Thales ist äusserst einsam, Schneefelder ziehen herab zum Boden, und nur das Rauschen des Baches, ein Steingerassel oder das Hohoho der Schaf-
hirten, wenn sie ihre Heerde an den hohen Bergen über wenig
Futter bietende Felsenriffe zur Eile treiben; blickt man hinan,
so sieht man dann oft die Heerde in langer einpfadiger Zeile ein
Schneefeld übersetzen.

Im *Fassathal* von *Vigo* aufwärts ist der nächste Ort *Perra*
(4162'), 86 H., 448 E., mit dem Gasthause Ricci links von der
Strasse. Unweit davon kommt man über den *Vajolettbach*, welcher zwischen den Zinken und Tobeln des *Rosengartens* zusam-
menfliesst und ein weites Kiesbett in das Thal schüttet. Im Hintergrunde der *Rosengarten*, *Federerkogl* und *Tschamin* (9164').
Alle hiesigen Bäche bilden eine bunte, schöne Mosaik, besonders
durch ihre abstechenden Geschiebe des schwarzen Porphyrs und
weissen Dolomits, über welche die krystallene Flut hingleitet.
Ein sehr interessanter und äusserst malerischer Punkt ist bei
Mazzin (4328'), 42 H., 491 E., vor der Brücke zu diesem Orte.
Jenseits öffnet sich ein hohes Seitenthal von merkwürdig gebildeten Dolomitfelsen, die noch zur Reihe des Rosengartens gehören,
im Hintergrunde geschlossen; sie scheinen von einander geborsten

durch den aus der Tiefe unter ihnen auftauchenden schwarzen
Porphyr, über den ein Bach einen Wasserfall bildet; malerisch
gruppiren sich Schneidemühlen und andere Häuser im Vorgrunde.
Durch dieses Thal führt ein Steig über *Antermoja*, wo sich Basalt
finden soll, und den *Monte delle donne* in das *Duronthal.* In 3 St.
von Vigo erreichen wir über *Fontanaz*, *Campitello* (4642′). Der
nicht unbedeutende Ort liegt an der Vereinigung des *Duronbaches*
mit dem *Avisio*, zum Theil in der Tiefe, theils an den Höhen.
2 einfache Wirthshäuser bei Bernhard und bei Valentini. Viele
Mühlen beleben das breite, mit Geschieben bedeckte Bett des *Duronbaches. Campitello* ist, wie Mazzin, einer der malerischsten
Punkte des Thales; das breite Bett des Baches gibt den besten
Standpunkt, die Mühlen den Vorgrund und die Zähne des *Platt-*
(9355′) und *Langkofs*, welche in majestätischer Reihe über die
Vorberge aufzacken, den Hintergrund. Vom Schlern und vom
Grödner Joch gesehen, stellt sich der *Langkofl* als geschlossene,
vereinzelt aufsteigende Masse dar; hier bildet er eine lange Reihe
von Zacken, durch tiefe Zwischenräume getrennt. Ein anderer
schöner Punkt ist eine kleine Strecke am *Avisio* aufwärts nach
Gries, wo sich an der Ecke des östl. umbiegenden Thales die
Häusergruppen von *Gries*, *Canazei* und *Alba* zeigen, überthront
von dem Eispalaste der *Vedretta Marmolata.*

Das *Duronthal* steigt von hier westl. an, das *Avisiothal* östl.
Bald ausserhalb *Campitello* führt der Weg unter gewundenen Sand-
steinschichten, welche Versteinerungen enthalten, stark aufwärts.
Nach 1 St. starken Anstiegs, während dessen der Bach in der
Tiefe zurückbleibt, hat man einen grossartigen, malerischen Rückblick: grosse Felsblöcke von Tannen bestanden, zwischen denen
der Weg sich hinabwindet; rechts den Abgrund; in der Durchsicht zwischen den theils bematteten, theils bewaldeten Bergen
den ganzen begletscherten Stock der *Vedretta Marmolata* (11,055′),
hier eine stolze Pyramide darstellend. Noch eine kurze Strecke
und man tritt aus dem Walde und dem engen Anstiege heraus auf
den wiesigen Thalboden des *Duronthales*, Piano del Duron, welcher mit einzelnen ungeheuern Felsblöcken bedeckt ist, zwischen
denen die Thalgemeinde zerstreut umher liegt. Im Hintergrunde
erheben sich majestätisch die völlig kahlen und senkrechten Mas-

sen des *Rosengartens* und links führt das *Antermojajoch* über Kalk,
Dolomit, Basalt- und Augitgestein in das untere Fassathal nach
Mazzin. Rechts hat man zuerst schwarzen Augitporphyr, darüber
Dolomit; weiter im Thale aufwärts zeigen sich rechts grobe dole-
ritische Sandsteinmassen, aus denen auch die grossen Blöcke im
Thale bestehen. Im Rücken hat man fortwährend den ganz vereinzelt aufsteigenden Dolomitriesen der *Marmolata*, dessen kühne,
sonderbare Gestalt dem Thale abwärts einen eigenthümlichen Charakter gibt. Im Hintergrunde des Thales steigt man zwischen
grossen doleritischen Sandsteinblöcken, welche rechts oben ab-
brechen, unter dem Schatten ehrwürdiger Zirben, im Anblick der
jenseitigen Schneefelder, welche in den Tobeln des Rosengartens
herabziehen, schnell empor auf das Joch des *Mahlknechts*, *Molignon* (6901'), mit der Aussicht auf die sich vor uns ausbreitende
Seiser Alpe, die rothen Rosszähne, den Schlern und die Zillerthaler Eisberge.

Von *Campitello* aus dem *Avisio* folgend eröffnet sich, kaum
¼ St. oberhalb des Ortes, indem hier das Thal rechtwinkelig umbiegt, eine ganz neue, höchst überraschende und grossartige Aussicht in den hintersten Thalkessel von Fassa, dessen Endpunkt
die *Vedretta Marmolata* bildet. Dieser Bergstock mit dem benachbarten *Sasso Vernale* ist der König aller Dolomitberge; südl.
stürzt er steil und senkrecht in einer langen Wand ab gegen ein
Seitenthal des Cordevole; nördl. dacht sich die Masse allmählich
gegen die obersten Quellen des Avisio ab und dieser ganze Abhang ist mit einem weiten Eisgefilde bepanzert, welches hier bei
Campitello jedoch nur wenig zu sehen ist. Unter dem Gletscher
zeigt sich ein merkwürdiger Augitporphyrgang in der Schlucht
von *Contrin;* er dringt aufwärts zuerst durch den rothen, mergeligen Sandstein, dann in den darüber gelagerten Kalk. Im Thalboden des *Avisio* selbst erblickt man noch die Dörfer *Canazei*
(4624') und *Gries* (4644'), vor einigen Jahren abgebrannt, zus.
163 H., 880 E.

Von *Gries* aus führt der Weg nach Gröden, Enneberg und
Buchenstein links in einen Seitengrund hinan; der Weg nach
Buchenstein zweigt sich bald rechts ab, während jener steil durch
den Wald in die Höhe geht in die Region der Matten. Hier ent-

wickelt sich die Eismasse der *Marmolata* immer mehr, sowie in
der Nähe rechts die kolossalen Wände der *Sellagruppe* aufsteigen.
Auf der Höhe bei einer Hütte, etwa 2 St. von Gries, rastet man,
blickt nochmals zur Marmolata und das sich nun auch rechts von
hier öffnende *Val Fredda* mit seinen Schnee- und Eismassen, sowie links hinab in das Alpenthal der Sella, welches mit Sennhütten bedeckt ist. — Der Weg führt nun jocheinwärts an einem
grünen Abhange hin, welcher links in der Tiefe ein Hochthal
zeigt, dessen Matten mit Wachholdergesträuch überwuchert sind;
einzelne Hütten am Wege, sowie zur Zeit der Heuernte viele Mäher, beleben die hohe grüne Gegend, über welcher sich jetzt ganz
in der Nähe die grausigen nackten Wände des *Langkofls* wolken-
wärts erheben, während der Weg noch über schwarzes Porphyrgestein führt. Nach 3 St. von Gries steht man auf dem *Sellajoch*
(7141'), welches sich zwischen *Langkofl* und *Sellagruppe* aus-
spannt und eine neue Aussicht eröffnet, nämlich in das oberste
Grödner Thal, in dessen Gebiet der sich jenseits senkende Pfad
bringt. Links unten auf einer Abdachung des *Langkofls* liegt die
schöne Alpe *Tramaus*. Ungeheure blendend weisse, rauhe und
scharfkantige Dolomitblöcke, voll von Drusenräumen, dem Langkofl entstürzt, liegen am jenseitigen Wege. Der Weg nach *Araba*
in Buchenstein führt über das Joch *Pordoi* (7082').

Im *Avisiothale* kommt man von *Gries* über das benachbarte
Canazei nach *Alba*, wo sich das Thal wieder südwärts biegt. Von
hier geht es südwärts über einen niedrigen Sattel und die Alpe
Contrin ins Monzonithal. *Alba* (4898') hat die letzte Kirche,
und das dann folgende *Penia* ist die letzte Häusergruppe des
Fassathales. Rechts kommt hier das *Val fredda* hoch herab aus
dem Schoosse der höchsten Dolomitwände der *Vedretta Marmolata*
(11,055'), dem ebenfalls begletscherten *Sasso Vernale* (9493')
und dem *Sasso di Val fredda* (9446'). Am Passe des *Sasso Vernale* erblickt der Geognost ein merkwürdiges Vorkommen des
Augitgesteins, dessen Schwarz überall zwischen und unter den
gewaltigen Dolomit-, Kalk- und Eismassen hervorschaut. Dieser
Augitstock zertrümmert sich in einer Höhe von 8500' und durchsetzt nun in vielen, 3—6' dicken Gängen die ganze dolomitische
und kalkige Masse des Gipfels. An vielen Stellen ist der Kalk

verwittert und dann ragen die schwarzen Kämme frei in die Luft
hinein. Trotz der Höhe und Schroffheit der Gebirge (*Collatsch*
8272') führen dennoch von der Alpe *Contrin* Jochsteige in die benachbarten Thäler; einer derselben zieht unmittelbar unter dem
jähen Absturz der *Marmolata* hinüber nach Caprile am Corde-
volo; ein zweiter, dicht neben den Gletschern des *Sasso Vernale*
zur Linken, auf den Pass *S. Pelegrin*, von wo man links über Falcade ebenfalls in das Cordevolethal, rechts aber nach Moëna im
Fassathal gelangt; ein dritter geht südwestl. über den *Bufauer* in
das Monzonthal.

Von *Penia* am *Avisio* aufwärts kommt man über mehrere Alpen und dann unweit des ganzen Eismeeres der *Marmolata* rechts
vorüber auf das *Mesolajoch*, jenseits dessen die hohe *Fedajasee*
liegt, von wo man nach Buchenstein hinabsteigt. Vom Campitello an zieht der Avisio auf der Grenze zwischen dem Augitporphyr im Süden und dem Sand und Kalk im Norden hin; über dem
Augitporphyr steigen dann die Dolomite auf, über dem Kalk im
Norden die grünen Alpen des Augitporphyrs, auf dem dann auch
die dolomitische Sella stolz ihre Massen baut.

Ueber die Besteigung der *Marmolata* s. Caprile im Cordevolethal.

Allgemeines. Schon oben wurde der 3 Thalstrecken erwähnt, die sich noch immer in volksthümlicher Hinsicht unterscheiden; der Fleimser hat das Uebergewicht in der Bevölkerung
des Thales behauptet und zwar durch seine frühere selbständige
Verfassung, während Cembra einer kleinlichen Vielherrschaft, und
Fassa den Bischöfen von Brixen unterworfen war. Das Haupteinkommen des Thales besteht in der Viehzucht wegen der trefflichen
Alpen. Schafzucht scheint am wichtigsten, daher auch trefflicher
Schafkäse bereitet wird; man zählt 9000 eigene Schafe im Thale;
mehr kann man nicht überwintern, dazu wandern im Sommer
noch 30,000 fremde Schafe aus Italien ein. Der übrige Viehstand
gibt auch junges Zuchtvieh für den Markt; in Fassa ist auch der
Milchnutzen bedeutend. Wie reich die Alpen an Futterkräutern
sind, beweist, dass über die Hälfte des etschländischen Viehes
hierher getrieben wird und den Sommer über Unterhalt findet.
Nächst der Viehzucht ist dem Thale der Holzhandel am einträg-

lichsten, jedoch wegen der früheren Verschwendung jetzt weniger, als sonst, wo z. B. im J. 1586 80,000 Bauholzstämme ausgeführt worden sind. Das Holz wird wegen seiner Güte und Dauerhaftigkeit gesucht. Getreide wird nicht hinreichend gebaut; wenn auch Roggen, Kohl und Mohn ausgeführt wird, so wird doch mehr Mais eingebracht, welcher in der Polenta ein Hauptnahrungsmittel der Thalbewohner ist. Viele Männer wandern als Tischler, Maurer, Zimmerleute, Taglöhner u. s. w. in die benachbarten Gegenden und werden wegen ihrer Redlichkeit gern in Dienst genommen. Besonders merkwürdig ist das Thal durch die grosse Anzahl von Künstlern, welche hier geboren wurden, worunter die Unterberger und namentlich Christoph Unterberger, nicht nur in Tirol, sondern auch in Europa hochgeschätzt. Der einst nach dem Liede des Königs Laurin blühende Bergbau, welcher noch im J. 1490 in Predazzo allein 1000 Bergknappen beschäftigte, ist verschwunden bis auf wenige Ueberreste.

Geologie des *Avisiogebiets*. Bis Castello, kurz vor Cavalese, im Thale aufwärts herrscht beiderseits, bis kurz vor Predazzo, an der Südseite der rothe Porphyr, dessen Höhen von da aus einander weichen, so dass die mächtige rothe Porphyrkette mit der *Cima di Lagorei* (8862') und der *Bocche* (8308') im Süden und die etwas niedrigere mit dem 7870' hohen *Zangenberg* im Norden, wie in einer Mulde, die nach Westen vorgeschobenen Trias-sedimente aufnehmen. Nach v. Richthofens Karte bilden letztere zwischen Castello und Tesero Inseln aus buntem Sandstein und Seiserschichten, zwischen Tesero und Moena eine grosse, im ganzen Süden, in der Tiefe des Avisiothals, in Südosten längs des Rivo di Valazza, und im Norden von Moëna bis auf die Höhe des *Caressa-passes* (6753') und bis über Obereggen in Nordwest von buntem Sandstein begrenzte, Insel, deren Schichten sich beiderseits gegen Predazzo senken. In ihr erheben sich über den Seiserschichten noch die Campilerschichten, die an der Westseite am 7251' hohen *Satteljöchl* unmittelbar auf dem Porphyr des Zangenbergs auflagern, der Virgloriakalk und Mendoladolomit, und der im Weisshorn, Latemar und *Fiezzenagebirge* (8173') die höchsten Höhen krönende Dolomit (Schlerndolomit nach v. Richthofen). Nur auf den Wiesen von Costamedill, gerade nördl. von Forno, wurden schwarze Mergelschiefer mit St.-Cassianer-Versteinerungen, wie auf der Seiseralpe, aufgefunden. Mitten zwischen diesen sedimentären Gebilden lagern die mannigfachen Silicatgesteine, welche Predazzo, dessen Kessel mitten in ihnen liegt, den alten, weit reichenden Ruf bei den Geologen verschafft haben. Der tiefe Einschnitt des Avisiothals, der des Travignolothals im Osten und des Rivo di Sacina im Westen theilen die ältesten derselben, den Syenit und turmalinführenden Granit, in 4 Theile. In Südosten die der Margola, in Nordosten der Gran Mulatto, in Nordwesten die kleine Syenitmasse von

Mezzovalle, in Südwesten die berühmte von Canzacoli, letztere überragt von dem Dolomitkamm der Sforzella. Der Syenit ist das äussere Gestein, in das der turmalinführende Granit eindrang, der den Nordwestfuss des Margola, den unteren Südwest- und Westabhang des Gran Mulatto und den Bergfuss im Westen des Avisio zwischen Mezzovalle und Predazzo bildet. Wie die Gänge des turmalinführenden Granits im Syenit an der Südseite des Gran Mulatto im Travignolothal und die zwischen Forno und Predazzo beweisen, ist der Syenit das ältere Gestein von beiden. Höchst interessant sind die Grenzverhältnisse des Syenits gegen die Triassedimente, die man nicht allein im Westen, fast senkrecht gegen die Sforzella hinan verlaufend, wo auf ihr die berühmten Marmorbrüche von Canzacoli liegen, sondern auch an der gegenüberliegenden Westseite des Margola beobachten kann, während sie an der Ostseite des Gran Mulatto, im Viezzenabach, der in den Travignolo fällt, meist unter Geröllen versteckt sind. Die rothen thonigen Campilerschichten finden sich dort in grünes, jaspisähnliches Gestein, der schwarze Virgloriakalk in den grauen, dunkelgebänderten Pentactit Roths, der Mendoladolomit in den krystallinisch-körnigen, einem Marmor ähnlichen, Predazzit umgewandelt. Zugleich war die offenbar hydrodynamische Metamorphose mit einer Bildung von Silicaten in den kalkigen Gesteinen verknüpft, denn hier ist die Lagerstätte von Gehlenit, Vesuvian und Calcit umschliessendem Granat. v. Cotta gibt, im Widerspruch mit v. Richthofen, an, dass der Syenit gangförmig sich in die angrenzenden Kalksteine, von granatartigen Contactrinden begleitet, hinein verästele, so schon am ersten Felshügel über Canzacoli, ebenso über dem Steinbruch gegen die oberen, kleinen, alten Brüche, wo sich überall an der Grenze ein Gemenge von Predazzit mit Granat und Vesuvian zeigt. In geringer seitlicher Entfernung von letzteren Brüchen soll auch im Syenit selbst eine, von Granat durchdrungene, Kalksteinscholle von ihm umschlossen sein. Solche Kalksteinblöcke, da die Lagerstätte des Gymnits, finden sich auch an der Westseite des Gran Mulatto, Mezzovalle gegenüber, am Fusssteig von Predazzo nach Forno im Syenit. Hieraus schliesst man, dass die interessanten Lagerungsverhältnisse von Kalk- und Syenitgebirge nicht Folgen von Ueberschiebung des letzteren über ersteres im starren Zustand seien, sondern dass der Syenit als eine Eruptivbildung der älteren Triaszeit angesehen werden müsse. Das nächstjüngere Eruptivgestein, der A u g i t - p o r p h y r, erscheint meist nicht als das gewöhnliche Gestein, sondern nach v. Richthofen meist als ein Zwischengestein zwischen Augitporphyr und Melaphyr; diese schwarzen Porphyre durchsetzen in zahlreichen Gängen nicht allein Syenit und Granit, sondern auch die Triassedimente, so zwischen Forno und Predazzo und zu beiden Seiten des Travignolobachs, vor allem an der berühmten Roscampobrücke. In bedeutender Ausdehnung findet sich ein solcher Porphyr mit schönen Uralitkrystallen auf der Höhe, über welche der Fusssteig aus dem Travignolobach zwischen Gran Mulatto und Viezzena nach Forno hinüberführt. Nördl. von Forno sieht man einen mächtigen Augitporphyrgang aus der Thaltiefe in die Höhe ziehen, wo er sich am Toazzo zwischen dem Val Surda und Costalungathal zu mächtiger Decke ausbreitet. Bedeutend grösseren Antheil nimmt aber v. Richthofens M e l a p h y r, ein Oligoklasgestein, an der Zusammensetzung des Gebirgs um Predazzo, er durchbricht in zahlreichen Gängen nicht allein Granit und Syenit und breitet sich über ihnen als Decke aus, sondern seine Gänge durchsetzen selbst den Schlerndolomit in schwächeren und mächtigeren Gängen und Gangmassen. So setzt er die höchste Höhe der Margola, die Höhe des Gran Mulatto zusammen, breitet sich unter dem Dolomit der Sforzella an der Westseite des Rivo di Sacina, der ihn durchbricht, am Weisshorn aus; ein anderer mächtiger Gang zieht in grosser Breite aus dem Thal bei Mezzovalle bis auf die Höhen über Val Sarda (mannigfache Varietäten desselben, hier auch mit dem krystallinischen Asbest, liegen vor der steilen Schlucht des Val di Rif); in zahlreichen Gängen durchbricht Melaphyr den Dolomit des Latemar, erscheint auch auf der Höhe im Dolomit des Viezzena. Am ausgezeichnetsten findet man ihn als v. Klippsteins Mulattophyr über den obersten Häusern von Predazzo am Gran Mulatto. Die zahlreichen Melaphyrgänge im Augitporphyr zwischen Peniola und Val di Sarda beweisen das jüngere Alter des ersteren. Zum Melaphyr gehören auch die zum Theil in Serpentin umgewandelten Ganggesteine im Predazzit von Canzacoli. — Die übrigen jüngeren Eruptivbildungen, die alle vorhergehenden Gesteine durchsetzen, kennt man nur in schwachen Gangausfüllungen: es gehören dahin die quarzfreien, fleischrothen, selten braunrothen, P o r p h y r i t e, die v. Richthofen im quarzführenden Porphyr bei Cavalese am mächtigsten fand. Sie kommen an der Margola, zahlreich an der Boscampobrücke, wo man sie am Fuss des Gran Mulatto auch den Uralit durchsetzen sieht, in der Viezzenaschlucht, auf der Höhe und im Osten des Gran Mulatto, zwischen Predazzo und Forno, einzeln auch am Tozzo und Latemargebirge vor. Im Porphyrit findet sich der Libenerit eingewachsen, so am Gehänge der Margola gegen die Boscampobrücke, unter den Trümmern des Rivo di Viezzena, am schönsten aber neben dem Uralitporphyr auf der Jochhöhe zwischen Bellamontealp und Forno. In der Schlucht des Rivo di Viezzena, wo die grösste Mannigfaltigkeit von Ganggesteinen aller Art vorkommt, entdeckte v. Richthofen im mittleren Theile der Schlucht als jüngstes Eruptivgestein endlich den S y e n i t - p o r p h y r, wohl eher porphyrartigen Syenit, mit 2—3" grossen Orthoklaszwillingen. — Die jüngste urzeitige Bildung dieser Gegend ist die Beckenbildung der reichen Bellamontealp im Travignolothal, am Fusse des M. Viezzena, eine tertiäre Conglomeratablagerung. Vor allem sind dem Geognosten der Besuch der Grenzen von Canzacoli nach der Sforzella hinauf und an der Margola, wo auch im Syenit 2 Hypersthenfelsgänge vorkommen, dann der Weg nach der Boscampobrücke, der Stieg durch die Schlucht des Rivo di Viezzena zum Joch zwischen Gran Mulatto und Viezzena nach Forno, der Weg von Predazzo nach Forno, sowohl der Fahrweg, als der Fussstelg auf der östlichen Thalseite, wegen reicher Aufschlüsse zu empfehlen.

Der zweite klassische Punkt dieses mittleren Thalabschnitts ist der *Monte Monzoni*, berühmt durch seinen Mineralreichthum. Hier sind die Lagerungsverhältnisse ähnlich denen von Predazzo, nur sind die Verhältnisse einfacher, es fehlt der Granit, und von jüngeren Gangsteinen kennt man nur den hier sehr mächtig entwickelten H y p e r s t h e n f e l s. Der von mächtigen Gängen und Gangmassen durchsetzte M o n z o n i s y e n i t erhebt sich als ein gewaltiger, fast auf 3 Seiten von Triassedimenten bis zum Schlerndolomit hinauf, im Süden von quarzführendem Porphyr, an der Südwestecke von Augitporphyr umgeben, bis 8573' hoher Bergstock, dessen Kamm aus West in Ost zieht. Das Pelegrinethal trennt ihn vom rothen quarzführenden Porphyr der an Höhe fast gleichen *le Bocche*

(8308'); im Osten und Nordosten schliesst der Dolomit des Campo di Lastei und Campo Ziegelan an und setzt fast in gleicher Höhe fort, um sich in dem *Sasso di Val Fredda* über 9000' zu erheben. Niedriger ist die nördliche Kalkumwallung, den Monzoni überragend die westliche des Monte Roccca. Alle diese umliegenden Höhen bestehen in ihren oberen Theilen aus Dolomit. Unter den vom Monzoni kommenden Bächen durchschneidet der des Monzonithales die nördliche Umwallung und trennt mit seinen Quellthälern Kalk und Syenit von einander. Hier liegt in Nordost alle Selle. Nach Norden hat der Monzoni seinen steilsten, nackten, wildesten Absturz, während sein grünes Südgehänge überall mit Steigeisen zu begehen ist. An dieser Südseite finden sich mehrere Schluchten. Von seiner Südwestecke, wo über der Kalkgrenze sich die wildzerrissenen Syenitklippen des Palle rabiose erheben, kommt der, tiefer durch Augitporphyr schneidende, Bach der Pesmedaalp. Nach Süden laufen der Toal della Foja zum Theil auf der Grenze zwischen Augitporphyr und Syenit, der Toal de Rizzoni zum Theil zwischen einer Hyperitmasse und Syenit, und der Allochret im Syenit nahe der Grenze gegen den Porphyr und die unterste Trias des Pelegrinothals. An den Wänden der Monzonialpe über dem Monzonithal gibt v. Richthofen einen mächtigen Syenitgang an, der die Trias von den Campilerschichten bis zum Schlerndolomit durchsetzt, ausserdem eine gangförmige Verzweigung in den bunten Sandstein auf der Grenze über dem St. Pelegrinothal. Ringsum findet sich der Kalk an den Grenzen gegen Syenit in krystallinischkörnigen umgewandelt. Von dem Kalkspath umhüllt haben sich die mannigfaltigsten Mineralien, Silicate, gebildet, welche den Monzoni zu einem Eldorado für Mineralogen gemacht haben: so alle Selle im Monzonithale in Nordosten, die Palle rabiose im Westen, den Toal delle Foja in Südwesten und das Südgehänge, wo über dem Pelegrinothal überall zwischen den Schluchten sich Fetzen körnigen Kalksteins auf der untersten Bergstufe des Syenits erhalten haben, so im mittleren Toal Rizzoni und am Allochret. Ausser den auf den Grenzen von Syenit und Kalk in letzterem gebildeten Mineralien kommen auch auf Klüften des Syenits und in ihm inneliegend selbst Mineralien vor, so vor allem in der Allochretschlucht, aber auch alle Selle nach v. Richthofen. Im Contact von Syenit und Kalk finden sich nach v. Richthofen an den angegebenen Fundorten vor: Vesuvian, grüner Granat, Gehlenit; dazu auf alle Selle noch Pistazit, Skapolith, brauner Granat, Quarz, Magneteisen, Eisenglanz; im Toal della Foja noch Pleonast, Fassait, Brandisit, Asbest, schöne Pseudomorphosen nach Pleonast. — Im Contact von Hyperthenfels und Kalk fand derselbe an dem Palle rabiose: Fassait, Brandisit, Pleonast, dazu Metamorphosen dieser Mineralien in Magnesit und des Pleonastes in Speckstein. An der Pesmedaalpe kommen auch Serpentin- und Specksteinmetamorphosen von Fassait und Pleonast vor. Auch über dem erwähnten Fundorte im Toal della Foja kommen noch die Contactmineralien des Hyperthenfelses vor: Fassait, Brandisit, Pleonast; ebenso im Toal körniger Kalk des Toal di Rizzoni, Batrachit, Pleonast. Zu den durch Infiltration entstandenen Mineralien gehören nach v. Richthofen die des Allochretthales, wo Quarz und Epidot auf Klüften, Titanit mit Augit, Uralit, Granat, Labrador und Biotitkrystalle in Drusenräumen angegeben werden.

Das dritte obere Thalgebiet des übrigen *Fassathals* im engeren Sinne ist das Hauptgebiet des Augitporphyrs und seiner Tuffconglomerate. Von Pera aufwärts verschwindet der bunte Sandstein in die Tiefe, von da an setzen die versteinerungsreichen Seiser- und Campilerschichten (Campidello), von Canazel aufwärts der obere Muschelkalk: Virgloriakalk und Mendoladolomit, Thaltiefe und unteres Gehänge zusammen. Wie die Schichten der unteren Trias gegen die centralen Massen des Syenits von Predazzo sich neigen, so hier gegen die centralen Tuffe, die sie überlagern. Ueber den Triassedimenten erheben sich nämlich die Augitporphyrtuffe und Conglomerate zur mittleren Gebirgshöhe, über die dann ringsum die Dolomitkofel im Kreise emporstarren. Das von zahlreichen Augitporphyr- und Lager-Gängen durchsetzte, von Pera bis Alba vom Avisio umschlungene Massiv des Monte Colpelle, ebenso das Massiv von Sotta Cresta, zwischen Doronbach und Avisio, im Nordwesten von Fontanaz, die unteren Tuffe auf den Höhen die östl. von Canazel zwischen dem obersten Avisio- und Livinalongothal nach Cordevole fortsetzen, wo sie den pflanzenreichen, nahe an 9000' hohen Padon fassano und italiano zusammensetzen, Augitporphyrhöhen nach Fuchs, gehören hierher. Ihnen gehören eine Reihe anderer Mineralienfundorte zu, die sich an die der Seiseralpe anschliessen. Die versteinerungsführenden sedimentären Tuffe der St. Cassianerschichten liegen nördl. und nordöstl. von ihnen gegen Gröden. Enneberg und Buchenstein. — Sedimente über dem Schlerndolomit fand v. Richthofen im Fassanergebiet nicht. Wie hoch die Augitporphyrgänge in die obere Trias eindringen, zeigen die am Sasso Vernale erwähnten und die an der Vedretta Marmolata. Eine ältere tertiäre oder diluviale Conglomeratablagerung findet sich in der Tiefe des Avisiothals, südl. von Pozza; der Fund neuer mariner Tertiärversteinerungen auf der Bellamontealp beruht sicher auf Verwechselung des Fundortes. Mineralienreich ist vor allem das Tuff- und Conglomeratmassiv des Colpelle mit seinen Augitporphyren, die zum Theil mandelsteinartig sind, wo die Mineralien von Bufaure theils in den Hohlräumen der Mandelsteine, theils in den Trümmergesteinen auftreten. In den Mandelsteinen finden sich häufig Chalcedonkugeln, oft mit Amethystkrystallen ausgekleidet, ausgezeichnet im Norden auf der Campazzoalpe (S. von Gries). Jaspisgänge auf der Giumellaalpe (S.W. von Mazzin). Die Hauptfundorte sind folgende: *Bufaure*, über dem Monzonithal, mit seinen Augitkrystallen; *Giumellaalpe* (in S.W. von Mazzin), wo Apophyllit, Laumontit, rother Stilbit (Heulandit), Natrolith, Quarz in Afterkrystallen nach Ihm, in den Tuffen wie in den Achatmandeln vorkommen; *le Palle* (im O. von Mazzin), in den Breccien und Tuffen mit Prehnit, rothem Desmin, Analcim, Heulandit, Quarz in mannigfachen Afterkrystallen; *Drio le Palle* (S.O. von Mazzin) mit Analcim; *Ciaplaja* (S. von Gries) mit riesigen Augitkrystallen, Analcim, Prehnit mit gediegenem Kupfer, Grünerde; die *Pozzaalpe* im S.O. mit Grünerde, Le Massonadu u. a. In den Augitporphyren der *Sattacresta* gibt es schöne Chalcedonkugeln.

Flora. So reich dieselbe auch in Fassa, wie Fleims an seltenen Pflanzen und so viel durchsucht sie auch durch Dr. Facchini ist, der seine ganze spätere Lebenszeit der Erforschung der Flora Südtirols gewidmet und zu Vigo starb, so wenig bekannt sind bis jetzt die einzelnen Standorte der Pflanzen. Im Fleims: Dianthus barbatus. Ueberall im Wald: Senecio Cacaliaster. Bei *Predazzo*: Anemone trifolia, Arabis saxatilis, Dentaria trifolia, Astragalus purpureus. An der *Fiezzena*: Ranunculus Thora. Am *Monzoni*: Arabis coerulea, auriculata, Aranaria ciliata, Cerastium latifolium, Geum reptans, Potentilla frigida, Rhodiola rosea, Saxifraga crustata, cernua, aspera, Silene Pumilio, Gnaphalium Leontopodium, Azalea procumbens, Gentiana punctata, imbricata, Eritrichium nanum, Phyteuma pauciflorum, Pedicularis asplenifolia, Aretia Vitaliana, Androsace helvetica, glacialis, Primula longiflora, glutinosa, minima, Agrostis rupestris, Poa Halleri, Sesleria microcephala, disticha. Bei *Maxzin*: Viola pinnata. *Vigo*: Astrantia minor, Poa cualsia. Auf der *Vaelalpe* ober Vigo: Saxifraga Facchinii, Draba frigida, Alsine lanceolata. *Alpe Cirelle*: Draba Zahlbruckneri. Im *Duronthal*: Facchinia lanceolata, Scorzonera aristata, Phaca alpina, Trifolium alpinum, Potentilla nitida, Phyteuma Sieberi, Androsace helvetica. Horminum pyrenaicum, Betonica Alopecuros, Juncus arcticus, Poa caesia. Am *Penia* im obersten Thale: Primula villosa, Sempervivum Wulfeni. Am *Padon fassano*: Draba frigida, Joannis, Traunsteineri, Wahlenbergii, Facchinia, lanceolata, Alsine arctioides, Androsace helvetica, Poa spadicea. Am *Padon italiano*: Saussurea discolor. Auf der Alpe *Contrin*: Draba Sauteri, Saxifraga sedoides.

Das Thal der Fersina und der Brenta (Valsugan).

Die *Fersina* mündet unmittelbar östlich von *Trient*, allein eigentlich nur durch Zufall, indem der Bach dem gewöhnlichen Laufe der Dinge nach zur Brenta ablaufen müsste, denn Fersina und Brenta sammeln sich in einer Thalmulde, und nur ein äusserst enger Felsenriss, in einiger Ferne kaum bemerkbar, verschaffte dem westlichsten Theil des ehemaligen Sees den Abzugsgraben, jetzt *Fersina* genannt. Ebenso werden Fersina und Brenta mitten in dem grossen Thale nur durch eine niedrige Wasserscheide getrennt, über welche die Hauptstrasse von Trient nach Venedig führt, der wir folgen. Das ziemlich breite Thal zieht zuerst gegen Südost, dann gegen Nordost und zuletzt wieder gegen Südost gerichtet, den Granitstock der Cima d'Asta im Süden begrenzend, gegen die südlichste Kalkkette und hat daher als Längenthal zu gelten. Es ist merkwürdig durch seine geognostische Zusammensetzung, wie durch die Völkertrümmer, welche sich, wie die Bänke in einem grossen Alpenthal, inselartig aus der Thalfläche erheben; Landschaftsbilder von grösster Lieblichkeit und abschreckendster Wildheit spiegeln sich in 2 herrlichen, nicht unbedeutenden, von einer südlichen Pflanzenwelt umrankten Seen. Der Geognost und Mineralog, der Botaniker, der Alterthumsfreund und der Maler finden hier einen Sommer über die vollkommenste Beschäftigung; der gute Gasthof zum *Goldenen Adler* in *Borgo* trägt nicht wenig zu einem angenehmen Aufenthalte bei.

Gegen das Etschthal wird *Valsugan* durch eine kahle Kalk-
mauer mit Dolomitmassen abgeschlossen und nur eine äusserst
enge Kluft in diesem Gebirge hat der Fersina einen Weg zur Etsch
eröffnet. Im Süden der Fersinamündung aus ihrer Kluft zeigt sich
noch eine Porphyrmasse, im Norden ein Augitporphyrfelsen bei
Trient. Der Thalboden des ganzen oberen Seebeckens von Pergine und Levico (Fersina und Brenta), in welchem die Seen von
Caldonazzo und Levico liegen, besteht aus Thonglimmerschiefer,
welcher im Norden eine Strecke vom rothen Porphyr begrenzt
wird. Dieser bildet einen grossen Theil der Grenzkette gegen das
Avisiothal; erst da, wo diese Kette nicht mehr das Hauptthal,
sondern das östliche Seitenthal (des Avisio) Travignolo begleitet,
erhebt sich der Dolomit wieder. Aber im Süden dieser Porphyrmasse, welche von Meran her ununterbrochen zieht und hier ihr
Ende findet, steigt wieder eine nicht unbedeutende Granitinsel
auf, deren höchster Gipfel die *Cima d'Asta* (9001') ist. Umrandet ist diese Granitellipse von allen Seiten durch den Glimmerschiefer, welcher oft nur einen äusserst schmalen Saum, besonders nördl., bildet; östl. begrenzt ihn zunächst Kalk oder der aufgeschwemmte Boden des Brentathales; über dem Kalke erheben
sich im Süden die Dolomitzacken. Bei Roncegno erhebt sich
nochmals ein kleiner Granitberg, und auf ihm wohnt inselartig
ein deutsches Völkchen.

Der Name *Valsugan* stammt von der römischen Niederlassung Ausugum, weshalb auch das Thal bei den Römern Vallis
Ausuganea hiess. Im engeren Sinne des Wortes verstand man
nur den Theil des Thales darunter vom Ausfluss der Brenta aus
dem See von Caldonazzo bis zu den Engen der Brenta unter
Grigno. Die ersten Einwohner sollen Euganeer gewesen sein.
Auf die Herrschaft der Römer folgte die der Gothen, der griechischen Kaiser, Longobarden, der fränkischen Könige, der deutschen Kaiser bis auf Konrad den Salier, welcher das östliche
Thal den Bischöfen von Feltre, das westliche denen von Trient
schenkte. Bis zu dem Kampfe der Hohenstaufen und Welfen
blieben letztere im ruhigen Besitz. 1222 eroberte Ezzelino da
Romano das Thal und herrschte darin als Statthalter Kaiser Friedrichs II.; erst 1267 kamen die Bischöfe wieder in Besitz. Das

27 *

14. Jahrh. brachte neue Wirren über das Thal; endlich brachte
es Friedrich m. d. l. T. 1412 für immer an Tirol, mit dem es von
nuú au gleiches Schicksal theilte.

Von *Trient* durch das Thor dell'aquila führt die alte Strasse schnell am linkseitigen Thalabhang empor zunächst nach dem
Dorfe *Cognola* (1110'), 218 H., 1267 E. An dem ganzen *Kalis-
berg* links über *Cognola* liegen noch *Villa montagna* (1794'), mit
Tavernaro 76 H., 272 E., und *Monte vaccino* (2256'), 17 H.,
86 E.; aus den sich zwischen Dörfern ausbreitenden Weinbergen
schimmern eine Menge Landhäuser, die Sitze der Herbstfreude.
Der Berg, aus Kalk bestehend und den Glutstrahlen der Sonne
ausgesetzt, ist zwar trocken, aber dem Weinbau, wie auch südlichen Gewächsen günstig, daher auch hier, wie bei Bozen, Agaven und Opuntien wild wachsen; allenthalben prangen im ersten
Frühjahr die Mandel- und Pfirsichbäume in ihrer Blüte. Je höher man steigt, desto kahler wird das Gebirge, desto stärker zeigen sich die Kalkschichten in mächtigen Platten, le laste genannt.
an denen nur noch Artemisia campestris, Thymus lanuginosus,
Helianthemum apeninum, Farsetia dypecta u. a. gedeihen. Doch
mehr und deutlicher, als auf unserem Standpunkte selbst, erkennen wir die an Versteinerungen so reichen Kalkschichten der jenseitigen Thalwand; und erst oben auf der Höhe sehen wir, wie
oasenartig sich das unten so üppig erscheinende Pflanzenleben
nur in den Schooss des Gebirges eingebettet hat, wie bei weitem
die grösseren Massen kahl und pflanzenleer aus der grünen Hülle
aufstarren. Auf der Höhe angekommen zieht die Strasse bald
ostwärts und man gelangt in die Nähe des *Fersinaschlundes*. Wer
noch nichts davon wusste, erstaunt nicht wenig, dass sich durch
den schroffen und hohen Gebirgswall, in welchem sich gar kein
Thal zu öffnen scheint, dennoch ein Bach einen Weg gebahnt hat.
Bei *Civezzano* (1656'), 367 H., 2566 E., 1½ St. von Trient, betreten wir das jenseitige Gebiet, wenn auch die *Fersina* noch zur
Etsch hinabströmt. Die neue Strasse, zum Theil in den Felsen gesprengt, der jenseits eines einsamen Wirthshauses völlig
über die Strasse überhängt, führt durch die Enge des *Fersinathales* selbst hinein, dicht vorüber am *Pontalto*. Aus der Felsenge
herausgetreten empfängt den Wanderer auf der Höhe der Thalter-

rasse der überraschende Ueberblick des Thales bis Pergine hinauf. *Civezzano* bleibt links zur Seite liegen.

Geognost. Hier hört der Kalk auf und folgt das Thonschiefergebirge bis Levico zu beiden Seiten, von da bis Borgo nur auf der nördlichen, von Roncegno durch Granit unterbrochen. Im Norden erheben sich hohe Porphyrberge, weiter östl. die granitische Cima-d'Asta-Masse; im Westen und Süden, von Levico an sich unmittelbar aus dem Thale erhebend, ragt das Kalkgebirge empor, nur zwischen Masi und Borgo durch den rothen Porphyr des M. Zaccu unterbrochen. Hinter ihm erhebt sich am M. Armentara das Kalkgebirge über seine Unterlage von buntem Sandstein. An der Westseite des Jochs, welches den M. Zaccu vom M. Armentara trennt. fand Beneke über dem Sandsteine die Seiserschichten und im östlichen Graben höhere versteinerungsreiche Schichten. Auch der die Hauptmasse des M. Armentara bildende Dolomit führt Versteinerungen. Jenseits, an der linken Seite des Val Maggio, steht der rothe Ammonitenmarmor mit Ammonites acanthicus an. Blöcke sprechen auch für die Gegenwart des jüngeren jurassischen Ammoniten- oder Diphyakalks. Der Weg von Sella südwärts hinauf auf die Plateauhöhe des M. Viezzana führt über versteinerungenführenden Dolomit zum oolithischen Kalk und den Jurakalken der Höhen, vor welchen noch Biancone (Neocom) lagert. Beide bilden die Höhen der Cima Dodici. — Auch im übrigen Valsugan sind Dolomit und Oolith weit verbreitet, auf der Höhe der Costa alta muldenförmig überlagert von Ammoniten führendem Jura und Kreide, die auch im mittleren Thal Tessino eine weite Mulde füllt. Zwischen Borgo, Telvo und Strigno, an der Nordseite und im Rücken des südlich von Castelnovo lagernden M. Civerone findet sich versteinerungsreiches Eocän voll Versteinerungen. An der Südwest- wie Südostseite, dort bei Olle, stehen auch Braunkohlenflötze führende Ablagerungen in Verbindung. Ebenso lagert das Eocän in N.O. und S.O. von Castello, im Val Tesino am M Agaro und M. Bicosta. Erstores wird von Strigno über Spera westwärts vom Jurakalk umringt. — Im Valsugan sind vielfache, aber wenig lohnende Bergbauversuche gemacht, so auf quarzitische Gänge im Thonglimmerschiefer, welche Bleiglanz, Kupfer- und Schwefelkies führen; so um Pergine, im Norden von Levico, bei Roncegno und an der Nordseite der Cima d'Asta im Val Calamento, bei S. Antonio im Val Sorde und S. Michele im Val Conseria, aber auch im rothen Porphyr des oberen Fersinathales; bei Roncegno auch auf ein Magnetkieslager im Glimmerschiefer. Braunkohlen lagern bei Olle im Süden von Borgo, und bei Ospedaletto in S.W. von Strigno.

Im Verlaufe der Strasse kommt man in $\frac{1}{4}$ St. an die Mündung des *Sdlabachs*, welcher ein 3 St. langes Seitenthal durchströmt. Man steigt steil an, um die enge Eingangsschlucht dieses Thales zu umgehen. Hohe Porphyrfelsen bilden bei *Sereguano* eine Bergstufe, welche die *Sdla* durchrissen hat. Weiter hinauf liegt *Fornace*, 132 H., 778 E., und das Hochthal-*Pine*, 872 H., 5701 E., in welchem die *Silla* aus 2 Seen abfliesst. Das Thal grenzt nördl. an das Avisiothal und ist ziemlich belebt; der Hauptort ist *Baselga* (3044') am *Serajasee*, 2 St. von Civezzano, mit den Zudörfern

Rizzolaga, Sternigo, Rualdo, Miola, Vigo, Tersilla und *S. Mauro.*
Der zweite See heisst *Piazzesee* und von ihm steigt man durch ein
Seitenthal hinab zum *Arisio* nach *Spiazzo.* Die Bewohner dieser
hohen Gegend scheinen deutschen Stammes zu sein. Der Porphyr ist die vorherrschende Gebirgsart.

Auf der Strasse kommen wir in 1 St. nach *Pergine* (1526′),
349 H., 3297 E., einem wohlgebauten Markte, Poststation zwischen Trient und Borgo; Gasth.: al cavaletto zu empfehlen, ebenso das neue Kaffeehaus. *Pergine* liegt in reizender Gegend, an
einen Glimmerschieferrücken angelehnt, auf dem eine Burg thront,
umschattet von Kastanien, Eichen und Nussbäumen und umgrünt
von Weinbergen. Kurz vor dem Orte kommt links das obere
Thal der *Fersina*, wie das *Sillathal*, aus einer höheren Bergstufe
heraus, eine ziemlich weite Bucht bildend; der obere Theil des
Thales, welcher im Porphyr liegt, heisst *Canezzathal*, und ist
noch 4 St. lang. Die breite Mündung des Thales gehört dem Gebiete des Glimmerschiefers an. Nördl. steigt aus der Gegend des
Hochthales *Piné* das Seitenthal *Prada*, wo sich der in der Umgegend berühmte Wallfahrtsort der *Madonna di Caravaggio* mit
einem Gemälde von Unterberger befindet. Der 26. Mai ist der
Festtag der Heiligen, ein auch für den Reisenden interessanter
Tag, indem er dann hier das merkwürdige Völkergemengsel am
besten übersehen kann; es wird deutsch und welsch gepredigt.
Hier wurde einst auch auf Silber, Kupfer, Blei und Eisen gebaut,
welches viele Bergleute herbeizog, woher sich noch die Uebervöl-
kerung der Umgegend herschreibt. An der *Fersina* selbst kommt
man zunächst nach *Viarago*, 140 H., 793 E. Weiter thalaufwärts
liegen die Orte *Serso*, 68 H., 359 E., *Canezza* (1886′) mit *Mala*
93 H., 500 E., und *St. Orsola*, 114 H., 648 E.

Man tritt nun aus dem Gebiet der tief sich einschneidenden
Bäche in die oberste, flachere, alpenumgrünte Thalstufe mit dem
deutschen *Palu* (4155′), 89 H., 477 E., wo man einen in dünnen
Platten abgesonderten Porphyr bricht. Ueber das *Kofljoch* führt
ein Steig in das *Calamentothal* und in ihm hinab nach Borgo oder
Strigno. Auf der linken Seite des *Canezzathales* zurückkehrend
kommt man durch die ebenfalls deutschen Gemeinden *Frassilongo*,
112 H., 529 E., *Vignola* mit *Rovereda* 134 H., 516 E., und *Fa-
lesina*, 40 H., 161 E. Zum Verständniss der deutschen Sprache

dieser Orte gehört schon grosse Uebung, wie zu der deutsch-eng-
lischen Sprachmengerei in Amerika. Sie selbst nennen ihre Sprache Mocheni. Sprachformen sollen auf schwäbischen Ursprung
deuten. In den letztgenannten Gemeinden leben 1715 Deutsche;
sie haben einen starken Körperbau, lebhafte Gesichtsbildung,
blaue Augen, blonde Haare, sind gewissenhaft, redlich, wohlthätig und haben unter allen Gemeinden des Landgerichts die wenigsten Streitigkeiten. Im Winter ziehen sie auf Handelschaft, wozu
sie in Gesellschaften zusammentreten und ihre Kapitalien beitragen; alle Geschäfte, Gewinnste und Verluste werden nur münd-
lich auf Treu und Glauben abgemacht. Obgleich man ihnen deutsche Geistliche entzogen, halten sie sich streng abgeschlossen von
den Welschen.

Aeusserst lieblich zeigt sich noch zwischen *Fersina*-, *Silla*-
und *Pradathal* das Mittelgebirge von *Madrano*, 91 H., 515 E.,
mit 2 Seen, sowie etwas höher *Nogaré* (2160'), 73 H., 300 E.
Nördlich, westlich und südwestlich breitet sich die wohlangebaute Ebene aus, welche halbkreisförmig von Gebirgen umlagert
ist, auf denen, besonders im Norden, über Civezzano hin, ein
Dörfchen über dem anderen liegt. Im Rücken lehnt sich *Pergine*
an einen nicht hohen Thonglimmerschieferrücken, der durch ein
Thälchen dahinter im Osten von den höheren Bergen getrennt ist.
Auf dem niederen Rücken thront die Burg. Die schöne Pfarrkirche wurde 1545 vollendet; ihr Gewölbe wird von 12 Marmor-
säulen getragen; das Hochaltarblatt ist von Ugalini. Auf dem
Gottesacker ist die alte Kirche S. Carlo, in welcher während der
Fasten deutsch gepredigt wird. Ein Berggericht, Bezirksamt,
wohlgeordnetes Spital, im Hause des Herrn Gius. Gasparini gute
Gemälde. In der Nähe Eisengruben und Mühlsteinbrüche. —
Die Burg besassen die Herren v. Pergine im 11. Jahrh., welche
den Bischöfen von Trient die Herrschaft über Pergine streitig
machten; sie verschwinden 1300 und von jetzt an wurde sie von
Schlosshauptleuten bewohnt, welche bald von den Grafen v. Tirol, bald von den Bischöfen eingesetzt waren. Das Schlossdach
bietet die herrlichste Rundsicht über die ganze merkwürdige Gegend, welche der Italiener ein schönes Theater nennt; von Süden
her schimmert der blaugrüne Spiegel des Sees von Caldonazzo in
das Bild. Das Schloss gehört jetzt noch den Bischöfen von Trient.

Von *Pergine*, bis wohin im Kriege 1866 die Italiener vorgedrungen waren, als Waffenstillstand geschlossen wurde, zieht das
Valsugan breit und eben gerade nach Süden. Im Westen erhebt
sich Dolomit als Thalgrenze, am Fusse von Sandstein umgürtet, im Osten Thonglimmerschiefer. Vor diesem höheren Gebirge
zieht ein schon erwähnter niedrigerer Rücken hin, der, durch ein
Thälchen getrennt, wie von der Hauptmasse losgerissen erscheint;
dieser Riss zieht aus dem Fersinathale hinter dem Schlosshügel
von Pergine südl. fort bis Levico, wo er sich in das nach Osten
umbiegende Hauptthal wieder öffnet; in dieser Mündung liegt der
See von Levico, und durch dieses gar keine Fernsicht gestattende
enge Thal führt auch die Hauptstrasse von Levico nach Pergine;
daher die Ueberraschung, wenn man auf diesem Wege wohl das
Schloss von Pergine von der Rückseite erblickt, aber noch keine
Ahnung von der schönen, weiten und bevölkerten Gegend hat,
die sich plötzlich öffnet, sowie die Strasse kurz vor Pergine jenen
Rücken übersteigt. Dieser Felsrücken erstreckt sich, etwas nördl.
von Pergine beginnend, nach Süden zu 2 St. lang und wird südl.
etwas breiter, so dass er Orte trägt; zuletzt trennt er mit einer
Felsenzunge die Seen von Caldonazzo und Levico. Demnach eröffnet sich uns nun ein dreifacher Weg in das *Valsugan*, indem
wir der Strasse folgen durch jenen engen Einschnitt, oder auf der
Höhe des merkwürdigen Felsrückens hinwandern, oder auch endlich an dem westlichen Gestade des Caldonazzosees hinziehen;
der mittlere Weg ist der lohnendste.

Wir folgen zuerst der Poststrasse, welche uns, wie oben bemerkt, unmittelbar bei *Pergine* über den Mittelrücken hinüberführt in ein enges einsames Thälchen; rechts hat man die Steil-
wände des abgerissenen Felsenrückens. Nach einer kleinen Wendung kommt man an das nördliche obere Ende des düsteren, aber
malerischen *Sees von Levico* (1576'). Wegen der steilen Ufer muss
die Strasse links etwas ansteigen, so dass man den See rechts in
der Tiefe unter sich hat, während die jenseitigen Wände des Mittelrückens den grünen Spiegel des ½ St. langen Sees überschatten.
Bald darauf überrascht der freie Ausblick in die grosse schöne
Thalfläche von *Levico*, indem nun auch jenseits des in die Ebene
abfallenden Mittelrückens der weite Spiegel des Caldonazzosees
herüberschimmert, während sich im Süden und Südosten wieder

schroffe Kalk- und Dolomitzinnen erheben. Schnell senkt sich
die Strasse in die Tiefe nach *Levico* hinab.

Der zweite Weg führt uns von *Pergine* die entsumpfte Ebene
hinab zum *See von Caldonazzo* (1861'), einem der schönsten Tiroler Seen, der glänzenden, von der schönsten, üppigsten Natur
umgebenen Wiege der *Brenta;* 1½ St. streckt er sich ¼ St. breit
von Norden nach Süden; seine Tiefe beträgt nur 60'. Er ist sehr
fischreich und wurde einst auch, ausser den gewöhnlichen Wasservögeln, von Schwänen belebt; 1828 wurden die letzten ge-
schossen. An seinem nördlichen Gestade finden wir auf einer felsigen Halbinsel die Kirche *S. Christophoro*, ein alter Römertem-
pel, einst dem Neptun und der Diana geweiht. Links steigt man
nun zu jenem Mittelrücken empor, auf dem die Orte *Ischia*, 53 H.,
344 E., *Tenna* (1794'), mit *Campolongo* 109 H., 676 E., liegen;
üppige Waldungen und fruchtbare Getreidefelder wechseln hier
oben und die buntesten Zauberbilder umgaukeln den auf diesem
Rücken Hinwandernden, indem er bald links in den dunkeln Spiegel von *Levico*, bald rechts in die weitere Smaragdfläche des
Caldonazzosees, bald in dunkele Thäler, bald in die üppigsten
Fluren hinabblickt. Erhebt aber der Wanderer den Blick aufwärts, so bezaubern neue Bilder seine Augen : hier die üppigen
Bergstufen, umschattet mit dunkeln Kastanienforsten, oder über-
streut mit Häusergruppen zwischen grünenden Fluren und Rebengeländen ; dort die grün bematteten Bergriesen des Thonglimmerschiefers und Porphyrs, oder die grauen kahl und pflanzenleer,
schneegefurcht aufzackenden Kalkschroffen. Römischen Ueberresten zufolge zog sich wahrscheinlich über diesen ganzen Rücken
eine Römerstrasse, welche hier frei von aller Anfechtung war, und
die Burg von Pergine mag der nördliche, die Burg Brenta am südlichsten Kap dieses Mittelrückens der südliche Schlüssel dieses
Strassenzugs gewesen sein. Nur noch wenige Ueberreste erinnern
an die Burg *Brenta*, Stammsitz der Herren v. Brenta, Lehnsman-
nen von Trient. Ezzelin zerstörte die Burg zuerst; sie wurde
wieder erbaut, abermals im Kampfe mit den Herren v. Caldonazzo zerstört, seit welcher Zeit die Herren v. Brenta verschwinden.

Der dritte Weg nach *Levico* führt von *Pergine* fahrbar nach
Susa, die Dörfer *Roncogno*, 62 H., 391 E., und *Costasavina*, 54 H.,
327 E., rechts lassend. Bei *Susa* (1682'), mit Cavale 108 H.,

610 E., auf dem Ausschutte des gleichnamigen Thales, beginnt über dem westlichen Gestade des Sees ein prächtiger majestätischer Kastanienwald, welcher seinesgleichen sucht: seine dunkeln Schatten geben das Bild eines Urwaldes; der Berg und die auf ihm liegende Gemeinde heisst daher auch *Castagné* (2008'), 134 H., 693 E. Darüber erhebt sich der pyramidale Berggipfel *Terra rossa* (5465'), mit weiter Aussicht in die Etschthaler Gebirge und das untere Valsugan. Ausserdem führt auch ein Weg in 4 St. über *Vigolo* und das *Valsorda* nach Trient. Wer *Valsugan* nur im Ausfluge von Trient besucht, kehrt der Abwechselung wegen am besten über diese Höhe ins Etschthal nach *Matarello* an der Eisenbahn zurück. — Am *Caldonazzosee* fortwandernd erreicht man in 2 St. beinahe sein südliches Ende bei *Calceranica*, welches die älteste Kirche des Thales hat; ein Römerstein an ihr bezeugt den Dienst der Diana Antiochena.

Hier öffnet sich das enge Thal *Vattaro*, vom *Mandola* durchbraust, auf der Höhe zu einer ziemlichen Bergfläche; ein fahrbarer Weg führt durch dasselbe über *Dosentino*, 11 H., 616 E., mit ehemaligen Kupfergruben, nach *Vigolo* (1834'). Links bleibt jenseits des Baches *Vattaro*, 89 H., 497 E. Kurz vor *Vigolo* erscheint rechts auf der Höhe das *Schloss Vigolo*, einst Eigenthum der Bischöfe. Ezzelin eroberte und zerstörte es 1256; aber es wurde wieder aufgebaut und jetzt besitzt es die Familie Tabarelli. In Vigolo findet man Führer auf den *M. Scanupio* (6776'), mit schöner Aussicht auf das Etschthal und Valsugan und reicher Flora.

¼ St. unter *Calceranica* kommt der Wanderer schon unterhalb des Sees nach *Caldonazzo* (1588'), beide zus. 461 H., 2694 E. Darüber zeigt sich auf schön umbuschtem Hügel das *Schloss Caldonazzo*, Stammsitz der gleichnamigen Herren, Lehensleuten von Trient. Ihr Uebermuth führte ihren Sturz durch Friedrich m. d. l. T. herbei, dessen Nachfolger es an die Grafen v. Trapp abliess, die es noch besitzen.

Das hier sich öffnende *Centathal* führt zu einem belohnenden Ausfluge auf die luftigen, bebauten und bewohnten Höhen, von denen die Thäler südl. in die vicentinischen Alpen, westl. in das Etschthal und nördl. nach Valsugan hinabsteigen. Nach 1 St. Anstiegs erreicht man *Centa* (2646'), 158 H., 1012 E., in weit auseinander gestreuten Häusern. In weiteren 2 St. erreicht man die

Hochfläche des Gebirgs, aus Kalk bestehend, und auf ihr lagert
die ursprünglich deutsche Gemeinde *Lavarone* (3490'), 216 H.,
1339 E. Die Häuser liegen, im Gegensatze zur welschen Sitte,
weithin zerstreut, jedes auf seiner freien Flur.

Bald senkt sich südl. der Boden zum *Asticothal*, welches
zum *Bachiglione* geht, in dessen Gebiet *Pedemonte* (1951'), 125 H.,
588 E., *Luserna*, 113 H., 516 E., und *Casotto*, 68 H., 354 E.,
innerhalb der Tiroler Grenze liegen. Die Bewohner, gleichen
Stammes mit Lavarone, wohnen, von grünen Alpen umlagert, in
frischer Alpenluft, bauen daher nur wenig Getreide, sondern bearbeiten um Lohn die gesegneten Flächen um Vicenza. Westl.
zur Etsch hinab nach Roveredo über *Folgaria* (3678') erstreckt
sich auch ein Thal mit Bewohnern deutschen Stammes.

Von *Caldonazzo* aus durchschneiden wir in gerader Linie die
durch Kunst entsumpfte Fläche und kommen nach dem Markt
Levico (1598'), 785 H., 5569 E., Bezirksamt, wo *Valsugan* im
engeren Sinne des Wortes beginnt. Der Ort liegt auf einem sanften Abhange des nördl. ansteigenden *M. Selva* (4303'); im Süden
des Ortes liegen dessen treffliche Alpen und Wälder von *Vezzena*,
auf der Grenzscheide gegen Vicenza und dessen *Sette communi*.
Auf der Kalkspitze *Cima Vezzena* (6014') hat man eine schöne
Aussicht, welche sich weit über die Gebirgsgegenden der Sette
communi in die Ebenen Venedigs verliert, während sich nördl.
die Urgebirgswelt des Valsugan entfaltet und westl. die jenseitigen
hohen Kalkgebirge des Etschthales aufragen. Ueber dem Markte
auf einer Höhe liegt die Burg *Selva*, welche Ezzelino auf seinem
Durchzuge zerstörte; später wurde sie wieder hergestellt und besonders durch den Bischof Bernhard von Cles schön eingerichtet
zu einem Sommerfrischsitze der Bischöfe von Trient. 1779 kauften sie mit allen Einkünften die Bewohner von Levico und liessen
sie eingehen, daher sie zur Ruine wurde. (Führer: Melchiore
Zugliani.) Ueber den Ruinen erhebt sich der Thonglimmerschie-
ferberg *Fronte*, in welchem sich bei der Kapelle *S. Domenica* eine
verlassene Vitriolgrube befindet, unweit deren ein Vitriolwasser
hervorbricht, welches Eisenprotosulfat, Eisenbicarbonat, schwe-
felsaure Kalkerde und Kieselerde enthält; auch wird Ocker daraus
gewonnen. Es kommt wohl aus dem dortigen Kies- und Braun-

428   *Valsugan: Masi. Roncegno.*   Brenta-

eisensteinlager. Auf Bleiglanz und Zink führenden Gängen ebenda schöne Flussspathkrystalle. — Bei *Levico:* Trifolium striatum, Avena capillaris.

Von *Levico* bringt die Strasse in ¼ St. nach *Masi di Novaledo*
(1307'), 138 H., 917 E.; die Pfarrkirche enthält gute Gemälde.
Der *Novaledosee* ist 1817 ausgetrocknet, wodurch die Gegend an
Fruchtbarkeit und Gesundheit gewann. Unweit der Kirche *San
Silvestro* ist der Bergsturz *Massiera fredda*, so genannt, weil die
Zwischenräume der Porphyrblöcke eine ungemeine Kälte aushau-
chen. — An der Strasse kommt man an den Ruinen einer Klause
vorüber und eines alten runden Thurmes, *Marter* genannt, die
Stelle bezeichnend, wo einst eine grössere römische Niederlassung
sich befand, wie noch viele hier aufgefundene Alterthümer beweisen. In der Tiefe lag hier ein zweiter See, *Lago morto*, reich an
Fischen und Vögeln, 1818 ebenfalls ausgetrocknet. Von Masi
an haben wir zur Linken Granit, welcher jedoch nur bis Roncegno anhält und auch im Rücken vom Glimmerschiefer umgangen wird.

In 1 St. von *Masi* gelangt die Strasse nach *Roncegno* (1661'),
640 H., 4083 E., welches sich theils auf einem Thalausschutt,
theils auf 3 Höhen gelagert hat, die durch 2 Thalschluchten getrennt werden. Die Pfarrkirche wurde 1769 im neueren Stile auf-
geführt. Auf der ersten Höhe linker Hand, noch auf Granit, ruhen die Ruinen von *Tesobo*, Stammsitz der Herren v. Roncegno;
später eigneten sich die Herren v. Caldonazzo diese Burg zu, bis
Friedrich m. d. l. T. Valsugan in Besitz nahm. Diese Höhe, welche durch den *Larganzabach* von der folgenden getrennt wird,
ist ziemlich unfruchtbar. — Der zweite Bergabschnitt heisst *Monte di mezzo*, ist fruchtbar und mit Häusergruppen bedeckt; er wird
durch den Bach *Chiavona* von dem dritten Berge, dem *Brigitten-
berg*, geschieden. Letzterer ist unstreitig der schönste und allenthalben von Reben umgrünt, von Kastanien und Nüssen umschattet. Hier stehen die Ruinen der Burg *Montebello*, des Stammsitzes
der gleichnamigen Herren. Auf diesen sogen. drei Bergen wurde
sonst ausschliesslich deutsch gesprochen, so dass Weiber und Kinder oft das Italienische gar nicht verstanden, weshalb ein deutscher Geistlicher in Roncegno sein musste. Jetzt sprechen sie

zwar mit Italienern deren Sprache, aber unter ihnen herrscht noch ihre Stammsprache. ähnlich der der Sette communi, voll Kraft und Nachdruck. Diese Deutschen sind schön und gross gebaut und unterscheiden sich vortheilhaft von den welschen Umwohnern. In der Nähe sind Blei- und Zinngruben. — Von *Roncegno* führt ein Saumweg unweit des Berggipfels *Fraurort* vorüber nach der deutschen Gemeinde von *Palù;* fast auf der höchsten Jochhöhe findet man Spuren einer gut gepflasterten Strasse, wahrscheinlich römischen Ursprunges.

Im Verfolg des Weges erweitert sich das Thal, sumpft aber auch etwas, während links üppig bewachsene Hügel sich aneinanderreihen. Doch bald darauf bilden 2 von beiden Seiten heranziehende Bergrücken eine natürliche Klause des Thales, in welcher äusserst malerisch, 1 St. von Roncegno, sich der Markt *Borgo* mit seinen Burgen lagert. Der südl. heranziehende Rücken heisst *Rocchetta*, der nördliche *Monte della Grolina;* auf ersterem nur noch sehr wenige Ruinen, auf dem letzteren die grossen und prachtvollen Burgtrümmer von *S. Pietro;* darunter das halbverfallene *Telvana*. — *Borgo* (1186'), 648 H., 4705 E., Hauptort von Valsugan, das römische Ausugum, Poststation zwischen Pergine und Primolano, vor einigen Jahren abgebrannt. Gasthäuser: der *goldene Adler* und die *Post*. Aus den Fenstern des ersteren hat man die Zacken der südlichen Kalkkette vor sich mit ihren Schneefurchen, die *Cima duodici*, *Zwölferkogl* (7378'), gerade im Mittag von Borgo, eine kolossale Sonnenuhr für die Umwohner. Auch hier bestand einst eine deutsche Pfarrei wegen der vielen Deutschen in der Gegend. Die Pfarrkirche, deren schöner grünbedachter Thurm sich aus den Fenstern des Gasthauses unter jener Kalkkette zeigt, ist im neueren Stile erbaut und hat 3 gute Gemälde von Tizians Bruder, Lot und Rothmayr. Franziskanerkloster. Das Spital ist reich und in der Kirche ist ein gutes Gemälde von dem hiesigen Maler Fiorentini. Ueber die *Brenta* führt hier eine steinerne Brücke. — Die wichtigsten Erwerbsquellen sind: der Handel, indem ganz Valsugan hier seine Bedürfnisse holt; Seidenbau.

Zunächst über *Borgo* ruht auf fruchtbarem Hügel das Schloss *Telvana*, welches aus den Zeiten stammt, wo sich die Caldonaz-

zer erhoben. Friedrich m. d. l. T. erstürmte es persönlich 1414.
Im Verlaufe der Zeit kam es an Bernhard Gradner, die Herren
v. Welsberg, die Erzherzogin Claudia und die Grafen v. Giovanelli; jetzt Hrn. Jos. Fellinger. In der Nähe fand man viele römische Alterthümer. Alte Fresken verdienen die Aufmerksamkeit des Kunstfreundes. Die malerische Burgruine *S. Pietro* blickt
stolz von ihrem Felsen auf *Telvana* herab. Den Namen hat die
Burg von einer Edelgesellschaft, von St. Peter genannt, welche
die Burg als Lehen der Bischöfe von Feltre besass. Es hatte dann
dieselben Schicksale mit Telvana; 1385 soll es von den Vicentinern zerstört worden sein. Die Aussicht ist sehr schön: rechts
Roncegno, links Strigno und dessen Umgegend; in der Tiefe
Borgo und darüber die südliche Kalkkette mit ihren Zinken.

Flora von Borgo: Epimedium alpinum, Dentaria digitata, Lychnis coronaria, Stellaria sylvatica, Trifolium incarnatum, Galega officinalis, Oxytropis montana, Epilobium Dodonaei, Euphorbia carniolica, Torilis helvetica, Campanula
Raineri, Galium rubrum, Oenanthe crocata, Scrophularia canina, Primula spectabilis, Lithospermum graminifolium, Prunella alba, Calamintha grandiflora, Erythronium dens canis. — Reiche Ausbeute bieten auch die Alpenhöhen Valsugans, vor
allen der durch Ambrosi abgesuchte Montalon, wo Papaver pyrenaicum, Cardamine alpina, Draba Sauteri, Silene pumilio, Arenaria biflora, Cerastium latifolium,
Geum reptans, Sibbaldia, Saxifraga oppositifolia, Sempervivum Wulfeni, Eritrichium nanum. Pedicularis comosa, Aretia Vitaliana, Primula glutinosa, Aronicum
glaciale, Luzula flavescens. — In Torfmooren: Sturmia Loeselii und zahlreiche
Cyperaceen.

Das Thal *Sella* in dem südlichen Alpengebirge hat den be-
zeichnenden Namen *Armentara* oder *Armenterra* (Viehweide).
2 Bäche, *Moggio* und *Fumola*, vereinigen sich, dieser Bergwelt
entströmend, noch vor ihrem Erguss in die Brenta. Oberhalb
dieser Verbindung, am Eingang des Thales, liegt *Olle* (1394'),
118 H., 609 E., welche sich mit Holzhacken in ihrem holzrei-
chen Thale beschäftigen; auch eine Seidenfabrik ernährt mehrere Familien. Das Seitenthal der *Fumola* steigt gerade südöstl.
hinan zwischen dem an eocänen Versteinerungen reichen *Sopra-
salmo* und *Cicerone* (3256'), mit herrlichen Wiesen, umsäumt
vom kräftigen Grün der Buchen und überstarrt von den grauen
Kalkzacken des Südens. Ein schöner Wasserfall, von den Hirten *Pissaracca* genannt, stürzt nicht hoch, aber schön von dem
Felsen herab. Das Hauptthal *Sella*, vom *Moggio* durchströmt,

zieht sich gegen Südwest hinan; der Weg steigt rechts an dem Ostabhang der *Rocchetta* empor, deren Kalk viele Ammoniten enthält. An einigen Bauernhöfen vorüber gelangt man auf eine freie Wiesenebene; nochmals steigt der Weg steiler an zu dem Hintergrunde des Thales, *Armentara*, wo sich eine schöne Aussicht gegen Westen eröffnet. Das ganze Thal ist in der Tiefe angebaut, höher mit Laubholz bewaldet, ganz oben weit und breit bemattet. Hier, 2 St. von Borgo, liegen auch Sommerfrischhäuser der Bewohner von Borgo, und ein ziemlich besuchtes Heilbad, auch ein Gasthaus. Höhlenfreunde steigen noch 2 St. weiter zur Höhle *Costalta*. Die Oeffnung ist klein, durch welche man gebückt in eine Vorhalle tritt; aus dieser führt ein enges Loch in die eigentliche Höhle oder in deren grössten Raum, welcher gegen 70' breit, an der höchsten Stelle über 90' hoch und über 1100' lang ist. Das Ganze ist mit den sonderbaren Gebilden des Tropfsteins ausgeschmückt. Gegen das hintere Ende senkt sich der Boden in tiefe Abgründe, in denen sich das Wasser sammelt, um durch anderes Geklüft abzufliessen. — Die *Cima duodici* ist von hier leicht zu ersteigen.

Die sieben Gemeinden. Von *Levico* aus macht das *Valsugan* bis Grigno einen nach Norden gerichteten Bogen, im Süden durch die mehrerwähnte Kalkkette begrenzt. Die südliche Abdachung dieses Kalkgebirgsbogens fällt amphitheatralisch gegen Süden ab und die Thäler laufen anfangs strahlenförmig im Gebiet des *Astico* zusammen, dann aber verlaufen sie sich zum Theil wieder. Das ganze Gebirgsland erhebt sich nicht nur in seinen Bergketten bedeutend, sondern auch in seinen Thälern; dafür spricht der lange Winter, vom September bis Mitte Mai, obgleich die Abdachung dem warmen Süden zugekehrt ist, obgleich die Gegend durch den Halbkreis der hohen Kalkgebirgskette im Norden gegen die Nord- und Nordostwinde geschützt ist, obgleich endlich das Bergland unmittelbar in die warmen Flächen Oberitaliens sich öffnet. Nur eine nicht hohe Kette von Vorbergen legt sich vor die Mündung des Thalgebietes. Das ganze Innere des Gebietes bildet ein 3133' hoch gelegenes Becken, *Asiago*, mit völlig karstähnlicher Natur, Mulde an Mulde, stark hervorbrechende Bäche, welche wieder eben so schnell in der Tiefe ver-

schwinden; daher man die Bäche nicht überall verfolgen kann.
Allenthalben ist das Gebiet von höheren Bergen umrandet, und
dieser Rand fällt grösstentheils nach aussen sehr steil ab. Die
Bewohner sind sämmtlich deutscher, wahrscheinlich niederdeut-
scher, Abkunft. Sie sollen im 12. oder 13. Jahrh. zur Kultivi-
rung des Bodens hierher 'versetzt sein, ihre Zahl mag sich auf
40,000 Seelen belaufen. Weiber und Kinder verstehen fast nie
italienisch, während die Männer, wegen ihres Umganges in Handel und Wandel mit Italienern, deren Sprache kundig sind. Die
Häuser sind aus Erde oder Feldsteinen erbaut und mit Binsen
oder Stroh gedeckt; nur *Asiago*, der Hauptort, 1176 H., 5238 E.,
hat das einzige aus Backsteinen erbaute Haus im ganzen Gebiete.
Beim Essen kennt man kein Tischzeug und der Wohlhabende lebt
nicht anders, als der Arme; Standesunterschiede gibt es nicht.
Das Innere der Häuser ist ein einziger Wohnraum fast für alles
Lebende, in dessen Mitte der Heerd steht; der Rauch muss sich
selbst einen Ausweg verschaffen, wie in Westfalen. Statt der
Glasfenster Oelpapier. Die Männer sind gross und stark, haben
kleine Augen und starke Backen. Auch die Weiber sind stark;
sie bedienen die Männer bei Tisch und setzen sich erst, wenn jene
gesättigt sind. Unter der Herrschaft der Republik Venedig ge-
nossen die sieben Gemeinden grosse Vorrechte, durften Waffen
tragen und waren nur zur Vertheidigung ihres Ländchens verpflichtet, sowie zu einer jährlichen Steuer von 12 Kälbern und
400 Lire Venete. Die Dogen nannten sie: „i fedelissimi e pove-
rissimi nostri sette communi." Biederkeit, Treue und Anhäng-
lichkeit an das Bestehende sind Hauptzüge ihres ursprünglichen
Charakters, dem sich jedoch auch italienische Rachsucht zuge-
sellt hat. Fuhrwerk gibt es im ganzen Gebiet nicht, Maulesel
vertreten dessen Stelle. Im Winter ziehen die Männer mit dem
Viehe in die tiefliegenden, südlichen Weideplätze; dann wohnen
Weiber und Kinder allein. Die höher liegenden Orte liefern ausser Holz nur noch Gerste; tiefer ist der Tabacksbau einträglich.
Auch der Handel mit Schlachtvieh in die nahe Ebene ist beden-
tend. Ein besonderes Gewerbe ist die Verfertigung der bekannten italienischen (venezianischen) Strohhüte. Der Hauptsitz des
Gewerbes ist in *Lusiano*, 1359 H., 3701 E., und *Giacomo*, 100 H.,

2990 E., in dessen Umgegend auch der dazu taugliche Weizen wächst. Das Stroh wird sorgfältig gesammelt, ausgelesen und in Bündeln von gleicher Länge an die Bandflechter verkauft. Letztere flechten schmale Streifen, welche sie wiederum den Hutmachern verkaufen; diese setzen dann daraus die Hüte nach den Vorschriften der grösseren Handlungshäuser zusammen. Der Ertrag dieses Gewerbes wird auf 3 Millionen Lire veranschlagt. *Lavarda* 180 H., 421 E., *Cavolo* 170 H., 290 E. — Als Probe der Sprache diene folgender Vers aus einem Liede auf die Ankunft des Erzherzogs Johann 1804:

Iz bahar ditzan, baz bar segen
Ödor iz an schöndar trohm?
Z'ist net tröbm, geht auz von beghen,
Z'ist dar ünzar Jung Her.

Geolog. Das wellenförmige Plateau der s. c. besteht aus einer Grundlage von oolithischem Kalke, dem am Westrande die berühmte Lagerstätte fossiler Pflanzen von Razzo über Val Astico eingelagert ist, über dem dann der ammonitenreiche Marmo rosso und der neocome Biancone mit ihren Versteinerungen sich erheben, bedeckt von den Schichten der jüngeren Kreide. Letztere besteht nach de Zigno aus einem weisslichen Mergelkalke, worin er bei Giallo Ammoniten des Gault fand, und aus ziegelrothem, sandigem Kalke oder rothen, weissen und grauen Mergelkalken (Scaglia) mit den charakteristischen Versteinerungen der weissen Kreide. — Inmitten der Mulde bei Asiago und am Gebirgsrand gegen Bassano folgt das eocäne Nummulitengebirge und diesem bei S. Eusebio das jüngere Tertiärgebirge.

Etwas östlich von *Borgo* zieht sich aus einer engen Bergschlucht ein Thalausschutt gegen Südost, welcher erst durch die Brenta im Süden und den Maso im Osten begrenzt wird; er kommt aus dem *Zeggiothale*. Diesen wohlangebauten Schuttberg neben dem herabrauschenden *Zeggio* hinansteigend erreicht man, 1 St. von Borgo, an der Mündung des Baches aus seinen Engen, *Telve di sotto* (1708'), 279 H., 2081 E., *Telve di sopra* (2010'), 114 H., 516 E., und *Carzano*, 52 H., 331 E. Die Umgegend ist fruchtbar; die hiesigen Kastanien werden sehr gesucht. Der einträglichste Erwerbszweig ist die Seidenzucht. In früheren Zeiten wanderten viele als Hausirer mit Bildern, Blumen u. dergl. in Deutschland umher. Die Kirche, im neueren Stil erbaut, hat Altarblätter von dem Venezianer Pittoni. Auch hier bestand früher eine deutsche Pfarre. Hinten über dem Orte, auf der nördli-

chen Thalwand, thront das noch wohlerhaltene Schloss *Castelalto*,
Stammhaus der Herren v. Telve; ihnen folgten im Besitze die
Trautmannsdorfe, Erzherzogin Claudia, Zambelli und Buffa's.
Die nächsten Höhen bestehen noch aus Kalk, welcher viele eocä-
ne und jurassische Versteinerungen enthält.

Durch die Schlucht des *Zeggio*, welche sich westl. zum Rü-
cken von *S. Pietro* herumschmiegt, gelangt man nach *Torcegno*
(2471'), 196 H., 1009 E, schon eine bedeutende Stufe über
Borgo liegend. Die steinernen Häuser liegen weit umher zerstreut. Die Kirche thront auf luftiger, weit ausschauender Höhe.
Die Bewohner bauen auf ihren Feldern Weizen, Roggen, Hanf,
Erdäpfel, Mais, Wein, Obst und besonders gute Artischocken.
Die trefflichen Alpen begünstigen die Viehzucht. Auf diesen Alpen stellen sich öfters Bären ein; dagegen gibt es auch Hasen,
Gemsen und Federwild, besonders Schnepfen. Merkwürdig ist
die, man möchte fast sagen, furchtbare Einsamkeit des Granitge-
birgsstockes der *Cima d'Asta*, welcher das *Valsugan* im Norden
umbaut. Es ist, als ob sich die Bevölkerung herausgeflüchtet
hätte an die Mündung der Thäler, wo sie sich um so dichter zu-
sammendrängt. Alle die grossen Thäler, welche aus *Valsugan*
in den Granitkern der *Cima d'Asta* eindringen, oder ihre 2 Gruppen umkreisen, sind fast gänzlich unbewohnt, höchstens zeigt
sich hie und da eine Alphütte. Ungeheure Waldungen umschatten die Seiten der Berge. Aus der höheren üppigen Alpenregion
starren die Granitgrate, zum Theil schon zertrümmert, in die
Lüfte; hie und da spiegelt ein Hochsee zwischen den stolzen
Wänden auf.

Sowie man aus der Zusammenschnürung des *Valsugans* bei
Borgo östl. heraustritt, öffnet sich das Thal wieder weit. *Castelnuovo* (1132'), 133 H., 806 E., treibt Seiden- und Viehzucht.
Jenseits der *Brenta*, auf dem Abhange des *Civerone*, lag das
Schloss *Castelnuovo*, welches dem Orte den Namen gab; doch fast
alle Reste sind verschwunden. Hier wohnten einst die Herren
v. Castelalto oder Telve, dann die Caldonazzer. Wahrscheinlich
wurde die Burg von den Vicentinern zerstört. Unweit des Standpunktes des alten Schlosses, auf dem grünen Abhange, *le Spagole*
genannt, hat man eine der schönsten Uebersichten des Valsu-

gan. In der Nähe befindet sich ein noch unbenutztes Braunkohlenlager.

Bei *Castelnuovo* stürmt der *Maso* aus seinem einsamen Granitthal, *Calamento* genannt, hervor. Es spaltet die Granitmasse, deren Oberhaupt die *Cima d'Asta* ist, in 2 Gruppen, indem es sich nördl., in einer Schlucht ansteigend, nach einiger Zeit kstet und links als *Calamentothal* die Westgranitgruppe, als *Campellethal* die Ostgruppe im Rücken umschweift, und zwar so, dass die westliche Fortsetzung des *Calamentobogens* das *Fersina- (Canezza) Thal* ist, durch den Rücken von *Palù* getrennt, während die Fortsetzung des *Campellebogens* das östliche *Val Cia (Cauria)* ist, ebenfalls durch ein Querjoch am *Centello* getrennt. Am Eingange des *Calamentothales* liegt *Scurelle* (1178'), 208 H., 1027 E., mit einer Seiden- und Papierfabrik, *Spera* (1721'), 100 H., 499 E.; zwischen beiden die Burgruine *Nerva* oder *S. Martin*, wahrscheinlich römischen Ursprunges, von Rudolf v. Oesterreich zerstört 1365. Von *Scurelle* aus ist die *Cima d'Asta* zu ersteigen (s. S. 437).

Von *Castelnuovo* bringt die Strasse bald darauf an einen anderen Schuttberg, von dem *Chieppena*, welcher aus einem Seitenthal nordöstl. herabkommt, geschaffen. Auf ihm lagert *Villa Agnedo* (1117'), 127 H., 665 E.; darüber thront auf freistehendem Hügel das noch wohlerhaltene Schloss *Ivano*, im 12. Jahrh. von den gleichnamigen Herren bewohnt, nach deren Aussterben es in buntem Wechsel an die Herren v. Castelnuovo, Friedrich v. Oesterreich, die Grafen v. Trapp, die Venezianer, den Erzherzog Sigmund und die Wolkensteiner überging, die es noch besitzen und deren Verwalter es zur Wohnung dient. Gerade wo der *Chieppena*, mit dem sich von Norden der *Zinega* vereinigt, aus der Bergpforte heraustritt, liegt nahe über *Ivano Strigno* (1438'), 259 H., 1542 E. Die Ruinen der Burg *Strigno* über dem Dorfe waren der Stammsitz der gleichnamigen Lehensmänner von Feltre. Im Aufstande gegen Franz v. Carrara traten sie auf die Seite der Herren v. Castelnuovo und Ivano, und wurden deshalb vertrieben. 10 Jahre später wurden sie wieder eingesetzt, bauten ihre Burg aber nicht wieder auf und nannten sich nun Herren v. Castelrotto. Nördl. liegt noch in der Nähe das Dorf *Samone* (1666'), 118 H., 625 E., nordöstl. *Bieno*, 123 H., 713 E. Viele

28 *

der sonst in Deutschland umherziehenden Bilderhändler waren
von hier.

Die Besteigung der *Cima d'Asta* (9003') gehört gewiss zu
den belohnendsten Ausflügen des südlichsten Tirols, theils durch
die herrliche Aussicht, theils und besonders durch die geognostischen Verhältnisse, deren Mittelpunkt sie ist und die man von
hier aus am besten überblicken kann. Die Gruppe der *Cima
d'Asta* wird im Norden halbkreisförmig vom *Cauriathal* oder *Val
Cia* umrandet und dadurch ihr Granitkörper von den umliegenden Gebirgsarten des Thonglimmerschiefers, Porphyrs, Dolomits,
Kalkes und Sandes getrennt. Aus der Mitte der Masse erhebt sich
ein Felsenkranz fast kreisrund, auf dessen Nordpunkte der höchste Gipfel steht, während der Südrand von dem *Tesinothal* durchbrochen ist. Durch dieses Thal wird die Gruppe hufeisenartig in
2 Schenkel gespalten. Die *Cima d'Asta* selbst bildet am Nord-
ende eine vierkantige Pyramide. Von *Strigno* aus, wo man Führer erhält, steigt man auf dem linken westlichen Schenkel oder
Bogen nördl. empor; schon in $\frac{1}{4}$ St. erreicht man das letzte Dorf,
und betritt nun 2 volle Tagereisen lang und noch länger keinen
Ort, ausser Sennhütten. Wenn man früh aufgebrochen, erreicht
man am Abend die *Quarazzaalpe*, wo man übernachtet. Am anderen Morgen früh ersteigt man die nahe *Quarazzaspitze*(7226'),
eine Granitfelsenspitze des hohen Felsenkranzes, von der man
eine schöne, grossartige Ansicht der Wildniss hat. Man steigt
von ihr etwas hinab zum *Quarazzasee*, der von 3 Seiten von
hohen Granitmauern umschlossen wird und sehr fischreich ist.
Ein schöner Wasserfall fällt von einer der Wände zu ihm herab.
Nur wenig abwärts steigend kommt man in das Hochthal *Sor-
gazza*, einen der 2 obersten Thaläste des *Tesinothales*. Zuerst in
ihm aufwärts wandernd erreicht man am Schluss die unterste
Stufe der *Cima d'Asta;* hat man diese erklettert, so wird man
abermals von einem nicht unbedeutenden Hochsee überrascht, in
dessen Buchten sich die Schneefelder der *Asta* herabziehen bis
zum Spiegel, während allenthalben von den Steilwänden Wasserfälle in die kalte, oft im Sommer überfrorene Seefläche rauschen.
Darüber thront in stiller Majestät der braune, ernste Granitriese,
dessen Haupt man von hier mit einiger Mühe erklettert. Nördl.

der hohe Porphyrrücken gegen Fleims wird noch überschauet und
man erblickt im Norden die beeiste Vedretta Marmolata, während
über die südlichen Kalkzinken, die Grenzkette gegen die sieben
Gemeinden, die unendlichen Flächen Italiens und Adria's Busen
herüber dämmern; über die ganze nächste Umgebung ist mehr
als irgendwo stille, ernste Ruhe verbreitet. — Neuerlich wird die
Ersteigung der *Cima d'Asta* von *Scurelle* aus unter Führung des
dortigen Waldaufsehers Cartellini Domenico empfohlen. Für den
Geognosten besonders ist diese Aussicht anziehend, da der Gipfel
zugleich der Vater der ganzen um ihn herum geschaffenen Welt
und ihr höchster Thron ist. Die Mineralogen finden schöne Quarzkrystalle und Granaten an den Abhängen, Dichter und Sagen-
freunde vielfachen Stoff, denn die *Asta* ist der Blocksberg des
südöstlichen Tirols und tritt gerade so kernartig aus ihren Schalen empor, wie der norddeutsche Blocksberg.

Geolog. Um den granitischen Kern lagert ein Schiefergebirge, welches an
den Grenzen gegen den Granit im Val Caoria und die Maso glimmerschieferähn-
lich wird und dem die Erzlagerstätten bei Pergine, Levico, Borgo, Roncegno im
Süden, wie die von Calamento, S. Antonio im Val Sorde und S. Michele angehören. Es sind quarzitische Gänge mit silberhaltigem Bleiglanz, Kiesen und Blende·
Im Granit der Cima d'Asta, der im Calamentothale, wo auch Dioritporphyr vorkommt, in Syenit übergeht, finden sich schöne Bergkrystalle und Rauchtopase;
im Glimmerschiefer auch Granat.

Flora (nicht reich): Ranunculus glacialis, Cardamine alpina, Alsine lanceolata, (Facchinia). Androsace imbricata, Primula glutinosa, Cortusa Mathioli, Avena
sempervirens.

Wir kehren über *Strigno* nach *Ivano* an die Strasse zurück.
Bald wird die Weite des Thales verengt durch die von Norden
und Süden sich nähernden Berge, indem die *Brenta* die Südkette,
zunächst den Dolomit, durchbricht. 1 St. von *Strigno*, bei *Ospedaletto* (1078'), 171 H., 866 E., verschwindet der Thalboden,
indem von Norden durch ein kleines Seitenthälchen ein Schuttberg bis zur *Brenta* herabsteigt. Hier wurde Camino, Feldhaupt-
mann von Feltre, von der hohenstaufischen Partei 1265 geschlagen. Unter dem Dorfe erweitert sich der Thalboden wieder etwas,
ist aber zum Theil mit Kies überschüttet; die Bergwände selbst
treten, je mehr sich die *Brenta* südl. wendet, näher heran und
werden steiler, zuletzt nackte Felswände, zwischen denen 2 St.
von Ospedaletto die Gemeinde *Grigno* (826'), 403 H., 2041 E.,

liegt. Darüber die Burgruine gleiches Namens, Stammsitz der
Herren v. Grigno.

Hier öffnet sich das *Tesinothal*, vom *Grigno* durchströmt. Es
steigt von hier in gerader nördlicher Richtung hinan, und zwar
so, dass es erst als enge Thalkluft den Dolomit durchdringt, dann
sich aufwärts zu einem Kreidebecken ausweitet, über dessen Scaglia sich am *M. Bicosta* und *M. Agaro* (6531') einzelne Fetzen
des eocänen Tertiärgebirgs erhalten haben. Das mit fruchtbaren Kreidemergeln (Scaglia) erfüllte Becken ist die einzige bewohnte Gegend des Thales, weiter aufwärts treibt der Stamm in
den hohen granitischen Felsenkranz der *Cima d'Asta* hinein, innerhalb dessen das Thal durch einen mächtigen Strebepfeiler,
welcher von der *Asta* gerade nach Süden herabsteigt. in 2 Aeste
getheilt wird, das *Sorgazza-* und *Tolvathal*. Die 3 einzigen Orte
des Thales liegen, wie schon erwähnt, in der Ausweitung des
Thales auf dem Mergelkalke, ehe der Glimmerschieferrand des
Granitgebirges beginnt, aber dennoch auf den Berglehnen, weil
der Bach sich tief eingeschnitten hat. Die Gemeinde *Castello Tesino* umfasst: *Cinte, Castello* und *Pieve* (2760'), 1210 H., 3141 E.
Früher blühte die Viehzucht, später kam der Hausirhandel auf.
anfangs nur auf Feuersteine, Schwefel u. dergl. beschränkt. Die
Remondinische Kunsthandlung in Bassano benutzte dieses Hausiren und versah die Händler zuerst mit Heiligenbildern, welche
sie anfangs in kleineren, bald aber in grösseren Kreisen vertrieben. Je grösser ihr Gebiet wurde, desto grösser musste auch das
Geschäft werden, so dass sich zu den Kupferstichen auch Farben,
Pinsel, Bleistifte, Saiten, Blumen, Handschuhe gesellten, welche
nun durch diese Händler in ganz Europa herumwanderten. Sie
verbanden sich zu Gesellschaften, gründeten Handlungshäuser
und schickten nun ihre Gehilfen als Hausirer allenthalben umher.
Manche grosse Kunsthandlungen, welche jetzt feste Lager in
den Hauptstädten Europa's haben und italienische Namen führen,
stammen aus Tesino und verdanken der Remondinischen Hand-
lung ihr Dasein. Die Franzosenherrschaft gab dem Handel dieser Art in Tesino den ersten Stoss, und wenn er auch nochmals
während des Freiheitskrieges etwas aufkam, so traten ihm die
neuen Gesetze, die Zollschranken und andere Verhältnisse in den

Weg, so dass man wieder zu dem Gewerbe, das den goldenen Boden aller Alpenländer ewig bilden wird, der Viehzucht, zurückkehren musste. Wein wird nicht gebaut, wenig Getreide, dagegen viele Erdäpfel, indem die in der Welt herumziehenden Händler eher von dem Vorurtheil gegen diese treffliche Frucht geheilt wurden, als Einheimische. Nur wenige Ueberreste zeigen das Dasein eines *Castel Tesino*, welches römischen Ursprungs gewesen sein soll.

Westl. und östl. bildet der Wechsel der Gebirgsarten vor dem Auftreten des Granits flachere Uebergangsjöcher, westl. nach Bieno und Strigno, östl. von Castello über ein niedriges Joch durch eine Rinne, welche ganz mit vielfarbigen Gebirgstrümmern ausgefüllt ist, in das Gebiet des Cismone, der nächste Weg nach Feltre und Belluno.

Von *Grigno* aus wendet sich das Thal stark nach Süden, bedeutend enger werdend. Nach 1 St. erreicht man *Tezze*, 125 H., 674 E., das letzte Dorf Tirols und Deutschlands. — Aconitum variegatum, Moehringia Ponae. — Führer: Luigi Steffani. Die Felsenwand *Sasso rosso* (3494') über dem Orte zeigt wieder Porphyr. Nur noch ¼ St. und wir stehen an der Grenze bei *Primolano* (710'), dem ersten venezianischen Orte, zu Cismon gehörig, zus. 269 H., 1668 E., Poststation. Dabei die Ruinen von *della Scala*, angeblich von den Scaligern erbaut. Immer enger rücken die Wände zusammen. An der linkseitigen senkrechten Wand öffnet sich, ohngefähr 120' über dem Thale, eine weite Höhle und in ihr befindet sich die Festung *Covelo* oder *Kofel*. Ehemals war es eine wichtige Grenzfestung für eine Besatzung von 500 Mann; sie enthielt eine Kirche, Gefängnisse und 2 Ziehbrunnen, Backöfen, Handmühlen und Magazine; gegen den Abgrund bildeten die mit Kanonen besetzten Mauern eine feste Brustwehr, von welcher man das Thal auf- und abwärts bestreichen konnte. Der Zugang war nur durch Zugwerk an Stricken möglich; noch bis 1783 lag Besatzung hier. Eine doppelte Mauer zog noch überdies quer über die Strasse und sperrte dieselbe. Die neueste Zeit wird auch dieses Bollwerk wahrscheinlich wieder herstellen, wie so manche andere. Die Festung, obgleich rings von venezianischem Gebiete umgeben, gehört dennoch durch einen Vertrag Maximi-

lians I. seit 1509 zu Tirol, nachdem er dieselbe durch die Tiroler
erobert hatte. Sie gehörte zuerst den Bischöfen von Feltre. Im
Kampfe der Venezianer mit dem Hause Carrara erhielten sie die
Venezianer; 1411 erstürmten sie die Ungarn, welchen sie die Venezianer 1420 wieder abgewannen. — An den Felsenmauern des
Engpasses: Galium purpureum, Seseti glaucum, Lycopodium helveticum, Pulmonaria suffruticosa. — Immer drohender hängen
die grauen Wände über dem Haupte des Wanderers, und ungeheure Blöcke an der Strasse, wie die oft frischen Anbrüche hoch
oben, sagen ihm, dass er die Strasse der Schrecken wandert. Nach
½ St. lichtet sich das Thal etwas und links braust über eine verwüstete Bergwelt, die er mit sich führt, der *Cismone* herein, der
ein weitläufiges Gebiet im Gebirge einnimmt und oben nach allen
Richtungen hin ästet.

Die Mündung des *Cismonethales* ist eine enge Felsengasse;
das Bunte der Geschiebe in seinem Bette zeugt von der Merkwürdigkeit des Thales in geognostischer Hinsicht; Augitporphyr,
brauner Porphyr, Granit, Glimmerschiefer, Kalk und Dolomit
hat er in ungeheuren Massen dem Inneren der Berge entführt.
Wohl gegen 12 St. treibt dieses Thal seine Aeste in die Bergwelt
hinan. Hat man die Engen des Dolomits nach 2 St. durchdrun-
gen, so öffnet sich rechts das Thal zu einer bedeutenden Niederung, in deren Mitte die fast unbemerkbare Wasserscheide gegen
die Piave liegt und über welche die Strasse nach Feltre und Belluno führt, die schon bei Primolano das Brentathal verliess und
sich links über die Berge zog, die Festung Kofel im Rücken umgehend und hier in die erste Weitung des *Cismone* herabsteigend.
Diese ganze Gegend war ein grosses Seebecken von hier bis Belluno. Links begrenzt das Thal fortwährend eine steile Bergwand,
während sich rechts die Ebene gegen Feltre hinzieht. Bei *Fon-
zaso* dringt das Thal wieder in die Dolomitmassen nach einer
kleinen Einbiegung in voriger nördlicher Richtung hinein. Nach
abermaligen 2 St. tritt es aus den Dolomitengen heraus in den
Kalk. Ein scharfer Kalkrücken, der *Tatoga*, von Norden herein-
ziehend, spaltet hier das Thal in seine 2 Hauptäste, östl. in das
Cismonethal, westl. in den Kanal von *S. Bovo*. Hiermit betritt
man wieder Tirol und zwar die Herrschaft *Primör*, worunter man

im weiteren Sinne dieses'ganze obere Gebiet des *Cismone* versteht.
Der *Canal S. Bovo*, vom *Vanoi* durchströmt, entsteht an der Westseite der *Cima d'Asta*, umkreist dieselbe nördl. halbkreisförmig.
Von der Vereinigung mit dem *Cismone* aufwärts ist sein Thal eine
enge einsame Kalkschlucht; da aber, wo man aus derselben heraustritt, beginnt der hier breite Schiefergürtel der *Cima d'Asta*
und die Höhen werden sanfter. Hier ist die bevölkertste Gegend
dieses Thalastes mit den Orten: *Canal di sotto*, *Canal di sopra*,
Prade, *Ronco* (4256') und *Cainari*, zus. als Gemeinde *Canal S. Bovo*
942 H., 3929 E. Im Thale weiter hinauf beginnt der Granit der
Cima d'Asta und mit ihm die Einsamkeit; 2 St. von den genannten Orten liegt noch die letzte Gemeinde *Cauriol*, wo von Nordost
das *Val sorda* herein kommt, durch welches ein Steig nach *S. Martin* (s. S. 442) führt. Im Norden der *M. Tognola* (7608'). Von
hier an zieht das dunkel bewaldete, einsame Thal um den Granitkern der *Asta* im Norden herum, nördl. von den Dolomitmassen
des *Cauriol* und etwas westlicher von dem hohen Porphyrrücken
Lagorei (8268') umrankt und von Fleims geschieden. Zuletzt
biegt sich der *Canal S. Bovo* wieder südwärts empor zu einem
nicht hohen Glimmerschieferjoche zwischen *Centello* (Granit) und
Lagorei (Porphyr) und senkt sich jenseits im *Calamentothal* wieder nach *Borgo* hinab. Am *Cismone* im Hauptthalast ziehen wir
hinan durch kalkige Felsenengen in nördlicher Richtung, parallel mit dem vorigen Thale, so lange der Kalk anhält. Mit dem
Eintritt in den Schiefer öffnet sich das Thal auch hier zu seiner
bevölkertsten Gegend und wendet sich nordöstl. In dieser Weitung liegen die Orte *Pieve di Primiero* oder *Fiera* (2265') 30 H.,
673 E., *Immer* 175 H., 999 E., *Mezzano* mit *Castrozza* 288 H.,
1324 E., *Siror* 166 H., 932 E., *Tonadico* 207 H., 918 E., *Transaqua* mit *Ormanico* 403 H., 1700 E., *Sagron* mit *Mis* 89 H., 496 E.
In *Fiera* ist der Sitz des Gerichts. Ausserhalb *Fiera* auf grüner
Höhe steht das schöne Schloss *Chiaromonte*. Ueber *Tonadico* auf
der Felsenecke, welche durch den von Osten kommenden *Cereza*
gebildet wird, stehen die Ruinen von *Castell della Pietra*, den
Weg nach Agordo und Belluno beherrschend, Besitzthum der Grafen v. Welsberg. Es brannte 1670 ab. Zu Ausflügen auf den *Pa-*

rione (7379'), *M. della Finestra* u. a. ist der Färber und Gemsjä-
ger Jos. Brantel in Fiera zu empfehlen.

Das Thal steigt nun noch einige Stunden im Glimmerschiefer
hinan, rechts von der hohen Dolomitkette des *Sas maor* (8026') und
der *Rosetta* (9138') beherrscht. Zuletzt erhebt sich das Thal, indem
man eine Porphyrinsel erreicht, zu dem Alpenboden von *Castrozza*
oder *S. Martin* (4620'), wo ein Kloster für ritterliche Ordensmän-
ner, später für Mönche, mit einem Spitale bestand, ähnlich den
Brüderschaften anderer hochgelegener Spitäler, z. B. des Arl-
bergs, denn es ist hier ein starkbesuchter Uebergangspunkt aus
Fleims nach Primör, ein Weg, den jetzt die Fleimser auf ihren
Wanderungen nach Italien wählen. Es entstand in der Zeit der
Pilgerfahrten nach Rom.

Die Namen vieler Orte erinnern an das Dasein der Römer in
diesem Thale. Durch Attila vertrieben, warf sich später ein
Volksschwarm aus Friaul herein in diese rings von Gebirgen um-
zäunte Zufluchtsstätte. Die bald darauf entstehende Gemeinde
bestand aus 4 Vierteln, die sich noch bis jetzt erhalten haben;
jedes derselben wählte einen Vorsteher, Märzler, weil die Wahl
im März geschah. Diese 4 Vorsteher verwalteten die Gerechtigkeitspflege. Obgleich Primör 1027 durch die Schenkung Kaiser
Konrads an den Bischof von Feltre seine Unabhängigkeit verlor,
wurde diese innere Verwaltung nicht gestört. Nachher gerieth
es, wie die ganze Umgegend, bei den italienischen Händeln in
verschiedene Hände, bis es zuletzt den Welsbergern zufiel, welche die Gerichtsbarkeit heimsagten. Der Bergbau war in früheren Zeiten so wichtig, dass er das Volksleben des ganzen Gebietes recht eigentlich gestaltete. Silber, Blei und Eisen waren
Hauptgegenstand des Betriebes. Friedrich m. d. l. T. war der Be-
gründer, und schon unter seinem Nachfolger ertrugen die Gruben
jährlich 80,000 Fl. Wie allerwärts zog auch hier diese Fundgrube bald eine Menge Menschen herbei, namentlich deutsche
Bergknappen, so dass die Bevölkerung schnell stieg. Ein Zeug-
niss des damaligen Wohlstandes ist die unter Maximilian I. erbaute Kirche zu Fiera, an deren Wänden die Werkzeuge und Namen der Gewerke angemalt sind, welche zu diesem Bau beitragen. Die silberne Monstranz, eine Pyramide bildend, ist ein Ge-

schenk deutscher Bergknappen, weshalb auch ein deutscher Geistlicher an der Kirche angestellt wurde. Wenn auch der Reichthum der Gruben gesunken ist, werden sie noch immer zum Vor-
theile der Grafen v. Welsberg bearbeitet und viele sonst arbeits-
lose Menschen dadurch beschäftigt. Die weitläufigen Alpen werden theils selbst betrieben, theils verpachtet. Wichtig ist auch
der Holzhandel. Getreide wird nicht hinreichend gebaut. Leider
ist das Thal noch zu wenig bekannt, obgleich es allen Aussagen,
Karten und den Geschieben an der Mündung des *Cismone* zufolge
eine sehr reiche Ausbeute für den Maler, Geognosten und Botaniker bietet.

Geolog. Der Eisenstein kommt bei Transaqua als Spatheisensteinlager mit
Magneteisenstein und Schwerspath im Kalk (unterem Muschelkalk?) vor. Merk-
würdig ist das Auftreten des Zinnobers im rothen Sandstein des Valle delle Mo-
nache bei Sagron, schon im Misgebiet an der äussersten Obstgrenze gegen Agordo.
— Versteinerungen (nach der Tiroler Karte) im Kalkstein unter dem Dolomit des
Sasso della Padella über Sagron.

Das düstere Felsenthal der *Brenta* nimmt von der Einmündung des *Cismone* an dessen Richtung gegen S.S.W. bis *Valstagna*,
welches in einer westlichen Ecke des Thales liegt und sich mit
seinen palastähnlichen Papier- und Seidenfabriken und der hohen
Kirche recht stattlich und malerisch zwischen den kahlen Wänden ausnimmt. Das enge Thal bis dahin ist durch Giessbäche von
beiden Seiten furchtbar verwüstet. Diesseits der *Brenta* liegt der
Markt *Carpané*, 586 H., 2611 E., 1000 Schritte jenseits derselben
die sehenswerthe Quelle des *Oliero*. Am Fusse einer Felsenwand
öffnet sich eine hochgewölbte Höhle, deren Decke das zierliche
Venushaar, Moehringia muscosa und Phyteuma comosa, wie herrliche Epheuranken schmücken, deren Boden aber ein kleiner dunkelgrüner See erfüllt; auf herabgestürzten Blöcken kann man bis
in die Mitte gelangen; gegen das hintere Ende wird die Flut tiefer. Ueber dieser Höhle befindet sich eine zweite, deren Wasser
sich sonst in einem Wasserfalle über die Felsen ins Thal ergoss,
jetzt aber in die untere Höhle abfliesst. Klar und ruhig wie Oel
fliesst der *Oliero* (Oelbach) daraus ab, um die erwähnten Fabriken zu treiben. Er soll der Abfluss des bei Asiago sich in die
Erde verlierenden Baches sein. Mit jedem Schritte wird die Gegend belebter; jedes Fleckchen ist zum Anbau benutzt; Pfirsi-

chen, Feigen, Reben und Granaten wechseln mit den nackten, oft
mitten in diese Hesperidengärten starr hineintretenden Felsenmassen. Bald unter *Solagna*, 259 H., 1578 E., Ferracina's Geburtsort, öffnen sich die Felsenpforten der Alpen zu dem blühenden Garten von *Bassano.*

Im Süden brechen die Alpen viel steiler in eine horizontale
Ebene ab, als im Norden, und die Thäler erschliessen sich oft nur
durch enge Felsenspalten, während im Norden die meisten Thäler zur Ebene sich weit öffnen (Isar, Iller, Inn und Salzach). Zu
den südlichen Ein- oder Ausgangspforten gehören als Eigenthümlichkeiten : hohe steile und kahle Kalkwände, an denen, wie aus
Stein gehauen, eine Burg klebt; fleissiger Anbau an allen möglichen Stellen, der aber die Blössen der starren Felsen nirgends
decken kann; ein Städtchen, dessen massive, weisse Häuser sich
an die Felsen schmiegen; ein weissgrauer oder grünlicher Berg-
strom rauscht wild über Geschiebe und über Felsenrippen, welche das Thal hier durchsetzen; in der Tiefe Gärten mit südlichen
Pflanzenformen. Im Norden der Alpen möchte Füssen etwas ähnliches darstellen. Von Norden her den Alpen zuwandernd wird
man festlich empfangen in den grossen weiten Triumphpforten des
Gebirgs, die man freudig und wohlgemuth betritt; hier tritt man
aus der Freiheit gleichsam unmittelbar in einen engen Kerker,
welcher jedoch dem Naturfreund auch gefallen wird; er wird froh
sein, die langweilige Ebene hinter sich zu haben und wieder die
Wasser rauschen zu hören. *Bassano* gehört zu den charakteri-
stischsten Bildern dieser Art, welche A. Sch. kennt. Man wird
im Süden bis zu Thoresschluss im Gebirge gehalten und hat oft
¼ St. vorher noch keine Ahnung des ebenen Landes, während
man in den Nordalpen schon lange vorher durch die weite Oeffnung der niedriger werdenden Berge die Ebene erblickt.

Ehe wir die Stadt selbst erreichen, treten kleine Hügel an
die Stelle der Felsen, welche links und rechts zurückweichen;
doch bald rauben hohe Gartenmauern jede Fernsicht und nur die
über diese herüberschauenden Oliven, Feigen, Mandeln und Granaten unterhalten den Fremden. In einem Becken, das nur durch
eine flache Sandhügelkette von der eigentlichen Ebene getrennt
wird, liegt *Bassano*, 1124 H., 7045 E., mit Arzignono, Villa,

Pré und Revoltella 2003 H., 11,865 E., welche vom Handel leben, der schon als Durchgangshandel bedeutend ist; belebter noch wird er durch viele Gewerbserzeugnisse, welche die Stadt, das umliegende Gebirge und die Ebene liefern und hier austauschen; dahin gehören: Seide, Tuch, Leder, Papier, Strohhüte, Siebe, Schachteln u. s. w.; 30 Kirchen mit zum Theil guten Gemälden, indem hier mancher berühmte Maler lebte. *Bassano* ist der Geburtsort des Malers da Ponte, gewöhnlich Bassano genannt, des Kupferstechers Volpato, der Philologen Manuzzi, Roberti. Ueber die *Brenta* führt eine hölzerne, auf steinernen Pfeilern ruhende, bedeckte Brücke, ein schöner Standpunkt zum Ueberblick der Gegend, von wo man mit Verwunderung die wilde *Brenta* und die dunkele Schlucht erblickt, aus der sie herauskommt. 2 frühere Brücken, die erste von Palladio, die zweite von Ferracina erbaut, wurden durch Ueberschwemmungen weggerissen. Die Mauern der Stadt sind mit Epheu überwuchert; ausserhalb sind schöne Anlagen. Mitten in der Stadt steht der feste grosse Thurm, welchen Ezzelino erbaute. In der Nähe der Stadt Villa Rezzonica, mit Bildsäulen von Canova und schöner Aussicht. Kaum aus dem Gebirge getreten, laufen von der bisher eingeklemmten Strasse nach allen Richtungen die Strassen aus nach Vicenza, Padua und Treviso. Das nächste Dorf nordöstl. von *Bassano*, auf der Strasse nach Belluno, ist *Romano*, 373 H., 2437 E., Geburtsort des bekannten Ezzelino. Etwas weiter nordöstl. liegt bei *Asolo* das Dorf *Possagno*, 217 H., 1478 E., in reizender Gegend, der Geburtsort *Canova's;* er liess hier eine schöne Kirche in Form des Pantheons erbauen für 1 Million Gulden. Das Altarblatt ist von ihm gemalt und die Bildsäule der Pietà von ihm modellirt und von Ferrari gegossen. Sein Sarkophag ist von ihm angegeben. Sein väterliches Haus ist ein Museo Canovano, in welchem alle seine Bildhauerwerke in Gypsmodellen aufgestellt sind, wie auch 18 Gemälde von ihm.

Geolog. In den Hügeln zwischen Piave und Brenta ist das eocäne Nummulitengebirge nach Murchison reich gegliedert und das Profil von Possagno nach Asolo der Beachtung werth. Die Säulen von Possagno stammen aus den Steinbrüchen von Castel Curtio und bestehen aus einem Foraminiferen-Sandstein mit einzelnen Nummuliten. Lohnend ist das Val d'Urgana bei Possagno. Bei Asolo folgt über dem Foronbach jüngeres Tertiärgebirge.

Allgemeines über Valsugan. Der Boden ist im Ganzen fruchtbar und erzeugt alle Getreidearten; der Spargel, die Artischoken, Gurken und Melonen von Valsugan werden sehr geschätzt. Der Wein, besonders von den Trauben Schiave, Cinese und Alvara, ist gut, deckt aber nur das Bedürfniss des Thales; ebenso der aus den Trestern und der Weinhefe verfertigte Branntwein. Ausser den gewöhnlichen Fruchtbäumen gibt es auch Granaten und Oliven. Den meisten Gewinn wirft der Maulbeerbaum ab, indem die Seide fast das einzige Erzeugniss ist, welches Geld in das Thal bringt.

Das Gebiet der Piave

durchwandern wir auf der *Ampezzaner Strasse*, die von *Höllenstein* (*Landro*) aus am *Ruffredobach* zunächst nach *Ospedale* bringt, einem kleinen Wirthshause, in dessen Nähe eine gothische Kapelle steht, einst eine Art Tauernhaus, wie sein Name schon sagt. Südl. von hier öffnet sich das *Val grande* zwischen Felsen. Bald hinter *Ospedale* wirft sich der eben noch ruhig auf Wiesen dahin fliessende *Ruffredo* plötzlich in einen tiefen Schlund; rechts über dem Abgrunde hängen an der Wand die Ruinen des Passes *Peutelstein* (4807'). Die Strasse zieht rechts hinan zur Ruine, umgeht sie im Rücken und schwingt sich in kühnen Windungen links hinab in das Thal der *Boita*, welches hier unter der Felsenburg entsteht aus der Vereinigung von 3 Thälern, nämlich dem des *Ruffredo*, der *Aqua di Campo di Croce* und des *Val di Fannis;* das zweite kommt gerade von Norden herab und auf der Ecke, welche es mit dem von Osten kommenden *Ruffredothal* bildet, liegt *Peutelstein*. Das letzte, das *Fannisthal*, kommt von der Alpe *Fannis* in Enneberg herab. Diese Thäler bilden hier mit dem südl. fortziehenden Thale der *Boita* ein Kreuz. Die Feste *Peutelstein* (*Podestagno*) diente als Schutzfeste gegen Venedig. Kaiser Karl IV. verlieh sie 1340 als Pfand an Degen von Villanders; doch die Venediger gewannen und behielten sie, bis Max I. sie mit Ampezzo wieder eroberte. Seit dieser Zeit wohnte hier ein Hauptmann mit kleiner Besatzung. In neuerer Zeit wurde sie dem Verfall überlassen. — Aquilegia pyrenaica, Alchemilla pubescens. Das *Boitathal* hat eine gerade südliche Richtung, so dass die Strasse, welche von Höllenstein bis Peutelstein westl. zog, jetzt plötzlich wieder rechtwinkelig links nach Süden umbiegt. Das Thal erweitert sich und freudig überrascht wird der Wanderer, der vom Toblacher Felde her 5 St. lang die öden Felsenengen durchzog, wenn er sich den weiten grünen Thalkessel von *Ampezzo* öffnen sieht. *Ampezzo* oder *Heiden* heisst nämlich der ganze, 2 St. lange und fast halb so breite Thalkessel der *Boita*, in dessen Mitte der Hauptort *Cortina di Ampezzo* (3841'), 378 H., 2831 E., liegt, oft auch nur *Ampezzo* genannt, wie auch ein Ort im benachbarten Tagliamentogebiete heisst. Kurz vor *Cortina* überschreitet man eine schöne Bogenbrücke. Gute Unterkunft bei Gaëtano Ghedina im Adler und bei Giuseppe Verzi im Kreuze. Der Ort ist überhaupt zum Standquartier sehr geeignet. Aeusserst reizend und grossartig ist dieses Gebirgsbecken; der Thalboden zeigt nur dann und wann eine schmale, völlig ebene Fläche, und erhebt sich auf beiden Seiten in grünen sanften Höhen, welche völlig angebaut und bevölkert sind, indem noch 5 Orte, zu der Thalgemeinde gehörend, umher zerstreut liegen. Hinter den grünen Vorbergen erheben sich in vereinzelten Massen die weissen und kahlen Dolomitfelsen, durch grüne Sattelrücken von einander getrennt. Mächtige Schutthalden ziehen aus den Schluchten der wildzerrissenen Kofel herab in das grüne Thal. Die schöne Pfarrkirche wurde 1776 vollendet, der Thurm 1852, 240' hoch, im byzanitinischen Stile, Hochaltarblatt von Joseph Zanchi und schöne Schnitzarbeiten von Brostolone (altvenezianische Schule), die neue Gottesackerkapelle mit Gemälden von Cosroe Dusi; 1853 ist ein neues grosses Gemeindehaus gebaut. Trotz der hohen Lage des Thals blüht hier der Getreidebau. Die Gemeinde ist wohlhabend und verdankt diesen Wohlstand hauptsächlich dem Holzgewerbe, dem Strassendurchzug und der Viehzucht. Die Gemeindewaldungen, 19,162 Joch, liefern jährlich 6—7000 Baustämme im Werthe von 30—45,000 Fl. und beschäftigen viele Hände. Alles Holz, Bretter u. s. w. wird von hier auf der Boita bis Prerarolo geflösst; ausserdem ist hier ein Hauptstapelplatz für den Holzhandel nach Venedig, indem das Holz auf der Achse aus dem Pusterthale hierher gebracht und dann weiter geflösst wird. Das nahe Italien ist für die Erzeugnisse der Viehzucht auf den schönen Alpen ein guter Abnehmer.

Die Bevölkerung scheint, im Gegensatz einiger anderer Thäler, ursprünglich deutschen Stammes, aber durch die nächsten Umgebungen italienisirt zu sein. Die Sprache ist ein Uebergang aus dem Ennebergischen zum Italienischen. Die Bewohner haben eine eigene, auf ihre ältesten Sitten gegründete Verfassung, welche später durch den Patriarchen von Aquileja 1354, dann durch den Dogen von Venedig 1421 erweitort wurde. Das Klima ist rauher, als in dem höher liegenden Buchenstein. Ausser den schon erwähnten Erwerbszweigen wirft noch das Einsammeln einer besonderen Gattung von Schwämmen etwas ab, den Heidener Schwämmen oder Herrenpilzen, welche auf den Bergwiesen nach Thau und Regen im Herbste wachsen und als Leckerbissen geschätzt werden. Die Gewerbe stehen in Ampezzo höher, als in der Umgegend. Bartolomeo Gillardon erfand die Windbüchse. Uhren und Büchsen von Lancedelli und Colli werden in Italien gesucht. Uhrmacher, Stahlfabrikation, Kunstschlosser, Baumeister (Sylvester Franceschi).

Am linken *Boitaufer*, $\frac{3}{4}$ St. von *Ampezzo*, liegt das von Ghedina gut eingerichtete Bad *Campo di sotto*. — Auch lassen sich unter Führung von Francesco oder Alessandro Laccedelli die Spitzen von *Le Valle (Tofana)* und des höheren *Tofana* (10,336'), mit prächtiger Aussicht auf die *V. Marmolata*, den *M. Antelao* (10,267'), ersteigen. nach dem Vorgang Dr. P. Grohmanns 1863. Der *Sorapass* (10,412'), auf der Grenze zwischen Tirol und dem Venetianischen, ist über *S. Vito* und *Chiupazzo* nicht ohne Schwierigkeit zu ersteigen, die Aussicht sehr lohnend. Der erste Besteiger dieses Gipfels und zugleich Entdecker eines Wegs hinauf ist ebenfalls Hr. Dr. P. Grohmann, der ihn am 16. Septbr. 1864, begleitet von Francesco Laccedelli und dem Waldhüter Angelo Dimoi, von Cortina aus in 12 St. erreichte (Jahrb. d. A.V. I, S. 143 ff.). Die besten Nachweisungen über alle Ausflüge ertheilt der unterrichtete Förster E. Döpper in Ampezzo.

Seitenweg von Ampezzo nach Buchenstein: Von der Kirche von *Cortina* geht es in dem westlichen Abhange zwischen den Häusergruppen, später zwischen Wiesen, $1\frac{1}{4}$ St. hinan, von wo das Steigen ziemlich aufhört; 1 St. wandert man durch ein flachhügeliges Gebiet, die *Rossalpen von Ampezzo*, von wo man einen herrlichen Rückblick in den Ampezzaner Thalkessel hat. Rechts und links ragen die Zähne des Dolomits auf, durch deren Lücke man schreitet; besonders ist es rechts der *Sasso di Stria* (7813') oder der *Hexenfelsen*, welcher die Aufmerksamkeit erregt. Allenthalben liegen losgerissene Dolomittrümmer, wie oben am Langkofel, an denen der Botaniker besonders eine reiche Ernte von Flechten erhalten kann, wie auch auf dem an Alpenpflanzen Südtirols reichen Boden.

Der Seitenbach, in dessen Gebiete man in die Höhe stieg, war der *Costaneabach.* Bis auf die Höhe des Passes, welcher wegen der 3 Felsenspitzen des *Monte Lagozoi* und *Sasso di Stria* im Norden die *Strada degli tre Sassi* genannt wird, findet man von Ampezzo herauf rothen Mergel, welcher bald jenseits des sanften Joches in einen schwarzen, grauwackenartigen Sandstein übergeht. Hier theilt sich der Pfad, wie schon bei St. Cassian bemerkt wurde, in 2 Steige: rechts nördl. führt der eine über ein zweites Joch, die *Valparolalpe*, nach St. Cassian; der andere steigt links in eine tiefe Waldschlucht hinab, wo der Wanderer zunächst nach ½ St. auf die Ruine von *Castel Andraz* (5681') stösst.

Unterhalb *Zuel*, der letzten Tiroler Häusergruppe, erreicht die Strasse wieder eine Thalenge, und in ihr gleich darauf die Grenze Tirols. Rechts oder im Westen erhebt sich ein gewaltiger Felsenthurm, der *Monte Pelmo* (10,005'), aus Kalk bestehend, welcher aber auf den Schichten des rothen Mergels und jenes doleritischen Sandsteins aufsitzt, der ihn von dem Augitporphyr in der Tiefe scheidet (hier kommen die Cassianischen Versteinerungen vor), am besten von S. Vito aus in 6½ St. zu ersteigen; Führer: der dortige Waldhüter Giacin. Giov. Batt.

Schon vor der Grenze tritt die *Boita* in eine neue Thalenge und bis *Perarolo* in eine andere Thalstrecke, *Oltre Chiusa* genannt. Hie und da erweitert sich zwar das Thal, wird aber öfters durch Bergstürze verengt, besonders bis *Borca* (3086'), 153 H., 1087 E., und *Vodo*, 181 H., 1342 E., wo 1816 ein solcher Bergsturz stattfand, welcher die Dörfer *Marceana* und *Taulen* mit einigen Hundert Menschen verschüttete. Die *Boita* schneidet sich von *Borca* an in den Thalboden immer tiefer ein. Im Osten bietet der hochaufzackende *M. Antelao* (10,297') mit seinen Schnee-

feldern über die dunkelen Wälder des Vordergrundes einen grossen Anblick, wie im Westen der *M. Pelmo.*

Bei *Venas* (2794'), 147 H., 876 E., wo die *Boita* schon einen
tiefen unzugänglichen Schlund gegraben hat, um sich mit der hier
von Nordosten links herabkommenden *Piave* zu vereinigen, kann
die Strasse dem hier abbrechenden Thalboden nicht mehr folgen
und biegt sich daher links in das Thal der *Piave*, um die Ecke des
Monte Zucco (3843') herum; ähnlich der Gegend von Zwischenwasser in Enneberg, liegt in der Tiefe *Perarolo* (1679'), 194 H.,
1190 E., an der Vereinigung der *Boita* mit der *Piave*, der ersten
italienischen Poststation von Ampezzo. Links führt eine Seitenstrasse ab nach dem nahen *Cadore* an der *Piave*, dem Geburtsort
Tizians.

In einigen Windungen führt die Strasse hinab in das *Hauptthal der Piave.* Obgleich dieselbe einen Umweg macht und ein
näherer Fusssteig von *Venas* nach *Perarolo* führt, ist dennoch dem
Wanderer zu rathen, auf der Strasse zu bleiben und zwar wegen
der herrlichen Ausblicke, die jenem fehlen. — Im Nordosten von
unserem Standpunkte hat die *Piave* ihre Quelle (4057') zwischen
dem *M. Paralba*, auf der nördlichen Kärntner Seite *Hochweisstein*
(8512'), dem *Scheibenkofel* und *Monte Cadino.* Der *M. Paralba*
scheidet Drau, Piave und Tagliamento.

Von *Perarolo* führt die Strasse über die hier in die *Piave* mündende *Boita* und hält sich 6 St. lang auf dem rechten Ufer der
Piave. Die nun folgende Strecke des *Piavethales*, von *Perarolo*
bis *Capo di Ponte*, heisst *Valle Serpentine* und ist in seinen ersten
3 St. bis *Longarone* einer der wildesten Alpenschlünde, durch
welche eine Strasse führt. Noch ½ St. unterhalb *Perarolo* hält sich
das Thal etwas offen, dann aber treten unweit des *Windlochs*,
eines natürlichen Felsenpasses, die Riesenwände zu furchtbarer
senkrechter und kahler Nähe zusammen; nur dann und wann
zeigt sich bei einer geringen Ausweitung eine Häusergruppe, wie
Ospitale und *Termine;* noch vor dem ersteren Orte stürzt rechts
der *Rivalgofall* herab. Links durch eine Kluft zeigen sich die
merkwürdigen Zackengipfel des *Duranno.* Unterhalb *Termine*
zieht die Strasse, welche immer in bedeutender Höhe an den
Wänden klebt, durch einen Felsenriss, welchen im 16. Jahrh. ein

Erdbeben bildete. Unweit davon erscheint rechts auf dem Thalrand das *Castell Gargazone*, aus den Zeiten der venezianischen Herrschaft stammend. Endlich bei *Castello Lavazzo*, 196 H., 1056 E., treten die Wände aus einander, und wild schäumt die *Piave* aus ihrem engen Kerker hervor und dehnt sich, befreit von ihren Fesseln, nach allen Richtungen aus. Der nächste Ort ist der Markt *Longarone* (1497'), 232 H., 1147 E. Hier ist der erste Weinbau auf diesem Strassenzuge; auch zeigen sich schon Feigen. Ein 'gutes Unterkommen findet der Reisende in der Post. *Longarone* gegenüber ergiesst sich der *Vajont* aus einem ganz engen Felsenriss in die *Piave*, sowie etwas unterhalb des Ortes der *Maö*, welcher ein bedeutendes Parallelthal mitten zwischen Oltre Chiusa (Boita) und dem des Cordevôle durchfliesst; eine Strasse führt durch dasselbe bis *St. Nicolo*, von wo Bergwege in das oberste Cordevolegebiet, nach Buchenstein, bringen. Weiter abwärts, wo sich das Thal fortwährend erweitert, kommt man über *Fortagna*, 94 II., 433 E., an den Schuttberg des *Molinathales*, welches rechts vom sägeförmig-gezackten *Monte Serca* (6719') herabkommt. Links im Osten steigen die hohen Kalkfirsten, eine über der anderen, auf, über alle im Hintergrunde der *M. Dignone*. So kommt man nach *Capo di Ponte* (1250'), 137 H., 913 E., ¾ Post von Longarone. Hier theilt sich der Weg: rechts an der *Piave* nach Belluno und Treviso, links über *Sta. Croce*, *Serravalle*, *Ceneda* nach Conegliano, beide Mal zur Eisenbahn.

1) Die Strassenstrecke bis *Ceneda* ist besonders in geologischer Hinsicht höchst merkwürdig, da durch dieses Gebiet einst die *Piave* gelaufen sein soll. Nämlich gerade südl. von hier zieht sich in gleicher Richtung des bisherigen Piavelaufes der *Canal von Sta. Croce* in das Gebirge, bildet aber nur eine Bucht, in deren Hintergrund der *See von Sta. Croce* ruht; hier ist die Fortsetzung des Thales durch einen ungeheuren Steindamm gesperrt, der aus grossen Felstrümmern zusammengesetzt ist. Aus dem See fliesst nördl. der träge *Rai* zur *Piave*, und zwar da, wo dieselbe sich plötzlich südwestl. wendet. Mehrere Bäche ergiessen sich, dem Lauf des *Rai* gerade entgegen, in denselben. Das Bett des *Rai* ist demnach das alte Flussbett der *Piave* und der See der Ueberrest derselben vom Bergsturze her. Hat man die Höhe die-

29 *

ses Schuttwalles bei dem Dörfchen *Cima Fadalto* (1553') erreicht,
so sieht man südl. durch die Thalspalte hinab, wie nördl. auf den
See von Sta. Croce. Die Strasse steigt 600' hinab zum Weiler
Fadalto, rechts und links hohe kahle Felswände, nur in der Tiefe
mit Hainbuchen besetzt. Hier am südlichen Ende des Schuttwalles liegt ein zweiter See, der *Lago morto* (864'), an dessen linker
Thalwand die Strasse hinabschwebt. Dieser See liegt etwas tiefer, als der jenseitige von Sta. Croce und ist 1500 Schritte lang.
In der Tiefe, am südlichen Ende des Sees, angekommen, sieht
man auf einem öden Thalboden, welcher sich in derselben Richtung 3000 Schritte südl. fortzieht, wo man an eine Thalstufe von
5—600' kommt, deren Abhang mit grossen Blöcken und Geröll
überdeckt ist und in welche sich der *Meschio*, der südl. abfliessende Bach dieser Thalfurche, tief eingeschnitten hat. Dieser Abhang ist schon mit Weinreben umrankt und von Kastanien beschattet. Noch 1000 Schritte und es folgt wiederum eine ähnliche
Stufe, von welcher man wieder zu einem kleinen See nach *Qua-
terra* herabsteigt und nun eben, südl. in dem langgezogenen Becken von *Serravalle* (494'), 537 H., 2993 E, fortwandert. Bald
erreicht man die ersten Häuser dieses Städtchens, das langzeilig
sich an die Wände des Thales anschmiegt, in der Tiefe mit Mais-
und Kornfeldern, auf den Höhen mit Weingärten umgeben. Beide
Thalwände nähern sich bald als Felsmauern und unterbrechen
unter einer alten Burg die Häuserreihe. Durch eine enge Fels-
kluft, durch welche der *Meschio* wild neben der Strasse hin-
schäumt, tritt man hinaus in den zweiten Theil des Städtchens,
welcher sich nur noch rechts an die kahlen Wände anlehnt, während sich links der Horizont erweitert; hohe Granaten, schlanke
Cypressen und breitblättrige Feigen, alles verkündet, dass wir in
Italien angekommen sind; das an die Engen gewöhnte Auge freut
sich augenblicklich, dass es schrankenloser umherirren kann. Die
Lage der Stadt ist sehr schön. In der alten Domkirche ein Altarblatt von Tizian. In der Nähe sind die *Wasserfälle des Monte di
Revine*. Die *Piave* soll einst diese ganze Furche, welche jetzt
durch Dämme und Stufen unterbrochen ist, durchströmt haben.
Gründe dafür sind die Flussgeschiebe im Thale des Meschio, welche nur in der Piave, nicht aber in dem reinen Kalkthale des Me-

schio, vorkommen können; ferner die ältesten römischen Nach-
richten von einem anderen Laufe der *Piave*, welche nämlich statt
ihres jetzigen, von Capo di Ponte südwestlichen, dann südlichen
und durch eine Bergreihe wieder nach Südosten geworfenen Laufes, durch das Thal oder den Canal di Sta. Croce über Serravalle
mehr südl. floss und, ihr jetziges Bett durchschneidend, den Sile
aufnahm und unweit Venedig (Altinum) ins Meer ging; endlich
ist auch die Sage für ein solches Ereigniss. Ein Erdbeben veran-
lasste den oder die Bergstürze in dem *Canal von Sta. Croce*, wie
der ganze Durchschnitt auch genannt wird. Geschichtliche Nach-
richten fehlen ganz, und nur so viel ist gewiss, dass diese Bege-
benheit lange vor Venantius Fortunatus stattfand; denn dieser,
im 7. Jahrh. lebend, spricht in seinem Leben des heil. Martin
schon von dem jetzigen Laufe der Piave, ohne ein solches Ereigniss zu erwähnen. Grosse Wasserstürze mag die *Piave* gehabt
haben.

Eine schöne Strasse führt nach dem nur halbstündig entfernten *Ceneda* (451'), 886 H., 5372 E. Die Stadt ist römischen Ursprungs und über ihr erhebt sich das feste Bergschloss *San Martin*. Von *Ceneda* aus verlässt man die letzten Felsenvorsprünge
der Alpen, und die Strasse führt südl. durch das nur sehr flach-
hügelig sich darstellende wohlangebaute Land in 3 St. von Ceneda
nach *Conegliano* (189'), 500 H., 4602 E., Station der Eisenbahn
von Verona und Venedig nach Triest. Alle Hügel und Höhen
sind mit Feigen, Oliven, Granaten und Weinreben bedeckt. Die
Stadt liegt am südlichen Abhange eines Hügels, auf dem ein
Schloss steht mit herrlicher Aussicht über die Ebene bis zum
Meere und anderntheils über die ganze Kette der Alpen, welche
sich steil aus dem Gehügel in die Wolken erhebt. Zwischen den
Häusern befinden sich Gärten mit Obstbäumen und Orangerien,
mit alten Thürmen und Mauern abwechselnd. Die Hauptkirche
ist ein altes ehrwürdiges Gebäude, dessen Eingang durch einen
Arkadengang mit schönen Fresken versteckt ist. — Von *Conegliano* kommen wir an die *Piavebrücke*, ohngefähr in der Gegend, wo
die alte Piave, bei Serravalle herausbrechend, in ihrem geraden
südlichen Lauf ihr jetziges Bett durchschnitten haben müsste, um
in der Richtung des jetzigen Sile zum Meere zu gelangen, wenn

sie nicht, wie noch jetzt der Meschio, in der Richtung der *Livenza*
ihren Weg verfolgte. Die *Piave*, welche keinen läuternden See
durchfliesst, erscheint gerade wie die nördlichen ¦Alpenströme,
welche keinem See entströmen, z. B. die Isar und der Inn, wo
sie das Gebirge verlassen. Ihre blauen Fluten fliessen zwischen
unzähligen Inseln in einem wohl ½ St. breiten Kiesbette hin. Daher ist auch die Brücke 1500' lang. Von ihr hat man eine interessante Aussicht hinab in das weite, mit bunten Geschieben an-
gefüllte, Bett der Piave, südl. und östl. über die weite gartenähnliche Ebene, aus deren Grün die weissen Paläste hervorglänzen
und die hohen Thürme gleich Minarets auftauchen: westl. die
dunkelen Schatten des Montello.

2) Von *Capo di Ponte* wendet sich die *Piave*, den Felsboden
des Thales tief aushöhlend, südwestl., und die Brücke, welche
den Fluss hier überspannt, um die Strasse durch den Canal von
Sta. Croce zu leiten, hat einen 90' tiefen Abgrund unter sich, den
der Fluss durchbraust. Die Uferränder bestehen aus festem Mer-
gelgestein. Unsere jetzige Strasse bleibt auf dem rechten Ufer
der *Piave* und auf ihr kommen wir in 3 St. von Longarone nach
Belluno, 1664 H., 11,552 E., Hauptstadt der gleichnamigen Pro-
vinz, auf einer, von der *Piave* und dem hier von Norden herein-
mündenden *Ardo* umrauschten, hohen Halbinsel. Früher eigenen
Bischöfen gehörig, riss sie der Gibelline Ezzelin an sich, worauf
sie an die Camino's, Scala's, Carrara's und Visconti's kam, bis
sich die Bürger 1420 dem mächtigen Venedig ergaben und treue
Unterthanen dieser Republik blieben bis zu deren Auflösung. Der
Platz ist mit schönen Gebäuden umgeben, dem Palazzo vecchio,
del Podesta und del Vescovo. Die *Domkirche* (1210') ist am Ende
der Stadt über dem Absturz zur Piave nach Palladio erbaut und
zwar in einfachem, edlem Stile und mit schönen Altarblättern geschmückt; herrliche Durchblicke aus den dicken Fensterbogen
der Sakristei in die Umgegend. Der Glockenthurm, 216' hoch,
im griechischen Stile, gewährt die beste Rundsicht auf Belluno's
schöne Gegend.

Der *Monte Serva* (6718'), den wir schon von Longarone aus
als einen scharfen Zackenkamm erblickten, erhebt sich im Norden
von *Belluno* auf der Gebirgsmasse zwischen dem Thale der *Piave*

und des *Cordevole;* doch wird diese Masse nochmals durch das
kleinere *Thal des Ardo* gespalten. Zwischen dem *Ardothal* im
Westen und der *Piave* im Osten erhebt dieser Berg sein stolzes
Haupt. Von *Belluno* aus gleicht er einer breiten Pyramide, grün
bewachsen, während nordwärts scharfe Grate auslaufen, welche
besonders gegen das Molinathal östl. scharf gezahnt sind und abstürzen. Zur Zeit der Heuernte ist der ganze mittlere Berggürtel
bevölkert und weisse Zelte sind aufgeschlagen, da die Alphütten
die Menge nicht fassen. Weiter hinan kommt man zu einer öden
Steinwüste, welche 1821 eine Mure über einst blühende Wiesen
herabführte. Der erste höhere Felsenvorsprung ist der *Costa del
Cavallo*, von dem man zu der schönen Quelle *Lavel* gelangt.
Schon von hier aus hat man eine herrliche Uebersicht des Thales
von Belluno; besonders interessant aber ist der Blick über den
blauen Spiegel des Sees von Sta. Croce und durch die ganze Thalfurche nach Serravalle, jenseits deren man das flache Land und
das Meer erblickt. Nicht ohne Anstrengung erreicht man von hier
den Gipfel. Nördl. stürzt derselbe in eine furchtbare unzugängliche Wildniss ab. Die Aussicht ist sehr lohnend: nördl. in die
grausigen Schluchten der Piave, des Ardo und Cordevole, südl.
auf Belluno; südwestl. über die Ebenen der Piave und des Cismone über Feltre nach Valsugano, und im Süden auf die schroff
sich jenseits Belluno erhebende *Monte-Grepagruppe*, über deren
dunkelen Umrissen sich die weiten und lichten Ebenen Italiens
und die Adria ausbreiten. Besonders interessant und belehrend
ist dem Geologen diese Aussicht wegen der Bildung der Piavethä-
ler. Der Botaniker findet am Gipfel Senecio abrotanifolius, Gnaphalium leontopodium, Arenaria Gerardi, Cerastium latifolium.
Besonders berühmt hat diesen Berg in der botanischen Welt der
Apotheker *Niccolo Chiavena* in Belluno gemacht, dem zu Ehren
auch Linné die Achillea Clavenae benannte. Um die Sennhütten
wuchert Imperatoria ostruthium und Scorzonera purpurea.

Bis gegen *Feltre* hin führen 2 Strassen auf beiden Seiten des
Flusses hinab und eine dritte ist die Wasserstrasse. Die ganze
Fahrt bietet die grösste Mannigfaltigkeit reizender Ansichten dar.
Der reissende Strom windet sich anfangs zwischen fruchtbaren,
mit freundlichen Gebäuden übersäeten Hügeln durch, welche

grösstentheils aus aufgeschwemmten Geschieben, Breccia und
Sandstein bestehen. Bei *Mel* (1100'), 287 H., 1572 E., mit 9 zugehörigen Orten 1573 H., 5264 E., kommt man an die Mündung
des *Cordevole;* in der neuen Kirche das Altarblatt, der heilige Sebastian, von Tizian.

Das Thal des Cordevole

steigt *Mel* gegenüber nördl. hinan und hat nach jenem Bergsturz
bei Sta. Croce die *Piave* in sich aufgenommen. Es ist ziemlich
breit, aber ebenfalls mit den Trümmern eines furchtbaren Bergsturzes überschüttet; wohl 1½ St. lang und 1 St. breit dehnt sich
das Felsenchaos aus. Am nördlichen Ende dieser grässlichen
Wüste liegt das Dörfchen *Vedana*, unmittelbar unter den drohen-
den, senkrecht abgerissenen Wänden des *Spizzo di Vedana*, an
einem kleinen See. Der *Spizzo* ist nämlich das Südkap eines Bergrückens, welcher von Norden herabzieht und das Thal des *Cordevole* von dem westlichen des *Miss* trennt; hier tritt der *Miss* aus
der Enge heraus, um sich mit dem *Cordevole* zu vereinigen; durch
den Bergsturz wurde letzterer östl. hinausgedrängt und er musste
erst den Felsensturz umfliessen, um den *Miss* aufzunehmen. Der
Bach, welcher aus dem *Vedanasee* in den *Miss* fliesst, soll das alte
Rinnsal des *Cordevole* sein und die Grenze zwischen Belluno und
Feltre, die der *Cordevole* während seines Laufes bildet, folgt auf
dieser Strecke vom *Cordevole* jenem Seebache zum *Miss* und diesem hinab zum *Cordevole.* Nur die Sage berichtet etwas über das
grosse Ereigniss, dass nämlich hier eine grosse Stadt, Cornia, begraben sei; ein Name, welcher auch in den ältesten Verzeichnis-
sen der Pfarreien des Bisthums Belluno vorkommt, der aber nirgends aufzufinden ist; vielleicht war es dasselbe Erdbeben, welches auch die Piave in ihrem Laufe hemmte. Fast auf dem fürch-
terlichsten Punkt der Gegend liegt das grosse Wirthshaus *El Peron* (1264') an die Felsblöcke angelehnt. Hier wird Wein mit
Vortheil gebaut und die Feige gedeiht noch in üppiger Fülle.
Hinter *Peron* verengt sich das Thal des *Cordevole* plötzlich und
man betritt den Theil des Thales, welcher *Canal d'Agordo* heisst,
denn das Volk der Veneter hat seine Seeausdrücke auch auf das
Gebirge übergetragen und nennt ein enges Thal oder einen Ge-
birgspass C a n a l , einen Bergabhang R i v a . Das Kalkgebirge

zu beiden Seiten zeigt eine sehr unregelmässige Schichtung; die Lagen streichen, meistens sanft ansteigend, nach Nordwest, oft aber an der rechten Seite in entgegengesetzter Richtung, zuweilen stehen sie senkrecht und deuten auf Einstürze. Im Flussbette liegen Bruchstücke von Granit, Gneiss, Serpentin, Porphyr, Kalk und Sandsteine von schöner grüner Farbe. Oberhalb *Candaten* verengt sich das Thal zu bloss durchbrochenen senkrechten Wänden, welche sich gegenseitig entsprechen, ähnlich dem Valle Serpentine. Eben so, wie dort, gleichen auch die Oeffnungen der Seitenthäler nur Felsenrissen. Bei einer bedeckten Brücke unweit *Muda* öffnet sich der Schlund zu dem Thalkessel von *Agordo;* ungeheure Blöcke von Gneiss und Breccia liegen im Bache, welchen sanfte, aufgeschwemmte Hügel umlagern, aus denen die hohe Felsenwand von *Castel d'Agordo* aufragt; aber nur der Name verkündet das einstige Vorhandensein einer Burg. Rechts öffnet sich die Bucht *La Valle* und *Dugon,* deren Ebene von 2 Bächen eingefasst ist. Das *Dugonthal* führt hinan zum *Duranpass* (5173') und es wurde einst durch einen furchtbaren Schlammbergsturz verwüstet, dessen Trümmer bis Agordo liegen. Fast die ganze Grundmasse, auf welcher die Kalkmassen ruhen, besteht aus dem grauen doleritischen Sandstein und rothem Mergel, welche beide leicht verwittern und Wasser in sich aufnehmen, das hier auf dieser Grenze der Gebirgsarten stark hervorbricht; daher dieser Bergsturz, der nur wenige Kalkzähne, die aus dem Schutte aufragen, als grauenvolle Ueberreste stehen liess. Sehr malerisch ist die 80' hohe Brücke über den *Cordevole,* der *Pontalt.* Links das einst kupferreiche

Val Imperina, jenseits dessen der schwarze Thonschieferberg *Puoi* sich durch seine Farbe von den grauen Kalkgebirgen auszeichnet. Wie bei Schwaz im Innthal ist auch der Bach des *Imperinalthales* braunroth gefärbt vom Kupfer, welches alle Fische aus ihm verbannt. Das Bergwerk, *le Fucine,* liegt in diesem Thale und zwar an dem genannten Thonschieferberge *Puoi.* Das Erz ist Schwefelkies mit 3 Procent Kupfer; der Gang findet sich am Saume des Berges, dessen Hängendes der Quarz und Thonschiefer, das Liegende der Alpenkalk des *Monte Imperina* ist. Im J. 1823 belief sich die Zahl der Arbeiter auf 200. Die Kosten des Bergbaues waren grösser als der Gewinn.

In der schönsten Stelle des Thalkessels, an der Einmündung des *Boa*, liegt der Markt *Agordo* (1986'), 560 H., 2970 E. Hier wächst das Edelweiss, Gnaphalium leontopodium, bis zur Thalsohle herab, verliert jedoch seinen Winterpelz, daneben gedeihen noch Wein und Pfirschen; ausserdem Zwetschen, Zuckererbsen, Kohlrüben und Mais. Wein und Kastanien hören thalaufwärts auf, während der Nussbaum in einem westlichen Seitenthal am *Monte Agnèr* (9104') bis *Frassenè* (3482') vorkommt. — Spiraea decumbens.

Der belohnendste Punkt zu einem Ausfluge ist der *M. Pelsa*, dessen höchsten Gipfel, den *Montalto* (7659'), man in 6—7 St. erreicht. 1 St. folgt man dem *Cordevole* bis *Listollade* aufwärts; hier mündet rechts das wilde Felsenthal *Corpassa*, welches sich fast parallel dem *Cordevolethal* hinanzieht; beide schliessen den *M. Pelsa* ein und im Hintergrunde, wo der *Corpassa* mit seinen Quellen dem oberen *Cordevolethal* sich wieder nähert und sich demselben durch einen Jochpfad verbindet, liegt der *Montalto*. *Corpassa* ist ein äusserst wildes Kalkalpenthal, voller Felstrümmer, aus denen die Wände senkrecht aufsteigen. Man muss mit Hilfe der Blöcke bald auf dieses, bald auf jenes Ufer setzen. In 4 St. gelangt man zu den Sennhütten, von denen man, an Abgründen hinkletternd, den Gipfel erreicht. Die Aussicht ist sehr weit, reich und interessant. Westl. dringt sie in das geognostisch merkwürdige *Bioisthal*, in welchem man die Orte *Pieve di Canale* und *Falcade*, 228 H., 1032 E., erblickt, im Hintergrunde von den Urgebirgen von Pelegrin umragt, welche dem Cordevolebette jene bunten Geschiebe mittheilen; im Norden in der Tiefe liegt der *Alleghesee*, welcher durch einen Bergsturz im oberen *Cordevolethale* entstand; die südlichen Abstürze der uns schon bekannten Vedretta Marmolata und des Sasso Vernale, der höchsten und begletscherten Dolomite an den Grenzen von Fassa.

Botan. Pinus mughus und pumilio, Carex ferruginea, firma; in den Schluchten: Salix retusa, reticulata, Azalea procumbens, Silene acaulis, Saxifraga caesia, mixta, Gnaphalium leontopodium, Achillea Clavenae, Paederota Bonarota, Nigritella angustifolia, Potentilla nitida, Veronica aphylla, Primula Auricula, Meum Motellina, Juncus triglumis, Sedum atratum, Potentilla aurea, Pedicularis rostrata,

Euphrasia minima, Hutchinsia alpina, Draba aizoïdes, Cardamine alpina, Hieracium aureum, alpinum. Aster alpinus, Erigeron alpinum, Chrysanthemum alpinum, Lycopodium selaginoïdes, Senecio abrotanifolius. Unter den Lichenen an den Kalkfelsen zeichnen sich aus: Cetraria cucullata, Cenomyce vermicularis. Von der Sennhütte abwärts zwischen den Klippen: Lusiagrostis Calamagrostis, Moehringia muscosa, Phyteuma Halleri, Gentiana utriculosa, asclepiadea, Allium paniculatum, Saxifraga autumnalis, Dianthus sylvestris, Acinos alpinus, Cytisus purpureus, Senecio Doronicum, Cirsium spinosissimum.

Von *Agordo* im einsamen Thale des *Cordevole* aufwärts folgen *Listollade, Faë,* wo die Strasse auf das rechte Ufer übersetzt, und *Cencinighe* (2453′), 241 H., 1522 E. Hier kommt von Westen der Bach *Biois;* seine Fluten bringen die Urfelsgeschiebe in den *Cordevole;* denn aufwärts fehlen dieselben, die schwarzen Porphyrgeschiebe abgerechnet, welche noch zwischen dem weissen Dolomitgerölle unter der klaren Decke des Wassers einen schönen Mosaikboden bilden, wie im Fassathal. Durch dieses Seitenthal, welches mehr bevölkert ist, als das Hauptthal, führt ein stark besuchter Weg über *Forno (Pieve) di Canale* (3089′), 217 H., 1331 E., und *Falcade* in die Urgebirgs- und Porphyrstöcke des Fassathales. *St. Pelegrin* ist das Joch, welches das jenseitige *Pelegriner Thal* von dem diesseitigen *Bioisthal* trennt. Bei *Moëna* erreicht man auf diesem Wege das Fassa-Fleimser Thal. Für den Geognosten möchte dieser Weg von besonderem Interesse sein. Der Boden besteht aus rothem Sandstein, dann geht es von Falcade über den Quarzporphyr, rechts hat man Kalkberge, mit Ausnahme des *Monte Pezza*, welcher dem Melaphyr angehört. Im Süden baut sich aus Kalk und dem grauen doleritischen Sandstein der Melaphyrberg *Cima di Papa* (7944′) auf, ähnlich dem nun folgenden Cimone.

Von *Cencinighe* aus wird das *Cordevolethal* wieder so eng, dass die Strasse hier aufhört und man nur auf Gebirgswegen in das obere Thal gelangt. Der eine derselben steigt links hinan in ein Seitenthal nach *S. Tomaso* (2586′), 165 H., 1027 E., welcher nördl. durch mehrere Bergübergänge mit dem oberen *Cordevole* zusammenhängt. Der andere wurde schon oben erwähnt und führt von *Listollade* durch *Corpassa* unter dem *Montalto* vorüber jenseits hinab nach *Alleghe*, mit Caprile 173 H., 1147 E., am östlichen Gestade des *Alleghesees* (3164′), welcher 1 St. lang das

Thal des *Cordevole* bedeckt. Dieser See entstand durch einen furchtbaren Bergsturz, welcher sich am 11. Januar 1772 um Mitternacht ereignete. 3 Dörfer, *Riete, Fusina* und *Marin*, wurden unmittelbar durch die Trümmer des *Piz*, eines steil aufragenden Kalkberges, verschüttet; der See aber, welcher nun entstand, verschlang noch das ganze Dorf *Peron*. Zum Glück waren viele Einwohner abwesend und nur 48 verloren ihr Leben. Aber den 1. Mai desselben Jahres erneuerte sich der Sturz; die Steinmassen stürzten in den See, dessen Fluten mit solcher Heftigkeit in die Höhe getrieben wurden, dass *Soracorderole, Sommarica, Costa* und selbst das über 100' über dem Boden liegende *Alleghe* überschwemmt und die beiden ersten Orte ganz weggespült wurden. Viel mehr Menschen, als das erste Mal, verloren jetzt ihr Leben. — Hinter dem *Alleghesee* erreicht man in ⅔ St. rechts das Thal der *Fiorentina;* an ihr kommt nordöstl. herab die deutsche Grenze, zieht sich aber am *Cordevole* auf dessen linkem Ufer rechts sogleich wieder hinan, so dass Tirol hier eine nach Süden auslaufende Zunge bildet, welche mit dem Bergstock des *M. Frisolet* erfüllt ist zwischen *Cordevole* und *Fiorentina.* 2 Bergsteige führen durch dieses Thalgebiet links nach *Zuel*, dem letzten Tiroler Orte bei Ampezzo an der Boita, der andere rechts nach *S. Vito* an der Boita.

Wir betreten mit *Caprile* (3255'), gutes Wirthshaus bei Pezze, an der Vereinigung der *Fiorentina* mit dem *Cordevole*, wieder deutschen Boden und zwar *Buchenstein*, wie im weiteren Sinne das Gebiet des *Cordevole* heisst, so weit es zu Tirol gehört. Die Bevölkerung ist der Ennebergischen ähnlich und nährt sich von Viehzucht und Holzverkauf. Rechts im Seitenthale der *Fiorentina* liegt der Tiroler Grenzort *Col di Santa Lucia* (4684'), 695 E., merkwürdig wegen der Ueberreste eines Freskogemäldes, welches Tizian einst aus Dankbarkeit wegen gastlicher Aufnahme bei einer Durchreise an die äussere Mauer des Widums malte; die spätere Barbarei übertünchte es und nur mit vieler Mühe gelang es, wieder etwas aus der rohen Hülle hervorzubringen. Hier gedeiht noch treffliches Getreide mit Ausnahme des Weizens, während sich in Wäldern die Lärche einfindet. Fichten und Lärchen kommen hier bis 6309' vor. Die Gemeinde zerfällt in 3 Abtheilun-

gen: die *Regola grande*, *Regola di Mezzo*, *Regola Possalz*. Zur
ersten gehört das Dorf *Col di Sta. Lucia* oder *Villagrande*. Im
letzteren sind 2 Wirthshäuser, 3 Jahrmärkte. Hier quillt gegen
Caprile hin eine sehr starke Schwefelquelle, *Valliate* genannt,
Schwefelwasserstoffgas in grosser Menge, viele Kalkerde, schwe-
felsaures Natron und Bittersalz führend. Leider wird sie aus
Mangel eines Unternehmers selbst von Landleuten wenig benutzt.
Der Bodensatz ist ein weissgrauer, gelblicher Schlamm, ähnlich
dem von Abano.

Westl. von *Caprile* öffnet sich ebenfalls ein Seitenthal, ganz
im venezianischen Gebiete. Es zieht zu dem höchsten Gebirgsstock dieser Alpen hinan, zu den furchtbaren Wänden der *Vedretta Marmolata* (11,055′), des *Sasso Vernale* (9493′) und *Val
fredda* (9401′), deren zum Theil weitgedehnte Eislager sich nordwärts nach Tirol hinabsenken, da südl. die Abstürze senkrecht
sind. Durch dieses Thal führen 2 Steige: links unter dem *Sasso
di Val fredda* nach St. Pelegrin, rechts unter den Abstürzen der
Marmolata zum *Fedajasee*, von wo man rechts nach *Pieve* in Buchenstein, links über ein ödes Joch an dem Nordrande der Gletscher der *Marmolata* zu den Quellen des *Avisio* im obersten
Fassa gelangt.

Von *Caprile* bringt der Weg auf der östlichen Tiroler
Seite des *Cordevole* über *Ruraba* nach *Larzonei*, über welches sich
der *Monte Pore* erhebt mit weithin herrschender Aussicht. Bei
Saltest kommt rechts der *Bach von Andraz* herein und hiermit
tritt auch links von dem Eisrande der *Marmolata* Tirol herab an
den *Cordevole*. Rechts steigt das Thal von *Andraz*, im engeren
Sinne *Buchenstein* genannt, links, getrennt durch den *Col di Lana*
(7884′), das oberste *Cordevolthal*, *Livinalonga*, hinan.

1) *Andraz* oder *Buchenstein*. Das Thal ist sehr eng und
steigt, in der Tiefe von Wäldern umschattet, höher hinan, am
Ostabhang des *Col di Lana*, angebaut und bevölkert, zu oberst
umstarrt von kahlen Felsen. In einer kleinen Erweiterung liegt
das Dörfchen *Andraz* (4512′). Auch hier hat sich schon der Handel mit Versteinerungen angesiedelt, welche man auf dem Wege
nach St. Cassian findet. — *Andraz* ruht auf Kalk. ¾ St. davon
ragt auf hohem, durch eine tiefe Kluft getrenntem, Felsen links

am westlichen Abhang die einst trotzige Feste *Andraz* oder *Buchenstein* (5681'), halb zerfallen, theils noch bedacht, kaum noch
auf morschen, schwankenden Balken zugänglich, einst der Sitz
der Herren v. Buchenstein, weshalb das ganze Gebiet diesen Namen trägt. Dieses kam schon frühzeitig als Geschenk der deutschen Kaiser an die bischöfliche Kirche von Brixen, vereint mit
dem kleinen Gerichte Thurn an der Gader. Diese vergab Buchenstein als Lehen an die Herren v. Rodank und zwar deren Seitenzweig, den Schöneckern, welche es dem Venezianer Jakob von
Guadagnino verkauften. Dieser verweigerte der Kirche von Brixen, wie dem Kaiser Karl IV., alle Lehenspflicht, so dass letzterer seinem Hauptmanne zu Belluno und Feltre, Konrad Göbl von
Brünn, den Befehl ertheilte, den Widerspenstigen aus allen seinen Besitzungen zu treiben, was er auch in kurzer Zeit glücklich
ausführte und als Belohnung Andraz und sein Gebiet erhielt, während das übrige an Brixen zurückfiel. Durch Kauf kam bald
darauf auch Andraz wieder an Brixen, und bischöfliche Haupt-
leute verwalteten die Herrschaft. Wie Enneberg und Sonnenburg
von hier aus durch den Bischof Nikolaus von Cusa und von dessen Hauptmann Gabriel von Prack mishandelt wurden, ist oben
erwähnt (S. 290). — Avena alpina, Orobanche lutea. — Ueber
Andraz, an der Grenze gegen Enneberg, waren einst wichtige
Eisengruben, deren Erzeugniss, weil es mit dem brixnerischen
Wappen, einem Lamme, bezeichnet war, unter dem Namen ferro
d'agnello in Italien sehr gesucht wurde. Noch sieht man auf der
Alpe *Valparola* die Trümmer des Bergbaues[1]). Zwischen dem
Thale *Andraz* und dem anderen Hauptthale des Gebietes *Livinalonga* erhebt sich der *Col di Lana* (7884'), auf dessen unterer Stufe
man, aus *Andraz* kommend, herum nach *Livinalonga* wandert.
Auf diesem Wege hat man eine sehr schöne Aussicht das Cordevolethal hinab und auf den blauen Spiegel des Alleghesees. Die

---

1) Sollte der Name *Buchenstein*, den man sich nicht erklären kann inmitten romanischer Namen, nicht so viel heissen als *Böckstein* (in Gastein)? Die
frühere Schreibart war Puchstein, Pocharn, wie dort Pochart, *Pochste n*, wegen
des Pochwerkes. Bergmännische Ausdrücke sind meist aus der deutschen Sprache
in andere übergegangen.

Gebirgsart, auf welcher der Weg hinführt, ist kalkig mergeliger Schiefer, der fast senkrecht steht.

2) Der westliche Thalzweig, *Livinalonga*, ebenfalls *Buchenstein* genannt, ist ein tiefer Einschnitt im Gebirge, dessen Seitenwände in der Tiefe so zusammen treten, dass fast nur der *Cordevole*, und oft dieser kaum, Platz findet, um seine Wogen hindurch zu drängen. Die Wände selbst bieten den schönsten Wechsel. Auf der Sonnseite des Thales liegen auch auf dem kleinsten Absatze niedliche weisse Häusergruppen mit ihren Fluren, darunter und darüber Wald, der sich in die grünen Matten der Höhe verliert. Denn trotz der hohen Lage baut *Buchenstein* Roggen und Gerste nicht nur für sich, sondern auch zur Ausfuhr. Diese grünen Höhen scheinen jedoch nur das Fussgestell der weissgrauen Dolomite zu sein, welche ringsum darüber in den blauen Aether aufzinken. Der Hauptort von ganz *Buchenstein* ist *Pieve* (Kirchdorf) *d'Andraz* (4512'), 211 H., 2142 E. Die Kirche hat einen hohen gothischen Thurm. Im *Finagerischen Gasthause* gutes Unterkommen. Sehr lohnend ist der Ausflug auf den *Col di Lana* (7884'); denn dies ist der Mittelpunkt der hiesigen Gebirgswelt. Von dieser Seite erscheint er als eine oben abgerundete Masse, aus rothem Mergel, schwarzen sedimentären Tuffen (doleritischem Sandstein) und Melaphyrconglomerat bestehend. Seine grüne Decke wird gegen Pieve von mehreren Felsenabsätzen unterbrochen. Man steigt über steile Abhänge, dann über die Schichtenköpfe in einer Schlucht empor, welche dem bei *Pieve* gelegenen Dörfchen *Livine* durch ihre Lawinen den Namen gegeben haben soll. Man zählt 3 Hauptlawinengänge am *Col di Lana*: der erste geht durch die Schlucht des Kirchenbachs an *Livine* (*Livinalonga* im engeren Sinne) vorüber, der zweite und grösste zwischen *Livine* und *Brenta*, für *Livine* am gefährlichsten, und der dritte, der kleinste, aber fast noch gefährlicher durch die Steilheit und Höhe des Sturzes, zwischen *Livine* und *Troi*, wo in der Christnacht 1794 das Haus Rone mit 29 E. begraben wurde. Noch zerstörender sind die Windlawinen. Wegen des steilen Anstieges der grünen Decke und der dieselbe unterbrechenden Abstürze ist bei der Besteigung einige Vorsicht anzuwenden. Nach 2¼ St. erreicht man den Gipfel, und wird hier durch den nördlichen Absturz über-

rascht, welcher einen Halbkreis bildet und einem halbzerstörten
Erhebungskrater gleicht, der nach Norden geöffnet ist. Hier
steht ein eisernes Kreuz. Auch in malerischer Hinsicht lohnt die
Ersteigung ausserordentlich. In der Nähe liegt ganz Buchenstein,
von Araba bis hinab zum Spiegel von Alleghe, überdunkelt vom
Montalto; aus der nächsten Tiefe spiesst der Kirchthurm von
Pieve empor. Jenseits des Cordevole lagern eine Menge freundlicher Häusergruppen, welche ein breiter Gürtel von Bannwäl-
dern gegen den Absturz der Lawinen schützt. Auch hier ragt der
Eiskamm der Vedretta Marmolata hoch über die anderen Berge
auf. Nach Südost reicht der Blick weit hinab über die Kalkge-
birgsketten von Agordo und Belluno; eine scheint die andere zu
überragen. Ob über und durch diese Ketten hin die Adria sichtbar ist, wie behauptet wird, möchte zweifelhaft sein. Herrlich
ist der Blick nach Westen und Osten, auf die sich daselbst majestätisch erhebenden Dolomitkofel. An die Zackengipfel von Ampezzo reihen sich nördl. die Hörner und Wände des Hexenfelsens
und Kreuzkofls in Enneberg; durch eine Lücke dieser Kette
leuchten aus grösserer Ferne die Gletscherberge von Antholz herein, gegen Nordwest die Felsrippen von Wolkenstein und der ungeheure Dolomitstock der Sella oder Boé. Gerade nach Norden
zwischen diese grauen starren Riesen hat sich das grüne Enneberg gebettet, im fernsten Hintergrunde überglänzt von dem Eiskranze des Zillerthales.

Von *Pieve* im Thale aufwärts kommt man über das kleine
Oertchen *Livine* nach *Corte*, 119 H., 746 E., von wo rechts ein
interessanter Uebergangsweg nach *Corvara* und *St. Cassian* in Enneberg führt. Durch eine Thalöffnung, in welcher *Cherz* liegt,
betritt man auf diesem Wege wieder den mehrerwähnten schwarzen Sandstein. Durch ein Waldthal steigt man hinan auf die Alpen des *M. Zissa*, *Set Sass* (8096'), wo sich links der Pfad nach
Corvara abzweigt; weithin dehnen sich die Matten aus, noch umsäumt vom Schwarzgrün des Nadelholzes und überragt von den
kahlen Dolomitpfeilern der weiten Umgegend; besonders majestätisch erhebt sich der hier breite, ganz begletscherte Rücken
der Marmolata über alle seine Nachbaren. Das Steigen über einen
Höhenabsatz nach dem anderen dauert ziemlich lange. Auf der

Höhe überrascht der Blick nordwärts über ganz Enneberg, zwischen seinen Dolomitwänden hinab ins Pusterthal und die Eiskette des Zillerthales. Auf diesem *M. Zissa*, gegen den *Col di Lana* hin, und zwar besonders nach *St. Cassian* hinab, findet man die schönen, kleinen, sehr gut erhaltenen Versteinerungen, wo nur irgend der Regen den mergeligen Boden auswäscht, besonders in Wasserrissen (s. St. Cassian in Enneberg, S. 296). Von Pieve nach St. Cassian 4 St. — Im Thale oder vielmehr an dessen Nordwand zieht der Weg thalaufwärts in 1 St. nach *Troi*, in einer wegen seiner Bergbrüche unsicheren Gegend. Es ereigneten sich solche 1699, 1736, 1827 und 1843. Ueberall ist der Boden geborsten und aus unheimlichen Tiefen quillt Wasser hervor, welches neue Gefahren droht. Der nächste Ort ist *Corte*, 5 H., 88 E. Gleich darüber die schöne Wallfahrtskirche *Maria Schnee* (Madonna della neve). Die Häusergruppe jenseits des Thales an der schattigen Südwand ist *Ornella*, 21 H., mit der Sebastianskirche. Sehr gute Alpen, welche sich bis an das weite Eisgefilde der *Marmolata* ziehen. Die Sage erzählt die Entstehung dieses grossen, von Süden nach Norden herabhängenden, Gletschers. Ein Frevler führte gegen das dritte Gebot am Feste Maria-Himmelfahrt Heu ein; als er fertig war, spottete er der Mutter Gottes, dass sie es nicht habe wehren können. Da umzog furchtbares Schneegewölk den gewaltigen Berg und verbreitete Nacht und Finsterniss umher. Als es sich wieder aufhellte, war alles weit und breit unter thurmhohem Schnee begraben, und die schöne Wiese erglänzte im ewigen Winterkleide der blauen schrecklichen Fernerpracht. — Der Ferner ist sehr zerklüftet und schwer zugänglich. Im J. 1804 versuchte der Geistliche Joh. Terza eine Ersteigung, stürzte aber in eine Kluft, aus welcher er, trotz aller Anstrengung, nicht wieder herausgezogen werden konnte.

Der letzte Ort des Thales, 2½ St. von Pieve, ist *Araba* (5058'), 42 H., 235 E., in einer etwas weiteren Gegend, aber umragt von hohen Dolomiten, namentlich der *Sella* oder *Boé*, welche das oberste Quellengebiet des *Cordevole* spaltet. Der *Boébach*, welcher bei *Araba* in den *Cordevole*, hier auch *Arababach*, mündet, ist als eine Art Barometer merkwürdig. Wild brausend,

verkündet er ein Donnerwetter einen ganzen Tag vorher; bleibt
er aus, dann bleibt das Wetter heiter. Hier mag die einzige
kleine Thalebene in Buchenstein sein. Das Klima ist rauh, im
Juni noch der Schnee. Von hier führt ein bequemer Saumweg
über den Pass *Pordoi* (7082') in 3½ St. nach *Canazei* und *Alba*
(4884') im obersten Fassathale, dicht an den Eislagern der *Ve-*
dretta Marmolata vorüber. Ein anderer Jochweg bringt über die
Alpe *Campo longo* in 2¾ St. nach Corvara in Enneberg.

Geolog. Ganz Buchenstein gehört der Trias an, von den Schichten von
Seis bis zum Dachsteinkalk und Dolomit hinauf, in der Thaltiefe der untern Trias,
der auch die Schichten mit Ceratites Cassianus bei S. Johann angehören, während Dachsteinkalk und Dolomit die randlichen Höhen bilden; von grosser Ausdehnung sind die sedimentären Melaphyrtuffe der Cassianerschichten, aus denen
sich der kraterähnliche Col di Lana, freilich kein Krater, aufbaut. Sie setzen
einerseits über den Pass der Strada degli tre Sassi nach Ampezzo hinüber fort,
andererseits nach Enneberg und Gröden. — Flora. Ranunculus Seguierii.

Die Besteigung der *Vedretta Marmolata* (11,055' K.,
10,650' Grohmann) ist seit 1860 von dem Engländer Ball, Dr. v.
Ruthner und D. P. Grohmann aus Wien mehrmals versucht und
dem letzteren auch am 28. Septbr. 1864 vollständig gelungen.
Derselbe hatte bereits im Juli 1862 von *Caprile* aus, mit Pelle-
grini aus dem benachbarten Rocca als Führer, den östlichen niedrigeren Gipfel (10,648' △) erstiegen, der von dem westlichen
durch eine Senkung des verbindenden Grats getrennt ist, welcher
steil gegen Süden abfällt. Nach vorgängiger mehrmaliger Recog-
noscirung der Zugänge zur höchsten Spitze setzte sich Dr. Grohmann, begleitet von Pierro Orsolina, Jäger aus Auronzo, und
den Führern Dimoy, von *Piere* in *Livinalonga* aus in Bewegung.
Uebernachtet wurde in *Fedaja* und von da früh 6½ Uhr zuerst ein
grünes Rasenfleck auf der Schulter des *Piz Fedaja* in 1 St. erstiegen. Hier begann die Gletscherwanderung in westlicher Richtung und durch eine tiefe Kluft, welche die ganze Mulde durchsetzt. Die Festigkeit des Firns durch Frost begünstigte das Unternehmen, um 9¾ Uhr war die westliche Wand der Mulde, 48 Min.
später der höchste Gipfel erstiegen. Der Blick trifft im Süden auf
den Sasso Vernale, S. di Val fredda, Camorzera, den spitzigen
Vernal, den Colatsch; westl. und nordwestl. den Rosengarten,
Schlern u. s. w.; nordwestl. und nördl. den Langkofl und Boè;

östl. von der breiten Thalfurche des Enneberg den Kreuzkofl, die
Cruppa rossa (Hohe Geisl), die 3 Tofanen, den Cristallo, die
Sorapiss, den Antelao, den Pelmo, die Civetta; näher den Zug
des Capello, weiter östl. den Col di Lana und den Zug des Nuvo-
lan. Unter den venezianischen Alpen sah G. noch einen Gipfel,
dessen Namen er nicht ermitteln konnte, dessen Höhe er aber der
der *Marmolata* wenigstens gleich schätzte. Der ganze Gesichtskreis vom Gipfel derselben erstreckt sich von der Hochalmspitze
im N.O. bis zum Adamello im S.O. und umfasst die Glockner-,
Venediger-, Zillerthaler-, Stubayer-, Oetzthaler- und Ortelergruppe. Der Rückweg ward kurz vor 1 Uhr angetreten, in 2¼ St.
Fedaja und um 6¼ Uhr *Pieve di Livinalonga* erreicht. (Vergl.
Jahrb. d. Alp.-V. I, S. 337 ff.)

Von *Mel* aus im Thale der *Piave* kann man sogleich links
gehen, südl. über die 5000' hohe Bergkette *Monti d'oltre Piave*,
welche vom Canal di Santa Croce in südwestlicher Richtung, parallel mit dem jetzigen *Piavethale* bis zu dessen Durchbruch durch
diese Kette bei *Valdobiadena*, zieht. Der Steig führt zuerst über
Conglomerat, dann über Flötzkalk, dessen Schichten gegen Nordost ansteigen und zuletzt über derben Kalk, dessen zackig ver-
witterte Felsenmassen die Höhe bilden. Man steigt sogleich von
Mel eine Höhe hinan und wandert auf einem Rücken zwischen
2 kleinen Thälern aufwärts zu einem flachen Hochthale, welches
den Bergrücken oben durchschneidet und *Pra de Radego* heisst.
Es ist hier eine Alpe und ein Wirthshaus, aber sehr schlechtes
Wasser. Am südlichen Austritte aus diesem Thalkessel wird man
durch eine schöne Aussicht überrascht. Zwischen den hohen und
wilden Felszacken der nächsten Umgebungen blickt man hinab in
ein tiefes, dunkeles Thal. Auf den Vorbergen glänzt das Schloss
der Brandolini, darüber die Höhen und Hügel von St. Salvator,
Conegliano und des Montello; der duftige Schleier der Ferne
überzieht die Ebene bis zum Meere. Zum Theil an schauerlichen
Wänden und Abgründen windet sich der Pfad hinab in das Thal
von *Mareno.* An Pflanzen findet man Salix Wulfeniana, Galium
purpureum, Dianthus silvestris, Potentilla caulescens und Scabiosa graminifolia. Der alte Flecken *Mareno*, 229 H., 1503 E.,
die gze. Gem. von 3 Orten 416 H., 2735 E., selbst liegt in einem

30 *

schönen Gebirgsthal, welches bald darauf bei *Follina*, einem betriebsamen Flecken, in das Thal des *Soligo* mündet. Dieses Thal liegt parallel mit dem Piavethal und wird im Norden durch die eben überstiegene Bergkette, im Süden durch eine niedrigere, aus Conglomerat und Kalk zusammengesetzte, Parallelkette begrenzt. Der *Soligo* selbst entspringt aus dem bedeutenden *Hochsee von Nogarole*, fliesst südwestl., durchbricht aber von *Follina* an, parallel mit der *Piave*, die niedrigere Bergkette; die vordersten Höhen umschatten Cypressen. Nach seinem engen Austritte bei *Soligo*, 148 H., 950 E., ergiesst er sich in die durch den *Montello* wieder südostwärts getriebene *Piave*, unweit *Conegliano*.

Das Thal der Piave (Fortsetzung).

Von *Mel* an erweitert sich mit dem Eintritte des *Cordevole* das Thal der *Piave* bedeutend, und der Strom theilt sich auf seinem weiten Kiesbette in mehrere Arme. Links erheben sich die eben überstiegenen Berge, rechts dagegen breiten sich ziemlich weite Flächen bis an das höhere Gebirge aus. Durch sie zieht die rechtseitige *Piavestrasse*, diesen Fluss verlassend, nach *Feltre*, 908 H., 4742 E., die gze. Gem. in 15 Orten 1698 H., 11,076 E., einem Städtchen, welches einst, bevor Valsugana an Tirol kam, durch seinen Handel blühte, dann aber durch die Anlegung einer Strasse durch Valsugana, welche Max I. bauen liess, herab kam. Kathedral-Kapitel und das älteste Leihhaus Europa's. Westwärts steht das Thal der *Sonna*, in welchem *Feltre* liegt, durch eine äusserst flache Wasserscheide bei *Arten* und durch eine Strasse mit dem *Cismone*, welcher zur Brenta geht, zusammen, so dass die Republik Venedig einst den Plan hatte, den *Cismone* herüber in die *Piave* zu leiten, was vielleicht wirklich sein früherer Lauf war, und die *Piave* wieder durch den Canal von Santa Croce zu führen. — Auf der *Piave* selbst kommt man an *Cesana* vorüber, 45 H., 316 E., die gze. Gem. in 6 Orten 384 H., 2637 E., von wo sich der Fluss gerade südwärts wendet und wieder in die Bergwelt eindringt.

Flora der Vette di Feltre: Ranunculus Thora, Geum reptans, Potentilla nitida, Alyssum Wulfenianum, Petrocallis pyrenaica. Cochlearia brevicaulis, Silene uniflora, alpestris, Fachinia lanceolata, Arenaria Arduini, Cerastium tomentosum, Asperula taurina, Homogyne discolor, Campanula Morettiana, Scorzonera purpurea, Androsace villosa, Paederota ageria, Lloydia, Avena sempervirens.

Bei *Celarda*, 38 H., 275 E., schliesst sich plötzlich das Thal,
welches nun die Kalkkette der *Monti d'oltre Piave* 4 St. lang von
Norden nach Süden durchbricht. Merkwürdig ist in dieser Strecke
die ausserordentlich unregelmässige Schichtung des Flötzkalkes;
die Schichten streichen nach allen Gegenden, treffen unter allen
Winkeln zusammen, stehen bald senkrecht, bald lagern sie sich,
vielfach gewunden, halbkreisförmig über und um einander. Mitten in dem Engpasse, welcher jedoch in seiner Wildheit nicht den
Engen der oberen Piave und des Cordevole gleichgestellt werden
kann, liegen die Trümmer zweier alter Burgen, welche einst diesen Pass vertheidigten, nämlich *Castelnovo* und *Vas*, 57 H., 408 E.,
die gze. Gem. 152 H., 1088 E. Oberhalb *Vas* kommt rechts die
Sonna von *Feltre* herab und mit ihr eine Strasse, so dass von da
an wieder auf jeder Seite der *Piave* eine Strasse durch die Engen
hinabzieht. Die Gegend wird einsam und waldig, im Gegensatze
der nahen Ebene. Noch einmal rücken die Wände näher, rechts
der *Monsumera*, links der *Monte Cimion;* dann breitet sich eine
schöne, wohlangebaute Fläche aus, der Anfang der grossen
Ebene; gerade im Süden erheben sich aus derselben die reizenden Hügel von *Asolo*, einst eine bedeutende römische Stadt, nach
den Ueberresten einer Wasserleitung und vielen anderen aufgefundenen Alterthümern zu schliessen; später der Wohnsitz der
Katharina v. Lusignan, gewesenen Königin von Cypern, welche
hier einen glänzenden Hof hielt. *Pagnau*, 159 H., 843 E. Schon
glaubt man die Oeffnung des Piavethales vor sich zu haben, allein
der Strom sendet nur einen Arm nach Süden hinaus, die *Brentella*,
während er selbst auf den flachen Rücken des *Montello* stösst, eine
Düne, welche sich einst aus dem Kampfe des Meeres mit den anstürmenden Wogen des Cordevole oder der Piave hier aufbaute.
Die Höhe ist äusserst flach, gegen 3½ St. lang und lagert sich
quer vor die Ausmündung des *Piavethales*. Berühmt war sie zur
Zeit der Republik, wo ihr prächtiger Eichenforst das Magazin der
Seemacht war, weshalb er sehr geschont wurde. Berühmt war sie
aber auch den Gutschmeckern wegen des prächtigen Kaiserlings
(Amanita caesarea), eines grossen pomeranzenfarbenen Schwam-
mes, den schon Roms Kaiser zu schätzen wussten. Nichts erregt
ein eigenthümlicheres Gefühl, als hier auf der vielarmigen, blauen

Piave, an dieser Eichenwildniss hinzugleiten, aus welcher nur
dann und wann die Axt des Holzbauers hervortönt, ein Anblick,
welcher der nahen gartenähnlichen Fläche Italiens völlig fremd
ist; wendet man den Blick links, so breiten sich jene wohlangebauten Flächen gegen Soligo und Conegliano aus.

Vom *Montello* abgestossen werden die Fluten der *Piave* nach
Nordosten getrieben. Bei *Falce*, 124 H., 786 E., brechen sie
sich durch die Brecciahügelkette nach Südosten zum letzten Mal
eine Bahn. Hier landen auch die Flösser (zatteri), nachdem sie
den Weg von Belluno hierher auf der Piave, beinahe 16 St., in
6 St. zurückgelegt haben. Einen einzigen Genuss kann sich von
hier aus der Reisende verschaffen, wenn er die eine der ihn noch
vom flachen Lande trennenden Höhen gegen *S. Salvator* zu ersteigt, besonders an einem schönen Abende; dann liegen *Conegliano* und *Susegana* im glühenden Rothe der Abendsonne tief
unter ihm, malerische Hügel mit Oliven, Rebengewinden und
lieblichen Landhäusern bilden den Vorgrund; ein Purpurschleier
bedeckt den fast unabsehbaren Garten Italiens, aus dem nur die
zahllosen Villen, Dörfer und Städte herausschimmern, und was
alles überbietet, der Löwe von St. Marcus glänzt herüber mit seinen glänzenden, elegischen Palästen, und über alles hin schimmert das heilige Meer. Rechts in der Nähe der dunkel umschattete Montello, darüber das Siebengebirge Italiens, die Euganeen;
im Rücken die ganze Linie der Alpen vom Nanas bei Triest bis
zu den westlichen Abstürzen jenseits des Gardasees. Nächst Rom
möchte gewiss in Italien keine Stadt die Einbildungskraft mehr
aufregen als Venedig, daher die Sehnsucht nach dem Anblick dieser Städte nicht bloss eine müssige Neugier ist; sie ist geweiht
durch die Geschichte.

Geologie des *Piavegebiets*. Das Piavegebiet umfasst mehrere, in Bau
und Zusammensetzung von einander abweichende, Reviere. In Nordwesten,
von den Grenzen des Gader- und Fassathals im Westen an bis zur Boita im Osten,
südwärts bis zu dem Thonschiefergebirge von Agordo, wiederholen sich Zusammensetzung und Bau des Gaderthales. Vom bunten Sandstein bis zu den Schichten von St. Cassian zeigt die Trias völlige Uebereinstimmung, finden sich die Ver-
steinerungshorizonte der Seiser- und Campilerschichten, die der Halobien- und
St.-Cassianerschichten vertreten; die Halobienschichten, zu denen wohl auch an
der Cima di Papa in N.W. von Agordo basaltähnliche schwarze Bänke, wie an
der Gader unter St. Leonhard, gehören könnten, bilden die Unterlage für die

*

sedimentären Tuffe der St.-Cassianerschichten, welche in plateauförmiger Ausbreitung die mittleren Höhen bilden, überragt von mächtigen Kalksteinen und Dolomiten, zum Theil wohl Dachsteingebilden, die theils als einzelne hohe Felsinseln, Kofel, von denen die südlichen des Monte Agnes und Palle di Lucano, vielleicht auch aus Schlerndolomit bestehend, mit denen des Fassathals wetteifern, zum Theil in von einander getrennten langen Felsrücken sich über ihnen erheben. Was Fuchs auf seiner verdienstvollen Karte der Venetianer Alpen als Cephalopodenkalk angibt, dürfte wohl meist den Wenger- oder Buchensteinerkalken angehören; in den rothen Mergeln (Liassandstein — Fuchs), die im Süden den Fuss der Kalk- und Dolomithöhen des Monte Pelmo (im Norden von Zoldo) umringen und ebenso S. Tomaso gegenüber an der östlichen Wand des Cordevolethales unter dem Kalk erscheinen, hat man die Vertreter der Raibler-, hier auch die Schichten von H. Kreuz zu suchen. Die Horizonte, welche die Hauptleiter zur Orientirung in diesem Gebiete bilden, sind als tiefstes triassisches Glied der bunte Sandstein und als oberes die Schichten von St. Cassian. Den **bunten Sandstein** und die Seiserschichten können wir als einen fortlaufenden schmalen Saum, der die Thonschiefergebirge vom Kalkgebirge trennt, von Agordo über Voltago und Frassene südwestl. verfolgen, während er in grösserer Breite von Agordo nordöstl. gegen den Duronpass und fast ostwärts zum Fuss des Monte Moscosin fortsetzt. Von Agordo an hat Fötterle den Sandstein auf einer Linie über Zoldo, Perarolo und Pieve bis Lorenzago nordöstl., von da bis Tolmezzo ostsüdöstl., hier den Kärntneralpen parallel streichend, verfolgt. Ein zweiter Hauptzug des bunten Sandsteins zieht von der Grenze des Monzonsyenits über dem Pelegrinethal hin durch das Bioisthal nach Cencenighe in Cordevole. Er tritt nicht allein hier als die tiefste sichtbare Unterlage in dem tiefern Thalgebiet des Bioi auf, sondern ist bis tief in alle Schluchten der Nord- und Südseite unter dem Kalk aufgeschlossen. In der Tiefe des Cordevolethales reicht er bis gegen den Lago d'Alleghe, kommt wieder unter Caprile und zwischen Caprile und Buchenstein vor. Die **sedimentären Tuffe** (doleritischer Sandstein, Fuchs) mit ihren Kalksteineinlagerungen in schwachen Bänken und ihren Versteinerungen, sieht man bald als Fetzen einer allgemeinen Bedeckung, bald in weiterer Ausdehnung, auch hier vielfach den Plateaucharakter auf mittlerer Gebirgshöhe behaltend, wie im Gebiet der Seiseralpe: so um die Cima di Papa und um den Monte Cimone im Süden des Bioisthals, über dem See von Alleghe, bei Caprile und von da gegen Buchenstein; in grösster Ausdehnung reichen sie aber von Caprile über die Fiorentinaschlucht und vom Passo di Duron bis auf die Höhen im Süden von Zoldo. Von doleritischem Sandstein bedeckten sogen. Cephalopodenkalk gibt Fuchs am Ost- und Nordabhang des Monte Ambrosion im Westen von Cencenighe, von Augitporphyr bedeckten am Monte Pezzo bei S. Tomaso, und zwischen Melaphyr und seine Conglomerate eingeklemmten am Ostufer des Lago d'Alleghe an. Hier darf man nach den Ammoniten von Wengen suchen. Vielleicht gehören hierhin auch die Cephalopodenkalke auf der Höhe des Monte Pelsa im O. von Cencenighe und die im Duronthal (im W. von Zoldo), wo es sich aus seinen Quellthälern vom Passo di Duron und der Mogazza sammelt. Von den **rothen Mergeln** über dem sogen. doleritischen Sand war oben die Rede; wie sie am Monte Pelmo auftreten, so finden sie sich nach Fuchs am Südwest- und Südrand des Felsamphitheaters um Zoldo, unter dem Kalk der Mojazza, über dem Passo di Duron und am Nordgehänge des Monte Sebastiano. Sie verdienen die Aufmerksamkeit des Geognosten. Vielleicht sind es auch Campilerschichten, wie sie von Richthofen unter dem, von ihm dem Schlerndolomit zugerechneten, Dolomit der mächtigen Vedretta Marmolata und des Sasso Vernale gefunden hat. Die Versteinerungen des Asträen- und Brachiopodenkalks von Fuchs, dessen isolirte Massen das Terrain der sedimentären Tuffe krönen, erwarten ebenfalls noch der Untersuchung. Fuchs gibt ihn an. auf den Höhen im Osten von S. Tomaso in Cordevole und den mit ihnen zusammenhängenden zwischen dem Passo di Duron und der Forcella d'Alleghe, welche die Thäler von Cordevole und des Mae Torrent trennen, auf dem Monte Pelmo und Monte Penna im Norden, Monte Sebastiano und Mezzodi im Süden von Zoldo. Ob sie nur den Dachsteingebilden entsprechen oder auch noch jurassischen Kalken angehören, erwartet die Entscheidung; der den Sedimenttuffen eingelagerte von Coi bei Brusadaz gehört offenbar den Cassianerschichten an. Ob die jurassischen Cephalopodenkalke, die bei Peutelstein erwähnt wurden, auch hier wirklich vertreten sind, vielleicht am Monte Pelsa, ist ebenso ungewiss. Zu diesen sedimentären Gebilden gesellen sich in ebenso weiter Verbreitung oder mächtiger Entfaltung die Eruptivgesteine des Augitporphyrs, zum Theil von Eruptivtuffen begleitet. Zahlreich sind die gangförmigen Durchbrüche durch die Triasgesteine. Als besonders interessant sind hervorzuheben das gangförmige Auftreten auf dem Passo di Duron im Osten von Agordo, die zahlreichen, nur 3—6' mächtigen Gänge, welche man am besten vom Passo d'Ombrettola aus den ganzen Kalkstock des Sasso Vernale durchsetzen sieht: der Lagergang von der lauchgrünen Pietra verde am unteren Gehänge des Monte Moscosin und die mächtigen Lager oder Gangmassen am Lago d'Alleghe. Wie gross die Störungen waren, welche diesen Bezirk betroffen, sieht man auch aus der Höhe, bis zu der die Campilerschichten an der Forca rossa, im Süden des Sasso Vernale, emporgehoben wurden, nahe 8000' nach Fuchs.

Der zweite nordöstliche Bezirk im Osten der Boita unterscheidet sich vom vorigen durch das Fehlen des Augitporphyrs und seiner Tuffe. Südl. des Thonschiefers und des ihn begleitenden bunten Sandsteins und dessen Fortsetzung nach Pieve di Cadore und weiter treten nach Fötterle die Glieder der unteren Trias nirgends zu Tage, bildet sogar nach ihm der Dachsteindolomit das tiefste aufgeschlossene Gebirgsglied. Er setzt hier den grösseren Theil des Gebirgs zusammen und macht die engen Schluchten, aus welchen die Bäche südwärts ins Bellunoer Becken hervorbrechen, so wild. Erst bei Longarone (Castel Lavazzo) trifft man auf Lias und zwar Ammoniten führenden Fleckenmergel, im Cordovolethal bei Peron auf weissen Oolith und darüber auf den rothen jurassischen Cephalopodenkalk, bedeckt von rothen und grauen Mergeln (Scaglia). Sie fallen steil südwärts gegen die Piave, während im Süden die Schichten wieder südl., aber sanfter ansteigen, die breite, von tertiären Gebilden erfüllte. Mulde des Val de Mel bildend. Im Süden kommen nach Catullo auch der Diphyakalk, Biancone und Scaglia vor; am Ostende der grossen Mulde von Belluno, an der Cima di Sa. Croce und, jenseits der alten Piaveschlucht, in den Bergen von Alpago und auf dem Bosco di Consiglio auch versteinerungsreicher **Hippuritenkalk** mit Hippurites cornu vaccinum u. a. Er bildet nach Fötterle einen von Valdobiadene bis Tolmezzo reichenden Streifen. Seine weissen, dichten und krystallinischen Gesteine werden von den jüngeren rothen und grauen Schiefern der Scaglia bedeckt. Im Innern des Gebirgs nördl. der Belluneer Mulde kommen auch jüngere Flötzsedimente über der Trias vor, so auf der Höhe des Campo torondo über der Ereraalp im oberen nordöstlichen Missgebiet der rothe, ammonitenreiche, jurassische Marmor, bedeckt von rothen Mergeln und grauen Kalksteinen. Wie ein Festungsgraben zieht das Val Marena und das enge wilde Folsthal des Lago morto und Lago di Sa. Croce um das Gebirge im Süden des Belluneer Beckens, die äussersten Höhen von ihm abscheidend. Im Becken von Belluno herrscht ein jüngeres hügeliges Sandsteingebirge, ein weicher feinkörniger Sandstein in Verbindung mit einem äusserst zähen dunkelgrünen Sandstein: beide sind reich an verkohlten Pflanzenresten und an marinen Zwei - und Einschalern, bedeckt werden sie von einem weichen Sandstein, der Coniferenstämme führt. Nach Catullo ist es eine eocäne Beckenbildung, mit einigen mitteltertiären Conchylien. Nach ihm kommt über dem unteren Sandstein auch Nummulitenkalk vor. Im äusseren Hügelland treffen wir wieder auf das Eocän, hier mit sicheren Nummulitengesteinen. Jüngeres Tertiär folgt nach aussen. Ihm gehört auch die mächtige Nagelflueablagerung an, die den Gebirgsrand von Conegliano bildet. — Ausserdem bietet das Piavegebiet von geologisch merkwürdigen Erscheinungen noch zahlreiche alte und neue Bergrutsche und Bergstürze, und wahrscheinlich grossartige Veränderungen im Lauf der Piave.

Orts - und Personen - Register.

Schaubach d. Alpen. 2. Aufl. IV.

32